중국의 과현 논쟁

-과학과 인생관

중국의 과현 논쟁

-과학과 인생관

이경환

|들어가는 말|

서양의 중세시대에 “철학은 신학의 시녀이다”고 말하였다. 이것은 그 당시 철학(이성)이 종교(신앙)에 억눌려 왔던 시대적 분위기를 나타낸다. 다시 말해 절대자 신을 중심으로 한 종교적 믿음/신앙이 진리의 절대적/보편적 기준이었던 암흑기의 상황을 보여준다. 그 결과를 분명히 보여주는 것이 테르툴리아우스(Tertullianus, 160~220)의 “나는 불합리하기 때문에 믿는다”라는 말일 것이다. 이것은 인간의 이성적 사유를 철저하게 파괴한 것이다. 그렇지만 서양은 르네상스를 지나오면서 종교적 억압에서 점차 벗어나 인간 개인의 자유, 이성, 합리성을 강조하게 되었는데, 그것은 신으로부터 인간의 해방을 의미하였다.

동양 사회 역시 마찬가지였다. 유교 문명권의 동양 사회의 정신을 지배했던 중국의 유학이라는 이데올로기는 마치 절대적 진리인 것처럼 행세하였다. 중국의 유학은 천명(天命)이라는 종교적 관념을 무기로 천하를 지배하는 질서로 삼았다. 그러나 이것은 어디까지나 아무런 근거도 없는 지배 이데올로기에 불가하였다. 천명과 같은 이데올로기는 존재하지 않기 때문이다. 다시 말해 동양이 되었든 서양이 되었든 이러한 지배 이데올로기는 결국 아무런 근거도 없는 매우 정치적인 허구 담론에 불과하다. 그렇지만 오늘날에도 이러한 지배 이데올로기는 여전히 큰 영향력을 발휘하고 있다.

오늘날 우리는 “철학은 과학의 시녀이다”고 말할 수 있는 시대에 살고 있다. 마치 과학만이 보편적/절대적 진리의 기준인 것처럼 생각하는 과학 만능의 시대에 살고 있는 것이다. 마치 과학이 인간의 모든 문제를 해결해 줄 것과 같은 기세이다. 그 결과 우리 인생의 문제마저도 과학을 통해 해결하려고, 해결할 수 있다고 하는 것 같다.

중국에서는 1923년 과학과 인생(관)에 대한 논쟁이 있었다. 이 논쟁 역시 과학과 인생(관)의 관계 문제를 논의한 것으로, 인생(관)의 문제를 모두 과학으로 해결해야 한다는 입장과 인생(관)의 문제는 과학으로 해결할 수 없다는 입장이 팽팽하게 대립하였다. 물론 그 결과는 그리 성공적이지 못하였다. 왜냐하면 이 논쟁의 성격, 과정, 내용이 그다지 합리적으로 진행되지 못하였기 때문이다. 오늘날에도 이 논쟁은 아직 해결되지 못한 채 이어지고 있다. 어쩌면 영원히 해결될 수 없는 논쟁이라고 말할 수도 있다. 그렇지만 이 문제는 사실 인간의 실존적 문제로 어느 시대에나 다시 제기할 수밖에 없는 우리 인간의 숙명과도 같은 인생의 근본 문제를 제기한 것이다.

분명한 한 가지 사실은, 이처럼 과학이 발전한 21세기에 과학에 관한 탐구를 하지 않고 인문학을 연구한다는 것은 많은 문제점이 있다는 것이다. 그렇지만 그렇다고 해서 과학만이 모든 문제 해결의 방법인 것처럼 생각하는 것 역시 위험하다. 최근 '인공지능'(AI)의 발전은 인간을 두렵게 만들고 있다. 더군다나 '일반인공지능'(AGI, Artificial General Intelligence)의 출현 가능성이 있다는 경고는 상황을 매우 심각하게 만들고 있다.

우리는 흔히 인생의 가치/의미를 묻게 된다. 아니, 그것을 묻지 않고 살아갈 수 없는 존재라는 것이 우리 인간의 본질적인 모습이다. 이것이 인간의 운명이다.

2024. 1. 2

‖ 목차 ‖

제1장 서양의 근대(성)

제1절 서양의 정치·경제 체제의 변화

제2절 유럽의 팽창주의

제1장 서양의 근대(성)

제1절 서양의 정치·경제 체제의 변화

서양 역사에서 19세기는 정치·경제적으로 제국주의/식민주의 침략의 극단화와 자본주의 경제 체제에 의한 약탈경제가 비약적으로 팽창하였던 시대였다. 이러한 서양 정치·경제 체제의 팽창은 세계적 식민체제를 낳게 되었다.

1. 정치 체제의 변화

서양문명의 2대 정신문화를 고대 그리스 헬레니즘과 종교문화의 헬레니즘이라고 말한다.

(1) 이념의 변화

고대 그리스 헬레니즘 문화에서 중요한 것은 민주주의 정치이다. 기원전 5세기 말엽 페리클레스(Perikles, 기원전 495년-기원전 429년) 집정 시기(기원전 462년-기원전 429년)는 "왕정에서 귀족정 체제를 거쳐 식민지 건설 시대에 시작된 민주정으로 나아가는 진화 과정"에 있었다.[1] 페리클레스는 누구나 균등한 방식으로 공직에 참여할 수 있도록 보장하기 위해 추첨제와 수당제를 도입했다. 그 임기는 1년으로 하였다. 그런데 이것은 대의제가 아닌 직접 민주주의였다. 그렇지만 이것은 시민권을 가진 사람들에게 해당한 것이다.[2]

서양 고대 사회를 '팍스 로마나'(Pax Romana)라고 부르는 것처럼, '그리스-로마 문명'이 절대적 지배 체제였다. 이 시기에 기독교는 전 세계적으로 확산하였다. 그 결정적 전환은 4세기에 이루어졌다.[3] 디오클레티우스(재위 284-305)는 로마를 동로마와 서로마로 나누었다. 그리고 313년 밀라노에서 두 황제 콘스탄티누스와 리키니우스는 밀라노에서 회동하여 기독교를 제국의 종교 가운데 하나로 인정하였다. 그리하여 로마제국은 기독교 제국이 되었다.[4] 콘스탄티누스 황제는 325년 니케아 공의회(Councils of Nicaea)를 소집하여 아리우스(Arius, 약 250-336)파의 이단에 반대하는 교리를 확정하였다. 로마 황제 플라비

1) 프레데리크 들루슈 편, 『새 유럽의 역사』, 윤승준 역, 까치, 2006, 60쪽.
2) 같은 책, 61쪽.
3) 같은 책, 98쪽.
4) 같은 책, 99쪽.

우스 테오도시우스(Flavius Theodosius, 347-395)는 392년에 가톨릭을 국교로 공인하였다. 이후 서양 사회는 황제권과 교황권이라는 이중적 지배 질서가 세워졌다.

서양문명의 중세사회는 그리스 학문의 퇴조와 그에 따른 철학과 과학의 쇠퇴라는 결과를 낳았다. 성 베드로 다미아노(Petrus Damianus, 1007-1072)는 "철학은 신학의 시녀이다"고 말하였다. 이것은 긍정적/부정적이라는 이중적 의미가 있다. 서양의 중세사회에서 종교는 언제나 세속 사회를 통제/구속하는 정신적 지주/족쇄였다.

종교학자 폴 틸리히(Paul Johannes Tillich, 1886-1965)는 '불안'의 세 가지 형태를 말하였다. 그는 고대를 '존재'의 불안, 중세를 '도덕'의 불안, 현대를 '정신'의 불안으로 정리하였다.

> 고대 문명 말기에는 존재의 불안이 지배적이었고, 중세 말기에는 도덕적 불안이 지배적이었고, 근대 말기에는 정신적 불안이 지배적이었다.[5)]

다음은 그 가운데 중세의 '도덕'의 불안에 관한 것이다.

> 만일 "불안의 시대"라는 이름을 붙일 만한 시대가 있다면, 그것은 종교개혁 직전의 시대와 종교개혁의 시대일 것이다. 정죄에 대한 불안은 "하나님의 진노(震怒)"로 상징이 되고, 지옥과 연옥(煉獄)에 관한 상상화(imagery) 때문에 더 무섭게 나타났다. 그리하여 중세 말엽에 산 사람들은 그들의 불안을 무마시키기 위하여 여러 가지 방법을 사용하게 되었다.[6)]

---

5) 폴 틸리히, 『存在에의 勇氣』, 玄永學 옮김, 展望社, 1986, 65쪽.
6) 같은 책, 67쪽.

제롬 바세의 말이다.

> 중세에는 이승과 저승을 따로 떼어 생각할 수 없었다. 지옥에 대한 두려움과 천국에 대한 소망은 신자 개개인의 행동에 영향을 미쳤다. 하지만 이 두 가지 극단은 신자들의 기대에 점점 못 미쳤으므로, 이를 보완하고 구세주의 선하심을 증명하기 위해 교회는 연옥과 고해와 면죄부를 고안해 냈다.7)

이상의 내용은 중세사회에서 당시 신도들이 얼마나 '죽음'과 관련한 공포/두려움을 가지고 있었는지 잘 보여준다. 그러나 종교란 본래 인간의 실존에 존재하는 '불안'을 바탕으로 형성된 것이다. 그러므로 인간의 이성으로 관찰하면 종교라는 것에는 매우 불합리한 요소들이 있을 수밖에 없다.

Q. S. F. 테르툴리아누스(Quintus Septimius Florens Tertullianus, 155-220)는 『그리스도의 몸』(De carne Christi)이라는 책에서 이렇게 말하였다.

> 신의 아들은 십자가에 못이 박혔다. 이것은 부끄러운 일이기 때문에 우리는 이것을 부끄러워하지 않는다. 신의 아들은 죽었다. 이것은 어리석은 짓이기 때문에 완전히 믿을 만한 가치가 있다. 그리고 그는 묻혔다가 부활하였다. 이것은 불가능한 일이기 때문에 확실하다.8)

---

7) 자크 르 고프 外, 『중세에 살기』, 최애리 옮김, 동문선, 2000, 66쪽.
8) 요한네스 힐쉬베르거, 『서양철학사-상권·고대와 중세』, 강성위 옮김, 以文出版社, 1988, 389쪽.

서양 중세사회의 종교적 암흑기는 르네상스를 통해 붕괴하였다. 여기에서 가장 중요한 변화는 인간관의 관념이 바뀐 것이다. 중세사회의 종교는 신의 존재에 의한 인간의 정죄를 당연한 것으로 생각하였다. 이러한 관념은 인간의 '원죄'에 대한 관념에 기초한 것으로 인간의 불완전성을 의미한다.

서양문명에서 '근대'는 15세기 중엽~16세기 초 이후를 말한다. 이 시기에 서양문명은 금속활자의 발명으로 약 1456년부터 활자본 성서를 인쇄하기 시작하였다. 이것은 대중이 '진리의 말씀'을 직접 확인하고 해석할 수 있는 계기를 만들었는데, "진리의 독점 체제가 무너지고, 진리가 대중화의 길로 들어섰음을 의미한다." 인간의 역사에서 "진리의 대중화"라는 것, "이것보다 더 인류 역사의 향방을 결정짓는 것"은 없다.9)

서양문명은 근대사회로 넘어가면서 인간에 관한 관점이 변하였다. 그것은 인간의 이성과 합리성에 대한 믿음이었다. 그리스 반도에서 활동했던 문화인들이 이탈리아 지역의 르네상스(Renaissance) 인문주의 운동과 결합하면서 "인문학자들은 신약성서에 대한 문헌학적—비판적 주석"을 하여 "성서와 그리스도에 대한 새로운 이해를 자극"하였고, 마르틴 루터(Martin Luther, 1483-1546)의 "종교 개혁 운동은 신앙의 자유 획득 운동으로 진행되었고, 그것은 대중이 자기 자신의 자유로 복귀할 것을 촉구하면서 개인의식을 고취하였다."10)

서양문명에서 근대사회는 "수학과 자연과학"이 발달하였다. 그것은 곧 "인간 이성의 원리에 의해 해명되고" '기술 혁신'이 일어났음을 의

9) 백종현, 『서양 근대철학』, 철학과 현실사, 2001, 29쪽.
10) 같은 책, 30쪽.

미한다. 또 시민층이 등장하게 되었다. 이 "시민층의 등장은 사회의 근본적인 변혁"이었다.11)

J. 힐쉬베르거는 근세(즉 근대)의 특징을 '시고의 분열'이라고 지적하였다. 그리고 이 '사고의 분열'은 "근세철학의 정신에게만 고유한 것인 것처럼 보인다"고 하였다.12)

> 이론적인 이성과 실천적인 이성, 앎과 믿음, 종교와 형이상학, 정치와 도덕 등만 서로 떨어져 나가 독립했던 것이 아니라, 문제·방법·이론 등도 너무나 많이 생겨나게 되었다.13)

그는 이것을 '사고의 분열'이라고 매우 부정적인 표현을 하였지만, 사실 이것은 달리 표현하면 인간의 이성이 중세의 종교적 예속에서 벗어나기 시작했다는 의미이기도 한 것이다. 그러므로 결코 부정적인 것만은 아니다. 어떤 면에서 이것은 달리 말하면 인간이 신으로부터 해방되는 과정이기도 하다.

N. 마키아벨리(Niccolò Machiavelli, 1469-1527)는 그의 저작 『군주론』(*The Prince*, 1513)으로 유명한 정치철학자이다. 그 밖의 저작으로 『로마사 논고』(Discorsi sopra la prima deca di Tito Livio, 1517), 『티투스 리비우스의 첫 열 권의 책에 대한 강론』(*Discourses on the First Ten Books of Titus Livius*, 1519), 『전쟁론』(*The Art of War*, 1520), 『카스트루치오 카스트라카니의 생애』

11) 같은 책, 51쪽.
12) 요한네스 힐쉬베르거, 『서양철학사-하권·근세와 현대』, 강성위 옮김, 以文出版社, 1992, 37쪽.
13) 위와 같음.

(*Life of Castruccio Castracani*, 1520), 『피렌체사』(*History of Florence*, 1525)와 희극(喜劇) 『라 만드라골라』(*La Mandragola*)를 포함한 여러 편의 희곡이 있다.[14)]

일반적으로 사람들의 마키아벨리에 대한 평가는 기본적으로 부정적이다. 그렇지만 긍정적인 평가 역시 있다. 사람들은 그를 “비도덕적인 기회주의자”, “‘권모술수’와 ‘사악한 정치의 화신(化身)’”, “무자비하고 비도덕적인 권력정치(power politics)의 실천론자”, “폭군제 자체를 옹호하는 입장”이라고 평가한다.[15)] 또 “권모술수의 대가”, “목적을 위해서는 수단과 방법을 가리지 않는 비열한 형태”, “폭군의 조언자이자 악마적 교의의 교사” “군주 혹은 정치 지도자 혼자만을 위한 ‘독존(獨存)의 정치학’을 대표”, “사익 추구만을 위한 처세술, 권력장악을 위한 냉혹한 권모술수” 등이 있다.[16)] 그렇지만 이와 달리 오늘날 사람들은 그를 “근대 정치철학을 연 최초의 정치철학자”라고 평가하기도 한다.[17)] 또 “폭군의 해악을 인민들에게 일깨워 준 계몽주의자”, “‘공존(共存)의 정치학’을 대표”하는 것으로, “군주가 권력을 장악하고 유지하기 위해서는 자신의 힘이 아니라 인임과 귀족의 힘, 그 중에서도 인민의 힘에 의존해야 함”을 강조했다는 것이다.[18)] 그는 “근대 정치 과학의 창시자”로, “정치적 사실주의(realismo politico)의 지평을 열었

---

14) 백승현, 『서양정치사상 근대 초기』, 고온, 2013, 18쪽.

15) 같은 책, 26, 37, 25, 37쪽.

16) 김경희, 「‘독존’에서 ‘공존’으로: 마키아벨리 『군주론』 해석에 대한 일고찰」, 서울대학교 한국정치연구소, 『한국정치연구』 제20집, 제1호, 2011, 47-49쪽.

17) 우암평화연구원 편, 『정치적 현실주의의 역사와 이론』, 화평사, 2003, 18쪽.

18) 김경희, 「‘독존’에서 ‘공존’으로: 마키아벨리 『군주론』 해석에 대한 일고찰」, 48-49쪽.

다"고 평가하기도 한다.[19)]

마키아벨리의 정치적 입장에 관해서는 군주주의자, 공화주의자, 군주주의자에서 공화주의자로 전향했다는 등의 다양한 평가가 있다.[20)] 그런데 그는 서양 정치철학에서 '현실주의' 이론을 대표하는 인물이라고 말할 수 있다. 그렇지만 그가 말하는 '현실주의' 정치 이론 또는 '정치적 사실주의'라는 것이 직접적이고 과격한 표현은 그의 관점을 군주 한 사람의 독재를 정당화하는 이론으로 읽을 수 있는 가능성이 충분하였다.

김상근은 이와 달리 "마키아벨리는 처음부터 공포에 사로잡혀 있던 인물, 그 두려움을 극복하기 위해 인간의 변하지 않는 행동 양식을 유심히 관찰했던 인물, 약자로서 살아남기 위해 강자의 힘과 권력의 속성을 파헤침으로써 공포에 질린 우리 삶에 희망과 용기를 심어 준 인물"이라고 평가한다.[21)] 다시 말해 "마키아벨리의 책은 원래 철저한 약자의 입장에서 약자를 위해 집필했는데, 이 책의 가공할 만한 가치를 알아본 그 시대의 강자들이 다른 사람들이 읽지 못하도록 하기 위해 마키아벨리를 '악의 교사'로 몰고 간 것이다"고 말한다.[22)]

그렇다고 하더라도 그는 "역사적 사실에 대한 지식", "현실 정치의 경험"을 바탕으로 "정치와 도덕을 분리"라는 그의 독특한 정치 이론을 제시했지만, 그의 정치 이론에 나타난 "비도덕적 내용까지 정당화시킬 수 없는 한계"가 있는 것도 분명한 사실이다.[23)] 그러므로 오늘날에도

19) 김영선, 「마키아벨리의 권력과 폭력」, 한국가톨릭철학회, 『가톨릭철학』 제6호, 2004, 268쪽.
20) 김경희, 「'독존'에서 '공존'으로: 마키아벨리 『군주론』 해석에 대한 일고찰」, 48쪽.
21) 김상근, 『마키아벨리』, 21세기북스, 2013, 34쪽.
22) 같은 책, 18쪽.

마키아벨리의 정치 이론에 대한 평가는 대체로 부정적이지만, 여전히 양가적이라고 말할 수 있다. 그가 이렇게 평가받게 된 원인은 그의 대중에 대한 시선과 관련이 있을 것이다.

> 다중은 종종 지배자의 결정을 비난하는 데 대담하고 노골적인 언사를 사용하지만, 정작 처벌이 닥치게 되면 서로를 믿지 못하고 복종을 서두른다. 그러므로 인민이 어떤 것에 대해 호의적으로 이야기하든 그렇지 않든 당신은 그 점에 대해 크게 신경을 쓰지 않아도 무방하다. 만약 그들이 호의적이면 당신은 자신의 권위를 유지하는 것으로 족하며, 만약 그들이 그렇지 않으면 그들이 해악을 끼치지 못하도록 대비하면 될 뿐이다.[24]

이처럼 그의 대중에 대한 시선은 매우 냉철하다. 그런 까닭에 그는 "일반 대중이란 존재는 이렇게 늘 줏대가 없고, 자기 이익을 위해 조변석개(朝變夕改)하며, 겁을 주면 따를 수밖에 없는 나약한 존재라고 혹평을 퍼부었다."[25] 그러므로 또 "모름지기 대중은 권력을 가진 강자의 손아귀에서 놀아나는 것이 일반적인 현상이며, 이런 나약한 대중은 강경한 규제로 통제하는 것이 바람직하다고 본 것이다."[26] 김영선은 마키아벨리의 『군주론』을 "신군주(principe nuovo)를 대상으로 쓰인 권력 장악과 유지에 대한 지침서이다. 세습 군주가 아닌 신군주의 권력이란 그의 능력 즉 비르투(virtú)에 의해 장악되며 유지될 수 있다는 것이 그의 근본 논점이다"고 말하였다.[27]

---

23) 김영선, 「마키아벨리의 권력과 폭력」, 268-269쪽.
24) 니콜로 마키아벨리, 『로마사 논고』, 강정인·안선재 옮김, 한길사, 2013, 245-246쪽.
25) 김상근, 『마키아벨리』, 93-94쪽.
26) 같은 책, 94쪽.

마키아벨리는 군주에게 다음과 같이 말하였다.

> 군주라면 사랑도 받고 두려움의 대상도 되는 것이 바람직하다고 생각하지만, 두 가지를 한꺼번에 얻는 것은 불가능하기 때문에 하나를 선택해야 한다면, 사랑을 받는 것보다 두려움의 대상이 되는 것이 더 안전하다고 생각합니다.[28)]

또 이렇게 말하였다.

> 그러므로 현명한 통치자라면 약속을 지키는 것이 자신에게 불리해지거나 약속하도록 만들었던 이유가 사라지게 되면 약속을 지킬 수도 없을뿐더러 지켜서도 안 됩니다. 만약 모든 인간이 선하다면 이 교훈은 적절하지 않을 것입니다. 그러나 인간들은 사악하여 군주에게 했던 약속들을 지키지 않을 것이기 때문에 군주 역시 그들에게 했던 약속들을 지킬 필요가 없는 것입니다.[29)]

마키아벨리의 정치철학은 "실용적 현실주의"(pragmatic realism)를 강조한 것이다.[30)] 그런 까닭에 그는 서양의 전통적인 정치철학은 잘못된 것이라고 비판하였다. 그는 고전적인 정치철학의 근본 과제는 '최상의 정치 체제'에 대한 분석을 제시하는데 그런 최상의 정치 체제는 현실화할 수 없다고 인식하였다.[31)] 이러한 관점은 서양 정치철학

27) 김영선, 「마키아벨리의 권력과 폭력」, 269-270쪽.
28) 니콜로 마키아벨리, 『군주론』, 권혁 옮김, 돋을새김, 2005, 141쪽.
29) 같은 책, 148쪽.
30) 백승현, 『서양정치사상 근대 초기』, 20쪽.
31) 같은 책, 22쪽.

에서 '이상주의'와 '현실주의'의 분화/대립, 그리고 '이상주의'의 몰락과 '현실주의'의 강화로 이해할 수 있다.

그렇지만 우리는 또 마키아벨리의 이와 다른 관점을 고찰할 필요가 있다. 그는 『로마사 논고』에서 "공화정의 자유를 옹호"하고 있기 때문이다.[32] 그는 먼저 정부의 기원에 관해 다음과 같이 말하였다.

> 인간들 사이에서 정부 형태의 이러한 변화는 우연한 사태에 기인한다. 사람들이 많이 살지 않던 태초에, 한동안 사람들은 짐승처럼 뿔뿔이 흩어져 살았다. 그러다가 자손의 번식과 함께 모여 살게 되었고, 자신들을 더욱 잘 방어하기 위해 그들 중에서 가장 힘세고 용감한 자를 찾아 우두머리로 삼고, 그의 명령에 복종하게 되었다. 그 과정에서 사람들은 정직하고 선량한 것을 유해하고 사악한 것으로부터 구분하는 법을 습득하게 되었다. ……
>
> 그러므로 이런 종류의 해악을 미연에 방지하기 위해 그들은 법률을 제정하고 이를 위반하는 자에게 처벌을 부과했다. 정의의 관념은 이렇게 발생했던 것이다. 그리하여 그들은 후일 군주를 선출해야 하는 상황에 처했을 때 이전처럼 가장 대담한 자가 아니라 현명함과 정의에 있어서 가장 뛰어난 자를 선호하게 되었다.[33]

이것은 중국의 선진시대 유가 학파 인물 순자의 관점과 매우 일치한다. 그는 인간을 사악한 존재로 생각하였다.

> ……국가를 창설하고 법률을 제정하는 자는 다음과 같은 점을 상정할 필요가 있다. 즉 모든 인간은 사악하고, 따라서 자유로운 기회가 주어지면 언

32) 김영선, 「마키아벨리의 권력과 폭력」, 269쪽.
33) 니콜로 마키아벨리, 『로마사 논고』, 78-79쪽.

제나 자신들의 사악한 정신에 따라 행동하려 한다는 점이다. 어떤 사악함이 당분간 숨겨져 있다면, 그 이유는 무엇인가 알려진 경험이 아직 발견되지 않은 원인이 숨겨져 있기 때문이며, 사람들이 모든 진리의 아버지라고 일컫는 시간에 의해 그 원인은 조만간 밝혀지게 마련이다.[34]

또 이렇게 말하였다.

즉 사람들은 필연에 의해 강요당하지 않는 한 결코 좋은 일을 하려 하지 않으며, 많은 선택이 있고 과도한 자유가 허용되면 만사가 순식간에 혼란과 무질서에 빠진다는 점이다. 그러므로 굶주림과 빈곤은 사람들을 근면하게 만들고, 법률은 사람들을 선량하게 만든다는 말이다.[35]

그리고 그는 정치 체제를 여섯 가지로 크게 분류하였다. 이것은 세 가지 '좋은 정부'와 세 가지 '나쁜 정부' 정치 체제이다.

국가에 대해 쓴 적이 있는 자들의 말에 따르면 국가는 군주정, 귀족정, 민주정이라고 일컬어지는 세 가지 형태의 정부 중 어느 한 형태를 취하게 된다. ……다른 사람들은—많은 이들이 더 현명하다고 생각하는 판단에 따라—여섯 가지 형태의 정부가 있는데, 그 중 셋은 매우 나쁘고, 셋은 그 자체로는 좋지만 쉽사리 타락하는 성향이 있기 때문에 심지어 그것들마저 유해한 것으로 분류되어야 한다고 말한다. 좋은 정부 형태는 위에서 언급한 세 가지이다. 나쁜 정부 형태는 뒤에서 언급한 나머지 셋인데, 모두 좋은 정부 형태에서 유래한 것이다.

[좋은 정부의] 각각은 그것과 연관된 것[나쁜 정부 형태]과 너무 유사해서

34) 같은 책, 84쪽.
35) 같은 책, 85쪽.

한 형태에서 다른 형태로 쉽게 변형된다. 곧 군주정은 참주정으로 쉽게 변하고, 귀족정에서 과두정으로의 이행은 손쉬우며, 민주정은 어렵지 않게 무정부 상태로 변질된다.36)

그렇지만 이 세 가지의 좋은 정치 체제와 세 가지의 나쁜 정치 체제는 서로 관련이 있다. 사실 이 문제는 오늘날 민주주의를 표방한 정치 체제에서 전혀 달라지지 않았다. 그런 까닭에 마키아벨리는 '혼합정부 형태의 우월성'을 강조하였다.

그렇다면 지금까지 논의한 정부는 모두 병약한 형태라고 말하겠다. 세 형태의 좋은 정부는 단명하고, 세 형태의 나쁜 정부는 사악하기 때문이다. 그런즉 법률을 제정함에 있어 신중한 자들은 이러한 결함을 인식하고 각각의 유형을 있는 그대로 취하는 것을 피하고, 처음의 세 가지 좋은 정체가 갖는 성격을 모두 다 포함한 하나의 정체(政體)를 택하여, 그것을 가장 견실하고 안정된 것이라고 판정하였다. 그 이유는 동일한 도시 안에 군주정, 귀족정, 민중 정부의 여러 요소들이 함께 있게 된다면, 서로가 서로를 견제하기 때문이다.37)

그러나 결론적으로 마키아벨리가 강조한 것은 공화정이다.

공화국의 경우에는 선거라는 방법이 단순히 연이은 두 명의 지도자가 아니라 무수히 많은 유능한 지도자가 잇따라 집권하는 것을 가능하게 하기 때문에, 이는 훨씬 더 가능성이 높아진다. 유능한 지배자의 승계는 잘 정비된

---

36) 같은 책, 77-78쪽.
37) 같은 책, 81쪽

모든 공화국에 항상 가능하다.[38]

이상의 논의처럼, 마키아벨리의 정치철학은 단순히 절대군주의 권력과 권모술수를 강조한 것이 아니다.

F. 베이컨(Francis Bacon, 1561-1626)은 근대 과학을 이끈 인물 가운데 한 사람이다. 그의 저작으로 『평론』(*Essays*, 1597, 1625), 『학문의 진보』(*Advancement of Learning*, 1605), 『뉴 오르가논』(*New Organon*, 1620), 『뉴 아틀란티스』(*New Atlantis*) 등이 있다.

베이컨은 유명한 명제 "인간의 지식이 곧 인간의 힘이다"라는 것을 말하였다.[39] 그는 이러한 생각에 기초하여 '새로운 지식의 개념'을 제시하였다.[40] 그는 지식을 얻는 방법에서 기존의 '연역법'에 비판적이었으며, 그 대신 '귀납법'을 주장하였다.

진리를 탐구하고 발견하는 데에는 두 가지 방법이 있으며, 이 두 가지 방법밖에 없다. 하나는 감각과 개별자에서 출발하여 일반적인 명제에 도달한 다음, 그것을 [제1]원리로 혹은 논쟁의 여지 없이 진리로 삼아 중간 수준의 공리를 이끌어내거나 발견하는 것이다. 현재 널리 사용되고 있는 방법이다. 다른 하나는 감각과 개별자에서 출발하여 지속적으로, 그리고 점진적으로 상승한 다음, 궁극적으로 가장 일반적인 명제에까지 도달하는 방법이다. 지금까지 시도된 바 없지만, 이것이야말로 진정한 [과학적] 방법이다.[41]

---

38) 같은 책, 149-150쪽.
39) 프랜시스 베이컨, 『신기관-자연의 해석과 인간의 자연 지배에 관한 잠언』, 진석용 옮김, 한길사, 2014, 39쪽.
40) 요한네스 힐쉬베르거, 『서양철학사-하권-근세와 현대』, 98쪽.
41) 프랜시스 베이컨, 『신기관-자연의 해석과 인간의 자연 지배에 관한 잠언』, 43쪽.

그는 또 이렇게 말하였다.

> 참된 귀납법(歸納法, induction)만이 우리의 유일한 희망이다.[42]

결론적으로 다음과 같이 말하였다.

> 전자는 경험의 한계와 개별적인 것들을 피상적으로 건드리는 데 불과하지만, 후자는 꾸준히, 그리고 올바른 순서를 따라 그 본질에까지 육박한다. 전자는 처음부터 추상적이고 쓸모없는 일반적 명제를 설정하지만, 후자는 자연에서 실제로 가장 일반적인 원칙에 이르기까지 한 걸음씩 꾸준히 올라간다.[43]

베이컨은 연역적 방법이 아닌 귀납적 방법만이 유일한 과학적 방법이라고 제시하였다. 그는 우리가 “자연에 대해 적용하고 있는 추론”은 “자연에 대한 예단”이고, “사물로부터 적절하게 추론된 것을 ‘자연에 대한 해석’이라고” 부른다.[44] 그러므로 그는 어떤 ‘초월적’인 것에 대해 비판적이었다.

> 인간이 가지고 있는 우상(偶像, idola)과 신(神)의 이데아(idea) 사이에는, 다시 말해 황당무계한 억측과 자연에서 발견되는 피조물의 사실상의 모습 사이에는 실로 큰 차이가 있다.[45]

---

42) 같은 책, 42쪽.
43) 같은 책, 44쪽.
44) 같은 책, 45쪽.
45) 같은 책, 44쪽.

베이컨에게 '초월적'인 것은 '우상'일 뿐이다.

> 인간의 지성을 고질적으로 사로잡고 있는 우상과 그릇된 관념들은 인간의 정신을 혼미하게 할 뿐만 아니라, 우리가 얻을 수 있는 진리조차도 얻을 수 없게 만든다.[46]

그의 이러한 사유는 종교적 관념을 벗어난 것이다. 베이컨은 우리가 잘 알고 있는 네 가지 우상을 말하였다.

> 인간의 정신을 사로잡고 있는 우상에는 네 종류가 있다. (편의상) 이름을 짓자면 첫째는 '종족(種族)의 우상'(Idola Tribus)이요, 둘째는 '동굴(洞窟)의 우상'(Idola Specus)이요, 셋째는 '시장(市場)의 우상'(Idola Fori)이요, 넷째는 '극장(劇場)이 우상'(Idola Theatri)이다.[47]

그는 이어서 이 네 가지 우산의 문제점을 설명하였다.

> **[종족의 우상]** '종족의 우상'은 인간성 그 자체에, 인간이라는 종족 그 자체에 뿌리박고 있는 것이다[1 : 45~52]. '인간의 감각이 만물의 척도이다'라는 주장을 생각해보면 쉽게 이해가 갈 것이다. 이것은 물론 그릇된 주장이지만, 인간의 모든 지각(知覺)은 감각이든 정신이든 우주를 준거로 삼는 것이 아니라 인간 자신을 준거로 삼기 쉽다는 것을 여실히 보여주는 말이다.[48]

---

46) 같은 책, 48쪽.
47) 위와 같음.
48) 같은 책, 49쪽.

[동굴의 우상] '동굴의 우상'은 각 개인이 가지고 있는 우상이다[1 : 53~58]. (모든 인류에게 공통적인 오류와는 달리) 자연의 빛(light of nature)을 차단하거나 약화시키는 동굴 같은 것을 제나름으로 가지고 있다.[49]

[시장의 우상] 또한 인간 상호간의 교류와 접촉에서 생기는 우상이 있다. 그것은 인간 상호간의 의사소통과 모임[結社]에서 생기는 것이므로 '시장의 우상'이라고 부를 수 있겠다[1 : 59~60]. 인간은 언어로써 의사소통을 하는데, 그 언어는 일반인들의 이해수준에 맞추어 정해진다. 여기에서 어떤 말이 잘못 만들어졌을 때 지성은 실로 엄청난 방해를 받는다. ……언어는 여전히 지성에 폭력을 가하고, 모든 것을 혼란 속으로 몰아넣고, 인간으로 하여금 공허한 논쟁이나 일삼게 하고, 수많은 오류를 범하게 한다.[50]

[극장의 우상] 마지막으로 철학의 다양한 학설과 그릇된 증명 방법 때문에 사람의 마음에 생기게 된 우상이 있는데, 나는 이를 '극장의 우상'이라고 부르고자 한다[1 : 61~67]. 지금까지 받아들여지고 있거나 고안된 철학 체계들은, 생각건대 무대에서 환상적이고 연극적인 세계를 만들어내는 각본과 같은 것이다. 현재의 철학 체계 혹은 고대의 철학 체계나 학파만 그런 것이 아니다. ……철학만 그런 것은 아니다. [철학 이외에] 구태의연한 관습과 경솔함과 태만이 만성화되어 있는 여러 분야의 많은 요소들과 공리들도 마찬가지다.[51]

우리는 베이컨의 사상을 통해 과학적 방법을 중시한 근대적 사유의 틀을 이해할 수 있다.

T, 홉스(Thomas Hobbes, 1588-1679)는 '사회계약이론의 발명가'

---

49) 같은 책, 50쪽.
50) 같은 책, 50-51쪽.
51) 같은 책, 51쪽.

이다.[52] 그의 저작으로 『법의 원리』(The Elements of Law, Natural and Politic, 1640), 『시민론』(De Cive, 1642), 『리바이어던』(Leviathan, or the Matter, Form, and Power of a Commonwealth, Ecclesiastical and Civil, 1651), 『물체론』(De Corpore, 1655), 『인간론』(De Homine, 1658) 등이 있다.

홉스의 정치철학은 '절대군주론', '강력한 군주권에 바탕을 둔 정치철학'이다.[53] 그는 또 "근대 국가의 기초를 닦은 사상가", "인간과 사회 및 국가에 대한 연구에 과학적 방법론을 도입한 최초의 철학자", '근대 사회과학의 창시자"이기도 한다.[54] 또 그를 "유물론자이며 원자론자"라고 평가한다.[55]

홉스의 정치철학에서 가장 유명한 이론은 사회계약론이다. 서양의 근대 사회계약론은 세 가지 이론적 요소로 구성된다.[56] 첫째, 자연적 존재 조건은 병리적 상황, 반사회적 상황이다. 둘째, 자연의 병리적

52) 진태원, 「신학정치론에서 홉스 사회계약론의 수용과 변용: 스피노자 정치학에서 사회계약론의 해체 Ⅰ」, 서울대학교 철학사상연구소, 『철학사상』 19, 2004, 135쪽.

53) 김병곤, 「리바이어던과 토마스 홉스의 정치사상」, 『사회비평』 8, 나남출판사, 1992, 245, 255쪽. 그런데 김용환은 홉스의 정치철학에 대한 비판과 오해를 다섯 가지로 정리하였다. ①인간의 본성에 관한 태도의 오해, ②자연 상태의 인간을 '죄수의 딜레마'에 빠진 죄수로 오해, ③평화에 대한 관심이 과소평가된 오해, ④절대 군주론을 주장한 반민주주의자라는 오해, ⑤유물론과 쾌락주의에 바탕한 무신론자라는 오해이다. (「토마스 홉스: 보수적 이상주의자」, 『철학과 현실』, 철학문화연구소, 1995, 159쪽.)

54) 이송호, 「토마스 홉스의 사회질서관에 관한 분석 평가-무질서와 범죄를 중심으로-」, 경찰대학 경찰학연구 편집위원회, 『경찰학연구』 15(4), 2015, 142쪽.

55) 김용환, 「홉스 종교철학을 위한 변명: 환원주의와 재구성주의 관점에서」, 서양근대철학회, 『근대철학』 8, 2013, 38쪽.

56) 진태원, 「신학정치론에서 홉스 사회계약론의 수용과 변용: 스피노자 정치학에서 사회계약론의 해체 Ⅰ」, 134-135쪽.

상황에서 벗어난 국가라는 인공적 질서를 구성하는 이론이다. 셋째, 국가의 권력과 제도의 체제에 관한 이론, 즉 주권에 관한 이론이다.

홉스의 정치철학을 이해하려면 먼저 자연관, 인간관, 국가관 등을 차례로 파악해야만 한다. 홉스의 정치철학에서 중요한 개념들로는 '자연 상태, '자연법', '계약'', '투쟁', '악' 등이 있다. 그는 『리바이어던』에서 이렇게 말하였다.

> 자연은 하느님(*God*)이 세계를 창조하여 다스리는 기예(*art*)이다. ……기예는 한 걸음 더 나아가 자연의 가장 합리적이고 가장 탁월한 작품인 '인간'을 모방하기에까지 이른다. 즉, 기예에 의해 **코먼웰스**(Commonwealth) 혹은 국가(State), 라틴어로는 키위타스(*Civitas*)라고 불리는 저 위대한 **리바이어던**(***Leviathan***)이 창조되는데, 이것이 바로 인공인간(*artificial man*)이다.……이 인공인간에게 있는 '주권'은 인공 '혼'으로서 전신에 생명과 운동을 부여한다. ……'인민의 복지'(*salus populi*)와 '인민의 안전'은 그의 '업무'이다. ……끝으로 이 정치공동체의 각 부분을 처음 제작하고 모으고 결합하게 만든 '약정'(約定 *pacts*)과 '신의계약'(信義契約, *covenants*)은 하느님이 천지를 창조하실 때 '이제 사람을 만들자'고 선언하신 '명령'(*fiat*)과 같다고 할 수 있다.57)

'자연'과 '자연인'이 '신'에 의해 창조된 세계라면 '국가'('리바이어던')에서 '인간'은 '자연인'이 아닌 '인공인간'이다.

인간의 자연에 관한 이해는 목적론과 기계론이 있다. 이것을 목적론적 자연관과 기계론적 자연관이라고 한다. 목적론적 자연관은 모든 존재자가 자기 목적을 달성한 궁극적인 조화상태이다. 이것은 궁극적 목

57) 토머스 홉스, 『리바이어던』(1), 진석용 옮김, 나남, 2016, 21-22쪽.

적의 추구가 함축하는 "최고선"의 이념을 전제한다. 이 관점은 종교적 이다. 그런데 기계론적 자연관은 운동의 궁극적 목적이란 존재하지 않는다. 운동의 궁극 목적, 휴식 그리고 최고선의 이념은 도그마에 불과하다. 홉스는 자연의 운동에서 목적 개념을 배제하고 자연법칙, 즉 관성의 법칙에 따른 기계적 운동으로 이해한다.58) 이 관점은 종교적 관념('최고선')을 제거한 것이다.59)

홉스는 인간의 '자연 상태'(state of nature)를 다음과 같이 말하였다.

> 자연은 인간이 육체적·정신적 능력의 측면에서 평등하도록 창조했다. ……일단 파괴와 정복을 위한 싸움이 일어나면 ……사람들이 몰려와서 그의 노동의 열매를 약탈하고 심지어 생명이나 자유까지 박탈할 가능성이 언제든지 있다. ……이처럼 타인에 대한 지배의 증대를 도모하는 일은 모든 인간에게 자기보존을 위한 필수적인 일이기 때문에 허용될 수밖에 없다.60)

이 '자연 상태'는 "정부가 없는 상황"을 나타낸다.61) 여기에서 중요

---

58) 한자경, 「홉스의 인간 이해와 국가」, 한국철학회, 『철학』 36, 1991, 64쪽.

59) 김응종은 홉스의 종교관에 관해 이렇게 말하였다. "홉스는 무신론자라는 비판을 받았다. 그러나 그는 과연 무신론자인가? 무신론자의 의미를 '신의 존재를 부정하는 사람'이라고 정의한다면 홉스는 무신론자가 아니다. 홉스는 신의 존재를 천명했기 때문이다. 그러나 홉스가 살던 신의 기준을 따른다면, 다시 말해 그가 믿는 신이 교회가 말하는 신과 일치하는가를 기준으로 삼는다면, 그는 무신론자라고도 말할 수 있다. 그는 교회가 인정하는 신과는 다른 신을 믿고 있으니 결국에는 신을 믿지 않는 것과 다름없다는 논리가 성립할 수 있기 때문이다." (「토마스 홉스와 무신론」, 호서사학회, 『역사와 담론』 55, 2010, 272-273쪽.)

60) 토머스 홉스, 『리바이어던』(1), 169-170쪽.

61) 이종은, 『정치와 윤리』, 책세상, 2011, 241쪽.

한 것은 '자기보존'이다.

> 같은 것을 놓고 두 사람이 서로 가지려 한다면, 그 둘은 서로 적이 되고, 따라서 상대방을 파괴하거나 굴복시키려 하게 된다. 파괴와 정복을 불가피하게 만드는 경쟁의 주된 목적은 자기보존이다.[62]

그런데 홉스에게 '자연 상태'란 "통치 권력이 없는 상태", "모든 사람들을 규율할 수 있는 공통의 강제력이 없는 상태"로, "인간이 추구하는 기본 목적은 자기보존과 명예"이다.[63] 그런 면에서 "자연 상태에서 인간은 평등하다"고 말할 수 있다.[64] 그런데 그는 이 '자연 상태'에서 인간은 '만인의 만인에 대한 투쟁'으로 그리고 있다.

> 인간의 본성이 바로 이러하기 때문에, 우리는 인간들 사이에 분쟁이 발생하는 원인을 세 가지로 정리할 수 있다. 첫째는 경쟁(*competition*)이며, 둘째는 자기 확신의 결여(*diffidence*)이며 셋째는 공명심(*glory*)이다.
>
> 인간은 경쟁 때문에 이익확보를 위한 약탈자가 되고, 자기 확신의 결여 때문에 안전보장을 위한 침략자가 되고, 공명심 때문에 명예 수호를 위한 공격자가 되는 것이다. ……
>
> 이로써 다음과 같은 사실이 분명해진다. 즉 인간은 그들 모두를 억압하는 공통의 권력이 존재하지 않는 곳에서는 전쟁상태에 들어가게 된다는 것이다. 이 전쟁은 만인에 대한 만인의 전쟁이다.[65]

---

62) 토머스 홉스, 『리바이어던』(1), 169쪽.
63) 이송호, 「토마스 홉스의 사회질서관에 관한 분석 평가-무질서와 범죄를 중심으로-」, 147-148쪽.
64) 같은 논문, 148쪽.
65) 토머스 홉스, 『리바이어던』(1), 171쪽.

홉스는 “자연 상태에서 만인 대 만인의 투쟁이 발생하는 원인은 개인의 욕망” 때문이다. “따라서 자연 상태의 인간은 스스로를 제어할 수 없으며, 타인을 신뢰할 수 없는 파편화된 개인이다.”[66] 그렇다면 여기에서 우리의 질문은 이렇다. 홉스의 이러한 전제는 정당한가? 왜냐하면 사회계약으로 성립되어야 하는 사회적 권리체와 보복에 대한 공포와 명예심과 같은 사회적 감정들을 계약 이전에 이미 전제하기 때문이다.[67] 그리고 인간은 이기적인 것만은 아니다.[68]

이것은 그의 인간관에서 도출한 것이다. 홉스는 인간의 본질을 운동의 본능, 자기보존의 본능, 그리고 그것을 위한 ‘힘의 추구’라는 의지능력으로 파악한다.[69]

홉스는 자연 상태에서는 정의와 불의가 존재하지 않는다고 생각하였다.

> 만인이 만인에 대하여 전쟁을 하는 상황에서는 그 어떠한 것도 부당한 것이 될 수 없다. 정(正)과 사(邪)의 관념, 정의와 불의의 구별이 존재하지 않기 때문이다. 공통의 권력이 없는 곳에는 법도 존재하지 않는다. 법이 없는 곳에는 불의(*injustice*) [즉 불법]도 존재하지 않는다.[70]

---

66) 홍성민, 「감정구조와 사회계약론」, 한국정치사상학회, 『정치사상연구』 제22집 2호, 2016 가을, 16쪽.
67) 차홍석, 「이타성에 대한 이기주의 해석 비판: 홉스와 도킨스를 중심으로」, 한국정치학회, 『한국정치학회보』 52(2), 2018, 228쪽.
68) 같은 논문, 240쪽. “인간이 단지 이기적이지 않다는 사실은 최후통첩게임을 통해서도 알려지고 있다.”
69) 한자경, 「홉스의 인간 이해와 국가」, 66쪽.
70) 토머스 홉스, 『리바이어던』(1), 174쪽.

그는 이어서 '자연권'(*right of nature*)이라는 '자연적 권리'(*jus naturale*)를 정의하였다.

> 일반적으로 학자들이 '자연적 권리'(*jus naturale*)라고 부르는 '자연권'(*right of nature*)은 모든 사람이 그 자신의 본성, 즉 자신의 생명을 보존하기 위해 자기 뜻대로 힘을 사용할 수 있는 자유, 즉 그 자신의 판단과 이성에 따라 가장 적합한 조치라고 생각되는 어떤 일을 할 수 있는 자유를 말한다.71)

여기에서 '자연권'(*lex naturalis*)이 존재하게 된다. 이 '자연권'은 "인간은 누구나 죽음을 두려워하며, 죽음을 피하기 위해 최선을 다해 싸울 수 있다는 자기보존"이다.72)

> 자연법(*lex naturalis*)이란 인간의 이성이 찾아낸 계율(*precept*) 또는 일반적 법칙(*general rule*)을 말한다. 이 자연법에 따라, 자신의 생명을 파괴하는 행위나 자신의 생명 보존의 수단을 박탈하는 행위는 금지되며, 또한 자신의 생명 보존의 수단을 박탈하는 행위는 금지되며, 또한 자신의 생명 보존에 가장 적합하다고 생각되는 행위를 포기하는 것이 금지된다. ……[그런데 자연 상태에서] 인간의 상태는 만인에 대한 만인의 전쟁상태이기 때문에 ……따라서 만인은 만물에 대한 권리를 가지며, 심지어는 다른 사람의 신체에 대해서까지도 권리를 갖는다. 이처럼 만인의 만물에 대하여 자연적 권리를 갖는 상황이 지속되는 한, 어느 누구도 천수를 안전하게 누릴 수 있는 보장이 없다.73)

---

71) 같은 책, 176쪽.
72) 김병곤, 「리바이어던과 토마스 홉스의 정치사상」, 256쪽.
73) 토머스 홉스, 『리바이어던』(1), 176-177쪽..

그런데 이 '자연법'에는 '기본 자연법'과 '제2의 자연법'이 존재한다.

[기본 자연법] '모든 사람은, 달성될 가망이 있는 한, 평화를 얻기 위해 노력해야 한다. 평화를 달성하는 일이 불가능할 경우에는 전쟁에서 승리하기 위한 어떤 수단이라도 사용해도 좋다.' 이 원칙의 앞부분은 자연법의 기본을 나타내고 있는 것으로서 '평화를 추구하라'는 것이고, 뒷부분은 자연권의 요지를 나타내고 있는 것으로서 '모든 수단을 동원하여 자신을 방어하라'는 것이다.

[제2의 자연법] '인간은 평화와, 그리고 자기 방어가 보장되는 한, 또한 다른 사람들도 다 같이 그렇게 할 경우, 만물에 대한 이러한 권리를 기꺼이 포기하고, 자신이 타인에게 허락한 만큼의 자유를 타인에 대해 갖는 것으로 만족해야 한다.'[74]

홉스에 의하면 '자연법'은 "자연권이 의미하는 자기보존의 욕구, 힘의 확장의 추구를 위한 자유"로, "오직 그 욕구를 가능한 한 손상 없이 최대로 달성하고자 하는 법칙일 뿐이다."[75] 그 결과는 당연히 '만인에 대한 만인의 투쟁'이다. 그는 "자연 상태에 있는 평등한 인간들이 생존을 위해 벌이는 목숨을 건 경쟁을 막고 사회의 평화를 확보하기 위해서는 개인들에게 강제적인 힘을 발휘할 수 있는 우월적 존재가 필요하다고 생각했고, 사회적인 삶을 합리적으로 통제하는 역할을 절대군주의 권력에 양도함으로써 절대주의 국가 이념에 이론적 기초

74) 같은 책, 177-178쪽.
75) 한자경, 「홉스의 인간 이해와 국가」, 72쪽.

를 제공했다. 그는 절대왕정만이 이기적인 인간의 정념에 맞서 사회의 붕괴를 막을 수 있다고 본 것이다."[76] 그러므로 이런 상황에서 발생하게 되는 '죽음의 공포'를 벗어나려면 '계약'이 필요하다. 그런데 이 '계약'이란 '권리의 포기'를 의미한다.

> 인간의 '권리'를 '포기한다'(*lay down*)는 것은 다른 사람이 그런 권리를 누리는 것을 방해할 '자유'를 자기 스스로 포기한다는 것을 의미한다. ……
> 권리의 포기는 두 가지 방식 중 하나로 이루어진다. 하나는권리를 폐기하는 것이고, 또 하나는 권리를 다른 사람에게 양도하는 것이다.[77]

'권리의 포기'에서 홉스가 강조하는 것은 '폐기'가 아니라 '양도'이다.

> 권리를 상호 양도하는 것을 계약(契約 contract)이라고 한다.[78]

그런데 너무도 당연한 말이지만, 여기에서 '계약'은 자의적으로 파기할 수 있는 것이 아니다. 그 실행을 강요하고 구속할 수 있는 강제력이 있어야 한다.

> 그러므로 정의와 불의의 개념이 존재하기에 앞서, 먼저 어떤 강제적 힘이 존재해야 한다. 이 강제력이 하는 일은 신의계약을 이행하지 않았을 때 얻을 수 있는 이익보다도 더 큰 처벌의 공포를 통하여 신의계약 당사자 쌍방

76) 이용철, 「루소 : 자기애와 그 확장」, 프랑스문화예술학회, 『프랑스문화예술연구』 제72집, 2020, 129쪽.
77) 토머스 홉스, 『리바이어던』(1), 178-179쪽.
78) 같은 책, 181쪽.

> 이 각각의 채무를 이행하도록 평등하게 강제하고, 그들이 보편적 권리를 포기한 대가로 상호계약에 의해 소유권(*propriety*)을 확보할 수 있도록 보장하는 것이다.[79]

그렇다면 '계약'을 통해 이루어진 '강제력'은 누구에게 있는가?

> 그러므로 만약 그런 문제들에 관해 쌍방이 제3자의 판결을 지킬 것을 서로 신의계약 하지 않으면 그들은 여전히 평화로부터 멀다. 이 제3자, 즉 그들이 판결에 복종하도록 한 사람은 **중재자**(仲裁者 *arbitrator*)라고 부른다.[80]

여기에서 '제3자'는 '힘과 권력'을 가진 자로 "유한한 신으로서의 리바이어던, 즉 국가이며, 이를 통해 주권자와 신민 또는 시민 사이에 복종과 통치의 관계가 성립하게 된다."[81] 이처럼 "국가는 인간이 자기 보존을 위해 사회계약을 통해 창조한 것"이다.[82] 홉스는 정부 구성의 정당성을 사회계약론에서 찾았던 측면(진보적)과 군주정치라는 기존의 체제를 유지하려고 한 측면(보수적)이 존재한다.[83]

J. 로크(John Locke, 1632-1704)는 서양 근대철학의 중요한 철학자이다. 그의 저작으로 『인간오성론』(Essay Concerning Human Understanding, 1690), 『통치론』(Two Treatises of Government,

---

79) 같은 책, 195쪽.
80) 같은 책, 211쪽.
81) 진태원, 「신학정치론에서 홉스 사회계약론의 수용과 변용: 스피노자 정치학에서 사회계약론의 해체 Ⅰ」, 140쪽.
82) 김병곤, 「리바이어던과 토마스 홉스의 정치사상」, 261쪽.
83) 김용환, 「토마스 홉스: 보수적 이상주의자」, 164쪽.

1689), 『교육에 대한 몇 가지 견해』(Some Thoughts Concerning Education, 1693), 『그리스도교의 합리성』(The Reasonableness of Christianity, 1695) 등이 있다.

1688년에 있었던 영국의 '명예혁명'(Glorious Revolution)은 "영국에서 근대적 국민 국가 형성의 기틀을 마련한 사건"이다. 이 "명예혁명을 거친 후 영국은 전통적·절대주의적 국가에서 입헌주의와 의회민주주의를 주요 원리로 하는 근대 국민 국가로 변화하기 시작했"는데, 이 과정에서 "정치 권력의 기원과 목적에 관한 자유주의적 신념이 명예혁명 및 그 이후의 역사적 변화를 이끌었다"고 평가한다.[84] 그런데 로크의 『통치론』은 "명예혁명을 정점으로 하는 영국의 역사적 격변을 이끌어내고 그 성격을 특징지은 이념적 토대를 잘 대변한다"고 할 수 있다.[85]

로크의 『통치론』에서 자유와 권리는 핵심 요소이다.[86] 그런데 그는 인간 자유의 근거를 자연권에서 찾는다. 즉, 각 개인은 자유로운 존재로 태어났다고 가정한다.[87]

로크는 『시민정부론』[88]에서 다음과 같이 말하였다.

---

84) 문지영, 「자유주의와 근대 민주주의 국가」, 한국정치학회, 『한국정치학보』 제45집, 제1호, 2011, 37쪽.
85) 위와 같음.
86) 같은 논문, 49쪽.
87) 위와 같음.
88) 이 책은 로크의 『통치론』의 제2 논문 「시민 정부의 참된 기원과 범위 및 목적에 관한 소론」(*Essay concerning the true original, extent, and end if civil government*) 부분이다. 여기에서는 한글 번역본대로 『시민정부론』(존 로크, 『시민정부론』, 이극찬 옮김, 연세대학교 출판부, 1988)으로 인용한다.

> 자연적으로는 대체 어떤 상태에 놓여 있는가…… 그것은 **완전히 자유로운 상태**이다. 즉 그것은 사람들이 다른 사람의 허가를 얻거나, 또는 다른 사람의 의지에 의존하는 일이 없이 자연법(自然法)의 범위 내에서 스스로 적당하다고 생각하는 대로 자신의 행동을 규율하며, 또한 그 소유물(possetions)과 신체를 처리할 수 있는 **완전히 자유로운 상태**이다.
>
> 그것은 또한 **평등한 상태**이다. 그곳에서는 일체의 권력과 권한(지배권)은 상호적인 것이며, 어느 누구도 다른 사람들보다 더 많은 것을 갖는 일은 없다.[89] (밑줄과 강조는 인용자)

로크에 의하면 국가 성립 이전에 '자연 상태'가 존재했고, 이 '자연 상태'에서 인간은 누구나 평등하고 자유로운 존재였다고 가정한다.[90] 그런 까닭에 자연 상태에서 "인간은 모두 평등하고 자유롭게 태어났다", "인간은 자유롭고 평등하며, 개별적인 단위로 살아간다"고 말하였다.[91] 그렇지만 방종을 의미하지는 않는다.

> 이와 같은 인간의 자연적인 평등……이것은 자유의 상태(a state of liberty)이지만, 결코 방종의 상태(a state of licence)는 아니다. 이러한 상태 속에서 사람들은 자기의 신체와 소유물을 마음대로 처분할 수 있는 완전한 자유를 갖고 있다. 그러나 사람은 자살할 수 있는 자유와 그의 소유로 있는 어떠한 피조물(생물)도 ……그것을 살해할 수 있는 자유를 결코 갖지 못한다.[92]

---

89) 존 로크, 『시민정부론』, 13쪽. 필요한 경우 한글 번역을 수정하였다. 아래도 같다.
90) 문지영, 「자유주의와 근대 민주주의 국가」, 50쪽.
91) 이종은, 『정치와 윤리』, 254쪽.
92) 존 로크, 『시민정부론』, 14-16쪽.

왜 그러한가? 자연 상태에는 자연법이 있기 때문이다.

> 자연 상태에는 자연 상태를 지배하는 하나의 자연법이 있는데, 그것은 모든 사람을 구속한다. 즉 모든 사람은 그러한 자연법을 따르지 않으면 안 된다. 인간의 이성은 다름 아니라 자연법에 해당하는 것인데 이러한 이성의 소리에 조금이라도 귀를 기울이게 되면 ……사람들은 누구나 다른 사람의 생명·건강·자유 또는 소유물을 손상해서는 안 된다는 사실을 알게 된다.[93]

자연 상태에는 자연법이 있는데 여기에서 인간의 '노동'에 의한 '소유'를 인정한다.

> 그의 신체(육체)의 노동과 그의 손이 하는 일은 바로 그의 것이라고 말할 수가 있다. 그러므로 자연이 공급해 준 대로의(즉 자연 있는 그대로의) 상태로부터 끄집어낸 것은 무엇이든 간에, 그는 그것에다 그의 노동을 가한 것이 되며, 또한 그것에다 무엇인가 자기 자신의 것을 첨가한 것이 되며, 그것으로써 그것을 자기의 소유물로 하는 것이 된다. ……이러한 노동은 바로 그 노동이 한 사람의 소유라는 것임에는 틀림 없으므로, 오직 그만이 자기의 노동이 일단 가해진 그것에 대해서 권리를 갖게 된다.[94]

그러므로 '소유'의 유일한 근거는 인간의 '노동'이다.

> 어떤 계약으로 공유물로서 여전히 남아 있는 공유지(共有地)에서, 어떤 사람이 공유로 되어있는 것의 일부를 손에 넣어, 그것을 자연이 방치해 놓은

---

93) 같은 책, 16쪽.
94) 같은 책, 46쪽.

그대로의 상태로부터 끄집어내게 될 때 비로소 소유권이라는 것이 생겨난다.[95]

그렇지만 여기에서 중요한 점은 '소유'가 무한정한 것은 아니라는 점이다.

즉, 적어도 물건이 상하여 못쓰게 되기 전에 생활의 어떤 도움이 되도록 이용할 수 있는 한에서 누구도 자기의 노동으로 그것을 소유할 수 있는 권리를 가질 수가 있는 것이다. 그러나 그것을 초월하는 것은 모두 그에게 할당된 몫 이상의 것이며, 따라서 이것은 다른 사람의 것으로 된다.[96]

또 '토지의 소유'와 관련하여 이렇게 지적하였다.

한 사람의 인간이 밭을 갈고, 씨를 심으며, 개량하고, 재배하며 그리고 그 수확물을 이용할 수 있을 정도의 토지의 한도가 바로 그 사람의 재산으로 된다.[97]

이것을 전제로 하여 로크는 국가의 존재 목적, 정치의 기원을 탐구한다. 그는 '국가의 목적'을 "생명, 자유, 재산에 대한 자연권을 보전하는 것"이라고 말하였다.[98] 그런데 그는 '국가'를 공동체 구성원들의 '동의'와 '계약'에 의해 성립한다고 말하였다.[99]

95) 같은 책, 47-48쪽.
96) 같은 책, 51쪽.
97) 같은 책, 52쪽.
98) 이종은, 『정치와 윤리』, 237쪽.
99) 문지영, 「자유주의와 근대 민주주의 국가」, 49쪽.

개개의 자연인은 각각 자기 보전의 권리, 즉 자연권을 가지고 있다. 인간은 '생명, 자유, 재산에 대한 자연권natural rights to life, liberty and estate'을 향유하며, 자연법은 이들 권리를 보호한다.[100]

그렇다면 인간이 이처럼 자유로운 존재인 이유는 무엇인가? 그 근거는 무엇인가? 바로 인간의 '이성'이다.

자연 상태에서는 모든 사람이 인정하는 우위자가 없으며, 각자가 '자연의 법law of nature'이 명령하는 바를 따를 뿐이다. 로크에게 자연적이라는 것은 이성적(합리적)이라는 것이며, 신의 의지이기도 하다.[101]

이 인간의 '이성'은 "인간이 자신에게 주어진 신의 뜻을 이해하고, 그 뜻에 부합되게 살 수 있도록 신으로부터 부여받은 것"인데, "인간이 누구나 신에 의해 이성적 존재로 창조되었다는 점에서, 로크는 자유가 자연권이자 인간의 본성"이라고 하였다.[102] 이 과정에서 인간의 '자유'는 '자연적 자유'에서 '사회적 자유'로 나간다. 또 이 과정에서 '정치적 사회', '시민적 사회'라는 개념이 나온다.

정치적 사회……서로 결합하여 하나의 단체를 만들고 있는 사람들로서, 그들 사이에서 일어나는 싸움을 판결하며, 또한 범죄자를 능히 처벌할 수 있는 권위를 갖는 법과 재판소……에 호소할 수 있는 사람들은 서로 시민적

100) 이종은, 『정치와 윤리』, 255쪽.
101) 같은 책, 254쪽.
102) 문지영, 「자유주의와 근대 민주주의 국가」, 50쪽.

사회를 결성하고 있는 것이다.103)

이것은 '절대군주', '절대 군주정', '절대군주 정치'를 부정한 것이다.

왜냐하면 절대군주는 오로지 자기 혼자서 일체의 권력, 즉 입법 및 집행의 두 권력을 장악하고 있는 것으로 생각하고 있으므로, 그 절대군주 자신과 또 그의 명령에 의해서 받게 될지도 모르는 침해와 불편에 관해서도 이것을 호소할 수 있는 길은 어느 누구에게나 열려 있지 않기 때문이다.104)

물론 '사회적 자유'의 이론적 근거는 '자연적 자유'이다. '자연적 자유'와 '사회적 자유'의 유일한 행위 준칙은 각각 '자연법'과 '제정한 법'이다. 여기에서 '제정한 법'은 "공동체의 동의에 의해서 제정된 입법권 및 입법부가 위임받아 신탁에 따라 제정한 법이다."105)

로크의 국가에 대한 설명이다.

국가는 그 사회의 성원들 사이에서 저질러진 여러 가지 범죄—마땅히 처벌되어야 한다고 생각되는 범죄—에 대해서 과연 어떠한 형벌을 가할 것인가를 판정할 수 있는 권력—즉 입법권—을 갖는다. 그와 동시에 국가는 또 그 성원이 아닌 자에 의해서 그 성원 중 어느 누구에게 가해진 어떠한 침해도 능히 처벌할 수 있는 권력—즉 개전(開戰)과 강화의 권력—을 갖는다.106)

103) 존 로크, 『시민정부론』, 126쪽.
104) 같은 책, 130쪽.
105) 문지영, 「자유주의와 근대 민주주의 국가」, 50쪽.
106) 존 로크, 『시민정부론』, 126쪽.

여기에서 로크는 국가의 '입법권'과 '개전(開戰)과 강화의 권력', 즉 개전권과 강화권을 말하였다. 그렇지만 통치 체제 문제에서 더 중요한 점은 입법권과 집행권(행정권)의 분리이다.

> 이와 같은 입법부를 설치함으로써 비로소 모든 개인은 다른 가장 비천한 사람들과 평등하게 그 자신이 입법부의 일원으로서 만든 법률에 복종하는 존재로 되었다.[107)]

이것은 '법에 따른 통치', 즉 '법치'를 의미한다. 그 목적은 '인민의 안전과 보존', '공공선'을 보장하는 것이다.[108)]

> 그런데 그렇게 한 목적은 각기 자기의 재산(소유물)을 안전하게 향유하고, 또 그 공동사회에 속하지 않는 자에 의한 침해에 대해 더 공고한 안정성을 보장받음으로써 서로 안락하고 안정하며 평화로운 생활을 보내려는데 있다.[109)]

그렇다면 만약 '법치'가 이러한 목적을 위반했을 때는 어떻게 해야 하는가? 여기에서 '통치의 해체'와 '저항(권)'은 정당성을 얻는다.

> 만일 이와 같은 국민의 동의와 임명이 없다면, 국민 중의 단 한 사람이든 또는 많은 사람이든 다른 사람을 구속할 수 있는 법률을 만들 수 있는

107) 같은 책, 138쪽.
108) 문지영, 「자유주의와 근대 민주주의 국가」, 51쪽.
109) 존 로크, 『시민정부론』, 139쪽.

권한을 가질 수 없다. 만일 누군가 한 사람이든 또는 그 이상의 수많은 사람이든 국민이 그와 같은 임명을 하지 않았는데도 감히 법률을 만들려고 한다면 그것은 아무런 권한이 없이 법률을 만드는 일이기에 국민은 그것에 복조할 의무가 없다.[110]

또 이렇게 말하였다.

만일 사회로부터 위임을 받아 공공의 의지를 선명할 수 있는 권한을 가진 사람들이 그 자리에서 배제되고 그 대신 그와 같은 권한과 위임을 받고 있지 않은 사람들이 그 지위를 찬탈하는 경우에는 각자는 자기 자신의 의지대로 행동할 수 있다.[111]

로크가 말하는 국가는 인민주권의 이념, 입법주의, 법치의 원칙, 의회민주주의 제도 등을 제시하는데 근대 자유민주주의의 기원을 이룬다.[112]

J. J. 루소(Jean-Jacques Rousseau, 1712-1778)는 프랑스 사상가이다. 그의 저작으로 『학문예술론』(*Discours sur les sciences et arts,* 1750), 『인간 불평등 기원론』(*Discours sur l'origine et les fondements de l'inégalité parmi les hommes,* 1755), 『사회계약론』(*Du Contrat social ou principes du droit politique,* 1762), 『에밀』(*Emile ou de l'education,* 1762) 등이 있다.

루소는 그의 현실주의 정치학, 이기적 심리학, 권리에 기초한 개인

110) 같은 책, 299-300쪽.
111) 같은 책, 300쪽.
112) 문지영, 「자유주의와 근대 민주주의 국가」, 56쪽.

주의, 국가에 대한 계약론 등을 홉스와 로크로부터 이어받았다. 그러나 전적으로 이어받은 것이 아니라 비판적으로 받아들였다.113) 그는 『인간 불평등 기원론』에서 '인간 불평등'의 두 가지 유형에 관해 다음과 같이 말하였다.

> 나는 인류 속에서 두 종류의 불평등을 생각한다. 그 하나를 나는 자연적 또는 신체적 불평등이라 부른다. 그것은 자연에 의해 정해지는 것으로, 연령이나 건강이나 체력의 차이와 정신, 또는 영혼의 질의 차이로 이루어졌기 때문이다. 또 하나는 일종의 약속에 의존하여 사람들의 합의에 따라 정해지든가 정당화되는 것이므로, 이것을 사회적 또는 정치적 불평등이라고 부를 수 있다.114)

루소에 의하면 두 가지 유형의 '인간의 불평등'은 ①자연적,·신체적 불평등이고, ②사회적·정치적 불평등이다. 그렇다면 이 두 가지 유형의 불평등의 특징과 관계는 무엇인가?

> [자연적·신체적 불평등] 사람의 자연적 불평등의 원천이 무엇이냐고 물을 수는 없다. 왜냐하면 이 말의 정의 자체 속에 그 답이 표현되어 있기 때문이다.
>
> [사회적·정치적 불평등] 얼마간의 사람들이 다른 사람들에게 손해를 끼침으로써 누리게 되는 갖가지 특권, 이를테면 다른 사람들보다 부유하다든가 존경을 받고 있다든가 권력이 있다든가, 나아가서는 그들을 자기에게 복종시킨다는 특권으로 이루어지고 있다.115)

---

113) 이종은, 『정치와 윤리』, 276쪽.
114) 장 자크 루소, 『인간 불평등 기원론』, 최석기 옮김, 동서문화사, 2007, 32쪽. (한글 번역은 필요한 경우 수정하였다. 아래도 같다.)

그는 ①자연적·신체적 불평등은 인간의 의지와는 상관이 없이 타고난, 즉 생득적인 것이고, ②사회적·정치적 불평등은 인간 사이의 공동체에서 나온 인위적인 것이다. 그러므로 이 두 가지 유형의 불평등 사이에는 근본적인 차이가 있다.

> 또 이 두 가지 불평등 사이에 뭔가 본질적인 관계가 있지 않을까 하고 탐구하는 일은 더욱 불가능한 일이다. 왜냐하면 명령하는 사람이 복종하는 사람보다 필연적으로 가치가 있는가, 그리고 육체나 정신의 힘, 지혜 또는 미덕이 언제나 권세와 부(富)에 비례하여 동일한 개인에게 있느냐는 것을 다른 말로 물어보는 것이 되기 때문이다.116)

자연적·신체적 불평등은 비록 '불평등'이라고 말하였지만, 그것은 불평등이라기보다는 '차이' 정도에 해당한다. 그러나 사회적·정치적 불평등은 인위적인 것으로 진정한 의미에서 불평등이다.

루소는 인간 역시 동물과 마찬가지로 '자연 상태'에서 진화했다고 한다. 그리고 이 '자연 상태'에서 인간은 서로 고립되어 있었기에 자유롭고 평등하게 살았으며, 생활에 필요한 것은 무한하게 풍요로웠다고 하였다. 또 '자연 상태'에서는 사유재산, 지배와 복종의 관계도 없었다고 말하였다.117)

> 실제로 사람들을 구별하는 차이 속에서 몇 가지는 자연적인 것으로 보고

---

115) 위와 같음.
116) 위와 같음.
117) 이종은, 『정치와 윤리』, 277쪽.

있으나, 그것은 단순히 습관과 사회 속에서 사람들이 받아들이는 온갖 생활 양식의 산물이라는 것을 쉽게 알 수 있다. ……사람과 사람의 차이가 얼마나 자연 상태 쪽이 사회 상태에 있어서보다 적은가, 또 자연의 불평등이 인류에게는 제도의 불평등 때문에 얼마나 증대하지 않으면 안 되는가를 이해할 수 있다.118)

이것은 보편적으로 타당한 논의로 보인다. 그러므로 루소에 의하면 '자연 상태'에서 인간은 자유롭고 평등하였다.

그런데 그는 또 자연 상태에서 인간의 감정을 중시한다. 인간의 '자연 상태'에서는 '연민'이 법률과 같은 것을 대체하였다.

그러므로 연민은 자연의 감정이며, 그것은 각 개인에게는 자기애의 활동을 조절하고 종(種) 전체의 상호보존에 협력한다. 타인이 괴로워하는 것을 보고 우리가 아무런 반성도 없이 도와주려고 하는 것은 이 연민 때문이다. 또 자연 상태에 있어 법률, 풍속, 미덕을 대신하는 것도 이것이고, 그 부드러운 목소리에는 아무도 거역하지 못하는 장점이 있다.119)

그는 "자연 상태에서는 불평등이 거의 느껴지지 않는다는 것과 불평등의 영향도 그곳에서는 거의 없다는 것"을 주장하고, "앞으로 해야 할 일은 그 불평등의 기원과 진보를 인간 정신의 연속적인 발전 속에서 찾아야 한다"고 말하였다.120) 그렇지만 자연 상태에서 문제가 되는 것은 루소가 '정념'이라고 말한 인간의 본능/욕망이 존재한다. 자연

118) 장 자크 루소, 『인간 불평등 기원론』, 62쪽.
119) 같은 책, 58쪽.
120) 같은 책, 63쪽.

상태에서 인간은 이 정념의 조절에 실패했을 때 문제가 발생할 수밖에 없기 때문이다.

우선 정념이 심할수록 그것을 억제하기 위해 법률이 필요하다는 것을 인정하지 않으면 안 된다. 그러나 정념이 날마다 우리 사이에 일으키고 있다는 무질서를 범죄는 이 점에 있어서 법률의 불충분함을 많이 보여주고 있지만, 이러한 무질서는 법률 그 자체와 함께 발생한 것이 아닌가 하는 것을 검토해 보는 것도 좋다. 왜냐하면 그럴 경우, 법률이 그런 무질서를 억압하는 힘이 있다면, 법률이 없으면 존재하지 않을 해악을 거절하는 일이야말로 법률에 대해 해야 할 최소한의 요구이기 때문이다.121)

루소에 의하면 인간이 진보함에 따라 '사유(私有) 관념', '관계에 대한 자각', '가족' 등이 발전하면서 점차 '사회'(국가)를 형성하였다고 말한다.

[소유] 어떤 토지에 울타리를 두르고 "이것은 내것이다" 선언하고 일을 생각해 내고, 그것을 그대로 믿을 만큼 단순한 사람들을 찾아낸 최초의 사람은 정치사회(국가)의 창립자였다. ……그러나 그때는 이미 상황이 전과 같은 상태를 계속할 수 없을 정도였으리라고 생각된다. 왜냐하면 이 사유(私有)의 관념은 순차적으로밖에 발생할 수 없었던 많은 선행 관념에 의존하고 있으며, 인간 정신 속에 갑자기 형성된 것이 아니었기 때문이다.122)

[관계] 인류가 증가하면서 인간과 함께 고통도 많아졌다. ……이와 같은 온갖 존재를 인간 자신을 위해, 또한 서로 되풀이 적용한 결과 당연히 인간의 정신 속에는 몇 가지 관계에 대한 지각(知覺)이 생겨날 수밖에 없었

121) 같은 책, 59쪽.
122) 같은 책, 94쪽.

다.[123]

[가족] 이러한 초기의 진보 덕분에 인간은 빠른 진보를 행하게 되었다. 정신이 계몽되면서 점점 기능이 개량되었다. ……이것이 바로 가족의 설립과 그 구별을 형성하고, 일종의 사유 재산을 도입한 최초의 혁명시대이다. 아마도 그 사유재산은 이미 다툼과 싸움의 근원이 되었을 것이다.[124]

그는 인간의 '사유재산'을 투쟁의 원인이라고 생각하였다. 이것은 자연 상태에서 왜 계약으로 나갈 수밖에 없는지를 설명할 때 하나의 단서가 된다. 여기에서 특히 인간의 '토지'에 대한 '사유'의 문제가 발생한다.

토지의 경작에서 필연적으로 토지의 분배가 일어나고, **사유**가 일단 인정되면, 거기서 처음으로 **정의의 규칙**이 생겨난다. 왜냐하면 각자에게 그 소유물을 돌려주기 위해서는 각자가 뭔가를 소유하지 않으면 안 되기 때문이다. ……이런 일이 계속적인 점유를 만들어내고 쉽게 사유(私有)로 바뀐다. ……즉, 자연법에서 생기는 권리와는 다른 사유의 권리를 만들어 낸 것이다.[125] (밑줄과 강조는 인용자)

왜냐하면 초기 인류의 역사에서 이익의 산출은 기본적으로 토지에서 출발하였기 때문이다. 이것은 산업혁명 이전의 인류 역사에서 기본적인 상황이었다. 그는 결론적으로 이렇게 말하였다.

사회와 법률의 기원은 이런 것이었다. 아마 이런 것이었으리라. 이 사회

123) 같은 책, 95쪽.
124) 같은 책, 97쪽.
125) 같은 책, 103쪽.

와 법률이 약한 자에게는 새로운 멍에를, 부자에게는 새로운 힘을 주어 자연의 자유를 영원히 파괴해 버렸다. 또 사유와 불평등의 법률을 영원히 고정시키고, 교묘한 찬탈로써 취소할 수 없는 권리를 만들어 일부 야심가의 이익을 위해 이후 전 인류를 노동과 예속과 빈곤에 굴복시킨 것이다.126)

이 과정에서 '자연법'을 대체한 '시민법'이 형성되었다.

이리하여 시민법이 시민들에게 공통된 규칙이 되었으므로, 자연법은 이미 갖가지 사회와 사회와의 사이에서만 이루어지게 되었다.127)

그런데 루소는 국가를 '우연한 소산'이라 지적하였다.

현명한 입법자들이 모든 노력을 다했음에도 국가 상태는 언제나 불완전했다. 그것은 국가 상태가 거의 우연한 소산이며 처음부터 시작이 나빴기 때문에, 시간이 그 결점을 발견하여 이에 대한 대책을 시사하면서도 조직의 결함을 보상할 수 없었기 때문이다.128)

그렇지만 국가는 마침내 '협약'에 의해 개인의 권리를 '위탁'하게 되었다.

사회는 우선 일반적인 몇몇 협약으로만 성립되었고 모든 개인이 이것을 지키기를 약속하고 그들 각자에 대해 공동체가 그 협약의 보증인이 되었다. 그와 같은 조직이 얼마나 힘이 없었으며, 또 대중만이 증인이고 재판관이어

---

126) 같은 책, 107쪽.
127) 같은 책, 108쪽.
128) 같은 책, 109쪽.

야만 했던 것과 같은 잘못에 대해 증거나 처벌을 모면하는 일이 위반자에게 얼마나 쉬웠는지 경험을 통해 알게 되었다. 사람들은 여러 가지 방법으로 법망을 뚫었을 것이다. 그리고 불편과 무질서가 끝도 없이 늘어 갔으므로, 마침내 사람들은 공권력이라는 위험한 직분을 몇몇 개인에게 위탁하려고 생각하고, 백성의 의결을 지키게 하는 일을 위정자에게 위임하게 되었을 것이다.129)

이러한 과정을 통해 만들어진 것이 '불평등'이다.

이런 온갖 변혁 속의 불평등을 더듬어 보면, 우리는 법률과 소유권의 설립이 처음으로 불평등을 만들어내고, 위정자의 직분 설정이 그다음으로, 마지막으로 합법적인 권력으로부터 전제적 권력으로의 변화가 불평등을 조장했음을 알 수 있을 것이다.130)

루소는 『사회계약론』에서 그가 말하는 '사회계약이 해결해 주는 근본적인 문제'에 관해 다음과 같이 정의하였다.

구성원 하나하나의 신체와 재산을, 공동의 힘을 다하여 지킬 수 있는 결합 형식을 발견하는 것, 그리고 그것으로 저마다 모든 사람과 결합을 맺으며 자기 자신 이외에는 복종하지 않고 전과 다름없이 자유로울 것.131)

이것은 루소의 '사회계약'에서 가장 기본이 되는 원칙이다. 그리고 이어서 또 이렇게 말하였다.

---

129) 같은 책, 109-110쪽.
130) 같은 책, 117쪽.
131) 장 자크 루소, 『사회계약론』, 최석기 옮김, 동서문화사, 2007, 168쪽.

> 이것이야말로 사회계약이 해결해 주는 근본적인 문제이다. 이 계약의 조항들은 행위의 성질에 따라서 매우 뚜렷이 정해져 있으므로 조금이라도 고치면 허무하고 효력이 없는 것이 되어 버린다. 그러므로 아마도 이 조항은 정식으로 공포된 적은 한 번도 없겠지만 어디에서나 똑같고, 어디에서나 암묵적으로 받아들여지고 시인되고 있다. 사회계약이 깨어짐으로써 저마다 자기의 첫 권리로 되돌아가 계약에 의거한 자유를 잃고 그 때문에 버린 자연적인 자유를 되찾을 때까지는 말이다.[132]

그러므로 '계약적 자유'는 '자연적 자유'를 그 기초로 하는데, 만약 '자연적 자유'를 상실한 또는 위반한 '계약적 자유'라면 그것은 존재근거를 상실한 것으로 효력이 없다. 이러한 '사회계약'을 통해 '양도'가 이루어진다.

> 이 조항을 옳게 이해하면 모두 다음의 한 조항으로 귀결된다. 다시 말해 구성원 하나하나를 그 모든 권리와 더불어 공동체 전체에 대해 전면적으로 양도하는 것이다.[133]

루소의 사상에는 개인 간의 계약관계를 보증하는 제3자는 존재하지 않는다. 계약은 개인 간의 관계가 아니라, 개인과 공동체 사이에서 체결되며, 이때 공동체는 계약 당사자를 포함하는 개인들 간의 연합이다.[134] 따라서 사회계약이란 "사회의 모든 구성원이 계약 당사자가 되

132) 위와 같음.
133) 같은 책, 168-169쪽.
134) 홍성민, 「감정구조와 사회계약론」, 17쪽.

며, 이들이 모두 자신의 모든 권리를 공동체에 전적으로 양도함으로써 일반의지(volonté générate)를 형성함과 동시에 정치공동체를 형성하는 것"이다.135)

그런데 루소가 말하는 '사회 상태의 인간'은 인간들 사이에 우의, 참다운 존경, 완전한 자신감은 사라지고, 그 대신에 질투, 의혹, 공포, 냉담, 마음에 숨겨둠, 증오, 사기가 공손함이라는 획일적이며 가식적인 장막에 가려져 있다.136)

그러므로 루소에 의하면 인간의 '악'이란 자연적인 것이 아니라 사회적 산물이다.

> 개인들이 생존을 위한 자연적 욕구를 넘어서는 인위적 욕망을 충족시키기 위해서 자신의 이익을 추구한다면 그것은 자기애가 아닌 이기심의 발로이며, 이로부터 사회의 모든 악덕들이 발생한다.137)

그런 까닭에 인간은 '자연적 욕구'를 넘어 '인위적 욕구'를 추구하게 되었다. 그 결과가 모든 악덕의 발생이다. 즉 "인간은 사회로 연합하는 역사적 경로를 걷는 동안 자연의 질서를 왜곡하게 되어 불평등, 이익대립, 전제정, 인간소외 등이 야기되었다는 것이다. 이는 사회적 불행이다. 그렇지만 인간은 이미 문명 속에, 국가 속에 살고 있기 때문에 자연 상태로 되돌아갈 수 없다는 것이다."138)

---

135) 은은기, 「루소의 『사회계약론』 한계 고찰」, 영남대학교 인문과학연구소, 2013, 156-157쪽.
136) 이종은, 『정치와 윤리』, 281쪽.
137) 이용철, 「루소 : 자기애와 그 확장」, 137쪽.
138) 은은기, 「루소의 『사회계약론』 한계 고찰」, 155쪽.

종합하면, 루소는 "개인이나 공중에게 참된 행복을 성취할 수 있게 해줄 법을 제정하려면" '유능한 입법자'가 필요한데, 이 '유능한 입법자'에 의해 제정한 법에 따라 좋은 정부가 결성되면 개인은 개별이익보다 공동체의 이익을 앞세우게 될 것으로 생각하였다.[139)]

이상의 논의와 같이 인간의 자유와 평등에 관한 이념은 서양 근대문명의 산물이다. 서양의 근대는 종교적 사유의 예속에서 벗어나 인간이 주체가 되어 이성과 경험을 통해 인간 자신과 자연을 이해하려고 하였다. 그 결과는 당연히 신의 예지가 아닌 인간에 의한 정치·사회적 제도의 건립으로 나갔다. 그렇지만 이러한 관념의 변화는 여전히 '계약'을 통한 국가라는 공동체의 존재를 정당화하고 절대화한 것이다.

(2) 시스템의 변화

서양문명은 중세 암흑기를 지나, 르네상스를 통과하면서 근대사회로 나아갔다. 서양의 근대 문명은 그 이전과 다른 국가 체제를 형성하였다. 앞에서 살펴본 것처럼, 국가에 관한 이념의 변화를 기초로 한다. 이 과정에서 우리가 살펴볼 것은 서양의 봉건제라는 체제이다. 학자들은 서양문명의 정치 체제 변화 과정에서 중요한 것으로 봉건제를 언급하였다. 우리는 "'고대체계'에서 '봉건체계'로의 이행"을 살펴볼 필요가 있다.[140)]

139) 같은 논문, 161쪽.
140) 성백용, 「'봉건제의 일반적 위기'에 관하여-기 부아의 분석을 중심으로」, 뉴 래디컬 리뷰, 『이론』 9, 1994, 62쪽.

서유럽 사회는 9세기 이후 봉건사회라고 말한다.[141] "중세 초의 노예제 사회로부터 9세기 초 이후의 봉건사회로의 이행은 노예제적 부역노동으로부터 봉건적 부역노동으로의 이행과정"이라는 것이다.[142]

그렇다면 봉건제란 무엇인가? 러쉬튼 쿨본은 먼저 이렇게 지적하였다.

> 봉건제는 초기 유럽의 역사적 사실에서 유출한 추상적인 개념이다. 그러나 봉건제의 개념 그 자체는 역사적 사실이 아니다. ……그 용어는 학자들, 특히 18세기 학자들에 의하여 만들어졌다. 그들 자신의 시대에 남아 있었던 어느 특정 제도를 연구하고, 그 제도들이 발생하고 번성하였던 시대를 돌아보던 학자들이 일련의 느슨하게 연관된 사실을 종합하기 위하여 봉건제라는 용어를 만들어냈다.[143]

쿨본은 이어서 잠정적으로 봉건제를 다음과 같이 정의하였다.

> 봉건제를 잠정적으로 다음과 같이 정의할 수 있을 것 같다. 봉건제는 분명히 사회, 경제적인 환경을 변화시키고 또 그 환경에 의해 변화되지만, 봉건제는 사회적 또는 경제적 제도가 아니고 원래 통치하는 수단이다. 봉건제는 그 본질적인 관계가 지배자와 예속자의 관계가 아니며 또 국가와 시민과의 간계도 아니며 주군과 봉신vassal 사이의 관계를 본질로 하는, 통치의 한 수단이다. 이것은 정치적 기능이 한정된 수의 개인들 사이에 맺어진 개

---

141) 이기영, 「서유럽 중세 초기 봉건농민의 부역노동 부담 추이-고전장원제 성립 전후를 중심으로-」, 한국프랑스학회, 『프랑스사 연구』 제22호, 2010, 5쪽.

142) 같은 논문, 6쪽.

143) 러쉬튼 쿨본 편저, 『봉건제의 이해』, 김동순 옮김, 민음사, 1996, 31쪽.

별적 협정에 의해 수행되며 정치적인 권위는 사적인 소유물로 취급되었다는 것을 의미한다. 봉건 정부에 있어서는 개별적인 접촉이 아주 중요하였으므로, 그러한 접촉이 용이했던 지방 정부의 규모에서 봉건제는 가장 효과적이었다.144)

그러므로 봉건제는 두 가지 의미가 있다. 하나는 사회형 또는 사회체제이고, 다른 하나는 봉토와 가신에 관한 제도이다.145) F. L. 간스호프(Ganshof)는 이렇게 정의하였다.

……봉건제는 한 자유인(가신)의, 다른 한 자유인(주군)에 대한 복종과 봉사—주로 군사적 봉사—의 의무와 주군의, 가신에 대한 보호와 부양의 의무를 창출하고 규제하는 제도 전체라고 할 수 있다.146)

봉건제의 기능 가운데 한 가지 중요한 사항은 '군사력'이다.

대부분의 봉건 사회, 특히 봉건제 초기 사회에서는 군사 기능이 가장 중요하였다. 유력자에게 봉사하는 사병의 존재는 봉건적인 제도의 성장을 가능하게 하였던 여건이었고, ……지도자와 추종자 사이의 협정은 언제나 군사적인 봉사를 강조하였으며 어떤 추종자들은 전문적인 군인으로서의 의무 이외의 어떤 의무도 갖지 않았다.147)

봉건제와 경제 구조의 관계 문제이다.

---

144) 같은 책, 33-34쪽.
145) 梁秉祐, 「封建制의 概念」, 歷史學會, 『歷史學報』 제141집, 1994, 1쪽.
146) 위와 같음.
147) 러쉬튼 쿨본 편저, 『봉건제의 이해』, 34쪽.

> 언제나 농업이 지배적이었고, 경제적인 이해는 지방적이었으며 local, 광범위한 정치 조직을 부양하는 부담을 경제적 이득으로 보상해 주지 않는 사회는 강력한 봉건적인 경향을 보였다. 반면에 고도로 조직화된 상업은 봉건화를 저지하는 경향이 있었다.[148]

즉 농업이 발전한 사회는 봉건제가 강력한 힘을 발휘했다면, 상업의 발전은 봉건제를 약화하였다.

> 농업이 지배적인 사회에서는 공통적으로 상당한 정치 권력을 행사하던 지방 대귀족이 있었다. 만약 중앙 정부가 이들 지방 귀족을 복종시킬 수 없다면, 이들 지방 귀족이 갖고 있던 실제 권력은 쉽게 합법적인 권리로 되며, 그 권리는 그들의 후손에 이해 세습되었다. 이 과정에서 지방 귀족들이 일상적인 사법권으로부터 면제권을 양도받는 것은 대단히 중요한 단계였다. 이 지방 귀족의 사법적인 면제권이 확립되어 가면서 중앙 정부가 권력을 통일하는 데 영향을 끼칠 수 있는 상업의 역할이 무색하게 되었다.[149]

그렇다면 서양 역사에서 왜 봉건제가 중요한가? 첫째, "봉건적 주종관계는 雙務契約적인 것"이라는 점이다.[150] 이것은 "주군이 가신을 보호하고 부양하는 의무를 지고 가신은 주군에게 복종하고 봉사하는 의무를 지었"으며, "주군이 그 의무를 이행하지 않을 때는 가신이 그와의 관계를 끊고 대항하"는, 즉 "가신은 '背信'한 주군을 '否認'할 권리

148) 같은 책, 38쪽.
149) 위와 같음.
150) 梁秉祐, 「封建制의 槪念」, 6쪽.

가 있었던 것이다." 여기에서 "抵抗權의 이념"을 찾을 수 있다.[151)]

메로빙시데 후기에는 恩貸地(beneficcium) 창출의 儀式이 생겨나고, 武裝從士의 군사 봉사에 대해 토지가 수여되며, 무엇보다 메로빙 왕실의 宮宰들이 교회 기관들로부터 탈취한 많은 토지를 기병의 군사 봉사와 결합시켜 참다운 의미의 봉토와 봉신을 탄생시키는 등 봉건적 주종 관계의 골격이 형성되었다.[152)]

이 "봉건적 주종 관계는 봉주와 봉신의 권리의무관계"이다.[153)]

봉건적 주종 관계의 '고전적' 개화기로 알려진 10세기에서 12세기 사이에 봉주에 대한 봉신의 의무는 충성, 군사 뽕사, 조어, 扶助 등이었다. 봉신에 대한 봉주의 의무는 보호, 부양, 성실, 조언 등이었다. 그렇지만 이런 여러 의무들 가운데에서도 가장 중요하고 근간을 이루는 의무는 봉신들에게는 騎士로서의 군사 봉사였고, 봉주에게는 봉토 수여에 의한 봉신의 부양이었다.[154)]

둘째, 사회·경제적 측면에서 '봉건적 생산 양식의 모순'은 새로운 사회·경제적 체계로 이행하도록 추동하였다. 이 문제는 봉건제, 봉건사회와 자본주의, 자본주의 사회로 이행이라는 문제를 이해하는데 중요한 요소가 된다. 즉 "봉건제의 '위기' 및 자본주의로의 '이행'"이라는 문

151) 위와 같음.
152) 李琪榮, 「서유럽의 봉건적 주종관계 형성(22)-카를링왕조와 봉건적 주종관계의 제도적 성립-」, 역사교육연구회, 『역사교육』 116, 2010, 273-274쪽.
153) 같은 논문, 275쪽.
154) 위와 같음.

제를 이해할 때 큰 의미가 있기 때문이다.155)

서양의 역사에서 봉건제, 봉건체제 사회에서 “농노가 자기 촌락 영주의 ‘속민’(屬民)이었던 것과 마찬가지로 백작은 국왕의 ‘속민’이었다.”156) 그런데 국왕과 가신의 관계, 즉 ‘가신제적 유대’는 ‘신종선서’(臣從宣誓, hommage, 독일어로는 Mannschaft)에 의해 성립하였다.157)

> 한마디로 말해서 신종선서란 가신 관계를 종속과 보호라는 그 이중적 측면에 있어서 진정으로 창출해내는 것이었다.158)

여기에서 중요한 점은 ‘종속’과 ‘보호’라는 쌍무적 관계이다.

> 가신이 짊어지고 있던 부조와 복종이라는 일반적 의무는 어떤 타인의 ‘속민’인 사람들 그 모두에게 공통된 것이었다. ……가신 신분은 상류계층에 특유한 종속의 형태였으며, 이를 특징지어주고 있었던 것은 무엇보다도 전사(戰士)로서의 소명과 명령권이라는 직능이었다.159)

그런데 이러한 수직적 체계는 당시 사회의 전반적인 체계였다.

> 국가도 혈족도 더 이상 충분한 보호의 손길을 뻗쳐주지 못하고 있었다.

155) 성백용, 「‘봉건제의 일반적 위기’에 관하여-기 부아의 분석을 중심으로」, 64쪽.
156) 마르크 블로크, 『봉건사회 I 인적 종속관계의 형성』, 韓貞淑 譯, 한길사, 1993, 238쪽.
157) 같은 책, 239쪽.
158) 같은 책, 240쪽.
159) 같은 책, 241쪽.

촌락공동체는 내부의 치안을 유지할 정도의 힘밖에는 가지고 있지 않았다. 도시공동체는 거의 존재하지 않는 형편이었다. 약한 자는 자기보다 강한 자에게 몸을 내맡겨야 할 필요를 도처에서 느끼고 있었다. 강한 자는 강한 자대로 설득에 의해서이건 또는 강제력에 의해서건 간에 자기를 도와줄 의무가 있는 하급자의 지지를 확보하지 못하는 한 위신이나 재산을 유지할 수도 없었고 심지어는 자신의 안전을 보장할 수조차 없었다. 한편에서는 우두머리 곁으로 도피하는 사태가 있었고, 다른 한편에서는 흔히 폭력에 의한 지배권의 찬탈이 있었다. 그리고 약하다거나 강하다거나 하는 관념은 언제나 상대적인 것에 지나지 않기 때문에 많은 경우에 있어서 동일한 인물이 자기보다 강한 사람의 종속자가 되면서 동시에 자기보다 지위가 낮은 사람의 보호자가 되곤 하였다. 여러 갈래로 얼키고 설키면서 사회적 구조물의 한 계층에서 다른 계층까지 줄곧 가로지르고 있던 인격적인 종속관계의 거대한 체제가 이렇게 해서 형성되기 시작하였다.160)

이러한 봉건제는 12세기 중엽 변화가 발생하였다. 그것은 '세습제의 확립'이다.161)

1037년 5월 28일에 정식의 입법적 포고령을 발포하여 자기의 피호자들을 위한 법을 확정하게 된다. 즉 콘라트 2세는 세속의 직속가신, 주교, 수도원장 또는 수녀원장 등을 영주로 하는 모든 '은대지'는 이제부터 아들, 손자 또는 형제에게 세습될 수 있는 성격의 것으로 여겨지게 될 것이라고 결정하였다. ……이미 11세기 초부터 독일에서는 이러저러한 특징의 봉토에 대한 자손의 권리를 인정하는 사적인 협약이 증가하고 있었던 것을 볼 수 있다. ……이 11세기가 경과하는 동안 이미 세습화로 향하는 추세는 가속화

160) 같은 책, 242쪽.
161) 같은 책, 320쪽.

되면서 진행되고 있었다. ……12세기에는 이 원칙은 더 이상 이론의 여지가 없는 것이 된다. ……즉, 봉토는 그 최초의 수익자로부터 이어져 내려온 후손들 사이에는 얼마든지 이전될 수 있었으나 그 이외의 사람들에게는 이전될 수 없었다.[162]

그 결과 봉지는 혈연적 관계가 있는 가족에게 이어졌다. 더군다나 뒤에는 장자상속제까지 시행되었다.

하인리히 6세가 유력한 가신들에게 방계혈족이 감수해야 했던 상속부적격성(相續不適格性)과 아울러 여성들의 상속부적격성도 폐지하겠다고 제안했던 것은 독일에 있어서 이 규칙이 아직도 얼마나 강력하게 남아 있었던가를 증명해준다. ……이리하여—더구나 여계(女系) 남자 후손의 상속권이 여성 자신의 상속권과 거의 동시에 인정되었던 까닭에—크건 작건 간에 봉건적 가문들 사이에서는 바야흐로 결혼정책이 성황을 이루기 시작하였다.

미성년자인 상속인의 존재는 봉건적 관습에 의해 처음부터 해결되지 않으면 안 되는 문제들 가운데 분명히 가장 골치 아픈 문제거리였다. ……이 같은 진퇴양난으로부터 벗어날 수 있게 해주는 해결책은 일찍이 9세기부터 고안되어 있었다. '연령미달자'도 상속인으로 인정되었다. 그러나 이 아이가 가신으로부터의 의무를 수행할 수 있게 되는 날까지는 임시의 관리자가 이 아이 대신 봉토를 보유하면서 신종선서를 바치고 봉사를 수행하게 되어 있었다. ……남자 상속인 또는 여자 상속인의 인신(人身)이 보다 많은 값어치를 가지고 있었다. 왜냐하면 ……후견인으로서의 영주나 또는 그 대리인에게는 그들의 피후견인을 결혼시킨다고 하는 재량권이 주어져 있었기 때문이다. 그리고 그들은 또한 이 권리를 이용해서 흥정을 하는 것도 소홀히 하지 않았던 것이다.

---

162) 같은 책, 321-325쪽.

> 봉토가 원칙적으로 분할할 수 없는 것이라는 점보다 더 명확한 사실도 달리 없다. ……고인에 대해 같은 촌수의 근친 관계에 있는 상속 유자격자들 사이에서, 예를 들어 고인의 아들들 사이에서, 어떠한 기준으로 단 한 사람의 상속인을 뽑는가 하는 것이 첫 번째 난제로서 제기되곤 했다. ……하나하나의 백령들은 분할되는 경우가 드물었다. 그러나 반면에 전체적으로 본다면 이들 수장의 아들들은 세습 재산에서 각기 자기네 몫을 나누어 가졌다. 그 때문에 영지의 덩이는 세대가 바뀔 때마다 산산이 조각날 위험을 안고 있었다. 군주의 가문은 아주 재빨리 이러한 위험을 알아차리고는 지방에 따라 빠르고 늦음의 차이는 있었지만 장자상속제를 채택해 이에 대처하였다. 12세기에는 장자상속제가 거의 어디에서나 기정사실화하였다.[163)]

15~16세기의 서유럽, 16~17세기의 동유럽에서는 봉건적 사회의 여러 관계와 정치적, 법적 여러 제도가 점차 붕괴하였으며, 유럽 전역에 점차 부유한 도시와 부르주아 계급이 형성되었다.[164)] 이러한 봉건체제의 붕괴를 이어 나타난 것이 '신분제 국가'(身分制國家, Ständestaat)이다. 프러시아와 처시아의 경우 귀족들은 왕의 관리가 되었다. 농민은 노예화되어 영주와 국가에 무거운 조세를 부담하였다. 국가 자체는 군사 체제가 되어 귀족에게 보상과 지위를 제공하였으며, 그들은 전제적 중앙지배를 지지하였다. 이처럼 각 신분계급 사이에 권력 공유라는 타협적 전통이 형성되었다.[165)]

중세사회는 저발전 상태로 고도로 분열되었고, 그 정치 체제는 농촌

---

163) 같은 책, 326-332쪽.

164) 金融吉, 「封建制度 붕괴시 身體文化의 衰退理由」, 대구대학교 인문과학연구소, 『인문과학연구』 9, 1991, 118쪽.

165) 다니엘 시로, 『근대 세계의 형성과 세계 체계』, 남중헌·이득연 옮김, 한국사회학연구소, 1987, 68쪽.

에 기반하였다. 그런데 이 과정에서 11세기에서 13세기 사이에 서구 도시의 자율성이 확대되었다. 그리고 군주, 봉건 영주, 도시라는 삼각의 투쟁 관계에 교회의 출현으로 복잡하게 되었다. 사제와 세속의 정치 권력 사이의 갈등 속에서 도시는 자신의 독립을 얻기 위한 수단으로 이용하였는데 이러한 갈등 과정에서 이 '신분제 국가'라는 정치 구조가 나타난 것이다.[166]

> 이것은 결국 13, 14세기에 있어서 권력의 분배로 나타났다. 군주는 국가의 정당한 우두머리로 인정되었다. 그러나 영주와 도시 및 교회도 또한 특정한 일련의 권리와 의무, 명예로운 지위, 국사에 관한 합법적인 역할들을 인정받았다.[167]

다시 말해 "새로운 신분 국가는 봉건체계보다 더욱 제도화되었으며, 그것은 특정한 토지에 근거하면서 결과적으로는 합법적인 권력 분배를 제공하였다."[168] 그런데 이 과정에서 국가 권력(정부)을 강화하는 방향으로 전개되었다.

> 17세기와 18세기에 이르러 신분 국가는 점증하는 왕권의 통제와 프랑스에서의 절대주의에 의해 대체되었다.[169]

왕권(중앙 정부 권력)의 강화는 집중과 분산이라는 이중적 특징을

---

166) 같은 책, 27쪽.
167) 같은 책, 27-28쪽.
168) 같은 책, 28쪽.
169) 위와 같음.

보여준다. 즉 지배권의 집중과 새로운 경제적 이익의 확대라는 목표에 더 좋은 사회적 조건을 요구하였다. 이것은 국가 권력과 상인 계급에 모두 이익이 되었다.

……협소한 봉건국가의 국경을 뛰어넘어 상품교환을 확대하기 이하여 당시 각 지역 제후를 통제하던 절대군주의 권력의 비호를 받았다. 이렇게 하여 절대왕권과 부르주아 계급과의 연합이 도시의 특권을 강화하고 동시에 수공업의 발전을 방해 해왔던 장애물을 제거하게 되고 상풍=화폐 관계를 뚜렷이 확대해 가는 가능성을 만들었으며, 자본의 축적 과정을 도입했다. 그리고 도시와 지방 간의 강력한 경제적 결합의 길을 열었다.……다시 말하면 왕권을 유지하고 있던 당시의 사회질서가 근본에서부터 붕괴되었던 것이다, 그럼에도 불구하고 부르주아 계급과 왕권이 결합은 제후와 전쟁 상태에 놓여 있던 봉건 군주에게는 무엇보다도 중요한 힘이 되었다. 결국 이 결합의 덕택으로 텅빈 상태에 있던 왕가의 금고가 도시의 신흥귀족에 의해서 채워짐과 동시 경비지출이 많은 國王軍의 무장도 가능하게 되었다. 따라서 이 결합은 절대군주의 권력을 강화하고 그 결과로서 사회진보를 위한 조건을 형성했으며, 경제와 언어적으로 근접되어 있는 몇 개의 지방을 하나의 민족국가로 만들어갔다.170)

이것은 국가 체제에서 제도·법의 필요성과 경제적 합리성을 요구하였다.

따라서 서구에서 법의 합리화가 일어난 주된 이유는 왕, 귀족, 교회, 그리고 도시 사이에 오랫동안 해결되지 않고 남아온 다양한 정치 투쟁 때문이

---

170) 金融吉, 「封建制度 붕괴시 身體文化의 衰退理由」, 118쪽.

었다. 신분 국가에 의해서 제도화된 일종의 협약 관계의 출현은 합리적인 경제 행위의 가능성을 제고시켰던 안정적이고 합리적인 법적 지배를 위한 조건들을 성숙시켰다.[171)]

요약하면, 이것은 '인치'에서 '법치'로의 과정이라고 말할 수 있다. 그 결과 근대국가 체제의 형성으로 나가게 되었다. 그렇다면 먼저 우리가 질문할 것은 바로 다음과 같다. '근대국가'란 무엇인가?

김준석은 『근대국가』에서 '근대국가'를 이렇게 정의하였다.

근대국가는 상비군, 관료제, 조세 제도 등의 수단을 통해 일정한 지역 내에서 중앙 집중화된 권력을 행사함으로써 대내적으로는 사회 질서를 안정적으로 유지하고, 대외적으로는 다른 국가들과 경쟁하면서 이들로부터 배타적인 독립성을 주장하는 정치조직 또는 정치제도이다.[172)]

이 정의에 의하면 '근대국가'의 특징은 ①상비군, ②관료제, ③조세제도, ④독립성을 갖춘 정치조직/정치제도이다. 그런데 이러한 여러 가지 제도를 갖춘 근대국가의 형성은 "새로운 자원과 속국을 정복하기 위한 자국의 능력을 향상시키기 위해서는, 국가는 더 큰 내적 지배력과 군사기구를 설치할 수 있는 정도의 적합하고 안정된 세입원을 확립해야 했다."[173)] 또 법치, 합리성 등과 같은 정신적·제도적·문화적 장치를 필요로 하였다.

---

171) 다니엘 시로, 『근대 세계의 형성과 세계 체계』, 36쪽.
172) 김준석, 『근대국가』, 책세상, 2011, 14쪽.
173) 다니엘 시로, 『근대 세계의 형성과 세계 체계』, 62쪽.

> 법 그리고 특히 종교의 합리화는 또한 자본주의적 합리성을 정당화시키고 더욱 장려하는 문화적 환경을 만들어 주었다. ……증거의 필요성에 대한 강조는 전적으로 기업 활동에서 합리적인 정책 결정과 일치하는 것이었다. ……자본주의적인 부르주아지는 경제활동이나 그들의 이윤 증식에서 성공을 일종의 그들에 대한 도덕적 가치의 증거로 만드는 그들 자신의 합리적 종교 유형을 발전시킬 수 있었다.174)

김준석은 또 '근대국가'에 관해 다음과 같이 말하였다.

> 근대국가modern state는 서구의 발명품이다. 좀 더 정확하게 말하면 근대국가는 우리가 중세 말-근세 초기라 부르는 15~18세기에 프랑스, 영국, 스페인, 스웨덴 그리고 현재 독일어권을 이루는 지역의 일부에서 처음 등장한 '유럽제made in Europe'이다. 이후 근대국가의 존재 양식은 세계 여타 지역으로 확산되었고, 오늘날 근대국가는 '국가the state' 그 자체와 동일시되곤 한다. 즉, 근대국가는 역사적으로 특정한 장소와 시기에 생겨나서 여러 세기에 걸쳐 그 지리적 범위를 확대하는 데 성공한 제도이다.175)

이러한 논의는 매우 중요한 문제의식을 보여준다. 이른바 '근대국가'라는 정치조직/정치제도가 절대적인 것이 아님을 나타낸다. 이 '국가'라는 개념 자체 역시 마찬가지이다.

> 그럼에도 불구하고 15세기와 16세기의 서유럽 국가들은 다른 문명들에서는 없었던 자산을 갖고 있었다. 그것은 급속히 성장한 해외무역과 자국의 국민을 과도하게 착취하지 않고도 실질적인 새로운 수입을 얻을 수 있었던

174) 같은 책, 43쪽.
175) 김준석, 『근대국가』, 8쪽.

식민지의 소유였다. 그리고 내적인 의사소통을 향상시키고 지방의 반란들에 대해서 자국의 영토를 걱정 없이 묶어둘 수 있는 중대포와 같은 무기들을 제공해 주었던 급속히 발전된 기술을 갖고 있었다. 그리고 국가를 돕는 재정전문가를 갖고 있던 강력한 도시는 재정 행정을 향상시켰다. ……국가라는 개념에 대한 충성심이 나타나기 시작한 몇몇 국가들까지도 있었다. 그러한 감정들이 중요한 것으로 인식되기 시작한 것은 특히 15세기의 영국과 북부 프랑스에서, 그리고 16세기의 네덜란드에서였다.[176]

또 이렇게 말하였다.

유럽의 <u>**근대국가**</u>는 극소수의 지배 엘리트를 제외하고는 그들 국민의 "일반복지"를 위해 세워진 것이 아니었다. ……따라서 근대국가는 기본적으로 소수의 사람에 의해서 자기 목적을 위해 사용되는 <u>**폭력의 도구**</u>였다. 이것은 미국 혁명과 프랑스 혁명이 국가 지배에 관한 새로운 사상을 서구세계에 소개하였던 18세기 말까지 변화하지 않았다.[177] (밑줄과 강조는 인용자)

김상회는 근대국가의 구성 요소, 즉 지배적 이념을 세 가지로 말하였다.[178] 그것은 ①산업(사회), ②(국민) 국가(nation-state), ③계급(투쟁)이다. 그 구체적인 내용은 다음과 같다.[179] 첫째, 산업생산이 지속적으로 성장하고 보다 많은 인구를 흡입하는 사회이다. 둘째, 대규모 국가의 형성과 창조의 시대이다. 셋째, 사회의 산업구조로 인한 계급

176) 다니엘 시로, 『근대 세계의 형성과 세계 체계』, 63쪽.
177) 같은 책, 69-70쪽.
178) 김상회, 『근대의 위기와 정치의 위기』, 국민대학교 출판부, 2009, 17-18쪽.
179) 같은 책, 16-17쪽.

정치의 시대이다. 예를 들어 "행정 관리의 합리화, 징병제도, 더 좋은 과세체제, 그리고 때때로 프랑스 혁명의 전파에 대한 진정한 대중적 지지와 적극적인 프랑스인들의 긍지 등이 나폴레옹에게 유럽을 정복하기 위한 수단을 제공하였다."[180]

서양의 경제적 구조는 상업자본을 지나 18세기 영국에서 있었던 산업혁명으로 산업자본의 시대를 열었다. 베네딕트 앤더슨(Benedict R. O. Anderson, 1936-2015)이 『상상의 공동체: 민족주의의 기원과 전파에 대한 성찰』(Imagined Communities: Reflections on the Origin and Spread of Nationalism, 1983)에서 말한 것처럼 또 국민 국가의 형성 과정에서 '네이션'(nation: 민족/국가)이라는 공동체 개념을 발명하였다. 그는 "네이션은 본래 제한되고 주권을 가진 것으로 상상되는 정치공동체"라고 정의한다[181] 앤더슨은 '동시성'이라는 개념을 '민족주의'의 기원과 관련짓는다. "앤더슨에게 있어서는 균질적이고 공허한 시간이야말로 국민국가의 시간이었다."[182] 이런 식으로 "허구(fiction)가 조용히 그리고 지속적으로 현실(reality)로 새어들어" 공동체에 대한 확신을 만들어낸다는 것이다.[183] 그리고 "전혀 이질적으로 보이는 여러 사건들이 신문이라는 지면을 통해 함께 배치되어 자의성을 사람들이 아무런 이의 없이 받아들이고 읽는다는 사실 역시 균질적이고 공허한 시간의 산물이라고 해야 할 것이다. 그리고 이러한 형제애와 권력, 시간을 의미 있게 서로 연결하려는 시도를 촉진하면서

180) 다니엘 시로, 『근대 세계의 형성과 세계 체계』, 73쪽.
181) 이영진, 「네이션 안에서 네이션 벗어나기-『상상의 공동체』를 둘러싼 물음들-」, 조선대학교 인문학연구원, 『인문학연구』 제55집, 2018, 37쪽.
182) 같은 논문, 39쪽.
183) 황정아, 「'상상'의 모호한 공간-베네딕트 앤더슨의 『상상의 공동체』 읽기」, 영미문학연구회, 『안과 밖』 27, 2009, 88쪽.

새로운 형태의 상상된 공동체의 가능성을 창조해낸 것이 바로 인쇄-자본주의 print-capitalism라는 정치였다는 것이 앤더슨 논의의 핵심이었다."[184]

이상의 논의처럼, 근대국가의 창출 과정에서 '민족'은 중요한 요소였다.

> 프랑스 혁명의 효과는 유럽에 민주정치를 가져다 주었다기보다는 오히려 강력한 **국가의 형성**을 가속화시키고, 민족 언어와 문화에 근거한 **민족주의 사상을 확산**시켰다.[185] (밑줄과 강조는 인용자)

그렇지만 이러한 '민족주의'는 '조작'일 뿐이다.

> 19세기와 20세기의 많은 역사는 오늘날의 민족이 자국 내에서 문화적 집단으로서 통일과 독립을 얻기 위해 오랫동안 투쟁한 것의 기록이다. 이런 대부분의 역사 기록의 기본적인 전제는 근대국가가 특별히 학교에서 민족주의를 가르치려고 했던 노력의 일환으로 신중하게 꾸며진 단순한 조작이다.[186]

오늘날 우리가 다시 고찰할 필요가 있는 문제는 지금 너무도 당연하게 생각하는 '국가'/'민족'(nation)에 대한 학자들의 논의이다. 근대국가는 민족 국가를 형성하였는데 세 가지 기능을 통합하였다.[187] 1)

---

184) 이영진, 「네이션 안에서 네이션 벗어나기-『상상의 공동체』를 둘러싼 물음들-」, 39쪽.
185) 다니엘 시로, 『근대 세계의 형성과 세계 체계』, 74쪽.
186) 같은 책, 106쪽.
187) 김상회, 『근대의 위기와 정치의 위기』, 16쪽.

단일한 국가 단위의 경제, 2) 국가의 정치적 주권, 3) 문화적 통합과 정체성이다.

다니엘 시로는 다음과 같이 말하였다.

> 결과적으로 17세기의 네덜란드의 정치적 성공과 18세기와 19세기 초의 영국의 정치적 성공은 일단의 사상적 자유와 상업에 대한 관용이 강한 군대만큼이나 국력의 배양을 위해 중요한 자산이라는 사실을 보여주는 것이었다. 나폴레옹의 반(半) 성공은 **<u>민족주의가 또 다른 중요한 국력 배양의 자원</u>**이며, 부분적으로 민족주의가 지배자들이 정당성이 있으며 그들 국민의 복지에 신경을 쓰고 있다는 국가 성원들 사이의 공감대에 의존해야 한다는 사실을 훨씬 더 잘 보여주었다.[188] (밑줄과 강조는 인용자)

또 이렇게 말하였다.

> 지금은 민족주의라는 것이 국민의 정상적인 특성으로 받아들여지지만 19세기까지는 유럽에서조차 널리 받아들여지지 않는 근래의 현상이었다. 이것은 20세기에야 서구 이외의 지역에서 일반적인 현상이 되었다.
>
> 민족주의가 발달하기 이전에는 일차적인 정치적 충성의 초점이 지역공동체와 가족의 결합체였다. 농민들은 그들 지배자나 국가 내의 다른 지배자들과 공동의식을 거의 느끼지 않았으나, 귀족들과 왕실 측근들은 가문과 직접적인 후원자나 가신, 그리고 사회 질서의 위계상 가장 높은 위치에 있는 왕에 대해 절대적으로 충성을 하였다. 마을이나 도시, 길드, 가족이나 씨족을 넘어서 "국가"라고 하는 추상적인 정치적 실체에 충성한다는 관념은 아주 드물었고, 영토 일부가 결혼지참금으로 떨어져 나간다든지 한 지방이 정치

188) 다니엘 시로, 『근대 세계의 형성과 세계 체계』, 74쪽.

적인 협상이나 전쟁의 결과로 교환되는 것은 흔한 일이었다.189)

이상의 여러 학자의 관점은 인간의 역사에서 오늘날 우리가 보편적으로 생각하는 국가/민족이라는 것이 매우 특수한 것이라는 사실을 알 수 있다. 이처럼 국가/민족이라는 것이 인간 역사에서 특수한 것이라면, 우리는 그것을 절대화할 것이 아니라 극복 대상으로 생각할 필요가 있다. 왜냐하면 우리가 국가/민족을 절대화한다면, 오늘날 전 지구적으로 일어나고 있는 다양한 문제를 해결할 방법이 없기 때문이다. 우리가 국가/민족을 절대화한다면, 그것에 불이익이 되는 전 지구적 문제를 해결할 때 반대하거나 회피할 것이기 때문이다.

서양 역사에서 근대국가 형성에는 그 이념적 원리와 그것의 적용 과정이 있었다. 이것은 무엇보다도 먼저 '국가란 무엇인가?'라는 문제에서 출발하게 된다. 이 질문은 국가의 형성 원리/원인에 대한 의문을 제기한 것이다. 그리고 여기에서 파생한 문제가 바로 국가와 국가 사이의 관계—즉 국제정치의 세력 관계이다.

2. 경제 체제의 변화

서양문명의 전통에서 부에 관한 관념은 고대 동양 사회와 다르지 않았다. 고대 그리스 문명에서 물질적 부에 대한 시각은 기본적으로 부정적이었다. 서구의 고대 그리스에서 플라톤, 아리스토텔레스와 같은 지식인들의 '상업에 대한 혐오감'은 전혀 비밀이 아니었다. 이것은

189) 같은 책, 105-106쪽.

'정신과 돈'의 갈등을 나타낸다.[190]

> 만약 돈에게 명예로운 자리를 내주거나 맨 마지막이 되어야 할 돈을 어떤 식으로든 선호하는 입법자나 국가가 있으면, 그 사람 또는 국가가 사악하고 비애국적인 짓을 하고 있다고 말해도 되지 않겠는가?[191]
>
> 사람들이 재산에 대해 생각하는 시간이 많을수록 미덕에 대한 생각은 그만큼 줄어들게 된다. ……그들은 부자를 존경하고 우러러보며 그 사람을 통치자로 받들고 가난한 사람을 업신여기게 된다.[192]
>
> 장사로 부를 얻는 행위는 그것이 자연스럽지 않고 다른 누군가의 피해로 생기는 것이기 때문에 비난받아 마땅하다. 그리고 대금업자의 직업을 혐오하는 것은 지극히 당연하다. 그 사람의 재산이 돈 자체에서 오기 때문이다.[193]

이처럼 그리스 지식인 대부분의 관점에서 보면 지나치게 돈을 밝히거나 지나치게 많은 돈을 원하거나 노동으로 돈을 버는 것은 그 사람 개인만 아니라 공동체에도 해를 입힌다.[194]

서양의 중세사회 역시 고대 그리스의 '부'에 관한 관념을 이어받았다. 그런데 서양 중세사회는 가톨릭이라는 유신론적 종교 관념이 지배하던 시대였다. 그런 까닭에 서양 중세사회의 종교적 관념 역시 물질적 부에 관해 부정적이었다. 그러나 경제의 발전과 함께 물질적 부에 대한 관념 역시 변화하였다.

---

190) 앨런 S. 케이헌, 『지식인과 자본주의』, 정명진 옮김, 부글, 2010, 62쪽.
191) Plato, *The Laws*, Book 4.
192) Plato, *The Republic*, Book 8.
193) Aristotle, Politics, Book Ⅰ.
194) 앨런 S. 케이헌, 『지식인과 자본주의』, 73쪽.

서양의 경제 체제를 이해하려면 서양문명에서 발생한 자본주의(capitalism)와 산업혁명(Industrial Revolution)을 살펴보아야 한다. 19세기에 세계 정치 체제는 영국에 의해 주도되었다. 이것을 팍스 브리타니카(Pax Britanica)라고 부른다. 영국(의 힘)에 의한 세계의 평화 체제 유지를 의미하지만, 좀더 정직하게 말하면 사실은 영국에 의한 세계지배이다. 그리고 1945년 제2차 세계대전 이후의 경제 체제를 파스 아메리카나(Pax Americana)라고 부른다. 이것은 미국에 의한 세계 지배체제를 의미한다. 그러므로 간단히 말하자면, 이것은 서양(의 문명)에 의한 세계지배 체제이다. 이러한 상황은 오늘날에도 큰 틀에서는 변함이 없다.

(1) 자본주의

서양 역사에서 자본주의는 개념적 정의가 매우 어려운 복잡한 용어이다. 그 가운데 하나는 '생산 양식'(*mode of production*)을 기초로 한 것이 있다.[195] 이 '생산 양식'은 "생산력 froces of production과 생산의 사회적 관계 social relations of production"로, "생산의 기술적 수준(생산력)과, 이러한 생산력을 잉여를 포함한 모든 산출물을 생산하는 데 사용하는 하나의 계급과 그 잉여를 전유하는 다른 하나의 계급으로 구성된 사회조직(생산의 사회적 관계)의 총체이다."[196]

자본주의는 특징은 기본적으로 네 가지 제도적·인간 행위 조직으로

195) E. K. 헌트, 『經濟思想史』, 金成九·金洋和 共譯, 풀빛, 1982, 28쪽.
196) 같은 책, 28-29쪽.

이루어진다.[197] 그것은 ①시장지향적 상품생산, ②생산수단의 사적 소유, ③노동력을 시장에 팔아야만 하는 노동자, ④개인들의 개인주의적·탐욕적·극대화를 추구하는 행위 양식이다.

다른 것과 마찬가지로 자본주의 역시 오랜 역사가 있다. 넓게는 15세기 이후, 좁게는 18세기 말 산업혁명 이후로 이해할 수 있다. 그렇다면 자본주의란 무엇인가? 이 문제는 자본주의 이론의 아버지라고 말할 수 있는 애덤 스미스(Adam Smith, 1723-1790)의 경제 이론에서 살펴볼 수 있다. 그의 유명한 저작 『국부론』(The Wealth of Nations, 1776))에서 먼저 인간의 '이익'을 말하였다.

> 우리가 식사할 수 있는 것은 정육점 주인·양조장 주인·빵집 주인의 자비에 의한 것이 아니라 <u>자기 자신의 이익</u>에 대한 그들의 관심 때문이다. 우리는 그들의 인간성에 호소하지 않고 그들의 이기심에 호소하며, 그들에게 우리 자신의 필요를 이야기하지 않고, **<u>그들의 이익</u>**을 이야기한다.[198] (밑줄과 강조는 인용자)

이것은 인간을 '이기심'에 따라 '이익'을 추구하는 존재로 파악한 것이다. 이것 자체는 큰 문제가 없다. 다만 만약 인간의 '이기심', '이익' 추구만을 절대화한다면 분명 논쟁거리가 될 것이다. 이 문제는 아래에서 살펴볼 것이다.

그는 또 부의 확대에서 '분업'의 중요성을 강조하였다.

> 이러한 모든 것을 검토하고 각각에 얼마나 다양한 노동이 개입되어 있는

---

197) 같은 책, 29쪽.
198) 애덤 스미스, 『국부론』(상), 김수행 역, 동아출판사, 1994, 22쪽.

가를 고찰한다면, 수천 명의 도움과 협력 없이는 문명국의 가장 초라한 사람까지도 그의 일상의 단순한 생활[우리가 단순하다고 매우 잘못 생가하고 있다]을 영위할 수 없다는 것을 알 수 있을 것이다.199)

스미스는 이것을 인간의 '교환하는 성향'에서 말하였다.

수많은 이익을 가져오는 분업은 원래 [그것이 낳는 일반적 풍족을 예상해 의도한] 인간 지혜의 결과는 아니다. 분업은 [그와 같은 폭넓은 효용을 예상하지 못한] 인간성의 어떤 성향으로부터—비록 매우 천천히 그리고 점진적이긴 하지만—필연적으로 생긴 결과다. 그 성향이란 하나의 물건을 다른 물건과 거래하고 교환하는 성향이다.200)

이 과정에서 '자연가격'과 '시장가격' 사이의 변동 관계가 성립한다.

한 상품이 보통 판매되는 현실적인 가격은 그 상품의 시장가격이라고 불린다. 이것은 그 상품의 자연가격보다 높든지 낮든지 또는 그것과 똑같을 수 있다.

어느 특정 상품의 시장가격은 시장에 실제로 출하되는 상품량과 그 상품의 자연가격[즉 그 상품을 시장으로 끌고 오기 위해 지불해야 하는 지대·임금·이윤의 가치총액]을 지불하려고 하는 사람들의 수요 사이의 비율에 의해 규제된다. 이러한 사람들은 유효수요자라고 불리며, 그들의 수요는 유효수요라고 불린다. 왜냐하면 그들의 수요는 그 상품을 시장으로 끌고 오는 것을 달성하는 데 충분하기 때문이다. 이 유효수요는 절대적 수요와는 상이하다.……

199) 같은 책, 20쪽.
200) 같은 책, 21쪽.

시장에 나오는 상품량이 유효수요보다 적다면, [그 상품을 시장으로 끌어오기 위해 지불해야 하는] 지대·임금·이윤의 가치총액을 지불하려고 하는 사람들 모두가 그들이 원하는 양을 공급받을 수는 없다. 약간의 사람들은 그 상품을 포기하기보다는 좀더 높게 지불하려고 할 것이다.……

시장에 나오는 양이 유효수요를 초과한다면, 그 상품은 [그 상품을 시장에 출하시키기 위해 지불해야 하는] 지대·임금·이윤의 가치총액을 지불하려고 하는 사람들에게 모두 판매될 수는 없다. 일부는 보다 적게 지불하려는 사람들에게 판매되어야 하며, 그들이 지불하는 낮은 가격이 상품 전체의 가격을 인하시킬 수밖에 없다.……

시장에 나오는 상품량은 자연히 유효수요에 적응한다. 왜냐하면 그 양이 결코 유효수요를 초과해서는 안 된다는 것은 상품을 시장에 출하하는 데 자기의 토지·노동·자본을 사용하는 사람들의 이익이 되기 때문이며, 그 공급량이 결코 유효소요보다 적어서는 안 된다는 것은 여타 사람들 모두의 이익이 되기 때문이다.……

……그리하여 시장에 나오는 양은 곧 유효수요를 충족시키게 될 것이다. 가격의 각종 부분들 모두는 자기의 자연적인 수준으로 곧 하락할 것이며, 가격 전체는 자연가격으로 하락할 것이다.

그러므로 자연가격은 모든 상품들의 가격이 끊임없이 끌려가는, 말하자면 중심가격(central price)이다.……

한 상품을 시장에 출하하기 위해 연간 고용되는 총노동량은 이러한 방식으로 자연히 유효수요에 적응한다. 총노동량은 유효수요를 정확히 충족시키는 데 꼭 필요한 상품량을 항상 시장에 출하하는 것을 당연한 목표로 삼게 된다.201)

이 단락에서 애덤 스미스는 이미 상품 가격의 자동조절, 즉 공급과

201) 같은 책, 62-64쪽.

수요에 따른 시장가격과 자연가격의 자동조절을 말하였다. 그런데 그가 비록 인간의 '자기 자신의 이익'을 위한다는 것을 말하였지만, 인간이 만약 '이기심'만을 추구한다면 이 세상에는 홉스가 말한 '만인의 만인에 대한 투쟁' 상태만이 존재할 것이다.

그런데 스미스는 인간의 '이기심', '이익'의 추구라는 측면과 함께 또 『도덕감정론』(The Theory of Moral Sentiments, 1759)이라는 자연신학·윤리학·법률정치론·경제학을 포괄한 그의 도덕철학 체계에서 최초로 독립한 윤리학에 관한 저작을 썼다.[202] 그러므로 그의 경제이론은 "인간의 본성에 관한 법칙을 기초로 한 경제 관계의 논리적인 체계를 제시"했다고 말할 수 있다.[203] 그는 이 책에서 '보이지 않는 손'(invisible hand)이라는 중요한 개념을 말하였다. 이 '보이지 않는 손'의 역할은 세 가지 역할이 있다.[204] ①필요한 질서의 유지, ②공평한 분배의 보장, ③인간의 지혜를 초월한 우주 설계자의 지혜이다. 이것은 "예정조화의 원리"로, "개인의 이익과 사회적 이익의 균열을 메워주는 원리"이다.[205] 다시 말해, 이것은 "개인들의 이기심을 조절하여 그것이 사회와 인류의 이득이 되도록 인도해 주는 궁극적 주재자", "궁극적 조정자로서 신의 존재"이다.[206]

그는 또 인간의 도덕 감정을 논의하면서 이 도덕 감정의 두 요소로 '공감'(sympathy)과 '공정한 관망자'(impartial spectator)를 제시하

---

202) 李翰裕, 「아담 스미드의 『道德情緖論』과 『國富論』과의 關係」, 經濟史學會, 『經濟史學』 3, 1979, 125쪽.
203) 필스 딘, 『經濟思想史』, 黃義珏 譯, 宇石, 1986, 35쪽.
204) 황의서, 「아담 스미스의 경제윤리」, 한국국제경제학회, 『國際經濟硏究』 제1권 제1호, 1995, 230쪽.
205) 李翰裕, 「아담 스미드의 『道德情緖論』과 『國富論』과의 關係」, 135쪽.
206) 위와 같음.

였다. 그에 의하면 "정당한 도덕 판단을 수행하는 도덕 감정(시인감과 부인감)의 형성에는 두 요소, 즉 공감(또는 비공감)과 공정한 관망자가 결정적인 역할을 한다."207) 여기에서 "공감은 인간의 본성적 원리이며, 사회를 이루는 누구나 가지는 천성적 원리이다."208)

그러나 우리가 잘 알고 있는 것처럼, 인간이 만든 자본주의의 경제 체제에서 현실적으로 '보이지 않는 손'이란 존재하지 않는다. 왜냐하면 경제적 행위는 정치적 행위와 매우 밀접한 관계를 맺고 있기 때문이다. 인간의 경제활동은 '부'의 축적과 분배에 관한 경제적 행위이면서 동시에 정치적 행위이다.

> 부의 분배의 역사는 언제나 매우 정치적인 것이었으며, 순전히 경제적인 메커니즘으로 환원될 수 없다.209)

그러므로 인간의 경제활동, 경제 체제를 단지 경제적 행위만으로 설명하는 것은 매우 단순한 생각이다.

자본주의의 역사는 상업 자본주의, 공업(산업) 자본주의, 금융 자본주의 등의 단계로 구분할 수 있다.

서양의 자본주의 역사에서 상업 자본주의는 초기 자본주의 형태이다. 그 이전의 "전통적 산업은 황실의 권신, 봉건 영주, 고위 성직자, 호상(豪商) 등 부유한 권력층의 수요만을 충족시키기 위한 것이었고,

---

207) 변영진, 「스미스의 도덕감정론에 나타난 도덕법칙」, 한국윤리학회, 『윤리연구』 제112호, 2017, 278쪽.

208) 이영재, 「스코틀랜드 도덕철학의 전통에서 본 Adam Smith 도덕감정론의 함의」, 한양대학교 제3섹터연구소, 『시민사회와 NGO』 제13권 제2호, 2015, 239쪽.

209) 토마 피케티, 『21세기 자본』, 장경덕 외 옮김, 글항아리, 2014, 32쪽.

따라서 관련 지역의 경제에 큰 영향을 미치지 못했었다."[210] 그런데 15세기에 생활필수품의 대량무역으로 전통 무역에 역사적 변화가 발생하였다. 그 결과 새로운 '세계경제질서'(global economic order)에 통합되었다.[211] 대외무역의 발전은 당연히 상업의 발전을 촉진하였다. 이 상업 자본주의는 가내수공업의 단순한 생산체제에서 점차 상품을 만들어내는 대량생산 체제로 전환하였다. 즉 18세기 말 산업혁명은 소규모 공장형 생산체제를 대규모 대량 생산체제로 바꾸었다.

(2) 산업혁명

다음으로 우리가 고찰할 것은 산업혁명이다. 우리가 잘 알고 있는 것처럼, 서양에서 산업혁명은 18세기에 영국에서 일어났다. 영국이 세계를 지배하게 된 원인의 핵심 가운데 하나는 아마도 산업혁명일 것이다. 그런데 "영국의 산업혁명은 공업생산이 중심이 되는 근대적 경제 구조를 형성하였다"고 평가할 수 있다.[212] 다시 말해 산업혁명은 "농업지배 사회에서 공업지배 사회로 변화하였"다.[213]

서양 경제사에서 이 산업혁명은 1770년대 제1차 산업혁명, 1870년대 제2차 산업혁명, 오늘날의 제3차 산업혁명으로 이어졌다. 그런데 1970년대 말 신자유주의는 새로운 자본주의 시대로 진입하였다. 이것

---

210) L. 스타브리아노스, 『제3세계 역사와 제국주의』, 황석천 옮김, 일월서각, 1987, 17쪽.
211) 같은 책, 18쪽.
212) 노택선, 『전쟁, 산업혁명 그리고 경제성장』, 해남, 2005, 3쪽.
213) 같은 책, 4쪽.

을 금융 자본주의 시대라고 부른다. 그리고 21세기는 다시 과학기술의 발전으로 새로운 단계에 진입하고 있다.

> 기술 및 경제 성장은 예외적·일시적인 것이 아닌 정상적 현상으로 받아들여졌다. 따라서 1770년 경에 시작된 제1차 산업혁명은 어김없이 1870년 경의 제2차 산업혁명으로, 그리고 오늘날의 제3차 산업혁명으로 이어져 왔던 것이다.[214)]

제1차 산업혁명은 상업 자본주의 시대이다. 이것을 중상주의라고 부른다. 이 중상주의 시대는 제품을 수출하고 원료를 수입하는데 유리한 식민지 무역을 중심으로 이루어졌다.[215)] 이 시대에 중요한 역할은 한 것은 신대륙 발견과 식민주의의 시작과 확장이다. 서양의 자본주의는 이 두 가지를 통해 발전할 수 있었다.

> 그것은 신대륙 발견이 유럽 자본주의 발전에 미친 영향과 또 그들의 세계지배에 출발점이 되었다는 단순한 상징적 의미만을 생각해보아도 명확해진다. 신대륙에서 무한정 채굴된 금이나 은과 같은 귀금속은 모두 유럽으로 흘러들어 가격 혁명을 일으키며 당시 막 성장하기 시작하던 유럽 자본주의 발전에 본질적인 생명력을 불어넣어 주었다. 뿐만 아니라 신대륙 발견은 서구 팽창주의의 출발점이 되는 상징적 사건으로서 이때부터 서양은 세계를 지배하기 시작했고 그것이 19세기의 제국주의 시대를 거치면서 사실상 오늘날까지도 이어져 오고 있는 것이다.[216)]

---

214) L. 스타브리아노스, 『제3세계 역사와 제국주의』, 153쪽.
215) 뽈 망뚜, 『산업혁명사 上』, 鄭允炯·金鍾澈 共譯, 創作社, 1987, 107쪽.
216) 우덕룡·김태중·김기현·송영복, 『라틴아메리카-마야, 잉카로부터 현재까지의 역사와 문화』, 송산출판사, 2003, 137-138쪽.

그 결과 "근대적 불평등 사회구조"가 형성되었다.[217] 스페인은 1521년 멕시코의 아즈텍 제국을 파괴하였고, 1533년 안데스 산맥의 잉카 제국을 복속하였다. 이 과정에서 스페인 제국은 상업과 전쟁을 통해 유럽에 화폐 공급을 증가하게 하여 인플레이션과 경제 성장을 가속화하였다.[218]

> 탐험의 시대는 일련의 경쟁적인 식민지화의 노력과 전쟁을 예고하였으며, 구대륙에 대한 권력 확장을 위해 해외에서의 성공을 이용하려 하였던 다른 유럽의 여러 국가의 도전에 대항하기 위해서 국가 수립을 가속화하였다.[219]

당시 유럽에는 "지식인, 상인, 순례자, 용병, 선원 그리고 정치가 등이 쉽게 정치적 경계들을 넘나들 수 있었던 하나의 유럽 전역에 걸친 문화가 존재"하였으며, "독일의 인쇄기술, 이탈리아의 은행업, 네덜란드의 지도 제작법, 포르투갈의 해상 경험, 지식, 예술, 과학의 일방적인 급증" 등이 유럽 전역에 퍼져나갔다.[220] 이러한 상황은 당연히 상업 자본주의의 발전을 촉진하였다.

네덜란드는 "식민지 해외 기업을 체계적인 상업적 기업 및 비용의 철저한 통제를 통한 이윤의 극대화를 추구하는 진정한 자본주의적 도구로 전환시켰다." 그 결과 "비교적 관용적이고 도시 지향적이며 상업 지향적인 환경"이 형성되었고, 이탈리아에 의해 고안되었던 은행, 신

217) 같은 책, 138쪽.
218) 다니엘 시로, 『근대 세계의 형성과 세계 체계』, 50쪽.
219) 같은 책, 51-52쪽.
220) 같은 책, 52쪽.

용, 보험, 증권교환 등과 같은 경제 제도가 활성화되었다.[221] 프랑스는 세입원을 증대하기 위해 과세 가능한 상업을 장려했을 뿐만 아니라 중상주의 정책을 추진하였다. 그 결과 시장 세력의 범위가 확장되었고, 경제적 합리화를 촉진하였다.[222]

제2차 산업혁명은 공업(산업) 자본주의 시대이다. 서양문명에서 산업혁명이 일어난 곳은 영국이다. 영국의 산업혁명은 새로운 기계와 동력의 사용으로 간단히 정리할 수 있다. 이것은 "어떤 동력에 의해 작동되고, 전에 한 사람 또는 몇 사람이 맡아 하던 기술적 작업의 정교한 운동을 수행하는 메커니즘"을 의미한다.[223] 산업 자본주의의 발달은 기계제 공업의 발달과 함께 이루어졌다.[224]

18세기에 산업혁명이 일어날 때까지 '경제 성장'과 '문화적 변화'는 분리할 수 없는 하나의 총체였다.[225] 산업화 이전 수공업에 의존했던 2차 산업은 문자해독률이 높은 지역에서 진보했다. 그리고 인쇄술의 발달은 문자해독률과 정밀금속 분야의 동시적 발전을 전제로 한 것이다. 영국, 네덜란드, 스웨덴 등 프로테스탄트 열강들, 즉 북유럽 국가들의 대두는 '문화적'이면서 또 '경제적'인 것이었다. 이들 나라에서 철 생산과 숙련 수공업의 발전은 문자해독률이 높았기 때문이다.[226]

유럽의 여러 국가는 식민지 쟁탈을 위한 전쟁을 하였다.

---

221) 같은 책, 54-55쪽.
222) 같은 책, 66쪽.
223) 같은 책, 229쪽.
224) 같은 책, 236쪽.
225) 엠마뉘엘 토드, 『유럽의 발전-인류학적 유럽사』, 김경근 옮김, 까치, 1997, 151쪽.
226) 위와 같음.

18세기에는 첫 번째로 큰 규모의 세계 전쟁을 경험하였다. 즉, 여러 식민지와 아메리카, 아프리카, 그리고 남아시아의 무역에 대한 지배권을 놓고 프랑스와 영국 사이에서 벌어진 일련의 뚜렷하지만 중복되는 전쟁이 발생하였다. 그러나 그 시기의 싸움의 목적은 단지 무역로와 해안 요충들에 대한 쟁탈에 국한된 것이 아닐, 식민지 수탈에 적합한 두 대륙 전체, 즉 북아메리카와 인도에 대한 착취 경쟁 때문이었다.227)

이것은 식민지를 빼앗기 위한 유럽 국가 사이의 전쟁이었다. 한 마디로 '착취' 경쟁, 전쟁이었다. 이처럼 유럽의 경제발전은 식민지 착취에 의한 것이다. 우리는 "유럽의 확장이 몇몇 서구 국가들의 경제성장과 진보를 강력히 촉진시켰다는 사실은 의심할 수 없"는 것이다.228) 이것은 비서구 사회에는 매우 끔찍한 야만적 폭력이었다.

사실 서구 세력이 커졌을 때, 그것은 자신의 경제에 더 많은 주변적 부속물들을 만들어냈다. 이런 부속물들을 열거해 보면, 토착 지주계급이나 서유럽으로부터 수입된 강력한 지주계급, 토착인이나 아프리카로부터 유입된 농노나 노예로 이루어진 농촌 노동력, 그리고 서구의 상인들에 의하여 상업이 지배받던 유약한 도시들, 또한 서구 국가에 의하여 직접 통치되거나 주권을 행사할 수 없을 정도로 취약한 중앙 정부 등으로 특징지워진다. 이러한 주변적 사회들의 경제는 농업이 압도적이었으며, 서구 경제를 위한 농산물 혹은 광산물의 생산자로 이용되었다. 이것은 경제적 침체와 다수의 사람이 비참한 상태로 빠지는 결과를 초래했다.229)

---

227) 다니엘 시로, 『근대 세계의 형성과 세계 체계』, 55쪽.
228) 같은 책, 58쪽.
229) 같은 책, 60쪽.

제3차 산업혁명은 19세기 말, 20세기 초에 있었던 자본주의 시대이다. 이 시기에 철강·화학·전기 산업이 발전하였다.[230] 이것은 더 넓은 원료 공급지, 상품의 판재 지역이 필요하였다. 따라서 서방의 서진 자본주의 국가들 사이에는 식민지 쟁탈전이 일어날 수밖에 없었다. 그 결과가 세계대전이다. 20세기에 들어서면서 서양 식민주의/제국주의 열강 사이에는 제1차 세계대전과 제2차 세계대전이 발생하였다. 이 두 차례에 걸친 세계대전은 사실상 서구의 식민주의/제국주의 백인 국가들 사이에 발생한 식민지 약탈 전쟁이었을 뿐이다. 간단히 말해 세계대전이 아니다. 식민지 모순이 그 근본 원인이었다. 그런데 2차 세계대전 이후 역시 이러한 모순은 근본적으로 해결되지 않았다. 또 아인슈타인의 상대성 이론, 양자 역학 등 과학 기술의 발전은 이전의 세계관을 근본적으로 변화시켰다.

1970년대 말 이후 21세기에 접어든 오늘날은 제4차 금융 자본주의 시대이다. 제조업의 생산과 관련이 없는 금융자본 자체에 의한 이윤의 추구가 주된 자본주의 영역이 되었다. 그런데 21세기에 들어선 오늘날 첨단 과학의 발전, 특히 인공지능과 관련한 과학 기술의 발전은 새로운 자본주의 시대가 도래하도록 촉진하고 있다. 이 시대는 이전의 인간 역사와는 그 본질에서 근본적으로 다른 패러다임의 대전환 시대로 나아가고 있다.

제2절 유럽의 팽창주의

230) 같은 책, 120쪽.

자본주의는 특징은 팽창주의이다. 이것은 종전의 다른 사회체제에서는 찾을 수 없는 것이다. 서양 사회의 자본주의적 경제활동은 그 범위가 지방에서 국가 차원으로, 그리고 다시 국제적 차원으로 확대되었다.[231)]

L. 스티브리아노스는 19세기 이전 비서구 사회를 이렇게 말하였다.

> 결국 19세기 이전의 중동지방은 세계시장경제와의 관계에서 동부 유럽과 라틴 아메리카 등의 완전히 통합·예속된 지역과 아시아 등의 완전히 외곽·독립적인 지역의 중간 위치에 놓여 있었다. 중동의 세계 경제 편입은 19세기의 공공차관과 철도 및 운하 부설, 그리고 20세기의 석유 발견에 의해 비로소 완결되었다.[232)]

그는 아시아 지역을 '외곽·독립적인 지역', '외곽지역'이라고 말하였다.

> 19세기 이전의 아시아는 세계시장경제의 외곽지역이었다. 동유럽이나 라틴 아메리카처럼 세계 경제에 편입되지도 않았고, 아프리카나 중동처럼 주변 지역도 아니었다.[233)]

그는 그 이유를 세 가지로 말하였다.[234)] 첫째, 지리적 위치이다. 동아시아 및 남아시아와 서부 유럽 사이의 엄청난 거리가 전신, 증기선, 대륙횡단 철도와 운하가 없었던 시기에는 효과적인 완충지대를 조성

231) L. 스타브리아노스, 『제3세계 역사와 제국주의』, 16쪽.
232) 같은 책, 122쪽.
233) 같은 책, 123쪽.
234) 위와 같음.

했는데, 서방의 군사·경제·문화적 침입에 노출되지 않았다. 둘째, 경제적 발전의 수준이다. 아시아의 고대문명은 자급자족하였기 때문에 서방 상인들의 물건에 관심이 없었다. 셋째, 강력한 군사력이다. 서방의 상인과 모험가들이 아메리카처럼 무력으로 뚫고 들어갈 수 없었으며, 아프리카나 중동처럼 불평등 무역 관계를 강요할 수 없었다.

그렇지만 19세기 이후 상황이 크게 변하였다. 19세기는 유럽인의 팽창 시대였다. J. H. 패리는 『유럽의 헤게모니 확립 약탈의 역사』에서 그 의미를 다음과 같이 설명하였다.

> 지난 2세기 동안의 역사에서 가장 두드러졌던 특징 가운데 하나는 유럽인들이 비유럽인들에게 막대한 영향을 끼쳤다는 것이다. 물론 유럽인들이 면밀히 계획하에 팽창한 것도 아니었고, 비유럽인들이 그들을 기꺼이 받아들인 것도 아니었다. 그러나 18·19세기가 되면 비유럽인들이 유럽인들의 팽창을 더 이상 저지할 수 없다는 사실이 명백해졌고, 서구 열강들은 식민지라는 약탈물을 차지하기 위해 전력을 다하였다. 15세기에 유럽인들은 세계를 지배할 수 있는 기초를 마련하였고, 16·17세기에 이를 더욱 공고히 하였다. 이 3세기 동안 유럽의 항해가들은 세계의 거의 모든 지역을 탐험하였다. 그들은 수많은 원시부족과 마주쳤고 정복하였다. 또한 그들은 유럽인들을 야만인으로 생각했던 여러 민족과도 마주쳤다. 이러한 민족들은 침입자인 서구인보다 경제적으로 부유했고 인구도 많았으며 훨씬 강대했지만, 어떤 형태로든 유럽으로부터 사회적·종교적·상업적·기술적인 영향을 받지 않을 수 없었다. 이들 가운데 많은 민족이 유럽인들의 지배를 받게 되었으며, 유럽인들은 세계의 많은 빈터를 채워나갔다.[235)]

---

235) J. H. 패리, 『유럽의 헤게모니 확립 약탈의 역사』, 김성준 옮김, 신서원, 1998, 11쪽.

유럽의 팽창주의는 결국 제국주의/식민주의 정책으로 나타난다. 이것은 정신문화와 물질문화에 대한 관념을 그 배경으로 한다. 정신문화의 변화는 위에서 이미 말했던 철학사상의 변화, 진화론의 인간관 그리고 그 영향으로 발생한 우생학과 우생학, 인종주의 등이 있으며, 또 종교관의 변화 등이 있다. 물질문화의 변화는 오랜 기간 자본주의가 발전해오는 과정에서 산업혁명으로 인한 경제 체제의 급격한 변화 등을 포괄한다.

산업혁명으로 자본주의는 이전의 초기 자본주의와는 매우 다른 생산 양식을 갖게 되었다. 그 핵심은 근대적 공장제도에 있다.

> ……공장제도라는 것은 우선 특수한 조직, 즉 특수한 생산제도를 의미한다. 그런데 이 조직은 경제 제도 전체에 영향을 미치며, 결과적으로는 부의 증대 및 분배에 의해 통제되는 사회제도 전체에 영향을 미친다.
>
> 공장제도는 생산수단을 집중하고 증가시키므로 산출이 촉진되고 증가한다. 공장제도는 기계를 사용한다. 기계는 오류 없이 정확하게, 아주 빠른 속도로 가장 복잡하고 힘든 업무를 수행한다.[236]

이처럼 공장제도가 가능했던 원인 가운데 하나는 자연력과 증기·전기 등 인공동력을 사용할 수 있었기 때문이다.[237] 이 근대적 공장제도는 생산수단의 발달로 '대량생산'을 가능하게 하였지만, 그것은 또 '과잉생산'을 가능하게 하였다.

---

236) 뽈 망뚜, 『산업혁명사 上』, 8쪽.
237) 위와 같음.

이 모든 일의 유일한 목표는 가능한 한 빨리 무한한 양의 상품을 생산하는 것이다. ……지속적 생산은 모든 공업의 법칙이 되어 있다. 이를 전적으로 방치하면 생산은 과잉 상태로 돌진하여, 마침내 파멸적인 과잉생산에 이를 것이다.[238]

여기에서 이러한 것이 가능하게 한 것은 '자본'이다.

기계는 갈수록 더욱 복잡해지고 노동자들은 그 수가 점점 더 많아지고 조직이 고도화되어 대기업을 이룬다. 이것이야말로 진정한 공업 국가이다. 그리고 인간의 노동과 기계력을 이렇게 사용하는 배후에는 ……자본이 작용하고 있다. 자본은 자체의 고유한 법칙—이윤의 법칙—에 의해 앞으로 밀려가는데, 그 법칙은 자본 그 자체가 끊임없이 증대되도록 부단히 강요한다.[239]

자본주의의 이러한 경향은 "결국 자멸로 끝나고 말, 자본의 본능적 경향의 역설적 결과이다."[240]
그런데 자본주의의 '대량생산'/'과잉생산'의 결과 비서구 사회는 이들 서구 문명의 침략 그리고 약탈의 대상이 되었다.

일단 제조된 이 대량의 재화는 판매되어야 한다. 이윤을 실현하는 판매는 모든 공업생산의 최종적 목표이다. 공장제도가 생산에 가한 엄청난 자극은 상품의 분배에 즉각 영향을 끼친다. 시장에 출고되는 재화의 양이 늘어나면 가격이 낮아지고, 낮아진 가격은 수요와 거래의 증가를 의미한다. 경쟁은

238) 같은 책, 9쪽.
239) 같은 책, 8쪽.
240) 같은 책, 9쪽.

> 더욱 심해진다. 운송의 개선이 경쟁의 활동영역을 갈수록 넓게 열어줌에 따라 경쟁은 개인으로부터 지역과 국가로 확대되고 물질적 이익을 추구하는 경쟁은 그 어느 때보다도 탐욕적으로 변한다. 갈등과 경제 전쟁이 벌어진다. ……생산자들은 야심 때문에 대담해지며, 대부분의 먼 나라들과 탐험된 적이 거의 없는 대륙들이 그들의 먹이가 된다. 이때부터 전세계는 거대한 시장에 지나지 않게 되며, 모든 나라의 대공업들은 전장에서처럼 싸운다.[241]

우리가 잘 알고 있는 것처럼, 자본주의는 단순화의 위험을 무릅쓰고 말하자면 기본적으로 생산→판매→소비→이윤→재투자라는 구조로 이루어졌다. 그런데 이 구조는 사실 매우 복잡한 요인들이 서로 뒤얽혀 있는 것이다. 이러한 경제체제의 형성 과정에서 식민주의, 제국주의는 그 뿌리를 내리게 되었다.

> 유럽은 15세기 말 대항해 시대 이후 세계를 지배해왔다. 아메리카 대륙이 '발견'된 뒤에 16세기에 최초의 세계화가 진행됐는데, 그것은 세계의 유럽화였다. 유럽은 아프리카와 아시아 대륙을 식민지화함으로써 정복을 이어나갔다.[242]

그 결과는 당연히 백인 중심의 미국을 포함한 유럽 국가들에 의한 전 세계의 비서구 국가/사회의 식민화였다.

[표1-1] 열강 제국의 식민지(1860~1913)[243]

---

241) 위와 같음.

242) 파스칼 보니파스, 『지정학에 관한 모든 것』, 정상필 옮김, 레디셋고, 2016, 17쪽.

243) 다니엘 시로, 『근대 세계의 형성과 세계 체계』, 112-114쪽. 약간 수정

열강 제국	점령지	연도	비고
러시아	우수리	1860	-중국으로부터 조차함. -러시아가 시베리아까지 200년 동안 추진했던 팽창의 연속.
영국	라고스, 나이제리아	1861	
프랑스	베트남, 캄보디아	1862~1884	-프랑스는 남쪽에서 북인도차이나 지방으로 이주.
러시아	트란스카우카시아(Transcaucasia)와 터키스탄(Turkestan)	1864~1895	-러시아는 무슬림 중앙아시아 지방으로 18세기 동안 계속 이주.
영국	말레이	1873~1914	-싱가포르와 페낭 해안의 섬에 대한 영국의 점령을 거점으로 말레이 지역을 점진적으로 장악.
영국	피지	1874	
오스트리아-헝가리 제국	보스니아-헤르쩨코비아(Bosnia-Herzegovia)	1878	-오토만 제국으로부터 조차한 보호령으로 1908년 합병.
영국	사이프러스(Cyprus)	1878	-오토만 제국에서 조차.
프랑스	타히티	1880	-1841년 이래 프랑스의 완전한 법적 지배하에 있지는 않았더라도 실제적인 지배하에 있었음.
프랑스	가봉과 프랑스령 콩고	1880~1888	-1839~1849에 건설한 해안 거점에서 내륙 지방으로 프랑스인이 이주.

과 보완을 하였다.

영국	북보르네오	1881	-원래 1841년 인접해 있는 사라왁(Sarawak)에 세운 영국 정권이었음.
영국	이집트	1882	-1850년대 이후 집중하는 영국 영국이 영향력의 지배를 받음.
이탈리아	에리트리아 (Eritrea)	1882~1890	
프랑스	튀니지아	1882	-프랑스가 1830년 인접해 있던 알제리아에 자기 정부를 세우기 시작함.
프랑스	서부 수단	1883~1889	-프랑스가 17세기에 조차한 세네갈 연안 지역에서 내륙 지방으로 이주함.
독일	남서 아프리카	1884	
독일	북동 뉴기니아	1884	
영국	남동 뉴기니아	1884	
독일	토고	1884	
영국	영국령 소말리랜드 (Somaliland)	1884	
프랑스	프랑스령 소말리랜드	1884	-프랑스가 1862년 건설한 항구 지역에서 내륙 지방으로 이주함.
이탈리아	이탈리아령 소말리랜드	1884	-이탈리아가 1869년 건설한 항구 지역에서 내륙 지방으로 이주함.
스페인	리오데오로 (Rio de Oro)	1885	
스페인	스페인령 기니아	1885	
독일	카메로운 (Cameroun)	1885	
영국	서부 나이제리	1885	-나이제리아 서부의 해안에 위

	아		치한 라고스는 1861년 영령 식민지가 되었음.
벨기에	콩고	1885	-벨기에 왕의 개인재산으로 소유함.
프랑스	마다가스카르	1885	-보호령. 1896년에 이르러 완전한 식민지가 됨.
독일	탄자니카	1885~1890	
독일 영국 프랑스 미국	태평양 군도, 마샬 군도, 뉴해브리데, 쿡, 사모아, 길버트, 하와이, 마리아나	1885~1900	-미국에서 조차한 하와이섬이 가장 중요함.
영국	베차나랜드	1885	영국이 1795년 처음 점령한 남아프리카에서 북쪽으로 이주함.
영국	버마 상부	1896	-1826년 영국이 버마 해안지역을 점령하였고, 1852년 버마 남반부를 점령하였음.
영국	로데지아	1888	-1852년 영국은 버마 남반부를 점령하였음. 남아프리카에서 계속 팽창하였음.
영국	브루네이	1888	-사와락 지역에 동시에 건설한 형식적 보호령.
프랑스	아프리카 적도 프랑스령의 안쪽	1888~1900	-가봉과 콩고에서부터 팽창함.
영국	케냐	1888	
프랑스	아이보리코스트	1889~1890	-프랑스는 1843년에 건설한 항구 지역에서 내륙 지방으로 이주함.
영국	우간다	1890	
영국	잔지바	1890	-1860년대 이후에 사실상 영령

			지배하에 놓였음.
영국	황금 연안	1890~1896	-영국은 1821년에 조차한 항구 지역에서 내륙 지방으로 이주함.
프랑스	라오스	1893	-프랑스령 인도네시아 제국을 완성함.
일본	대남	1895	-중국에서 조차함.
이탈리아	이디오피아	1896	-이탈리아가 전쟁에 패함. 이디오피아는 미국의 보호령 리베리아를 제외한 아프리카 유일의 독립 국가가 되었음.
미국	푸에르토리코	1898	-스페인으로부터 조차함.
미국	필리핀	1898	-스페인으로부터 조차함.
영국 프랑스 독일 러시아 일본	중국 연안 도시	1898	-영국이 1841년 홍콩을 점령함으로써 시작됨. 1898년 중국 분할이 시작되어 연안 도시를 차지하려는 광범위한 각축전이 있었음.
영국	수단	1899	-과거 이집트의 영향하에 있던 지역을 재정복하였음.
영국	북부 나이제리아	1900~1903	
영국	보어 공화국	1902	-1795년 남아프리카로 들어온 영국인과 17세기 중엽에 들어온 원래의 백인 식민지 개척자인 네덜란드 보어인 사이의 오랫동안 지속한 일련의 전투가 종식됨.
일본	한국	1905~1910	-일본은 1905년 러시아를 물리치고 지배권을 획득하고, 1910년 합병함.
영국 러시아	페르시아 내의 영향	1907	-분할의 시작.

프랑스	마우리타니아	1908~1909	-북아프리카와 서구화된 수단의 프랑스령 제국을 연결하는 지역.
프랑스	모로코	1912	-지배권을 둘러싼 독일과 프랑스 사이의 전쟁 결과.
스페인	북·남부 모로코	1912	-모로코의 작은 부분을 정착지로 할애함.
이탈리아	리비아	1911~1912	-오토만 제국에서 조차함.
이탈리아	도데카니군도	1912	오토만 제국에서 조차함.

이처럼 유럽의 팽창주의 과정에서 중국을 포함한 아시아 사회는 정치·경제적으로 큰 충격을 받았다. 그 결과 "1880년의 세계는 진정한 의미에서 전 세계적인 것이었다. 세계 대부분의 지역들이 알려지게 되었으며, 거의 대부분이 지도화되었다."[244]

제1차 세계대전, 제2차 세계대전 역시 서구 유럽과 미국을 중심으로 한 백인 국가들 사이의 식민지, 제국주의 전쟁의 산물이다.

21세기 현대 국제 사회의 정치·경제 체제는 여전히 서구의 식민주의/제국주의 체제의 형태를 유지하고 있다. 다만 이전의 제1세계, 제2세계, 제3세계로 구분하던 이데올로기적 분류법은 타당하지 않다. 그러나 중심부, 반 주변부, 주변부 사회의 구분은 일정한 한계가 있지만 여전히 유효한 분류법으로 생각한다.[245] 이처럼 세 가지로 분류하는 이유는 이 세 가지 유형의 국가들 사이에 뚜렷한 차이가 존재하기 때문이다.[246] 첫째, 정치적·군사적 힘의 차이이다. 즉 정치적·군사적 힘

244) 에릭 홉스봄, 『제국의 시대』, 김동택 옮김, 한길사, 1998, 87쪽.
245) 다니엘 시로, 『근대 세계의 형성과 세계 체계』, 132쪽.
246) 같은 책, 132-142쪽 참조 요약.

으로 자국의 의지를 다른 나라에 부과할 수 있는 능력의 차이이다. 둘째, 경제적 힘의 차이이다. 한 국가의 경제적 발달, 경제적 구조는 국제 사회에서 자신의 역량을 발휘할 수 있는 한 가지 힘의 원천이다. 이것은 1차·2차·3차 산업에서 그것이 각각 차지하는 비중으로 표현할 수 있다. 중심부로 나갈수록 3차 산업의 비중이 높아진다. 셋째, 정치적 안정이다. 이것은 내적 결합에 해당하는 것으로 내적인 분열과 약한 정치 조직으로는 경제적 발전을 도모할 수 없다. 한다. 간단히 말해서 국내 정치의 안정이 없다면 당연히 정치적·경제적 발전이란 불가능하다.

오늘날 약간의 변화는 발생하고 있지만, 그러나 그 기본적인 형식에는 큰 변화가 없다. 그렇지만 여기에서 한 가지 언급해 둘 필요가 있는 것은 이전에 반 주변부의 위치에 놓였던 중국이다. 중국은 1978년 개혁개방을 추진하면서 자본주의 경제 체제에 들어왔다. 중국의 정치·경제 체제는 독특한 형태를 취하고 있다. 정치적 구조는 여전히 중국 공산당에 의한 통치 체제를 유지하고 있다. 그러나 경제 체제는 비록 사영기업이 절대적 점유율을 차지하고 있다고는 하지만, 중국인들이 흔히 말하는 중국 특색의 경제 체제, 즉 국유 기업과 사영기업의 이중적 구조이다.

제2장 시대적 조류

제2장 시대적 조류

우리가 장군매와 정문강의 논쟁을 이해하려면 당시의 시대적 배경을 살펴보아야 한다. 세상의 모든 일에는 보편성과 특수성이 있기 때문이다. 우리의 인생이라는 것이 누구에게나 해당하는 보편적인 문제라면, 그 문제를 이해하고 처리하는 방식은 각각의 시대마다 시대적 상황에 따라 달라지기 때문이다.

제1절 시대적 조류

인류의 역사에서 지난 19, 20세기는 그 이전의 세계와 매우 이질적인 사회로 진입한 시대이다. 과학과 자본주의의 발전으로 이전의 시대와는 전혀 성격이 다른 새로운 세계로 전환하였기 때문이다.

지난 2백여 년 동안의 이러한 시대적 변화는 철학의 변화, 과학의 발전과 자본주의라는 경제 체제의 전환으로, 이전의 상대적으로 고립된 사회는 점차 전 지구적 체제로 바뀌게 되었다. 이 과정에서 '약육강식'이 지배하는 세계의 식민지 정책은 점차 보편적인 현상이 되었다.

1. 찰스 다윈의 진화론

1859년 찰스 다윈(Charles R. Darwin, 1809-1882)은 『종의 기원』(On the Origin of Species by Means of Natural Selection)을 발표하였다. 이 책은 인류의 존재 역사 자체를 근본적으로 바꾼 혁명적인 저작이었다. 다윈은 이 책을 통해 기존의 종교에서 말하던 신에 의한 인류의 창조를 부정하였다.

다윈은 『종의 기원』에서 '변이'에 관해 다음과 같이 말하였다.

> 생물은 여러 세대에 걸쳐서 새로운 환경에 처해야 어떤 거대한 변이가 일어나며, 생물이 일단 변이를 시작하면 여러 세대 동안 계속 변이를 일으킨다는 것은 명백한 것 같다.[1)]

또 이렇게 말하였다.

> 모든 체제는 가변적인 것 같으며, 본래 조상의 형태에서 조금씩 멀어져 가는 경향이 있다.[2)]

---

1) 찰스 다윈, 『종의 기원 1』, 박동현 옮김, 신원문화사, 2007, 12쪽.

모든 특질은 유전하는 것이 원칙이며, 유전하지 않는 것은 변칙이라고 하는 것이 아마도 이 주제 전체에 대한 올바른 견해일 것이다.[3]

다윈의 관점을 간단히 정리하면 '변이'를 통한 '진화'이다. 이것은 '생명'의 발생·변이 과정을 철저하게 생물학적 관점에서 파악한 것이다.

정용재는 다윈의 학설을 일곱 가지로 개괄하였다. 그 내용을 간략히 요약하면 다음과 같다.[4]

① 가축 및 재배식물의 품종은 인위도태에 의해 개량된다.
② 자연계에는 격렬한 생존경쟁이 일어나고 있다.
③ 변이는 자연계에서보다 사육재배 조건 속에서 많이 일어난다.
④ 습성의 작용으로 생긴 변화나 환경의 물리적 조건의 직접 작용에 기인하는 변화의 유전도 일어난다.
⑤ 변종은 어린 종이다.
⑥ 적응한 변이가 집적되어 가기 때문에 생물은 점점 환경에 적응한 것으로 된다.
⑦ 이 학설로 고생물학·생물지리학·분류학·형태학·발생학 등에 알려진 여러 사실을 설명할 수 있다.

다윈의 진화론은 인간의 존재에 관한 이전의 종교적 관념을 완전히 뒤엎는 혁명적인 전환이었다. 이 이론은 서양 세계에서 생물학을 혁신

---

2) 같은 책, 19쪽.
3) 같은 책, 20쪽.
4) 鄭瑢載, 『찰스 다윈-인간 다윈과 다위니즘』, 民音社, 1988, 88-89쪽. 참조 요약.

함과 동시에 전통적인 세계관, 인간관에 크게 충격을 주었다.[5] 그런 까닭에 당시에 이미 많은 사람이 진화론적 세계관과 인간관을 거부하였다. "진화론의 출현이 서양 세계에서는 그리스도교적인 창조설을 부정하는 것 또는 특별한 피조물이라고 여겨졌던 인간을 그 생물학적 기원에 있어서 일반 피조물과 동열에 두는 것(인수 동조설)이라 하여 상당한 물의가 빚어졌었다."[6]

다윈의 진화론과 종교의 관계에는 두 가지 중요한 문제가 놓여 있다.[7] 첫째, 신의 디자인(설계) 문제이다. 생물은 여러 성질이 단순히 모인 것이 아니라 통일된 기능적 존재라는 것이다. 즉 여러 부분이 공동의 목적을 달성할 수 있도록 복합적으로 짜여 있다는 의미이다. 둘째, 호모 사피엔스, 즉 인간의 문제이다. 다윈의 주장처럼 인간도 동물 종의 하나에 불과한 것인가, 아니면 신의 형상을 모방한, 그리하여 불사의 혼과 지적 능력을 갖춘, 다른 동물보다 우월한 존재인가?

> 세세한 겉모습은 다를지라도, 모든 생명체는 DNA를 주제로 한 변주이며, 3,000만 가지 방식으로 변성한 변종들이다.[8]

오늘날에도 진화론은 과거와 마찬가지로 여전히 종교로부터 도전을 받고 있다. 유신론 종교를 믿는 사람들은 이 다윈의 진화론에 대한 대응 논리로 '지적설계론'을 주장한다. 그러나 미국의 사법부는 이 '지적설계론'은 종교적 이론의 변형으로 판결하였다.

---

5) 같은 책, 151쪽.
6) 같은 책, 157쪽.
7) 같은 책, 144-150쪽. 참조 요약.
8) 리처드 도킨스, 『진화론 강의』, 김정은 옮김, 옥당, 2016, 15-16쪽.

'지적설계론'을 주장하는 사람의 관점을 살펴보면 다음과 같다.

'헨리 모리스 박사'—30년 동안 연대측정법을 연구한 공학자는 그의 '과학적 창조론'(1974)에서 다음과 같이 섰다. '일반적 견해와는 달리 과학의 실제 사실들은 지구의 나이가 진화론자들이 주장하는 나이보다는 훨씬 어리다는 것에 일치하고 있다. ……아마도 10,000년이 그 상한선이 될 것 같다'고 했다.

데이빗 비 가우어 박사는 런던 가이 병원의 생화학 강사(D. Sc., Ph. D)로서 그의 '방사선에 의한 연대측정법'(1961)에서 똑같은 결론에 이르렀다.[9)]

그런데 도킨스는 이 문제와 관련하여 '유사설계물'(designoid object)이라는 개념을 제시하였다.

나는 우연과 설계의 차이가 원칙적으로 뚜렷하다고 생각하지만, 항상 그런 것은 아니다. ……이들을 **유사설계물**designoid object('디지그노이드'가 아니라 '디자이노이드'라고 읽는다)이라고 부르겠다. 유사설계물은 생명체와 그 산물들이다. 유사설계는 설계처럼 **보인다**. 그래서 일부 사람들, 어쩌면 사람들 대부분이 유사설계물을 진짜로 믿을 정도다. 그들의 생각은 틀렸지만, 유사설계물이 우연의 산물일 리 없다는 확신만은 옳다. 유사설계물은 우연히 만들어지지 않는다. 실제로 이들은 당당히 체계적인 과정을 거쳐 모양이 만들어지고, 이런 과정 때문에 설계되었다는 거의 완벽한 착각을 불러일으킨다.[10)]

---

9) 한국창조광학회 편, 『창조는 과학적 사실인가?』, 한국창조과학회 출판부, 1991, 8쪽.
10) 리처드 도킨스, 『진화론 강의』, 19쪽.

그렇지만 이 '지적설계론'은 '과학' 이론이 아니라 이전의 '종교' 이론이었던 '창조론'의 변형에 불과한 것이다. 간단히 말해서 '종교' 이론일 뿐이다.

따라서 우주의 나이에 대한 질문의 현명한 답은 '하나님께 물어보라!'-그분이 그것을 만드셨기 때문에-이다.11)

또 다음과 같은 것이 있다.

우리 삶에는 하나님이 계획하신 명확한 설계도가 있고 목적이 있다. 우리 삶은 우연의 연속이 아니다. 하나님은 우리를 우연의 산물로 창조하지 않으셨다. 우리 인생을 지배하는 것은 우연이라는 이름의 잔인한 괴물이 아니라, 하나님의 사랑 넘치는 계획이다.12)

허정윤은 '창조'와 '진화'에 대해 다음과 같이 평가하였다.

말하자면 신의 창조를 믿는 입장과 진화론을 믿는 두 가지 입장으로 나누어진다. 신의 존재와 창조를 주장하는 창조론은 각 민족의 고대신학에서부터 오늘날 각 종교의 교리에 반영되어 있다. 반면에 진화론은 신의 존재와 창조에 의문을 제기했던 고대 그리스 자연철학의 물활론(物活論)적 자연발생설에서 시작되어 오늘날에는 무신론적 진화론으로 발전한 것이다. 진화론은 겉으로 보기에는 그럴듯한 과학적 이론으로 보이지만, 그 실체는 고대

---

11) 한국창조광학회 편, 『창조는 과학적 사실인가?』, 7쪽.
12) 고성준, 『데스티니: 하나님의 계획』, 규장, 2018, 34쪽.

자연발생설에 공산주의자의 유물론을 더한것에 불과하다.[13]

그는 창조론과 진화론을 '믿는 입장'이라는 용어로 등치시킨다. 또 진화론을 공산주의자의 유물론과 연계한다. 그러나 창조론은 종교적 믿음이고, 진화론은 과학적 믿음이다. 그 근본에서 다른 것이다.

이처럼 진화론이라는 생물학적 진화 관념과 유신론 종교의 창조론/지석 설계론 관념 사이에는 서로 건널 수 없는 틈이 존재한다. 그렇지만 이 서로 다른 두 가지 관념은 어느 하나가 다른 하나를 대체할 수 없다.

이태하는 '과학'과 '종교'의 이러한 '적대적 관계'에 관해 다음과 같이 지적하였다.

먼저 '종교'의 입장이다.

예를 들어 근본주의자들의 생각에 진화론은 인격적인 신의 존재와 목적론적 우주관을 결여하고 있으며, 다른 동물과 구별되는 인간의 특별한 존엄성을 인정하지 않는 이론이다. 따라서 진화론은 모든 만물이 처음부터 신의 자유로운 창조 의지에 의해 창조되었으며 특히 인간은 신의 모상에 따라 창조된 존재로 신의 영광을 위해 살아야 한다고 믿는 그들의 신념에 비추어볼 때 받아들이기 어려운 이단인 것이다.[14]

다음은 '과학'(진화론)의 입장이다.

---

13) 허정윤, 「창조냐, 진화냐?」, 창조론오픈포럼, 『창조론 오픈 포럼』 10권 2호, 2016, 29쪽.

14) 이태하, 『종교적 믿음에 대한 몇 가지 철학적 반성』, 책세상, 2000, 29-30쪽.

그러나 반대로 극단적인 과학주의의 입장에서 보면, 물리적인 세계와는 별도로 존재하면서 자연과 인간사를 섭리로 지배하는 지고한 존재인 인격적인 신은 존재하지 않는다. 인류야말로 본질적으로 우주 안에서 어떠한 잠재적인 목적도 지니고 있지 않은 최상의 존재라고 본다. 이러한 종류의 철학적 진화론을 받아들이는 사람들은 종교를 전적으로 거부하고 인류의 진보를 위한 유일한 희망으로 과학을 받아들인다.[15]

그렇지만 우리는 어느 하나만을 정당화할 수는 없다. 이 두 가지 유형의 이론 체계에서 하나는 '기계론적 설명'이라면 다른 하나는 '목적론적 설명'이다. 이태하는 결론적으로 다음과 같이 말하였다.

……어떤 사건에 대해 기계론적인 설명이 가능하다는 사실이 목적론적인 설명을 배격하거나 목적론적인 설명이 가능하다는 사실이 기계론적인 설명을 배격하지 않는다. 논란이 되는 진화론과 창조론의 대립은 바로 이 두 가지 설명 방식을 구분하지 못한 데서 비롯된 것이다. '우주의 형성은 자연적인 과정의 결과이다'라는 진화론의 주장은 우주 창조의 기계적 원인을 설명하는 기계론적 설명에 해당하고, 반면에 '우주는 신에 의해 창조되었다'는 창조론의 주장은 우주 창조의 이유를 설명하는 목적론적인 설명에 해당한다. 따라서 이 두 가지 설명방식은 우주 창조를 바라보는 상보적 설명 체계인 것이다.

진화론이 세계의 생성 과정에 대해 자연도태나 적자생존과 같은 생물학적 원리를 밝히는 것을 넘어서 이 세계가 단순히 우연의 산물이라고 주장한다면 이것은 과학의 범위를 넘어서는 월권적 주장이다. 마찬가지로 세계의

15) 같은 책, 30쪽.

창조가 신의 의지의 산물임을 주장하는 데서 멈추지 않고 이 세계의 창조 과정을 구체적으로 주장한다면 그것 역시 종교의 범위를 넘어서는 월권적 주장이 된다. 이처럼 과학은 기계론적 설명을 통해 지식에 관여하고, 종교는 목적론적 설명을 통해 지혜에 관여하는 상보성을 가질 때 과학은 맹목적인 것이 되지 않으며 종교는 공허한 것이 되지 않는다.[16]

사실 신에 의한 이 세계의 창조라는 창조론적 해석은 믿음이라는 문제를 제외하면 나름대로 훌륭한 설명 방식이다.

인간의 실존과 관련한 이러한 상황의 발생은 사실 인생의 가치문제가 개입되어 있기 때문이다. 다시 말해 우리 인간 존재는 다윈의 진화론에서 말하는 것처럼 단순 동물에서 고등동물로의 진화라는 생물학적 관점은 인간의 실존 문제에 대한 좋은 해답은 아니다. 우리 인간은 어쩔 수 없이 좀 더 '의미' 있는 해답을 원한다. 그런 면에서 종교는 그것이 비록 객관적 정답은 아닐지라도 비교적 좋은 설명이다. 그러므로 인간의 지식/지혜가 어느 수준까지 발전할지 알 수는 없지만, 인간이 존재하는 한 종교적 관념은 사라지지 않을 것이다.

2. 우생학

서양문명에서는 19세기에 '우생학'(Eugenics)이 널리 유행하였다. F. 골턴(Francis Galton)이 '우생학'을 창시하였다. 『인간의 능력과

16) 같은 책, 37쪽.

그 발달에 관한 연구』(Inquires into human faculty and its development, 1883)에서 '우생학'을 "인종의 타고난 질을 육체적·정신적으로 해치는 작용인에 대해 연구하고, 인종을 최대한 유리한 방향으로 발달시키는 모든 영향에 대해 연구하는 과학"으로 정의하였다.17) 이것은 "과학 이론을 통한 현실개혁이라는 주장이었"다.18)

그런데 '우생학'의 역사는 전혀 아름답지 않다. 이 '우생학'은 서양의 "대부분 나라에서 살펴볼 수 있는 배제 또는 제거를 목표로 삼는 우생학적 조치들과 나치의 잔학 행위"를 낳았는데, "매우 다양한 형태와 방법론을 가지면서 일부 개혁 세력과 정치적 좌파들에게도 매력적인 담론"이었다.19) 그런데 이 우생학은 "선택과 배제의 원리를 토대로 영국에서 탄생한 생물학의 응용과학이자 이념"이었다.20) 여기에서 중요한 점은 '선택과 배제', '과학과 이념'이다.

여기에서 우생학에 근거한 '선택과 배제'는 '사회적 약자'를 제거할 수 있는/제거해야만 하는 대상으로 상정한다.

> 따라서 영국 우생학을 둘러싼 논의에서 정작 중요한 문제는 우생학이 과학의 이름으로 적자(the fit)와 부적자(the unfit)라는 새로운 사회적 범주를 만들어냈고, 이에 기초하여 다양한 세력들이 인간 종 사이에는 생물학적인 적자와 부적자가 존재한다고 선전하며, 자의적 판단에 의거해 정책적 차

17) 廉雲玉, 「1899년~1906년 영국의 인종퇴화론에 관한 연구-우생학과 관련을 중심으로-」, 고대사학회, 『史叢』 제46집, 1997, 373쪽.
18) 김호연, 「19세기 말 영국 우생학의 탄생과 사회적 영향」, 이화사학연구회, 『이화사학연구』 제36집, 2008, 241쪽
19) 같은 논문, 235쪽.
20) 김호연, 『우생학, 유전자 정치의 역사-영국, 미국, 독일을 중심으로』, 아침이슬, 2009, 16쪽; 김호연, 「19세기 말 영국 우생학의 탄생과 사회적 영향」, 235쪽.

원에서 부적자를 제거하려 했다는 사실이다.[21]

'과학과 이념'은 우생학의 이러한 '선택과 배제'를 정당화는 '이데올로기'로 작용했던 것을 의미한다.

> 즉 영국 우생학은 인간의 몸, 특히 사회적 약자에 대한 과학적 관리와 통제를 정당화하고, 사회적 불평등을 고착화하는 이데올로기적 기능을 수행함으로써 과학 이론이 이론적 정당성 차원을 넘어서 그 자체로 매우 심각한 사회적 실천의 문제를 함축하고 있음을 명백하게 보여준 역사적 사례였다.[22]

이 '우생학'은 "인간 개선을 명분으로 내세우며 인간의 몸(the body)을 과학적 방식으로 통제하고 관리하려 했던" 것이다.[23] 따라서 이 '우생학'에는 '인종주의'적 사고가 은연중에 내재하였다.

이 '우생학' 담론과 관련하여 몇 가지 중요한 개념이 있는데 그것은 '변이'(variation), '퇴화'(degeneration)와 '역선택'(negative selection) 등과 같은 것이다. 이것은 당시 서구 사회의 위기 상황을 표현한 용어이다.[24]

프랑스 의사 B. A. 모렐((Bénédict Augustin Morel, 1809-1873)는 '퇴화'를 "원래의 형태로부터 병적인 형태로의 변이"라고 정의하고,[25] 또 다음과 같이 설명하였다.

---

21) 김호연, 「19세기 말 영국 우생학의 탄생과 사회적 영향」, 236쪽.
22) 위와 같음.
23) 같은 논문, 234쪽.
24) 廉雲玉, 「1899년~1906년 영국의 인종퇴화론에 관한 연구-우생학과 관련을 중심으로-」, 368쪽.

이 변이는 유전적 요소를 포함하고 있다. 따라서 퇴화의 싹을 가진 사람은 점차 인간으로서의 임무 수행이 불가능해지고, 지적·도덕적 진보가 불가능할 뿐만 아니라 자식 세대까지도 위협하게 된다.[26]

그런데 이 '우생학'의 탄생은 "생존경쟁에 의한 자연선택을 인위선택으로 전환시키는 것을 의미하는 것이었고", "정부와 사회의 간섭을 허용하는 이데올로기로 전환"을 의미하였다.[27] 특히 "인종주의적 담론과 결부된 우생학은 '제국주의 전쟁'의 이론적 토대로 기능하기도 했다."[28]

우생론자들은 국가적 효율 달성을 통한 영 제국의 보건을 위해 제국주의적 팽창이 필요함을 역설했다. 우생론자들은 다윈의 자연선택설을 기초로 인류의 역사는 늘 강자의 논리가 지배해왔음을 주장하며, 생존경쟁에서 승리한 최적자만이 가장 위대한 문명을 달성할 수 있다고 역설했다.[29]

그들에게 '우생학'은 '과학적 담론'이었다.

요컨대, 국가적 효율 담론의 심화와 과학에 대한 대중적 신뢰, 그리고 다윈의 진화론에 기초한 사회 유기체론적 전망의 대두는 우생학이 과학적 담

---

25) 위와 같음.
26) 위와 같음.
27) 김호연, 『우생학, 유전자 정치의 역사-영국, 미국, 독일을 중심으로』, 17쪽.
28) 김호연, 「19세기 말 영국 우생학의 탄생과 사회적 영향-국가적 효율과 우생학적 건강-」, 251쪽.
29) 위와 같음.

론으로서 또 사회적 실천의 이념으로서 안착할 수 있는 토양을 형성해 주었다.

……

우생론자들은 우생학이 객관적 과학이며, 인간의 본능마저도 과학적 조작과 사회적 조치를 통해 개선할 수 있고, 이는 국가적 효율 달성을 통한 사회적 진보의 최선책이라 역설했다.30)

당시 서구 사회의 이러한 시선을 외부로 돌리게 되면 당연히 '인종주의'를 낳게 된다. 사실 서구 사회에서 이 '인종주의'는 그 뿌리가 매우 깊다.

19세기 영국의 우생학과 인종주의의 관계이다.

영국의 우생학은 인종주의와도 관련을 맺고 있었다. 기본적으로 우생론자들은 열등한 인종은 사회적 제도의 영향보다는 원래 선천적으로 열등하게 태어난다고 생각했고, 바람직하지 않은 혈통은 제거되어야 마땅하다고 주장했다. 우생론자들의 인종주의적 사고는 이민을 제한하는 '외국인법'(Aliens Act, 1905)의 제정을 낳았다. 당시 영국은 미국처럼 주요 도시에 이민자들이 그리 많지는, 1890년대 일시적으로 동유럽으로부터 이민 온 유대인들이 노동자들 사이에 위기감을 고조시키자 반유대주의(anti-semitism) 바람이 불었던 때가 있었다.31)

서양 사회에서 '인종', '인종주의'는 "한 개인 혹은 집단의 유게에 직접적인 통제를 가함으로써 백인의 특권적 지위를 유지하려는 고전

30) 같은 논문, 241쪽.

31) 김호연, 「19세기 말 영국 우생학의 탄생과 사회적 영향-국가적 효율과 우생학적 건강-」, 250쪽.

적인 방식의 인종주의, 혹은 피부색이나 신체적 특징들과 개인 혹은 집단의 문화적 정체성 사이에 본질주의적 연속성을 부여하는 일련의 담론 체계들"이다.[32] 그런데 이 '인종'이라는 용어에는 두 가지 경향이 있다.[33] 첫째, 인종을 "본질" 혹은 역사적 사회적 맥락과 관계없이 항구적으로 변하지 않는 개인 혹은 집단의 생물학적 특성으로 인식이다. 둘째, 인종을 단순한 "허상" 내지는 순수한 이데올로기의 구성물(즉, 이상적인 반인종주의 사회가 실현되면 곧 없어지게 될 허위의식)로 보고자 하는 경향이다.

미국의 의사 S. G. 모튼(Samuel George Morton, 1799-1851)은 인간 두개골 용량 연구를 한 인물이다. 그는 자신의 저작 『미국인의 두개골』(Crania Americana)에서 독일 생리학자 J. H. 블루맨바흐(Johann Friedrich Blumenbach, 1752-1840)의 인종분류법에 따라 코카사스인·몽골리안·말레이·아메리카 인디언·에티오피안이라는 5종의 인종으로 분류하고, 두개골 용량을 비교 조사하였다. 그는 당시 서구인들의 보편적 관념처럼 "코카시안(백인)이 가장 우수한 인종으로 인간 진화의 가장 마지막 단계"라는 것을 증명하려 하였다.[34]

> 그의 주장에 따르면, 백인들이 가장 큰 두뇌 용량을 가지고 있고, 반면 흑인들은 가장 작은 용량을 가지고 있었는데, 이를 바탕으로 그는 흑인들이 문명을 창조할 능력을 가지고 있지 못함을 증명하고자 하였다.[35]

---

32) 임경규, 「"본질"과 "허상"의 갈림길에서-문화분석 범주로서의 "인종"의 유용성-」, 조선대학교 인문학연구원, 『인문학연구』 37집, 2009, 61쪽.
33) 같은 논문, 66쪽.
34) 같은 논문, 62-63쪽.
35) 같은 논문, 63쪽.

다윈의 진화론과 함께 우생학은 사회진화론의 이론적 토대가 되어 인종주의·제국주의 침략을 정당화하는 사회진화론의 형성에 큰 영향을 주었다.

3. 허버트 스펜서의 사회진화론

사실 '적자생존'이라는 용어는 찰스 다윈 이전에 이미 허버트 스펜서(Herbert Spencer, 1820-1903)에 의해 처음 사용되었다.[36] 그는 이 이론을 바탕으로 사회진화론을 주장하였다. 이것을 '사회적 다윈주의'(Social Dawinism)라고 부른다. 이것은 "생물유기체처럼 인간 사회도 생존을 위해 서로 투쟁한다"는 것으로, "서구의 현대 사회는 이 투쟁에서 최상층에 위치하게 되었고, 그래서 성취한 사회 진보의 최고 단계"라고 생각한다.[37]

사회진화론은 그 영향력이 매우 컸다. 이 사회적 다윈주의는 19세기에서 20세기 초까지 영국을 포함한 유럽, 미국 그리고 일본에서 크게 환영을 받았던 시대적 조류였다. 그렇지만 문제는 이것에 그치지 않는다. 이러한 사조는 "오늘날 세계화 시대에 서구를 중심으로 새롭게 뚜렷하게 부활하고 있는 '사회적 다윈주의'의 현재적 의미" 역시 무시할 수 없다.[38] 특히 '인종주의'와 결합하여 그 파장은 전 지구적

---

36) 鄭瑢載, 『찰스 다윈-인간 다윈과 다위니즘』, 91쪽.
37) 박창호, 「스펜서의 사회진화론과 오리엔탈리즘」, 한국사회역사학회, 『담론 201』, 2004, 129쪽.
38) 같은 논문, 130쪽.

재앙이 되었다.

일부 학자들은 사회적 다윈주의 사상을 흑인에 대한 백인의 우월성을 정당화하는데 이용하였으며, 이것은 인종주의에 대한 '과학적' 정당화로 표출되었다. 이것은 유럽 강대국간의 '아프리카 쟁탈전' 기간에 절정에 달했다.[39]

찰스 다윈은 다음과 같이 말하였다.

야만인들에 있어서는 정신적으로 혹은 육체적으로 허약한 자는 곧 제거된다. 그리하여 살아남은 자는 매우 훌륭한 건강 상태를 보여준다. 반면에 우리 문명인은 이러한 제거의 과정을 억제하는데 최선을 다하고 있다. 우리는 저능아, 불구자, 병자를 위해 수용시설을 만들고, 구빈법을 제정한다. ……이렇게 해서 문명사회에서는 허약한 개체도 살아남아 자손을 번식시킨다. 가축을 사육해본 사람이라면 이것이 인류에게 극히 유해하다는 사실을 명백히 알 것이다.[40]

19세기 영국은 '국가 효율론'을 주창하면서 "제국적 인종을 육성한다는 목표"를 세웠다.[41] 다윈의 '적자생존'을 사회진화론에 적용하면서 유럽의 팽창주의를 합리화하였다.

39) 같은 논문, 129쪽.
40) Charles Darwin, Descent of Man and Selection in Relation to Sex, 2 Vols., London: John Murray, 1871, p. 168. (廉雲玉, 「1899~1906년 영국의 인종퇴화론에 관한 연구-우생학과의 관련을 중심으로-」, 373쪽. 재인용.)
41) 김호연, 「19세기 말 영국 우생학의 탄생과 사회적 영향」, 238쪽.

적자생존을 내세우는 사회진화론자들은 이 같은 팽창주의를 합리화해 주는 논거를 제시해 주었다. 이들은 최대한의 식민지 영토를 획득·착취하는 것은 이윤을 위해서뿐 아니라, 앞으로 끝없이 계속될 경쟁국과의 투쟁에 대비하기 위해서도 필수적인 것이라고 주장했다.[42)]

영국의 제국주의자 세실 로즈(Cecil Rhodes)는 이렇게 말하였다.

나는 우리가 세계의 일등 민족이므로 세계의 더 많은 부분을차지하고 살수록 인류에게 이익이 된다고 주장하는 바이다. ……하느님이 존재한다면, 그 역시 내가 아프리카 지도를 최대한 영국의 붉은색으로 칠해 주기를 바랄 것이다.[43)]

이처럼 당시 서구 사회에서 널리 유행하였던 사유 방식은 서구에 의한 비서구 사회의 침략을 정당화할 수 있는 논리가 이미 존재하였다.

인종주의적 담과 결부된 우생학은 **제국주의 전쟁의 이론적 토대**로 기능하기도 했다. 우생론자들은 국가적 효율 달성을 통한 영 제국의 보전을 위해 **제국주의적 팽창이 필요함**을 역설했다. ……사회제국주의자(social imperialist)였던 피어슨은……국가가 직접 수행하는 **제국주의적 생존경쟁, 즉 전쟁**은 최적 인종의 생존과 생식에 절대적인 요소라고 주장했다.[44)] (밑

---

42) L. 스타브리아노스, 『제3세계 역사와 제국주의』, 황석천 옮김, 일월서각, 1987, 240쪽.

43) L. Huberman, *We, the people*, rev. ed. (New York: Harper &Brothers, 1947, p.263. (L. 스타브리아노스, 『제3세계 역사와 제국주의』, 240쪽. 재인용.)

44) 김호연, 「19세기 말 영국 우생학의 탄생과 사회적 영향」, 251쪽.

줄과 강조는 인용자)

이상의 내용은 '과학'이 '가치'의 영역에 무비판적으로 개입할 때 어떤 위험성을 낳게 될 것인지 매우 분명하게 보여준다.

> 우리의 상식적인 과학관, 즉 과학은 객관적이고 확실하여 가치 중립적일 것이라는 생각과는 달리, 사회문화적 가치나 이념이 과학에 반영되는 것은 피할 수 없고, 또 이는 지극히 자연스러운 일이다. 그러나 만일 과학이 그릇된 사회적 편견을 반영하여 사회적 약자를 강제하고, 통제하는 수단으로 활용된다면, 과학 또는 과학자들은 그 책임에서 자유로울 수 없을 것이다.45)

결론적으로 말하자면, '과학의 언어'는 일정한 한계/제한 속에서 그 '이론의 정당성'을 주장해야만 한다. 그렇지 않으면 '과학의 언어'는 '과학'이라는 탈을 쓰고 착취와 지배를 정당화한다.

제2절 철학적 전환

아래에서는 19세기 후반부터 20세기 초기에 이르는 당시 서양 철학의 흐름을 F. 니체, E. 후설, 그리고 실증주의를 중심으로 간략히 살펴보기로 한다.

45) 같은 논문, 233쪽.

1. F. 니체의 철학

F. W. 니체(Friedrich Wilhelm Nietzsche, 1844-1900)의 철학은 "모순에 찬 독일적인 상황의 필연적 산물"이다. 그가 제시한 철학은 탈형이상학적 전회, 본질주의와의 결별, 중심주의 모델 및 절대주의 모델의 파기, 다원주의 모델을 통한 일원론 극복 프로그램, 그리고 실체론으로부터 관계론으로의 전환 등 철학의 여러 영역에서 발생한 현대적 지각변동의 단초/토대가 되었다.[46]

니체의 철학에 나타난 "본능의 승화, 생의 찬미, 영웅적 염세주의는 독일 제국주의와 연관성을 맺는다"고 말할 수 있다.[47] 그러므로 우리는 니체 철학의 부정적 측면에 관해서도 관심을 가져야 한다.

우리가 니체 철학을 이해하려면 그의 중심사상에 놓여 있는 "허무주의와의 논쟁"을 이해해야 한다. 그는 "허무주의를 근본적인 철학의 문제로 다룬 사람"으로, "서구의 모든 도덕, 철학, 종교는 결국 허무주의(Nihilnismus)로 귀결된다"고 생각하였다.[48]

그런데 니체는 그의 인간 이해에서 서양 근대철학과는 다른 관점을 제시하였다. 서양 근대철학은 인간의 이성과 감성에서 이성을 중시하고, 감성에 대해서는 부정적 관점을 나타냈다.

이성에 의한 본능의 지배는 "육체는 영혼의 무덤이다"(soma, sema)라는 플라톤의 말에서 잘 나타난다. 플라톤에 의하면 인간의 육체와 감정은 인간

46) 철학아카데미, 『처음 읽는 독일 현대철학』, 동녘, 2013, 81쪽.
47) 姜大石, 『니체와 현대철학』, 한길사, 1986, 47쪽.
48) 같은 책, 52, 51쪽.

의 이성이 완전한 세계인 이데아계를 상기하는 데 방해 역할을 한다.[49]

즉 "전통 형이상학은 이성을 일방적으로 강조하고, 오히려 삶에서 근원적 역할을 하는 무의식, 충동, 의지, 감정을 부정하고자 했다."[50]

니체가 보기에 서양철학에서 이성의 역할을 감정이나 감각보다 중시되었던 이유는 오직 이성으로만 초월 세계와 초월적 존재를 인식할 수 있었기 때문이다. 경험세계에서 만물은 생성과 소멸을 무수히 반복하는 무수한 변화의 과정들의 연속인데, 서양철학은 고대로부터 변화가 없는 최종적이고 궁극적인 본질을 추구하는 경향을 지녔다. 결국 이러한 경향은 경험 세계에서의 물리적 현실 바깥에 있는 초월 세계를 상정하기에 이르렀고, 이 초월 세계를 추구하는 삶을 우리가 발 딛고 살아가는 경험 세계에서의 삶보다 더 가치 있는 것으로 만들어 버렸다.[51]

그러나 니체는 이성과 함께 감정 역시 중요하게 생각하였다.

그에 반해 니체는 모든 것은 서로 연관되어 영향을 미친다는 관계주의적 존재 이해를 강조한다. ……이런 니체 이해에 기초할 때 객관적 이성 활동을 위해 감정과 느낌, 욕망을 억압하고 부정하는 것은 사실 이성 활동 자체를 부정하는 어리석은 짓일 수 있다. 니체에게 이성과 감성, 육체와 정신은 분리할 수 있는 것이 아니다.[52]

---

49) 같은 책, 58쪽.
50) 권의섭, 「니체의 감정이해와 건강함 삶」, 새한철학회, 『철학논총』 제104집, 2021, 39쪽.
51) 서진리, 「니체와 에피쿠로스-경험 세계에서의 삶과 초월 세계를 추구하는 삶의 가치 전도-」, 대한철학회, 『철학연구』 제164집, 2022, 99쪽
52) 권의섭, 「니체의 감정이해와 건강함 삶」, 39쪽.

우리가 잘 알고 있는 것처럼, 니체는 '신은 죽었다!'고 선언하였다.

> 신은 죽었다. **인간에 대한 동정** 때문에 신은 죽었다.[53] (강조는 인용자)

그렇다면 이 말의 의미는 무엇인가? "유럽인의 정신적인 생활 태도의 중심에서 발생한 하나의 사건으로서의 신의 죽음은 곧 19세기의 유럽의 역사적 공간에서의 가치 중심의 붕괴로서의 니힐리즘의 등장을 의미하는 것이었다."[54]

'신의 죽음'은 기존의 초월적 세계, 즉 존재의 긍정과 생성/변화의 부정에 대한 비판이다. 왜냐하면 신/존재에 대한 긍정은 우리의 '이 대지에서의 삶'을 부정하는 것일 뿐이기 때문이다.

> 전통 형이상학은 생성과 변화를 특징으로 하는 이 대지에서의 삶을 덧없는 것으로 부정하며 변하지 않고 동일성을 유지하는 존재만이 참으로 실재하는 것으로 이해한다. 생성과 변화의 지배를 받지 않는 초감성계, 이데아의 세계, 피안의 세계만이 참된 존재라고 믿는다. 전통 형이상학은 생성과 변화를 본질로 하는 삶과 현실을 그림자에 불과하다고 생각하며 고통을 초래한다는 이유로 적대시한다. ……니체에게 플라톤 철학의 대중화인 기독교 역시 지금 이곳에서의 삶을 거부하고 저 세상에서의 구원을 꿈꾼다는 점에서 동일하게 비판받는다.[55]

53) Sämtlich Werke, 12 Bde, Stuttgart, 1965.
54) 김정현, 『니체의 몸철학』, 지성의 샘, 1995, 54쪽.
55) 권의섭, 「니체의 감정이해와 건강함 삶」, 41-42쪽.

서양 전통 철학의 관점은 “가치들의 대립에 관한 믿음”으로, 이처럼 “실체를 추구하는 형이상학은 가상을 부정한다.”[56]

> 그들[모든 형이상학자들]은 이러한 자신들의 ‘믿음’에서 그들의 ‘지식’을, 격식을 갖추어 마침내 ‘진리’라고 명명하게 되는 그 무엇을 얻으려고 노력한다.[57]

여기에서 ‘실체’가 초월 세계라면 ‘가상’은 우리가 지금 살아가고 있는 현실 세계를 의미한다. 이처럼 서양 전통 철학의 형이상학적 관점에 의하면 우리가 지금 살아가는 이 세상은 언제나 덧없고 무가치한 세계에 머물게 되고, 이러한 현실을 초월한 그 어떤 것이 실체/참된 존재의 세계가 된다. 그렇지만 니체는 그런 실체를 부정한다.

> 활동, 작용, 생성 뒤에는 어떤 존재도 없다.[58]

니체는 또 서양 전통 철학의 실체론을 관계론으로 전환하였다. 서양 전통 철학의 실체론적 사고는 이미 플라톤 철학에서 나타났다. 이 실체론적 사고는 존재를 긍정하고 생성을 부정하는 것이다. 그렇지만 이 세계는 생성하는 세계이지 존재하는 세계가 아니다. 이처럼 존재를 긍정하고 생성을 부정하는 서양 전통 철학은 정신을 긍정하고 육체를 부정하는 철학과 다르지 않다.

---

56) 이선, 「니체의 가상성: 가상과 현실의 예술적 변주」, 대한철학회, 『철학연구』 제160집, 2021, 116쪽.
57) 프리드리히 니체, 『선악의 저편』, 김정현 옮김, 책세상, 2002, 16쪽.
58) 『도덕의 계보』 I 13: KGW Ⅵ 2, 293.

> 나는 전적으로 신체일 뿐 그 외의 것은 아니다.[59]

니체 철학에서 실체론에서 관계론으로의 전환은 니체 철학의 정체성을 보여주는 결정적 역할을 하였다.[60] 이것은 "존재하는 모든 것을 운동하고 생성하는 것"으로 사유하는 것이다.[61] 그는 '힘에의 의지 Wille zur Macht의 관계론'을 제시하였다. 이것은 '힘에의 의지'와 '관계론'이라는 두 개념이 연관된 것이다.[62] 니체 철학에서 이'힘에의 의지'는 존재론적으로 '비실체적-비원자적'이라는 것을 나타낸다.[63] 즉 '존재'에서 '관계'로의 전회이다.

니체는 '이상적인 인간'으로 '초인'(Übermensch) 사상을 제시하였다.

> 니체의 초인은 반대로 가치의 창조자이다. 자연 그 자체는 아무런 가치가 없고 세계도 객관적으로 존재하는 실체가 아니다. 초인은 세계마저도 창조해야 한다. 초인은 천재적인 인간으로 그의 영혼에 가치의 체계가 형성된다. 그는 모든 것의 속박으로부터 벗어나 완전히 자유롭게, 다시 말하면 선악의 피안에서 가치를 창조하는 사람이다. 그는 스스로의 진리와 스스로의 도덕을 창조하는 사람이다.[64]

---

59) 『짜라투스트라는 이렇게 말하였다』 I, 35쪽.
60) 철학아카데미, 『처음 읽는 독일 현대철학』, 81쪽.
61) 위와 같음.
62) 같은 책, 82쪽.
63) 같은 책, 85쪽.
64) 姜大石, 『니체와 현대철학』, 81-82쪽.

니체의 '초인'은 "결국 '권력의지'를 존재의 근본 법칙으로 파악하고, 그것을 실천해가는 사람을 이상적으로 표현한 말이다."[65] 그런데 그의 이 '초인' 사상은 두 가지 의미가 있다. 하나는 "종교적이고 초월적인 도덕을 거부하는 현세 중심적인 인간"이면서 동시에 "민주주의적인 이상을 거부하는 엘리트의 상징"이기도 하다.[66] 그러므로 니체의 '초인' 사상에는 긍정적인 면과 부정적인 면이 동시에 존재한다.

> 삶 자체는 근본적으로 낯설고 약한 것들을 동화(同化), 손상, 강탈하는 것이며 자기 자신의 형식을 강요하고 억압하는 것이다. ……그것은 삶의 본질에 속하는 유기적인 근본 기능으로서 참다운 건력의지에서 나온 결과이며, 그렇기 때문에 바로 삶의 의지 자체이다.[67]

이처럼 "초인을 강조하는 니체 철학은 결국 나치즘의 철학적인 기초가 되었"다.[68] 다시 말해 "초인은 개인의 이상일 뿐만 아니라 니체가 내세우는 엘리트사회의 이상이었다는 사실은 그의 철학이 왜 나치의 이데올로기에 이용될 수 있었는가에 대한 커다란 암시를 준다."[69]

니체 철학에서 중요한 개념 가운데 하나는 앞에서 말한 '힘에의 의지'/'권력 의지'/'권력에의 의지'이다. 이것은 "주인이 되고자 하는, 더 많은 힘을 얻기 원하는 그리고 더욱 강해지고자" 하는 의지이다.[70] 이것은 "모든 현상을 설명하는 원칙, 혹은 세계의 원칙으로 고양된

65) 같은 책, 77쪽.
66) 같은 책, 80쪽.
67) 같은 책, 74쪽.
68) 같은 책, 78쪽.
69) 같은 책, 81쪽.
70) 권의섭, 「니체의 감정이해와 건강함 삶」, 38쪽.

것"이며, "인류를 초인으로 성숙시키는 이론적인 밑받침이 되고 있다."[71] 다시 말해 "이 세계는 다수plural의 힘에의 의지들의 거대한 관계 네트워크"이다. 그리고 여기에서 '힘에의 의지'는 "항상 힘 상승과 강화와 지배를 추구하는 의지작용"으로, 이것은 "지배와 더 많은 힘 그리고 더 강해짐에 대한 추구는 의지들에 내재하는 본성"이라고 한다. 그러므로 "세계는 이런 힘에의 의지들이 구성해내는 관계-세계"이다.[72]

니체는 그가 말한 '힘에의 의지들'이라는 관념에 따라 우리에게 "힘에의 의지에 따른 삶을 살 것을 강조"하였다. 이것은 "더 강한 힘을 추구하고 그 힘을 바탕으로 이 세계는 물론 나에게 닥쳐오는 고통까지 긍정할 수 있어야 한다고 주장한다."[73] 니체에게 "건강한 삶이란 비록 고통이 따른다 하더라도 우리가 발 딛고 살아가는 이 경험 세계, 그리고 이 경험 세계에서의 삶 전체를 있는 그대로 긍정하고 받아들이는 디오니소스적 긍정의 삶이다. ……현재의 자신보다 성장하고 발전하기를 끊임없이 갈구하며, 절대적인 도덕이나 윤리 혹은 법칙 등에 구애받지 않고 자신이 지켜나갈 도덕과 가치 기준을 스스로 정립하는 삶이다."[74]

니체 철학은 "이 세계를 긍정하는 철학이고", "이 세계의 '자족적' 필연성을 확보"한다.[75] 이것은 서양 전통 철학의 관념을 근본적으로 전회한 것이다. 따라서 니체 철학은 초월/실체가 아닌 내재/생성을 절

71) 姜大石, 『니체와 현대철학』, 73쪽.
72) 철학아카데미, 『처음 읽는 독일 현대철학』, 84쪽.
73) 서진리, 「니체와 에피쿠로스-경험 세계에서의 삶과 초월 세계를 추구하는 삶의 가치 전도-」, 93쪽
74) 같은 논문, 95쪽.
75) 철학아카데미, 『처음 읽는 독일 현대철학』, 97쪽.

대적으로 긍정하는 것이다. 그렇지만 니체 철학에는 많은 문제점을 갖고 있다.

강대석은 니체 철학을 다음과 같이 종합하여 정리하였다.

> 철학자는 본래 명명자이고 입법자이며 철학자의 인식은 창조이고 진리에의 의지는 권력에의 의지이다. 모든 가치의 변혁이라는 니체의 철학을 움직이는 동인은 결국 민주주의에 반한 투쟁이었다. 반도덕적인 그의 철학은 민중의 평등한 도덕에 대한 거부였으며, 반사회적인 그의 철학은 민중의 사회평등에 대한 반발이었고, 반여성적인 그의 철학은 남녀평등이라는 민주주의적인 원칙에 대한 반발이었으며, 반주지적인 그의 철학은 사회 및 인간에게 내재되어 있는 법칙을 합리적으로 파악하려는 이성적인 세계관에 대한 비합리주의적인 반발이었고, 반염세주의적인 그의 철학은 위기의식에 가득 차 있던 당시의 시민계급으로 하여금 가차 없는 용기를 발휘하여 소수의 엘리트가 지배하는 귀족사회를 건설하게 하는 개척적인 정신을 고무해주는 공격적인 철학이었다. 마지막으로 반기독교적인 그의 철학은 내세에 대한 신앙은 현세의 삶을 약화시킨다는 주장에서 출발하여 기독교의 도덕이 평등을 구가하는 사회주의적인 도덕과 일치하기 때문에 인류의 역사를 퇴보시킨다고 주장하는 군주도덕적인 철학이었다. ……결국 니체의 가장 커다란 사상적인 적은 '평등', '민주주의', '대중'이었으며 초인, 모든 가치의 변혁, 변화의 무죄, 영겁회귀 등의 모든 니체의 사상은 이러한 적들을 파괴하고 그와 반대되는 이상인 엘리트, 특권, 귀족주의, 군국주의 등을 변호하고 철학적으로 합리화시키기 위한 정신적인 무기였다.[76]

그런데 오늘날 니체 철학 연구자들은 이와 다른 해석을 하고 있다.

---

76) 姜大石, 『니체와 현대철학』, 95-96쪽.

니체는 더 이상 자본주의 혹은 사회주의의 맥락 위에서 언급할 수 없다. 왜냐하면 그는 민족주의자도 제2제국의 친구나 지지자도 아니고, 자본주의의 옹호자도 제국주의자도 아니며, 인종주의자도 파시스트도, 사회주의자도 아니기 때문이다.77)

필자가 생각하기에 니체 철학과 나치즘이 전도된 관계, 즉 니체 철학을 이용한 것으로 니체에게 잘못이 없다고 하더라도 그의 철학이 이처럼 나치즘의 발흥에 영향을 주었다는, 즉 정당화하는 데 이용되었다는 역사적 사실은 변함이 없다는 것이다. 물론 우리는 니체에게 그 책임을 물을 수는 없다고 하더라도 말이다. 이것은 니체 철학 자체에 그렇게 해석/왜곡될 수 있는 요소가 충분했다는 것을 의미한다. 아무튼, 이러한 상황은 한마디로 니체 철학이 그 뒤 20세기 서양 사회에 얼마나 다양한 측면에서, 그리고 큰 영향을 주었는지를 보여준다.

2. H. 후설의 현상학

19세기 중반 유럽 철학은 사변적인 독일관념론이 붕괴하면서 경험에 기초한 개별과학이 발전한 시기였다.78) 즉 서양의 현대 철학은 관념론의 붕괴와 그에 따른 경험론의 독주 시대라고 말할 수 있다. 이것

77) H. Ottmann, 《*Philosophie und Politik beiNietzsche*》, Berlin, 1987, 6쪽. (김정현, 『니체의 몸철학』, 32-33쪽. 재인용.) 니체 철학에 대한 다양한 평가는 김정현의 『니체의 몸철학』(25-34쪽)을 참조하기 바란다.
78) 박정호·양운덕·이봉재·조광제 엮음, 『현대 철학의 흐름』, 동녘, 1998, 20쪽.

은 철학에서 초월적 영역의 부재 또는 무의미를 의미한다.

그렇다면 현상학이란 무엇인가? 현상학은 매우 정의하기 어려운 폭넓은 개념이다. 피에르 테브나즈는 이렇게 말하였다.

> 현상학은, 때로는 논리의 본질이나 의미에 대한 객관적 탐구로, 때로는 하나의 관념론으로, 때로는 심오한 심리학적 서술 또는 의식의 분석으로, 때로는 〈선험적 자아(自我) *Ego transcendantal*〉에 대한 명상으로, 때로는 경험 세계에 대한 구체적 접근 방법으로 나타나기도 하며, 그런가 하면 사르트르나 메를로 퐁티에서처럼 전적으로 실존주의와 합치되는 듯이 보이기도 하는 프로메테우스 protée와도 같다.79)

E. 후설(Edmund Husserl, 1859-1938)은 현상학적 관점에서 의미론, 언어이론, 논리철학, 수리철학, 자연철학, 정신철학, 윤리학, 공간론, 시간론, 노에시스-노에마 평행론, 명증이론, 이성론, 수동적 종합의 이론, 연상이론, 초월론적 주관론, 지향성이론, 운동감각론, 신체론, 생활세계론, 현상학적 환원론 등 많은철학 이론을 발전시켰다.80) 그런 까닭에 그의 이론은 M. 쉘러(Max Scheller, 1874-1928, M. 하이데거(Martin Heidegger, 1889-1976), J. P. 사르트로(Jean-Paul Sartre, 1905-1980), M. 퐁티(Maurice Merleau-Ponty, 1908-1961), E. 레비나스(Emmanuel Lévinas, 1905-1995), H. G. 가다머(Hans-Georg Gadamer, 1900-2002), P. 리쾨르(Paul Ricoeur, 1913-2005), 프랑크푸르트 학파의 T. W. 아도르노(Theodor Wiesengrund Adorno,

---

79) 피에르 테브나즈, 『현상학이란 무엇인가-후설에서 메를로 퐁티까지』, 심민화 譯, 文學과 知性社, 1983, 13쪽.
80) 철학아카데미, 『처음 읽는 독일 현대철학』, 112쪽.

1903-1969), M. 호르크하이머(Max Horkheimer, 1895-1973), H. 마르쿠제(Herbert Marcuse, 1898-1979) J. 데리다((Jacques Derrida, 1930-2004) 등 거의 모든 중요한 현대철학자들에게 영향을 주었다.[81]

후설은 현대를 이렇게 진단하였따.

> ……학문의 나무에서 뿌리에 해당하는 철학이 위기에 처하면 학문 전체가 위기에 처하고 더 나아가 인류의 삶 전체가 위기에 처하게 되겠지요. 실제로 철학의 위기가 학문 전체의 위기를 낳았고, 학문 전체의 위기가 인간 삶 전체의 위기를 낳게 되어 결국 인간의 삶 전체가 위기에 처하게 되는 것이 바로 현대에 대한 후설의 진단입니다.[82]

후설의 현상학은 "소박한 자연적 태도를 비판하고", "궁극적 근원"에서 "선험적 반성의 태도"를 나타낸다. 그러므로 "인식 비판을 주된 문제로 삼는 인식론", 더 구체적으로 말하면, "선험적 논리학"이다.[83] "그것은 "자아의 존재 방식—의미 형성의 주체인 주관의 자기 구성과, 이와 상관적으로 존재하는 세계의 의미—을 해명하는 자기 이해"이다.[84] 이것은 궁극적 근원을 해명하여 이론적 앎과 실천적 삶을 엄밀하게 정초하려는 것이다.[85] 그는 「엄밀한 학문으로서의 철학」(Philosophie als strenge Wissenschaft)이라는 논문을 1911년 『로고스』(Logos)에 발표하였다. 그는 이 논문에서 '자연주의'(Naturalismus)와 '역사주

81) 같은 책, 111-112쪽.
82) 같은 책, 114쪽.
83) 이종훈, 「후설 현상학의 실천적 의미」, 한국현상학회, 『철학과 현상학 연구』 7, 1993, 139쪽.
84) 위와 같음.
85) 같은 논문, 141쪽.

의'(Histoimus)를 비판하였다.86)

이남인은 '자연주의'에 관해 아래와 같이 말하였다.

> 자연주의는 르네상스 시대 이래 비약적으로 발전한 자연 과학, 특히 수리 물리학의 성과에 크게 자극받고 고무되어 제3자적 관찰, 실험, 수리화 및 법칙화 등의 물리학적 방법이 모든 학문의 참된 방법일 수 있으며, 역사학 등의 정신과학조차도 수리 물리학적 방법을 사용할 때만 참된 의미의 학문이 될 수 있다고 생각하는 철학적 입장이다.87)

후설은 이 '자연주의'를 ①'물리주의'(Physikalismus), ②'실증주의'(Positivismus), ③객관주의'(Objectivismus)로 정리하였다. 이것은 각각 ①"물리학적 방법에 특권에 대한 근본 신념", ②"감각 경험적 실증성이 지닌 특권에 관한 근본 신념", ③"제3자적인 객관적 관찰이 지닌 특권에 대한 근본 신념"과 관계가 있다.88) 그런데 후설에 의하면 "자연주의의 근본적인 오류는 본질적 대상 혹은 이념적 대상이나 의식 등과 같이 물리적 대상과는 근본적으로 다른 존재 방식과 인식 방식을 지니는 대상들을 물리적 대상처럼 취급하는 데 있다고 본다."

후설의 실증주의에 대한 비판이다.

> 후설은 20세기 들어 실증주의Positivismus가 발호하면서 철학의 위기가 나타났다고 생각했어요. 후설에 의하면 실증주의는 실증과학이 모든 학문의 토대가 될 수 있다고 주장하는 그릇된 철학입니다.89)

86) 박정호·양운덕·이봉재·조광제 엮음, 『현대 철학의 흐름』, 21쪽.
87) 위와 같음.
88) 위와 같음.
89) 철학아카데미, 『처음 읽는 독일 현대철학』, 114-115쪽.

그렇다면 왜 실증주의가 문제인가? 왜냐하면 "실증주의는 자연과학적 방법으로 인식되지 않는 다양한 현실의 사태를 파악할 수 없게 되면서 일면적인 철학으로 전락"하기 때문이다.[90]

이남인은 '역사주의'에 관한 이렇게 말하였다.

> 역사주의는 19세기 후반에 비약적으로 발전한 역사학을 비롯한 제반 정신 과학에 편승하여 성립된 철학 사조이다.[91]

그런데 후설에 의하면 이 "역사주의는 역사적 현상을 파악하기 위하여 사용되는 범주들을 통하여 모든 현상을 파악할 수 있다는 철학적 입장을 가졌다고 보았다."[92]

그렇다면 이 '자연주의'와 '역사주의'에는 어떤 문제가 있는가?

> 자연주의와 역사주의가 공통적으로 범한 근본적인 오류는 자연, 정신, 예술, 종교, 본질, 초월적 의식 등 그 존재와 인식 구조에서 서로 구별되는 다양한 사태 영역이 있음을 망각한 채 '자연'(자연주의) 혹은 '역사'(역사주의) 등 특정의 사태 영역에만 타당한 존재와 인식 원리를 일반화하여 모든 사태 영역에 무차별적으로 적용할 수 있다고 생각한 데 있다.[93]

후설은 이것을 '사이비 철학'(Unphilosophie)이라고 불렀다.[94] 사

---

90) 같은 책, 115쪽.
91) 박정호·양운덕·이봉재·조광제 엮음, 『현대 철학의 흐름』, 21쪽.
92) 위와 같음.
93) 같은 책, 22쪽.
94) 위와 같음.

실 우리가 조금만 생각해 보면 '자연주의'와 '역사주의'에는 많은 문제점이 있다는 것을 파악할 수 있다.

후설은 그의 현상학을 통해 '현대 과학의 위기', '현대인의 위기'를 극복하고자 하였다. 그는 '초월적-현상학적 관념론' 철학을 체계화하였다. 그는 "현대 학문의 위기"는 "이성 실현이라는 역사의 합목적성이 은폐되었기 때문에 발생하며, 이는 근대 자연과학적 객관주의의 보편화에 기인한다"고 생각하였다.[95] 이것은 결국 "삶에 대한 과학의 의미의 상실"로, "단순한 사실 과학으로 변형된 학문은 인간 실존의 의미와 무의미에 대한 마지막 형이상학적 물음을 배제한다는 것이다."[96] 이것은 '삶의 깊이', '삶의 근본' 등을 잃어버린 것인데,[97] 그는 '고향 상실', '생활 세계 망각' 등으로 표현하였다.[98]

> 나에게 속한 것, 나의 것을 망각한 인간이 바로 근대철학이 이성의 자율성으로 세워놓은 인간이다. 이러한 인간은 물론 이성적 인간이겠지만 거기에는 후설이 보기에 인간을 인간이게 하는 그 어떤 것, 즉 습성이 망각된 인간상이 등장한다.[99]

'과학'이 인간의 '실존적 삶'에 어떤 해답을 줄 수 있을까? 전혀 그렇지 못하다는 것은 너무도 자명한 사실이다. 왜냐하면 "객관적으로

95) 이진우, 「후설 현상학과 탈현대」, 한국현상학회, 『철학과 현상학 연구』 4, 1990, 271쪽.
96) 위와 같음.
97) 반성택, 「후설 현상학으로 보는 철학사」, 서울대학교 철학사상연구소, 『철학사상』 55, 2015, 270쪽.
98) 같은 논문, 271쪽.
99) 위와 같음.

타당한 것만을 규정하고 연구하는 자연과학은 가치 평가의 문제를 배척"하기 때문이다.[100] 그러므로 한마디로 말해서, "현대의 위기는 결국 철학, 과학, 그리고 삶의 원천적 일치가 파괴됨으로 발생한 것이다."[101] 후설은 '현대의 위기'를 자연과학이 그 의미 기반을 망각하고 인간성이 나아가야 할 목적을 상실한" 것에서 찾는다.[102] 그런데 과학은 철학에서 그 정당성을 구축한다.

> 철학과 짝짓기에 성공한 근대 과학 역시 자신의 특권 유지를 위해 철학의 힘에 호소하여 정당성을 구축하는 데 온 힘을 쏟았다. 사실 과학은 스스로 학문적 특권을 추수리기 위해 비과학이라고 배제했던 바로 그 신화적 사고 위에 떠 있는 하나의 부산물에 지나지 않는다.[103]

물론 일정 부분 과학의 이론을 통해 인생에 관한 어떤 새로운 지침을 줄 수는 있다. 그렇지만 과학을 통해 인생의 문제를 모두 해결할 수 있다고 말하는 것은 과학의 오만일 뿐이다. 이것은 결국 '가치'의 파괴를 의미한다.

> 후설은 생활 세계, 습성의 세계가 주관의 이성적 활동의 출발점이 된다는 것이다. 거꾸로 이성이 인간 삶, 생활 세계를 규정할 수는 없다.[104]

---

100) 이진우, 「후설 현상학과 탈현대」, 271쪽.
101) 위와 같음.
102) 이종훈, 「후설 현상학의 실천적 의미」, 139쪽.
103) 조주환, 「근대와 탈근대의 변증법: 현상학적 정초주의」, 새한철학회, 『철학논총』 제22집, 2000·가을, 143쪽.
104) 반성택, 「후설 현상학으로 보는 철학사」, 273쪽.

그 의미는 "근대 자연과학적 객관주의는 생활 세계의 다양성을 망각하였기 때문에 삶에 대한 의미를 상실한 것이다."[105)]

> 객관주의는 대상의 성질을 수량화함으로써 생활 세계에 원천적으로 주어져 있는 다원성을 부정한다.[106)]

그 결과 "실천적인 존재로 이해되어 왔던 인간도 이제는 자연의 인과법칙에 의해서 포섭될 수 있는 사물적인 존재로 전락하는 것이다."[107)] 그런데 후설은 이렇게 말한다.

> 그래서 이제 현상학은 인간을 둘러싼 새로운 앎, 선험적 앎을 고대의 자랑스러운 말로 표현할 수 있을 것이다: **인간은 만물의 척도이다.** 『전집』 29, 139)[108)] (강조는 인용자)

사실 우리가 '가치'라고 말하는 것은 '인간'에게 '가치'인 것이지, 그런 까닭에 인간에게만 의미가 있는 것이지, 인간 이외의 존재에게 그러한 '가치'가 '가치'로서 의미 있는 것은 아니다. 그러므로 우리가 말하는 어떤 '가치'를 '절대적인 가치'로 삼는 것은 전혀 논리적이지 못하다.

후설은 "현대 위기의 원인"으로 '자연주의적 객관주의'를 지목한다.[109)] 그런 까닭에 그는 '억견'/'속견'(doxa)을 강조한다.

---

105) 이진우, 「후설 현상학과 탈현대」, 272쪽.
106) 같은 논문, 273쪽.
107) 위와 같음.
108) 반성택, 「후설 현상학으로 보는 철학사」, 272쪽.
109) 이진우, 「후설 현상학과 탈현대」, 273쪽.

> 자연과학적 객관주의는 자연의 수학화를 통해 관념적으로 구성된 자연 과정의 예측 가능성과 계산 가능성을 발전시켰지만, 이와 동시에 생활 세계의 억견을 평가 절하함으로써 세계 인식의 다원적 통로를 봉쇄하였다.

그러므로 이 '억견'/'속견'은 "술어적으로 충분히 확증될 수 있는 인식의 영역이며, 삶의 실천적 계획이 요구하고 모든 객관적 학문이 의지하는 확인된 진리의 영역"이다.[110] 우리 인간의 '인식'의 출발은 경험이다. 그런데 이 경험은 '억견'/'속견'을 형성한다. 그런데 설령 그렇다고 하더라도, 우리가 이 '억견'/'속견'을 버리면 무리의 '인식'에 무엇이 남는가? 아무것도 없다. 또 우리의 초월적 인식이란 객관적 타당성이 없는 주관일 뿐이다. 물론 당사자는 그것의 진리성을 강조할 것이다. 그렇지만 우리는 그 초월적 인식이라는 것의 타당성을 어떻게 알 수 있는가? 이것은 지금도 여전히 풀기 어려운 문제이다.

그런데 이것과는 반대로 과학적 객관주의는 인간의 '가치' 문제에 대해 전혀 해답을 주지 못한다. 그것은 자연계에 대해, 그리고 인간의 어떤 의식 현상에 대해 객관적 설명은 가능하지만, 그렇다고 해서 그것이 인간의 의식 전체를 설명할 수는 없다.

종합하면, 후설의 현상학은 "고통스런 실존적 모순을 극복하려는 '의지'로 점철된 실천적 작업"으로 "궁극적으로 참된 현실을 직관하고 인간이 나아가야 할 목적에로 향하는 진정한 삶을 형성하기 위한 인격적 존재의 자기 책임을 강조한다."[111]

110) 『이념들 Ⅰ』, 103쪽. (이종훈, 「후설 현상학의 실천적 의미」, 145쪽. 재인용.)

111) 이종훈, 「후설 현상학의 실천적 의미」, 142쪽.

3. 실증주의

A. 콩트(Auguste Comte, 1798-1857)는 '사회학'(sociologie)라는 용어를 만든 인물이다. 그의 저작으로 『실증철학 강의』, 『과학의 위계 질서와 사회학의 중요성』, 『실증주의 사회학』 등이 있다.112)

콩트의 사상 발전은 3단계가 있다.113) 첫째, 1820년에서 1826년까지이다. 그는 이 시기에 사회를 전근대의 중세사회와 근대 산업사회를 구분한다. 여기에서 그는 전근대 중세사회의 특징을 "신학적 및 군사적 사회"로 규정하는데, "가톨릭교회가 정신적 영역을 지배하고, 세속적 영역을 군인들이 지배하는 사회"이고, "사회의 지배적인 사고 유형은 신학자나 교회 성직자의 사고"라고 하였다. 그리고 근대 산업사회의 특징은 "과학적이며 산업적인 사회"로 규정하는데, "과학자들은 신학자들이나 성직자들을 대신해서 기존 사회 질서의 지적·도덕적 기초를 제공"하고, "과학적 사고"를 하며, "군인들을 대신해서 산업인들(실업가, 관리자, 재정전문가)이 세속적 조직들을 지배"하는 사회라고 규정하였다. 둘째, 『실증철학 강의』(1830-1842)를 저작하던 시기이다. 그는 이 시기에 '인류 진화의 삼단계 법칙'과 '여러 과학의 분류'를 하였다. 셋째, 『실증 정치학 체계』(système de Politique Positive, 1842)를 저작하던 시기이다. 그는 이 시기에 '인류애의 종

112) 민문홍, 「오귀스트 콩트와 사회학의 탄생」, 대우재단, 『지식의 지평』 2, 2007, 339-340쪽 참조 요약.
113) 같은 논문, 342-343쪽. 참조 요약.

교'(religion of humanity)를 체계적으로 세웠다. 이것은 '인류애의 종교'를 주장한 것이다.

콩트는 '사회발전 삼단계설'을 제기하였다.[114] 이 학설에 의하면 인간의 정신은 세 가지 단계를 통해 발전한다. 첫째, 신학적 단계이다. 이 단계에서 "인간 정신은 초월적 존재(또는 신)에 의해 주어진 사회현상을 설명"한다. 두 번째 단계, 형이상학적 단계이다. 이 단계에서 인간 정신은 "형이상학적 철학에 의거해서 사회현상을 설명"한다. 세 번째 단계, 실증적 단계이다. 이 단계에서 인간은 "자연 과학의 관찰, 실험, 비교의 방법을 사용하여 주어진 시점에서 여러 현상들 간의 규칙적 관계를 확인한다." 그렇다면 콩트와 '사회발전 삼단계설'과 '과학의 분류'를 통해 무엇을 말하고 있는가?

> 콩트는 사회발전 삼단계설과 과학의 분류를 결합함으로써 수학, 천문학, 물리학, 화학, 그리고 생물학을 지배하는 과학적 사고를 정치의 영역에도 똑같이 적용할 수 있음을 보여주려고 하였다.[115]

콩트는 또 가톨릭 사회철학자 J. 드 메스트로(Joseph de Maistre, 1753-1821)에 관한 연구를 통해 '도덕적 가치' 역시 경험 과학적 연구가 가능하다는 것을 배웠다. 그 구체적인 내용은 다음과 같다.[116] 첫째, 도덕 질서도 물리적 법칙처럼 고유한 법칙을 갖고 있다. 둘째, 실증주의에 기초한 '과학적 정치'를 위해 역사적 사실을 이해해야 한다. 셋째, 중세시대에 대한 긍정적 평가를 통해 도덕적, 영적인 힘이

---

114) 같은 논문, 344-345쪽 참조 요약.
115) 같은 논문, 345쪽.
116) 같은 논문, 348쪽.

필요하다고 하였는데, 이것으로 사회의 정신적 통일이 가능하다고 생각하였다.

실증주의(實證主義)란 무엇인가? 김왕배의 설명이다.

……실증주의는 19세기 역사의 진보를 열망하는 철학 체계로 출범하였다. 실증주의는 경험적 현상의 배후에 초(超) 경험적인 실체가 존재한다고 하는 형이상적 추론을 부인하고 어디까지나 모든 대상의 지식은 경험적 세계에 있다고 하는 것을 기본원리로 하고 있다. 당시 실험과 관찰, 경험을 통해 일반법칙을 정립하고자 하는 근대 자연과학의 영향을 받아 실증주의는 인간과 사회의 역사적 행위나 사건을 엄밀하게 밝혀낼 수 있는 학문 체계로 탄생하였다.[117]

초기에 실증주의는 '과학적 탐구 방법(론)'이면서 '역사 발전을 추구'하는 사상 체계였다.[118] 그것은 "지식과 인간성의 역사적 진보를 추구하는 철학 체계"였으며, 그 핵심적 추동력은 "자유"였다.[119]

P. 헬페니(Halfpenny)는 실증주의의 12개 테제를 다음과 같이 정리하였다.[120]

①사회의 안정과 진보를 위한 역사이론 (콩트 1)

②인간에게 적용될 수 있는 지식이란 관찰에 근거한 꽈학이라는 인식론 (콩트 2)

---

117) 김왕배, 「사회과학 방법론의 쟁점 (1)-실증주의와 이해적 방법의 고찰-」, 연세대학교 사회발전연구소, 『연세사회학』 제14호, 1994, 319쪽.

118) 위와 같음.

119) 위와 같음.

120) 같은 논문, 322-323쪽.

③모든 과학은 하나의 자연 체계로 통합될 수 있다는 통합 원리 (콩트 3)
④사회에 헌신하는 세속적인 인간의 종교 (콩트 4)
⑤경쟁적 개인들에 우선하는 사회의 출현을 보장하는 발전의 원동력 (스펜서)
⑥자연과학적 사회학은 사회에 대한 양적 자료의 수집과 통계분석으로 구성된다고 하는 인식론 (뒤르케임)
⑦현상을 논리적인 방법으로 결합시킨, 카당성의 원리에의해 포착하는, 전제들의 의미가 타당성의 방법 속에 존재하는 이론 (논리실증주의 1)
⑧통사론(syntatically)적이고 의미론(semantically)적으로 과학을 통합하기 위한 프로그램 (논리실증주의 2)
⑨상호관련적이고 진실되고, 단순하고 엄밀한, 그리고 광범위한 일반법칙으로 구성되는 지식이론, 그 일반법칙은 연역법칙처럼 설명과 예측을 가능하게 함 (헴펠)
⑩현상을 설명하고 예측하는 인과법칙으로 구성되는 지식이론 (인식론)
⑪관찰과 경험을 통해 추론된 법칙에 의해 과학을 발전시키는 과학적 방법론 (베이컨)
⑫가설을 반박하고 거부함으로써 거짓 추론을 사상(捨象)시켜 확증적 가설을 얻을 수 있을 때 과학의 발전이 있다고 하는 방법론 (포퍼)

종합하면, “일반적으로 실증주의라는 용어는 경험에 근거해서만 실체를 알 수 있다고 하는 독특한 인식론 및 방법론을 의미한다”고 할 수 있다. 그러므로 “선험적 지식이란 존재하지 않으며, 감각적 현상을 넘어서 존재하는 대상은 없다.”[121)]

121) 같은 논문, 323쪽.

실증주의 과학관은 외부세계에 대한 주관적 성찰이나 추론을 거부하고 실험이나 경험적 근거를 바탕으로 예측적이고 설명적인 지식을 얻으려 한다. 실증주의자들의 철학적, 방법론적 입장은 간단히 말해 모든 현상이 법칙에 의해 지배되고 있으므로 자연과학적 방법이 모든 진리 탐구를 위한 최선의 방법임을 주장한다.122) 이러한 관점에 의하면 우리의 인생이라는 문제 역시 자연과학적 방법으로 연구할 수 있고, 그렇지 않다면 무의미한 것이 된다.

더 넓은 시야에서 보면, 서양 실증주의 사조의 흥기는 근대 과학의 발달과 부정할 수 없는 관계가 있다. 어떤 의미에서 말하면, 실증주의는 한편으로 근대 과학의 방법과 성과에 대한 철학적 총결과 설명을 시도하였고, 다른 한편으로 과학의 방식으로 이른바 철학의 과학화를 실현하려고 힘써 도모하였다. ……실증철학과 "형이상학"의 두 봉우리의 대치는 어떤 의미에서 중국 근대사회 변혁의 두 가지 내용을 굴절시켰다.123)

4. 공리주의

서양철학에서 공리주의 역사는 17세기 후반 신학적 공리주의(theological utilitarianism), 18~19세기 세속적 공리주의(secular utilitarianism)로 발전하였다.124) 공리주의의 핵심 사상은 '최대 다수

122) 같은 논문, 324쪽.
123) 楊國榮, 『從嚴復到金岳霖-實證論與中國哲學』, 高等教育出版社, 1996, 23쪽.
124) 류지한, 「벤담의 공리주의와 철학적 급진주의」, 한국윤리학회, 『윤리연구』 제141호, 2023, 85쪽.

의 최대 행복'이다. 이 과정에서 J. 벤담(Jeremy Bentham, 1748-1832)이 중요한 역할을 하였다. 그리고 J. S. 밀(John Stuart Mill, 1806-1873)이 가장 중요한 학자이다.

아래에서는 이 두 사람을 중심으로 서양의 공리주의를 살펴보기로 한다.

J. 벤담의 공리주의는 결과주의(consequentialism), 쾌락주의(hedonism), 공평성의 원리(보편주의), 총합주의(aggregationism), 제제(sanction) 이론이 결합한 윤리이론이다.[125] 공리주의의 핵심 주장은 '최대 다수의 최대 행복'이라는 도덕 이론이다.

'공리'에 관해 이렇게 정의하였다.

> 공리란 이해 당사자에게 이익, 이득, 쾌락, 좋음, 행복을 산출하거나 해악, 고통, 악, 불행의 발생을 막는 경향을 가진 어떤 대상의 속성을 의미한다. 이해 당사자가 공동체 전체라면 그 공동체의 행복을, 이해 당사자가 특정 개인이라면 그 개인의 행복을 의미한다.[126]

그런데 앞에서 말한 것처럼 벤담이 말하는 공리주의의 한 가지 특징은 결과주의라는 것이다.

> 어떤 행위의 일반적 경향은 그 결과의 총합에 따라서, 즉 좋은 결과의 총합과 나쁜 결과의 총합의 차이에 따라서 더 유해하거나 덜 유해하다.[127]

---

125) 위와 같음.

126) J. Bentham, *An Introduction to the Principles of Morals and Legislation.*, 7.2. (류지한, 「벤담의 공리주의와 철학적 급진주의」, 90쪽. 재인용.)

127) J. Bentham, *An Introduction to the Principles of Morals and*

그런데 공리주의가 결과주의를 표방하기 때문에 '공리'와 '정의'는 모순에 빠지게 된다. 왜냐하면 '정의의 원리'와 '공리의 원리'가 근본적으로 상반되는 측면이 있고, '정의'가 배제된 도덕이란 정당화될 수 없기 때문이다.[128)]

J. S. 밀은 벤담의 공리주의에서 비판을 받았던 '정의'의 문제를 제기하였다. 그는 '정의'를 여섯 가지로 정리하였다.[129)] ①법률적 권리(legal rights), ②도덕적 권리(moral right), ③공적(desert), ④신의를 지키는 것(keeping faith), ⑤공평성(impartiality), ⑥평등(equality) 등의 도덕 관념이다. 그렇지만 밀이 제기한 '정의'의 원리 역시 '공리'의 원리를 해명하기 위한 것이다. 그것은 '행복의 극대화', 즉 "정의를 포함한 모든 도덕적 의무의 궁극적 기준은 공리"인 것이다.[130)] 따라서 밀의 "정의의 원리는 다시 최대 행복의 원리라는 모범의 지배를 받는다"는 것이다.[131)]

정리하면, '정의'가 동기주의라면 '공리'는 결과주의이다. 공리주의는 '쾌락', '행복'의 극대화 원리를 주장하지만 정의의 문제를 설명하지 못하고 있다.[132)] 이것은 그들이 말하는 '최대 다수의 최대 행복'이라는 도덕 원리 자체에 내재하고 있는 모순, 즉 '최대 다수'와 '최대

Legislation., 7.2. (류지한, 「벤담의 공리주의와 철학적 급진주의」, 86쪽. 재인용.)

128) 허남결, 「공리주의와 정의의 문제-J. S. 밀의 정의론」, 한국국민윤리학회, 『국민윤리교육』 35호, 1996, 267쪽.

129) 같은 논문, 274쪽.

130) 같은 논문, 282-283쪽.

131) 같은 논문, 283쪽.

132) 같은 논문, 269쪽.

행복' 사이의 모순을 극복하지 못한 결과로 보인다.

이상의 서양철학 사조는 중국 근대의 서양철학 유입 과정에서 큰 영향을 준 사상들이었다.

제3장 중국의 서양문화 유입과 그 반응

제3장 중국의 서양문화 유입과 그 반응

우리가 잘 알고 있는 것처럼, 19, 20세기는 인류 역사에서 보기 드문 역사적 전환기였다. 한편으로 현대 철학의 전환기, 전통적 과학이론의 붕괴가 이루어졌고, 다른 한편으로 자본주의의 발전과 서양 사회의 식민지 지배가 전 지구적으로 전개되던 시대였다. 그렇지만 이러한 역사적 전환은 서구사회에서 주도적으로 발생한 것으로, 이른바 비서구 사회는 이와는 전혀 다른 상황에 처하였다. 그러나 비서구 사회 역시 서구사회의 이러한 역사적 전환의 영향에서 벗어날 수 없었다. 서구사회의 역사적 전환은 비서구 사회에게는 제국주의/식민주의라는 악몽이 되었기 때문이다. 중국을 비롯한 한국, 일본 역시 이러한 전 지구적 변화에 적응해야만 하였다.

17세기 서양의 과학 이론은 '실험'과 '논리'라는 두 가지 경향이 결합한 것이다. 여기에서 '실험'은 베이컨(Bacon)과 후크(Hook), 논리는 데카르트(Descartes)와 관련이 있다.[1] 이것은 사회의 여러 가지 측면에서 인간의 이성, 합리성, 진보에 대한 믿음을 형성하였다.

1670년 스피노자는 군주 절대주의 사상을 공격하였다. 그리고 1690년에 존 로크는 왕의 권위는 신민과 정부 사이에서 합리적으로 도출된 계약에 근거해야만 한다고 주장했다. 달랑베르(d'Alembert)와 디데로(Diderot)에 의해 이끌어지던 프랑스의 백과전서파(Encyclopedist)들은 1751년부터 1772년까지 현대 지식을 요약한 28권의 책을 편찬하였다. 그것의 중심 주제는 인간의 합리성이 더 훌륭하게 조직된 세계를 낳을 수 있다는 것이었다. 1755년 루소(Jean-Jacques Rousseau)는 국민이 스스로를 다스려야만 하며 지배층이나 왕 그 누구도 평민의 권리보다 더 우월한 어떠한 특권도 갖고 있지 않다는 급진 개념의 이념적 기초를 두고 있는 불평등에 관한 논문을 썼다. 또한 프랑스에서 1750년대와 1760년대에 경제학자들은 부가 산출되는 방식을 이해하기 시작했으며, 왜 시장 세력을 왜곡시키려는 정부의 시도가 부를 증가시키기보다는 오히려 감소시키기 쉬운가에 대한 이유를 이해하기 시작했다. 미국 혁명의 해인 1776년에는 스코틀랜드인 경제학자 아담 스미스가 투자, 재산, 그리고 이윤의 할당을 시장이 결정하도록 하는 것이 중요하다고 보는 개념을 공식화하였다.[2]

근대 국가의 형성 이후 "유럽 국가들은 기본적으로 전쟁 수행을 위한 체제로 남아 있었다."[3] 이제 세계의 식민주의, 제국주의, 팽창주의를 실행하기 위한 기본 틀이 완성되었다.

---

1) 다니엘 시로, 『근대 세계의 형성과 세계 체계』, 남중헌·이득연 옮김, 한국사회학연구소, 1987, 76쪽.
2) 같은 책, 84쪽.
3) 같은 책, 85쪽.

19세기에 일본은 다윈의 진화론을 "사회를 설명하는 이론"으로 수용하였다. 일본에서는 동경대학 초대 동물학 교수 모스(E. S. Morse)의 강의와 강연을 모아 1883년 명치 16년에 이미 이시까와(石川千代松)에 의해 『동물진화론』이 소개되었다.[4] 그런데 중요한 것은 일본에서 다윈의 진화론 소개는 생물학이 아닌 사회적 문제에 관한 관점에서 수용되었다는 점이다. 이 과정에서 생존경쟁, 자연도태, 우승열패, 적자생존이라는 단순한 공식이 받아들여졌다.[5] 이것은 다윈 진화론의 영향이라기보다는 스펜서의 '사회다위니즘'의 영향이 더 큰 것이라고 말해야 할 것이다.

19세기 초 중국은 아편전쟁(중영전쟁)의 패배라는 충격으로 서양문화에 대해 새로운 시각을 갖기 시작하였다. 다시 말해 중국은 이 아편전쟁을 통해 서구사회와 전면적이고 실제적인 현실로 만나게 되었다. 이 과정에서 중국은 서양의 다양한 문헌이 수입되었다. 그 가운데에는 특히 과학 기술이 그 핵심이었다.

제1절 서양문화의 유입과 그 반응

중국(인)이 서양문명과 접촉한 역사는 오래되었다. 그런데 중국은 전통적으로 중국 중심의 세계 질서, 즉 중화주의 사상을 바탕으로 세계를 인식하였다. 그런 까닭에 주변의 여러 나라를 사이(四夷, 사방의 오랑캐) 정도로 이해하여 멸시하였다. 그 결과 중국은 세계 질서의 변

4) 鄭瑢載, 『찰스 다윈-인간 다윈과 다위니즘』, 民音社, 1988, 152쪽.
5) 같은 책, 154쪽.

화를 전혀 인식하지 못하였다. 중국이 중국 이외의 다른 세계의 존재를 인식하기 시작한 것은 17세기 말~18세기 초이다. 그렇지만 이 시기에도 여전히 그 세계에 있는 여러 가지 장점을 인정하려고 하지 않았다.6)

그런데 18세기의 경우 서양은 급변하는 시대였다. 경제와 사회적인 변혁이 일어나고 이를 바탕으로 새로운 경제 체제가 구축되었으며, 대외 시장을 개척하고 확보하려 하였다. 이에 해외 활동이 활발해지면서 국제 사회를 형성하고 국제법을 근간으로 국제 질서, 즉 국가간의 평등 관계가 형성되었으며, 과학과 기술혁명은 서양의 대외활동을 쩍극적으로 뒷받침해 주었다.7)

당시 서구사회는 이미 ①정치 체제: 국제법에 의한 국가의 평등 관계, ②경제 체제: 산업혁명에 따른 과학과 기술혁명의 비약적인 발전으로 새로운 역사단계에 진입하였다.

중국(인)이 서양문명을 만난 역사적 과정을 간략히 요약하여 살펴보면 다음과 같다. 중국 역사를 전체적으로 살펴보면, 주욱과 서양의 직접적인 교섭은 크게 ①몽골제국의 유럽 원정, ②명말·청초의 서양 선교사의 활동, ③아편전쟁 이래 중국과 서양의 관계로 나눌 수 있다.8) 그렇지만 여기에서 우리가 살펴볼 부분은 ②와 ③에 해당하는 것이고, 특히 ③부분이 가장 중요하다.

첫째, 명말·청초의 서양 선교사의 활동 부분이다.

명말·청초의 시기에 서양문명의 수입에서 그 주동적인 입장, 즉 주

6) 신승하·유장근·장의식, 『19세기 중국사회』, 신서원, 2003, 17쪽.
7) 같은 책, 18쪽.
8) 같은 책, 21쪽.

체는 서양 선교사가 아니라 중국인이었다. 그러므로 서양 선교사가 중국에서 서양문화를 전파하는 과정에서 그들은 비교적 수동적일 수밖에 없었다. 서양문화를 받아들일지는 온전히 중국(인)이 주동적이었다. 중국학자 웅월지(熊月之)는 그 원인을 두 가지로 설명하였다.[9] 첫째, 명대 말기[晩明]에 예수회 선교사가 중국에 왔는데 비록 서양 식민주의의 범위를 확장하는 것이었지만, 그러나 구체적으로 말하면 중국은 국력이 강성하고 문화가 발달한 주권국가로 서양의 다른 패전국(포르투갈, 스페인 등)과 달라 마테오 리치와 같은 서양 사람들이 중국을 멸시할 수 없었고, 서광범(徐光範)과 같은 중국인들 역시 받아들이지 않았다. 그러므로 서양문화를 전파하는 주체(서양 선교사)와 전수받는 대상(중국인)은 문화적 지위가 비교적 평등하였다. 둘째, 명대 말기에 마테오 리치가 서양문화와 중국문화의 관계를 처리할 때 서양문화를 중국문화에 적응하도록 하고, 중국의 유학으로 서양종교를 증명하는 방식을 취하여 중국의 사대부들이 중국문화의 존엄을 손상하지 않는 것을 전제로 서양문화를 받아들이도록 하였다. 서양 선교사의 제수이트 파는 중국 전통의 유가 사상을 존중하지 않을 수 없는데 중국 전통 문화 가운데 한 가지였던 제사를 인정하면서 포교할 수밖에 없었다. 즉 '합유선교'(合儒宣教)의 방법을 취하였다.[10]

둘째, 아편전쟁 이래 중국과 서양의 관계이다.

19세기 이후 이 시기에 중국과 서양문명의 만남을 간략히 요약하면 "중국은 서양을 이해하지 못한 상태에서 서양의 충격 아래 19세기를 맞게 되었다."[11] 19세기에 중국과 영국 사이에 발생한 중영전쟁(아편

---

9) 熊月之, 『西學東漸與晩淸社會』, 上海人民出版社, 1995, 16쪽.
10) 신승하·유장근·장의식, 『19세기 중국사회』, 22쪽.

전쟁)의 패배는 중국인에게 큰 충격이었다. 중국(인)은 그들이 야만인으로 생각한 서양(인)에 전쟁에서 패한 것이다. “중국은 준비되지 않은 상태에서 서양의 충격을 받게 되었으므로 그 충격은 더욱 클 수밖에 없었다. 즉 아편전쟁의 패배는 중국의 서양에 대한 인식의 부족과 서양 세력의 진출에 대하여 적절한 대응을 하지 못한 데서 비롯되었기 때문에 중국에게 큰 충격이 아닐 수 없었다.”[12] 그러므로 이전과는 상황이 근본적으로 전환되었다.[13] 첫째, 서양의 선교사는 함교 외교와 승전국의 위세를 등에 업고 ‘세상을 구제한다는 명분’(救世之口)과 불평등조약의 보호를 받으면서 중국의 지식인과 불평등한 문화적 지위를 형성하였다. 둘째, 청대 말기에 중국에 들어온 서양 선교사는 유럽중심주의 시각으로 중국문화를 보았고, 서양문화가 동양문화보다 월등하다고 생각하였다. 이제 이전과는 전혀 다른 상황이 펼쳐진 것이다.

그렇지만 서양문명의 충격에 대한 중국(인)의 반응은 여전히 중화사상의 틀을 벗어나지 못하였다. 그러나 현실 상황은 그와는 정반대로 돌아갔다. 그런데도 중국은 여전히 서양을 ‘오랑캐’[夷]로 여기고, 중화주의를 버리지 않았다. 그렇지만 분명한 사실은 이제 서양은 중국이 무시할 수 있는 그런 야만 국가가 아니라는 점이었다. 중국은 아편전쟁의 패배 이후 여러 가지 불평등조약을 체결할 수밖에 없었고, 또 그 결과 중국의 여러 지역을 서양 강대국에게 조차해줄 수밖에 없었다. 중국은 이어서 어쩔 수 없이 서양 문물을 받아들이게 되었다. 그렇지만 그 과정은 너무도 당연한 말이지만 먼저 부정적 반응이었다. 그런

11) 신승하·유장근·장의식, 『19세기 중국사회』, 21쪽.
12) 위와 같음.
13) 熊月之, 『西學東漸與晚淸社會』, 16쪽.

데 점차 서양문명의 충격이 극복할 수 있는 실제적인 방법을 찾지 않을 수 없었다. 이 과정에서 중국은 여러 가지 다양한 방식을 탐구하게 되었다.

중국이 서양 문물을 받아들이는 과정은 몇 단계로 나누어진다. 신승하·유장근·장의식은 『19세기 중국사회』에서 '중국 근대문화의 변천'을 두 시기, 네 단계로 구분하였다.[14] 1840 아편전쟁부터 1895년 청일전쟁까지와 그 이후 5·4운동까지의 두 시기와 1840~60년까지의 첫 번째 단계와 1860~95년까지의 두 번째 단계, 1895~1911년까지의 세 번째 단계와 1911~19년까지의 네 번째 단계이다.[15] 중국학자 웅월지(熊月之)는 청대 말기 서학의 유입 과정을 4단계로 분류하였다.[16] 제1단계: 1811년-1842년. 제2단계: 1843년-1860년. 제3단계: 1860년-1900년. 제4단계: 1900-1911년. 이 4단계의 핵심 내용을 정리하면 다음과 같다.

제1단계: 서양의 선교사들이 중국에 들어와 기독교 종교 전파를 하였다. 그들은 이 과정에서 1807년 런던회 선교사 로버트 모리슨(馬禮遜, Robert Morrison, 1782-1834)이 중국으로 왔다. 그는 1811년 광주(廣州)에서 중문으로 된 서학 문헌을 처음으로 출판하였다. 이후 선교사들은 여러 지역에서 학교와 인쇄소를 열어 교육과 출판을 하면서 서학을 전파하였다. 이 시기에 모리슨 등과 같은 선교사들이 출판한 중문 문헌은 서적과 간행물이 모두 138종이었다. 분야는 역사, 지리, 정치, 경제 등에 관한 것으로 32종이었다. 그 가운데 비교적 중요

14) 신승하·유장근·장의식, 『19세기 중국사회』, 19쪽.
15) 이것은 중국학자 王繼平의 관점을 따른 것이다. (王繼平, 『轉換與創造—中國近代文化引論』, 湖南人民出版社, 1999, 56쪽.)
16) 熊月之, 『西學東漸與晚清社會』, 7-15쪽 참조 요약.

한 것으로 『미합중국지략』(美理哥合省國志略), 『무역통지』(貿易通志), 『찰세속매월통기전』(察世俗每月統記傳), 『동서양고매월통기전』(東西洋考每月統記傳) 등이 있다. 이러한 문헌들은 이후 임칙서(林則徐), 위원(魏源), 양정단(梁廷枏), 서계사(徐繼畬) 등이 세계를 이해하는데 중요한 자료가 되었다.

제2단계: 1840년에서 1842년 사이 중영(아편)전쟁 중에 청나라 정부는 패전으로 영국, 미국, 프랑스 등과 불평등조약인 《남경조약》(南京條約), 《망하조약》(望厦條約), 《황포조약》(黃埔條約)을 체결하였다. 그 결과 홍콩을 영국에게 할양하고, 광주(廣州), 복주(福州), 하문(厦門), 영파(寧波), 상해(上海) 등을 개방하였다. 1843년부터 1860년 사이 이 6곳의 도시에서 여러 종류의 서양 서적을 434종을 출판하였다. 그 가운데 종교 서적은 75.8%이고, 천문, 지리, 수학, 의학, 역사, 경제 등과 관련한 서적은 105종으로 24.2%를 차지하였다. 이 시기의 서학 유입에는 몇 가지 특징이 있다. 첫째, 통상의 해안 구역이 전파의 기지가 되었다. 둘째, 많은 과학 저작을 출판하였다. 셋째, 중국 지식인 가운데 주동적으로 서학을 이해하고 흡수하고 경향이 출현하였다. 넷째, 중국 지식인이 서학 서적의 번역 작업에 참여하기 시작하였다.

제3단계: 1856년부터 1860년 사이에 영국과 프랑스가 미국과 러시아의 지지 속에 제2차 아편전쟁을 발동하였다. 중국은 또 전쟁에 패하여 《천진조약》(天津條約, 1858년), 《북경조약》(北京條約, 1860년) 등 일련의 불평등조약을 체결하였다. 이 시기 서학 전파의 몇 가지 특징을 정리하면 다음과 같다. 첫째, 전파 기구가 다양화하였다. 둘째, 정부에서 번역 기구를 창립하였다. 셋째, 번역 서적이 다양하고 광범위하였다. 넷째, 상해가 번역의 중심지가 되었다. 다섯째, 서학의 영향이 점차 확대되어 사회 기층에 이르렀다.

제4단계: 1898년 무술정변(戊戌政變)이 일어났다. 1900년 8국 연합군에 의해 청나라 정부는 위신이 떨어졌다. 이 시기 서학 전파의 특징 다섯 가지이다. 첫째, 서학의 유입이 서양에서 일본으로 전환되었다. 둘째, 서학 번역서의 수량이 폭발적으로 증대되었다. 셋째, 사회과학의 비중이 증대하였다. 넷째, 서학의 영향이 깊어졌다. 다섯째, 중국의 제1세대 번역 인재가 등장하였다.

이상의 과정을 정리하면 다음과 같다.

> 서학을 전파한 주체로 말하면 제1단계는 기본적으로 서양인의 일이었다. 제2단계는 서양인이 주된 주체였지만 일부 중국인 지식인이 참여하였다. 제3단계는 서역중술(西譯中述, 서양인이 번역하고 중국인이 서술하는)의 시대로 중서전파기구(中西傳播機構)가 공존공진(共存共進)하였다. 제4단계는 중국의 지식이 주체가 되었다.[17]

서양문화의 유입에 관한 중국인의 입장은 다양하였다. 우리는 이것을 간단히 보수파, 중도파, 진보파로 크게 구분할 수 있다. 그렇지만 우리는 또 이 19세기 중반 이후 중국 사회가 서양문명을 받아들이던 방식은 크게 보수파, 중체서용파, 개량파, 개혁파, 혁명파, 서화파 등 더 구체적으로 다양하게 나눌 수 있다. 물론 이러한 분류 기준은 절대적인 것이 아니다. 여기에서 기준은 '전통'과 '근대'(서구)로 표현하는 두 가지 서로 다른 문화에서 그 중점을 어디에 두는가에 따라 교집합이 있기 때문이다. 다시 말해 '전통'을 강조하는 입장은 기본적으로

---

17) 같은 책, 15쪽.

보수파에 해당하는데 여기에는 중체서용파, 개혁파 역시 포함된다. '근대'를 강조하는 입장은 기본적으로 진보파에 해당하는데 역시 중체서용파와 개혁파 역시 포함한다. 그러므로 보수파와 진보파라는 두 집단은 서로 교집합이 있는 상대적인 개념이다. 간단히 말해서 당시 중국 사회에서 절대적 보수파와 절대적 진보파라는 것은 현실적으로 불가능한 상황이었다. 이 문제는 오늘날에도 마찬가지이다.

보수파는 당연히 서양문명을 무조건적으로 부정하고 받아들이지 않은 입장이다. 그런데 이 입장의 문제는 서양문명을 거부했을 때 현실적으로 나타나는 서양문명의 식민주의/제국주의 침략을 어떻게 대응할 것인가 하는 문제에 관한 대안이 전혀 없었다는 점이다. 그러므로 그 결과는 너무도 당연히 이미 실패가 예견된 일이었다. 체용론(體用論)의 논리로 말하면 중국의 보수파는 철저한 중체중용파(中體中用派)였다.

중도파의 입장은 기본적으로 중국의 정신문명을 지키면서 서양의 물질문명을 받아들인다는 태도이다. 그러므로 중도파는 보수파에 비하여 일정 부분 진보적이라고 평가할 수 있지만, 기본적으로 보수적 관점을 견지하였다. 그렇지만 당시 상황으로 볼 때 무조건 잘못된 견해라고 평가할 수는 없다. 그런데 이 중도파는 다시 견해 차이가 있는 몇 개의 분파로 나눌 수 있다. 여기에는 양무파, 중체서용파, 변법파 등이 있다.

19세기 초 아편전쟁 이전에 중국에서는 이미 서양문명에 관한 소개가 끊임없이 이어졌다. 예를 들어 왕대해(王大海)는 『해도일지』(海島逸志, 1806), 『해록』(海錄, 1820), 이조락(李兆洛)의 『해국기문』(海國紀聞), 소령유(蕭令裕)의 『기영길리』(記英吉利)와 『오문월보』(澳門月報) 등과 같은 문헌이 있었다.[18] 특히 아편전쟁의 패배 이후 중국의 일부

정부 관료와 지식인 사이에서는 서양을 이해/수입해야 한다는 사조가 더욱 강화되었다. 정부 관료였던 임칙서(林則書)는 "반드시 당시 서양의 사정을 파악하고 그 허실을 알아야 통제할 수 있다"고 생각하였다. 그러므로 정부 업무를 볼 때 외국어에 능통한 인재를 선발하였다.[19] 그는 이들에게 휴 머레이(H. Marray)의 "*Encyclopedia of Geography*"를 번역하도록 하고 그것을 『사주지』(四洲志)로 편찬하였다. 또 『화사이언』(華事夷言)을 편집하였으며, 『각국율례』(各國律例)를 번역하게 하였다. 이것뿐만 아니라 신문과 잡지를 구입/번역하게 하였으며, 그것을 『오문신문지』(澳門新聞紙)로 만들었다. 이것을 근거로 『오문월보』를 정리하였다. 위원(魏源)은 임칙서의 『사주지』를 바탕으로 『해국도지』(海國圖志)를 편찬하였다.[20] 그밖에 양정동(楊廷枏)의 『이분기문』(夷氛紀聞), 요형(姚瑩)의 『강유기행』(康輶紀行), 서계여(徐繼畬)의 『영환지략』(瀛環志略) 등이 있다.[21]

아편전쟁 이후 중국 정부의 관료와 중국의 지식인 사이에서 양무운동을 전개하였다. 이 양무운동은 1861년 신유정변(辛酉政變)에서 1894년 청일전쟁 때까지이다.[22] 이 양무파 관료와 지식인은 서양의 침략을 막기 위해서는 '자강'(自强)과 '부강'(富强)가 필요한데, 특히 시급한 것은 무력(군사력)이라고 생각하였다. 그러므로 이 양무파의 경제 정책, 즉 그들이 실행한 "중국의 근대산업은 군사공업에서 출발했다"는 것 역시 너무도 당연하였다. 그러므로 산업시설 역시 국가의 방어전략을

---

18) 신승하·유장근·장의식, 『19세기 중국사회』, 32쪽.
19) 같은 책, 33-34쪽.
20) 같은 책, 34-35쪽.
21) 같은 책, 36쪽.
22) 朴赫淳, 「洋務運動의 性格」, 서울大學校東洋史學硏究室 編, 『講座 中國史 V -中華帝國의 動搖-』, 지식산업사, 1989, 163쪽.

위한 것으로, 신식공장은 광주·상해·복건·천진 등 제1차 아편전쟁의 결과 강제로 개방한 개항장에 집중하였다.[23] 1862년 증국번(曾國藩, 1811-1872)은 안휘성(安徽省) 안경(安慶)에 군계소(軍械所)를 설립하였고, 이홍장(李鴻章, 1823-1901)은 상해(上海)와 소주(蘇州)에 양포국(洋砲局)을 설립하였으며, 좌종당(左宗棠, 1812-1885)은 항주(杭州)에 조선소를 세웠다. 이홍장은 또 1865년 상해에 강남제조총국(江南製造總局)을 설립하여 총포·탄약·군함·철강제 등을 생산하였다. 그 결과 1860년대 이후 설립한 군수와 관련한 시설은 대략 1890년대까지 계속되었다. 그렇지만 이러한 군수산업의 발전은 연료와 원료의 자급이 필수적이다. 따라서 광산개발이 필수적이었다. 풍계분(馮桂芬, 1809-1874), 왕도(王韜, 1828-1897?), 이홍장 등은 광산개발의 필요성을 역설하였다. 그 결과 1877년 광선 3년에는 당산(唐山)의 개평진(開平鎭) 탄광을 개발하기 위한 개평광무국(開平鑛務局)을 개설하였고, 복주선정국(福州船政局)에 필요한 자원 확보를 위해 1876년 이후 대만에 있는 기륭(基隆) 광산이 개발되었다. 1880년대 이후에는 호북(湖北) 지역에 한양제철소와 철도부설, 그리고 호북 대야(大冶)의 철강 광산이 개발되었다.[24]

중체서용파 역시 양무파와 마찬가지로 중학(中學, 정신문명)을 바탕으로 서학(西學, 물질문명)을 받아들인다는 것이었다. 그 대표적인 인물이 장지동(張之洞, 1837-1909)이다. 이 중체서용은 '중국을 체로 삼고 서양을 용으로 삼는다'(中體西用)는 구호이다.

23) 신승하·유장근·장의식, 『19세기 중국사회』, 115-116쪽.
24) 같은 책, 116-119쪽. 참조 요약.

중학은 내학(內學)이며 서학은 외학(外學)이다. 중학은 몸과 마음을 가다듬고 서학은 세상일을 처리한다.[25]

구학은 체(體)이고 신학은 용(用)이며 한쪽에 치우쳐서는 안 된다.[26]

모름지기 바꿀 수 없는 것은 윤리질서지 법제가 아니다. 성인의 도는 기계가 아니다. 마음 씀은 기술이 아니다.[27]

이것은 달리 말하면 '중국은 자신의 정신(문화)을 지키면서 서양의 물질(문화)을 받아들인다'는 것이다.

또 더 구체적으로 이렇게 말하였다.

이치의 근본[道本]이란 삼강(三綱)과 사유(四維: 禮義廉恥)이다. 이것들을 모두 버린다면 법이 행해질 수 없고 큰 혼란이 있을 것이다. 이것들을 지키고 잃지 않는다면 공자와 맹자가 다시 살아 돌아와도 변법이 잘못되었다고 말할 수가 있는가?[28]

경문에서만 다 찾을 필요도 없고 경전의 가르침에서 다 벗어날 필요도 없다. 마음은 성인의 마음이고 행동은 성인의 행동이면서 효제충신을 덕으로 삼고 군주를 잘 섬기고 백성을 보호하면서 정사를 펴나간다면 아침에는 증기기관을 움직이고 저녁에는 철로를 달린다고 해도 성인의 집단에는 해를 끼치지 않는다.[29]

사실 오늘날에도 이러한 틀을 벗어나지 못하고 있다. 이것은 비서구 사회가 겪을 수밖에 없는 전통과 현대의 단절과 연속의 문제이다. 그

25) 張之洞, 『권학편』, 송인재 옮김, 산지니, 2017, 175쪽.
26) 같은 책, 109쪽.
27) 같은 책, 126쪽.
28) 같은 책, 130-131쪽.
29) 같은 책, 175쪽.

러므로 비록 이것을 낡은 형식이라고 비판한다고 하더라도 여전히 벗어날 수 없는, 그리고 난제이기는 하지만 유효한 또는 유일한 방법이라고 생각한다.

그런데 장지동은 또 다음과 같이 말하였다.

> 정치의 학(學)을 추구하지 않으면 기술[工藝]의 학도 불가능하다.30)

그렇지만 보수파보다는 비교적 진보적 견해라고 말할 수 있는 양무파와 중체서용파의 관점은 실패할 수밖에 없었다. 그 결과 뒤에는 1단계 공업화(주로 군수시설), 2단계 석탄·철광 등의 광물 자원의 개발·교통·통신 시설의 개통·직포 공업의 육성, 3단계 서양 언어와 학문의 습득, 유학생의 파견까지 확대하였다.31) 그렇지만 이 시기에 일본이 대만을 점령한 대만사건(1874~1875), 청불전쟁(1884~1885), 청일전쟁(1894~1895) 등이 발생하였고, 청나라 정부는 굴욕적 타협과 패배를 하여 양무운동은 그 한계를 보였다.32)

물론 이 양무운동 시기에 일부 관료와 지식인 사이에서는 이미 서양의 물질문명만이 아니라 정신문명을 배워야 한다는 자각이 있었다. 그러나 이 시기에 이러한 진보적 주장은 받아들여지지 않았다. 이 시기에 제기된 문제점, 즉 '양무'와 '주체'를 결합하여 실천적 운동으로 구현된 것은 변법운동단계에서였다.33)

---

30) 같은 책, 96쪽.
31) 신승하·유장근·장의식, 『19세기 중국사회』, 118쪽.
32) 尹惠英, 「變法運動과 立憲運動」, 서울大學校東洋史學硏究室 編, 『講座 中國史 Ⅵ-改革과 革命-』, 지식산업사, 1990, 9-10쪽.
33) 朴赫淳, 「洋務運動의 性格」, 196쪽.

당시 청나라 조정은 황제의 친정을 계기로 청류파(淸流派)가 중심이 된 제당(帝黨)이라는 정치적 파벌과 서태후(西太后)를 중심으로 한 후당(后黨)이 서로 권력 투쟁을 하던 시기였다. 변법운동은 양무에 대한 비판적 시각에서 태동하였고, 양무에 대한 비판적인 청류의 정치적 후원에 의한 것이었다.[34] 변법파는 초기 변법파와 무술 변법파로 나눌 수 있다. 초기 변법파는 입헌군주제를 기초로 의회, 선거와 같은 구체적 기구 또는 절차를 군민 결합의 매개로 언급하였지만, 무술 변법파는 민권, 헌법을 중심으로 논의하였다. 그런데 민권론의 도입을 주장한 무술 변법파는 유교-경세학에 고유한 관제(官制) 개혁의 범위를 넘어선 정체 혹은 국체 개혁으로 황제 전제에 대한 중대한 수정을 의미하였다. 다시 말해 무술 변법파는 군주 전제권을 제약하는 의미의 민권에 기초한 민권의 구현으로 의회 수립까지 지향하였다. 그러므로 장지동과 같은 초기 변법파와는 그 정치 방향이 다를 수밖에 없었다. 따라서 장지동과 같은 인물의 반대에 부딪히게 되었다.[35] "장지동은 양무운동의 주도자이면서도 옹동화(翁同龢)와 함께 후기 청류의 대표로서 한때 강유위 일파의 개혁을 지지하였다. ……강유위의 개혁이 단순히 명교(名敎)의 보위와 기성 정치질서의 유지를 넘어 공자개제론과 민권평등론에 입각하여 변법하의 집권을 통한 새 정치질서에 의하여 부강한 국민국가를 건설하고 이를 통해 문화적 전통 보위를 실현하고자 하는 데로 나아가면서 지지를 철회하였던 것이다."[36]

무술 변법파는 강유위(康有爲)와 양계초(梁啓超) 등을 중심으로 진행

34) 신승하·유장근·장의식, 『19세기 중국사회』, 275쪽.
35) 같은 책, 271-273쪽. 참조 요약.
36) 같은 책, 278쪽.

한 청나라 정부 정치 체제의 혁신 운동이었다. 그들은 1894년 청일전쟁의 패배에 대한 원인을 탐구하는 과정에서 양무운동의 한계를 깊이 인식하였다. 그런 까닭에 강유위는 "중학과 서학을 같은 차원에서 논하고, 법치를 중시하며, 공양학적(公羊學的) 대동(大同)의 세계를 구상하였던 것"이다.[37] 그런데 강유위의 이러한 관점은 양무파/초기 변법파에게 청나라 군주 체제를 위협하는 위험한 제도개혁으로 보였다.

1898년 6월 11일 황제는 전면적 제도개혁에 대한 의지를 나타내다. 16일 황제는 강유위를 만나 약 100일 동안 무술변법이라는 개혁운동을 실행하였다. 이 "변법과 입헌 운동은 ……청조를 유지하는 가운데 서구식 정치제도(의회제, 헌법)의 도입을 (정치적) 목표로 한 개혁 운동이었다."[38] 그들은 먼저 보수적 입장이었던 서태후 세력을 제거할 계획을 세웠지만, 수구 보수 세력의 역쿠데타로 결국 무술 변법운동은 실패하였다.[39] 그런데 "강유위는 양면성을 한 몸에 지니고 있었던 인물이었기 때문에 끊임없이 완고파와 혁명파 양측의 질책을 받았다. 그는 자신의 사회개혁 방향을 성인의 '남겨진 바람'(遺願)을 실현하는데 있다고 해석하고, 사상문화 측면에서는 금문경학(今文經學)의 전통을 이어 유가학설을 종교적인 측면에서 더욱 발전시키고, 아울러 서양을 모방하여 국가종교의 수립을 시도하였다."[40]

혁명파는 손중산(孫中山, 1866-1925)을 중심으로 한 동맹회파(同盟會派)가 핵심 세력이었다. 이 혁명파는 1911년 10월 만주족이 세운

37) 같은 책, 266쪽.
38) 尹惠英, 「變法運動과 立憲運動」, 7쪽.
39) 신승하·유장근·장의식, 『19세기 중국사회』, 269-270쪽.
40) 鄭家棟, 『현대신유학』, 한국철학사상연구회 논전사분과 옮김, 예문서원, 1994, 16쪽.

청조 타도를 통해 1912년 1월 공화제 정부를 수립하였다. 이것을 신해혁명(辛亥革命)이라고 부른다. 그렇지만 여전히 중화민국의 정치적 안정은 이루어지지 않았다. 그러므로 '실패한 혁명'이라고 부르기도 한다.41) 청일정쟁의 실패, 무술변법과 신해혁명의 실패는 단지 정치체제의 개혁만이 아닌, 따라서 서구의 위협은 군사적인 측면과 정치체제의 측면만이 아니라 문화적인 측면에서 온 것이라는 것을 알게 하였다.42)

5·4운동 이후 중국 지식인 사회는 다양한 스펙트럼을 가진 집단으로 분화하였다. 현대 신유학처럼 전통에 대한 긍정을 하는 입장, 중도적 절충주의의 입장, 전반서화론과 같은 전통에 대한 절대 부정적 입장 등 다양한 관점이 서로 경쟁하였다. 우리는 이것을 철학적으로 크게 현대 신유가, 자유주의자, 마르크스주의자로 구분할 수 있다. 이것은 그 당시 중국 사회가 그만큼 혼란하였다는 점을 보여준다.

앞에서 살펴본 장지동의 '중체서용'이라는 말이 비록 정치적 입장에서 제기한 관점이지만, 사실 이것은 철학적으로 매우 중요한 근본적인 문제를 제기한 것이다. 그의 말을 철학적 관점에서 살펴보면 중국철학은 서양철학을 어떻게 이해하고 흡수할 것인가 하는 매우 근본적인 문제였다. 이것은 본말(本末), 체용(體用) 등과 같은 철학적인 근본 문제를 제기한 것으로 오늘날에도 여전히 해결하지 못한 과제이다.

---

41) 閔斗基, 「民國革命論-現代史의 起點으로서의 辛亥革命과 5·4運動-」, 서울大學校東洋史學研究室 編, 『講座 中國史 Ⅵ-改革과 革命-』, 지식산업사, 1990, 99쪽.
42) 鄭家棟, 『현대신유학』, 17쪽.

제2절 서양철학의 유입과 그 해석

근대 중국에서 서양문화의 유입은 단순하지도 간단하지도 않은 문제였다. 특히 서양의 정신문명에 해당하는 철학의 유입은 중국의 전통문화 기반을 뒤흔드는 그야말로 '문화충격'이었다.

중국의 근대에 대해서는 다양한 견해가 있지만 중국의 근대가 서양사상의 이식으로부터 시작한다는 전통과 근대의 이분법적인 논의가 일반적이다. 청조 말 대결과 충돌에 의해 시작된 중국과 서양의 만남은 중국의 사회 체제에 거대한 변화를 초래하였다. 당시 전개된 서양 학문에 대한 번역은 단순히 서양 학문의 부분적 수용 과정이 아닌, 서양의 실체에 대한 모색 과정이었으며, 근대문명을 형성한 서양인들의 정치와 사회사상 그리고 철학에 대한 전반적인 탐구였다.[43)]

중국문화가 타국문화를 만나는 과정은 번역을 통해서이다. 그러므로 중국의 역사에서 번역의 역사는 매우 오래되었다.

중국의 학자들은 대체로 불경 번역을 문헌상의 기록으로 확인할 수 있는 최초의 번역으로 보고 중국의 번역 역사를 대략 1) 동한(東漢)부터 수당(隋唐)에 이르는 불경 번역 2) 명청(明淸) 시기의 과학기술 번역, 3) 오사운동(五四運動) 시기의 외국문학 작품과 사회과학 번역 4) 중화인민공화국(中華人民共和國) 출범 이후의 전방위 번역 시기로 구분하는데 의견이 일치를 보인다.[44)]

---

43) 尹志源, 「엄복의 근대인식과 중·서학의 회통」, 韓國儒教學會, 『儒教思想文化研究』 제76집, 2019, 170쪽.
44) 김혜림, 「중국의 번역연구 동향」, 한국번역학회, 『번역학연구』 제3권 4호,

중국문화가 서양문화를 만난 역사는 비교적 오래되었다. 그런데 서양문화 가운데 정신문화, 특히 철학과 관련한 문화를 만난 것은 19세기 중반 이후의 일이다. 그 이전에는 앞에서 논의한 것처럼 먼저 서양의 선교사에 의한 서양의 종교 문화가 유입되었다.

19세기에 중국에서 서양문화의 수입을 철학적으로는 중체서용론(中體西用論)적 시각을 기초로 하여 이루어졌다. 이것은 중국 전통 철학에서 말하는 '체용론'(體用論)을 바탕으로 하여 제기한 문제의식이다. 많은 학자가 이 중체서용이라는 관점에 대해 비판적이다. 그렇지만 이 문제의식은 오늘날에도 여전히 의미가 있다. 물론 여기에서 중체서용이라는 개념은 많은 변화가 필요하다. 만약 이 개념을 처음 제시할 때처럼 이해한다면 이 개념은 여전히 중화주의, 중화제국주의의 낡은 틀에서 벗어날 수 없을 것이고, 철학적으로도 무의미한 개념이 될 뿐이다. 그렇다면 이와 관련한 어떠한 철학적 논의라는 것 역시 현대적으로 무가치한 논의가 될 것이다. 이 문제와 관련하여 우리는 몇 가지 다른 관점을 제시할 수 있다. 여기에서는 그 개념만을 간략히 제시하기로 한다. 중체서용론, 중용서체론, 서체중용론, 서체서용론, 중서체중서용론 등이다. 이 가운데 가장 이상적인 방법은 당연히 중서체중서용이다. 그러나 이러한 형식을 통한 새로운 중국철학의 형성은 지극히 어려운 과정이다.

중국이 서양철학을 유입한 역사적 과정은 세 단계로 나누어진다.[45)]

2012, 30쪽.

45) 한성구, 「중국 근대 실증주의 사조와 딩원장(丁文江)의 인식론」, 한국철학사연구회, 『한국철학논집』 제61집, 2019, 239쪽.

첫째, 명말·청초이다. 마테오 리치와 같은 서양 선교사들이 기독교 선교를 목적으로 신학과 과학 서적, 실증적 사유 방법을 소개한 단계이다. 둘째, 1840년부터 1890년까지이다. 아편전쟁의 패배와 태평천국 운동과 같은 내우외환의 상황에서 서양 문물을 수용하여 부국강병을 도모한 양무운동의 단계이다. 셋째, 19세기 말에서 20세기 초이다. 서양 제국주의 침략에 대응하여 국가 존망의 위태로운 상황 속에서 변법유신(變法唯新)과 신해혁명(辛亥革命), 신문화운동(新文化運動)을 추동하던 시기이다.

근대 중국에서 서양철학의 유입은 먼저 서양철학 문헌의 번역으로 시작하였다. 서양철학 문헌의 번역은 초기에는 주로 서양인, 특히 서양 선교사들에 의해 이루어졌지만, 뒤에는 서양인과 중국인이 함께 참여하였다. 또 초기에는 서양철학 문헌의 단순한 번역과 소개에 머물렀다면 뒤에는 점차 주체적 해석을 하게 되었다. 이러한 과정은 문화의 변화·발전에서 매우 자연스러운 단계였다. 이 시기 중국의 지식인들은 서양 언어를 직접 배워 서양에서 수입한 문헌을 번역·소개하고, 이어서 나름대로 주체적 해석을 하였다. 또 서양에 직접 유학을 간 인물들이 귀국하여 서양철학에 대한 비교적 탄탄한 실력을 기초로 하여 번역·소개·해석이 이어졌다.

그런데 20세기 초, 중국의 서양철학 유입은 주로 일본을 통한 간접적인 루트가 더 중요해졌다. 왜냐하면 청일전쟁의 패배에 따른 충격으로 많은 중국의 젊은 지식인이 일본으로 유학을 하여 일본을 배워 '부강한 일본'의 원인을 파악하고자 하였기 때문이다. 일본으로 유학을 간 중국 지식인들은 일본어에 능통하여 일본을 통해 들어오는 서양철학을 접촉하기가 더 쉬웠다. 이것과 관련하여 웅월지는 다음과 같이 말하였다.

> 구미(歐美)—일본(日本)—중국(中國)은 20세기 초 신학문[新學]이 중국에 전입하는 주요 통로였다.[46]

강유위(康有爲)는 그 실용적 측면을 강조하였다. 그는 『일본서목지』(日本書目志, 1898) 「자서」(自序)에서 먼저 "그래서 오늘날 스스로 강해지고자 한다면 오로지 그 방법은 책을 번역하는 길 뿐이다"(故今日欲自强, 惟有譯書而已)고 강조하였다.[47]

> 중국의 오늘날은 변법을 해서 날로 새로워지지 않으면 안 된다. 약간만 변하고 완전히 변하지 않는 것은 안 된다. 완전히 변한다 해도 농업, 공업, 상업, 광업의 학문이 흥성하지 않으면 안 된다. 농업, 공업, 광업의 학문을 개척하려면 선비들을 물리에 통달하게 만들지 않으면 안 된다. 이런 학문들에 대한 책들이 중국에는 전혀 없으니, 반드시 선비들이 서양의 글자를 알아야 이를 배울 수가 있게 된다.[48]

그리고 일본에서 번역한 서양 문헌의 번역, 즉 중역의 중요성을 말하였다.

> 만약 일본의 여러 서구 서적의 번역과 정치 법률상의 성취에 근거해 이

---

46) 熊月之, 『西學東漸與晚淸社會』, 657쪽.
47) 이영섭·이강범, 「청대말기 서양문화 수입에 있어서 일본한역에 대한 두 갈래 시선-嚴復·康有爲의 保守的인 性向을 중심으로-」, 중앙대학교 외국학연구소, 『외국학연구』 제32집, 2015, 339쪽.
48) 위와 같음.

를 교묘하게 활용할 수만 있다면, 일본과 우리 중국은 같은 문자, 즉 한자를 사용하기에 일본의 번역을 중역한 것을 모으기만 해도, 서구의 문장을 직접 번역하는 것보다 일감은 훨씬 적고 효과는 엄청나게 클 것입니다. 일본과 우리 중국은 습속이 같으니 일본의 정치 변혁의 과정을 고찰하고 일본이 실행한 新法을 잘 살펴 그 폐단과 오류를 제거하고 精華만을 모은다면, 순식간에 구미의 新法과 일본의 훌륭한 법도를 모두 우리 중국에서 발현할 수 있을 것입니다![49]

또 아래와 같이 말하였다.

……일보은 우리 중국과 같은 문자, 즉 한자를 사용합니다. 그리고 일본이 變法을 시행한 지 오늘날 30년이 되었습니다. 그동안 일본은 구미의 정치, 문화, 무기, 신지식에 대한 좋은 책들을 모두 번역했습니다. 단지 기술 분야만 좀 결핍되어서, 구미만 못할 뿐입니다. 일본의 책을 번역하면 우리 중국의 한자로 된 것이 열의 여덟이니, 번역하는 데에 일감이 매우 적어지게 되고 시일도 그리 많이 허비하지 않게 됩니다.[50]

그 구체적인 내용을 살펴보면 다음과 같다. 먼저 철학과 관련한 것이다.

철학 방면으로 정상원료(井上圓了) 저·나백아(羅伯雅) 역의 『철학요강』(哲學要綱, 1902), 정상원료 저·이학래(李學來) 역의 『철학원리』(哲學原理, 1903), 등정건차랑(藤井健次郎) 저·범적길(范迪吉) 역의 『철학범론』(哲學泛論, 1903), 독일의 코펠(Koper, 科培爾) 원저·-하전차랑(下田次郎) 역·채원배(蔡元培) 중

49) 같은 논문, 340쪽.
50) 같은 논문, 341쪽.

역의 『철학요령』(哲學要領, 1903), 정상원료 저·유학사(游學社) 역의 『철학미언』(哲學微言, 1903)은 처음으로 비교적 완전하게 서양철학 체계를 중국에 소개함으로써 이전의 서양 전도사와 강남제조국번역관(江南制造局飜譯館) 등의 철학 저작에 대한 부족했던 번역을 보완하였다. 그 가운데 일본의 저명한 철학자 정상원료의 저작 번역본이 가장 많았는데 1906년 이전에 이미 10여 종의 번역본이 있었다. 정상원료 저·채원배 역의 『요괴학강의록』(妖怪學講義錄, 1906)은 학술계에서 중국에 소개된 서양철학의 대표작으로 인정하였다.[51]

다음은 윤리학에 관한 것이다.

윤리학 방면에는 중도역조(中島力造) 저·맥정화(麥鼎華) 역의 『중등교육윤리학』(中等教育倫理學, 1902), 목촌응태랑(木村膺太郎) 저·범적길(范迪吉) 역의 『동서양윤리학사』(東西洋倫理學史, 1903), 법귀경차랑(法貴慶次郎) 저·호용고(胡庸誥) 역의 『윤리학』(倫理學, 1905), 을죽암조(乙竹岩造) 저·조필진(趙必振) 역의 『신세계윤리학』(新世界倫理學)이 있다. 이전에는 기본적으로 서양 윤리학을 소개한 사람이 없었다. 이 일어로 된 윤리학 서적이 중국어로 번역되어 세상에 나온 것은 서양 윤리학이 계통적으로 중국에 소개된 것을 나타난다. 1902년 광지서국(廣智書局)에서 원량용차랑(元良勇次郎) 원전·맥정화 역의 『중등교육윤리학강화』(中等教育倫理學講話)를 출판하였는데 채원배가 서문[序]을 지었다. 채원배는 서문에서 중국전통 윤리도덕에 대해 비교적 많은 비평의 말을 하였는데 유가윤리학설은 개인과 개인 사이의 교섭이라는 사덕(私德)에는 자세하지만 국가윤리관념은 부족하다고 생각하였다. 법가의 윤리학설은 또 국가주의에 편중되어 개인의 권리를 멸시하고 그 학설은 모두 저술의 어록에서 잘못된 견해가 보이고 조리와 계통이 없다고 생각하였다. 그

51) 熊月之, 『西學東漸與晩淸社會』, 657쪽.

는 서언에서 서양윤리학설에 대해 크게 상찬하였다.[52)]

근대 중국이 서양철학을 유입하는 과정에서 중요한 역할을 한 인물은 엄복(嚴復, 1853-1921)이다. 그는 “자유주의적 입장에서 전통을 재해석한 대표적 인물이었다.”[53)] 엄복은 1877년 영국에 유학하여 그리니치 해군대학(Royal Naval College)에 입학하였다. 1878년 이 대학을 수료하고 나서 다시 입학하였다.[54)] 그는 “저술과 번역을 통해 중국의 전통 사상과 현실 정치를 비판하였다.”[55)] 그는 『직보』(直報)에 「논세변지극」(論世變之亟), 「원강」(原强), 「구망결론」(救亡訣論) 등과 같은 글을 발표하여 서구자산계급의 경제학과 정치학의 기본원리를 가지고 시대적 병폐를 비판하였는데, 이것은 그가 중국이 직면한 위기는 경제, 군사적 힘, 기술의 낙후가 아니라 사회를 구성하는 사상과 가치의 문제라고 생각하였기 때문이다.[56)]

당시 그의 주장의 핵심은 중국의 국력이 서양과 비교해 떨어지는 이유가 군사력이나 경제력 또는 정치제도의 문제가 아니라 근본적으로 국가 구성원인 국민의 지적 수준, 체력적 수준, 도덕적 수준의 차이에서 생겨난다는 것이었다. 그리고 엄복은 그 가운데 국민의 지적 수준을 향상하기 위하여 중국의 전통적 학문을 대신해 서양의 근대과학을 전면적으로 중국에 도입해야 한다고 주장한다. 즉 그는 근대과학에 기초한 사물을 파악하는 사유방식이

52) 같은 책, 657-658쪽.
53) 김현주, 「옌푸, 노장을 현대화하다」, 한국민주자치학회, 『월간 공공정책』 200, 2022, 16쪽.
54) 옌푸, 「옌푸 연보」, 『정치학이란 무엇인가-옌푸』, 양일모 역주, 성균관대학교출판부, 2009, 207쪽.
55) 尹志源, 「엄복의 근대인식과 중·서학의 회통」, 169쪽.
56) 위와 같음.

서구열강의 부강을 실현한 근본요인이라 생각한 것이었다.[57]

엄복은 많은 저작과 번역을 남겼다. 그는 "서양이 강성할 수 있는 배경은 천체, 물리 등의 자연과학뿐 아니라 정치, 경제, 철학 등과 같은 사회과학이 밑바탕이 된다고 강조하며 8대 역서를 통해 서양의 사회과학을 중국에 체계적으로 도입했다."[58] 그가 여기에서 말한 '8대 역서'는 토마스 헉슬리((Thomas Henry Huxley, 1825-1895)의 저작 『진화와 윤리』(Evolution and Ethics, 1894)(그는 이 책을 『천연론』(天然論)이라는 서명으로 번역하였다), 아담 스미스(Adam Smith, 1723-1790)의 『국부론』(國富論, An Inquiry into the Nature and Causes of the Wealth of Nations)(그는 이 책을 『원부』(原富)라는 서명으로 번역하였다), 허버트 스펜서(Herbert Spencer, 1820-1903)의 『사회학』(社會學, Study of Sociology)(그는 이 책을 『군학이언』(群學肄言)이라는 서명으로 번역하였다), 에드워드 젠크스(E.Jenks , 1861—1939)의 『정치학사』(政治學史, History of Politics)(그는 이 책을 『사회통전』(社會通銓)이라는 서명으로 번역하였다), 존 스튜어트 밀(John Stuart Mill, 1806-1873)의 『논리학 체계』(論理學體系, A System of Logic)(그는 이 책을 『명학)』(名學)이라는 서명으로 번역하였다)와 『자유론』(自由論, On Liberty)(그는 이 책을 『군기권계론』(群己權界論)이라는 서명으로 번역하였다), 윌리엄 스탠리 제본스(W.S.Jevons,1835—1882)의 『논리학 입문』(論理學入門, Primer of Logic)(그는 이 책을 『명학천설』(名學淺說)이라는 서명으로 번역하였다), 샤를 몽테스키외(Charles-Louis

57) 같은 논문, 171쪽.
58) 김혜림, 「중국의 번역연구 동향」, 37쪽.

Montesquieu, 1689-1755)의 『법의 정신』(그는 이 책을 『법의』(法意)라는 서명으로 번역하였다)이다.[59]

엄복이 번역한 서양 문헌을 정리하면 다음과 같다.

[표2-1] 엄복의 번역 문헌 목록

	서명	저자	출판 연도	비고
1	『천연론』 (天然論)	T. 헉슬리	1898	『進化와 倫理』
2	『원부』 (原富)	A. 스미스	1901	『國富論』
3	『군학이언』 (群學肄言)	H. 스펜서	1903	『社會學』
4	『사회통전』 (社會通詮)	E. 젠크스	1903	『政治學史』
5	『법의』 (法意)	몽테스키외	1904	『法의 精神』
5	『군기권계론』 (群己權界論)	J. S. 밀	1904	『自由論』
6	『목륵명학』 (穆勒名學)	J. S. 밀	1905	『論理學』
7	『명학천설』 (名學淺說)	W. S. 제본스	1908	『論理學 入門』

엄복은 중국철학이 근대에 진입한 뒤에 처음 실증주의를 비교적 계통적으로 유입한 인물이다. 그는 서양 실증주의 제1세대에 속하는 학자 그룹 A. 콩트(Auguste Comte, 1798-1857), J. S. 밀(John Stuart Mill, 1806-1873), H. 스펜서(Herbert Spencer, 1820-1903), T. H. 헉슬리(Thomas Henry Huxley, 1825-1895) 등의 영향을 받았다.[60]

---

59) 위와 같음. 각주 16.

그런 까닭에 '경쟁'에 대해서도 긍정적 시각을 나타냈다. "엄복은 개인의 경쟁을 배제하지는 않았지만, 스펜서에게 고려되지 않았던 사회 혹은 국가 간의 경쟁을 부각한다."[61] 그리고 "그는 진화 과정의 모델로 삼은 영국 사회 진화의 핵심이 부강이었으며 그러한 부강을 가능하게 한 가치가 '자유'에 있음을 발견한다."[62]

엄복은 서양의 실증주의를 비교적 일찍 계통적 형식으로 유입하였다.[63] 그는 과학을 강조하였다.

> 당연히 중국에서 과학을 과학만능주의[唯科學主義]로 이해한 것은 5·4신문화운동 시기의 신문화파(新文化派)가 아니라 실제는 일찍이 상세기(上世紀, 19세기-인용자) 말 자산계급 유신파(維新派) 엄복(嚴復)의 사상 중에서 그 경향을 찾을 수 있다. 엄복은 일찍이 이렇게 지적하였다. "수학(數學)과 명학(名學)이 아니면 나의 마음은 참된 이치, 필연의 법칙[數]을 살필 수 없고, 역학(力學, 물리학)과 질학(質學, 化學)이 아니면 인과의 상생 법칙, 공효(功效)의 효과를 살필 수 없다." 매우 분명하게 엄복이 여기에서 말한 수학, 역학(물리), 질학(화학)은 이미 그 자연과학의 본분을 초월한 것이지만 보편적 방법론의 의미를 갖는다. 다윈의 진화론은 엄복의 해석을 통해 본래 의미의 생물진화론 법칙은 보편적 우주법칙으로 변하여 구망도존(救亡圖存)의 사상 무기가 되었다. 다만 역사적으로 처한 환경이 달랐기 때문에 상세기 말 과학을 과학만능주의로 이해한 사람은 단지 엄복에 한정되고 정체 자산계급 유신파의 가치 취향이 되지는 않았다.[64]

---

60) 楊國榮, 『從嚴復到金岳霖-實證論與中國哲學』, 高等教育出版社, 1996, 9쪽.
61) 尹志源, 「엄복의 근대인식과 중·서학의 회통」, 174쪽.
62) 위와 같음.
63) 楊國榮, 『從嚴復到金岳霖-實證論與中國哲學』, 1쪽.
64) 鄭大華, 『張君勱傳』, 中華書局, 1997, 147-148쪽.

그렇지만 그가 말한 과학이란 '과학만능주의'에 가깝다. 물론 엄복의 이러한 관점은 당시 중국의 절박한 시대적 상황을 반영한 것이라고 말할 수 있다. 그는 또 서학을 번역 소개할 때 고대 제자백가 및 신유가의 사상을 이용하였다. 그런데 윤지원은 그가 이렇게 한 것은 서학의 우수성을 증명하기 위한 것이라고 말하였다.65) 그렇지만 사실 엄복은 중국 전통문화를 완전히 부정한 것은 아니다. 그가 비록 서양 실증주의의 '실측 귀납의 학'(實測內籀之學)을 중시했지만, 그렇다고 해서 그가 서양 실증주의처럼 현상계를 넘어선 초월적인 것, 즉 그가 말하는 '무대자'(無對者)를 부정하지는 않았다. 엄복에게 '무대자'는 허환적(虛幻的)인 것이 아니라 일종의 진실적(眞實的) 존재였다.66) 이것은 이미 서양 실증주의의 범위를 넘어선 것이다. 또 그는 중국 전통 유학의 정체주의(整體主義)를 받아들이지는 않았지만 군체주의(群體主義)를 주장하였다. 그리고 그가 주장한 '위공'(爲公), '선군'(善群)이라는 개념에는 중국 유학의 영향이 보인다.67) 엄복이 비록 서양의 과학을 전면적으로 중국에 도입할 것을 주장하지만 중국의 유교적 학문, 윤리 도덕을 완전히 부정하지는 않았다. 그는 유교적 학문, 윤리 도덕에 수정해야 할 부분이 있지만, 보편적 가치를 갖는 훌륭한 요소도 많이 있다고 말하였다.68)

그는 누구보다도 더 열심히 서양을 관찰하고 학습하고 체험했다. 중국에

65) 尹志源, 「엄복의 근대인식과 중·서학의 회통」, 177쪽.
66) 楊國榮, 『從嚴復到金岳霖-實證論與中國哲學』, 19쪽.
67) 같은 책, 18쪽.
68) 尹志源, 「엄복의 근대인식과 중·서학의 회통」, 171쪽 각주 5.

> 돌아와서는 서양의 원리와 가치를 토대로 중국 사회를 분석하고 비판했다. 만년에는 제1차 세계대전을 보면서 서양의 몰락을 이야기하고, 공자(孔子)를 존경하고 유교 경전의 강독을 주창하기도 하였다. 그의 삶은 서양의 원리를 발견하고, 서양의 원리 속에 감추어진 문제를 인식하고, 중국의 가치를 발견해가는 과정이었다.[69]

그렇지만 사실 이러한 경향은 일부를 제외한 당시 중국의 지식인들에게는 거의 공통적인 현상이었다.

양계초(梁啓超, 1873-1929)는 강유위와 함께 변법자강운동을 하였지만 실패하였다. 그는 "서구의 사회·정치 제도의 수용을 주장하며 변법운동을 전개하였"다.[70] 양계초는 『논역서』(論譯書)에서 "서구 문물과 사상을 배워 나라를 구하기 위해서는 번역이 가장 기본적이고 중요한 작업"이라고 강조하였다. 그는 또 1899년 『청의보』(淸議報)에 부룬칠리(Bluntschili)의 『근대 국가론』을 번역 출간하였으며, 몽테스키외, 마르크스 사상을 처음으로 중국에 소개하였다.[71]

이혜경은 양계초의 사상적·정치적 입장의 변화를 네 시기로 구분하였다.[72] 1. 1896년~1898년: 변법시기. 강유위와 함께 입헌군주제를 제창하고 무술변법운동에 참여하였다. 윤리와 정치의 분리를 강조하였다. 2. 1901년~1903년 초반: 공덕(公德) 시기. 목적론적 윤리체계의 공덕을 강조하던 시기로 전폭적으로 서양의 문명을 수입한 시기이다.

---

69) 양일모 「옌푸(嚴復)의 근대성 인식」, 동양철학연구회, 『동양철학연구』 제52집, 2007, 47쪽.
70) 尹志源, 「엄복의 근대인식과 중·서학의 회통」, 169쪽.
71) 김혜림, 「중국의 번역연구 동향」, 36쪽.
72) 이혜경, 『량치차오[梁啓超]: 문명과 유학에 얽힌 애증의 서사』, 태학사, 2007, 24-25쪽.

3. 1903년 후반~1918년: 개명전제(開明專制)의 시기. 덕성을 갖춘 엘리트 전제를 주장하였다. 4. 1919년~1929년: 유학의 현대화 시기. 유학을 세계의 미래를 선도할 현대정신으로 해석하였다.

양계초는 제1차 세계대전이 끝난 뒤에 서구 시찰을 하였는데, 그 후로 "크로포트킨의 호조설, 상호부조론, 제임스, 베르그송의 '인격적 유심론', '직각적 창화론' 등을 서구를 위기로 몰았던 다윈주의, 기계적 유물론적 인생관을 대체하는 새로운 사상적 대안으로 인식하였다."[73] 그는 당시 서구의 학술 전반의 특징에 대해 이렇게 개괄하여 말하였다.

> 예전에 유럽 인민은 전제정치의 간섭하에서 신음하고 있었는데 이에 일군의 학자들이 자유방임주의를 제창하여, 정부는 치안 유지 이외의 일에 관여해서는 안 되며 각 개인의 자유 발전에 따르면 사회가 자연히 향상될 것이라고 주장하였다. 이러한 이론에 근거가 없다고 할 수 있겠는가? 과거 사실로 말하자면, 백 년간 정치제도의 혁신과 산업의 발달은 모두 이러한 학술의 은혜를 받고 이뤄진 것이다. 그렇지만 사회의 화근도 바로 여기서 생겨났다. 오늘날 빈부계급의 대격차는 기계 발명과 생산력 집중으로 인한 변화이면서, 다른 한편으로 경제자유주의가 금과옥조가 되어 나타난 자유경쟁의 결과이다. ……19세기 중엽에 강력한 두 학설이 발표되어 빈부격차를 더욱 부채질하게 되는데, 하나는 생물진화론이고 다른 하나는 자기본위의 개인주의이다. 다윈은 생물학의 대원리를 발견하여 불후의 명작『종의 기원』을 저술하였다. 이 책은 박학다식하고 정밀하여 고금에 전무한 저술인데, 그 전체 내용을 생존경쟁과 우승열패의 원리로 귀결할 수 있다. 이 원리는

73) 오병수, 「일차세계대전후, 양계초의 사상전환과 세계 국가론」, 한국중국학회, 『중국학보』, 103집, 2023, 302쪽.

밀의 공리주의와 벤담의 행복주의와 결합되어 당시 영국 학술의 중심이 되었다. 동시에 슈티르너와 키에르케고르가 자기본위설을 제창했는데, 그 폐해가 독일의 니체보다 극심하였다.74)

그런데 양계초의 서양사상 유입과 관련하여 한 가지 중요한 점은 그가 사회진화론을 받아들이는 과정이다. 그것은 그가 일본에 있을 때 일본학자 가토 히로유키[加藤弘之, 1836-1916]에 의해 해석된 '국가주의적 사회진화론'이다.

국가주의적 사회진화론에 경도된 량치차오는 ……그에게 진화의 끝은 국경이 철폐되는 대동이 아니라 완전한 국가의 성취였다. 완전한 국가란 최상의 내적 단결을 가능하게 하는 민족국가였다. 1902년 정점을 이룬 그의 국가주의는 유학의 윤리를 사적 영역에서만 기능하는 무가치한 것으로 폄하하고 국가의 이익 창출을 최고선으로 하는 새로운 윤리체계를 요구했다.75)

그는 여기에 그치지 않고 '인종주의'와 '제국주의'도 받아들였다.

오색 인종을 비교하면 백인종이 가장 우월하다. 백인들끼리 비교하면 튜튼족이 가장 우수하다. 튜튼족 안에서 비교하면 앵글로색슨족이 가장 우수하다. 이것은 내가 현재의 판세에 따라 얘기하는 것이 아니다. 진화계의 피할 수 없는 법칙이 이러하다.(『신민설』)76)

제국주의적 욕망의 팽창까지도 한 세트로서 배워야 할 문명이라고 받아들임으로써, 량치차오의 문명화 프로젝트는 민족주의 국가를 이룩하는 데서

74) 량치차오, 『구유심영록』, 이종민 옮김, 산지니, 2016, 26-28쪽.
75) 이혜경, 『량치차오[梁啓超]: 문명과 유학에 얽힌 애증의 서사』, 21쪽.
76) 같은 책, 49쪽.

끝나는 게 아니라 나아가 민족 제국주의로 발전할 것을 기대하는 데에까지 이른다. 즉 그의 목적은 약자의 처지에서 벗어나 강자가 되는 것이었으며, 강자가 된다는 것은 다른 약자를 억압할 수 있는 자리에 오르는 것을 의미했다.77)

왕국유(王國維, 1877-1927)는 젊었을 때 일찍이 독일 사변철학을 연구하였는데 형이상학에 비교적 농후한 흥미를 나타냈다. 그는 서학(西學)이 동점하던 역사적 추세에 민감하게 주목하면서 매우 열심히 서학의 사조를 이해하고 유입하였다. 그런데 그는 처음에는 칸트, 쇼펜하우어, 니체 철학에 더 주목하였다. 그는 일직이 칸트의 『순수이성비판』, 『실천이성비판』과 쇼펜하우어의 『의지와 표상으로서의 세계』 등을 연구하였으며, 또 그들의 저작을 번역하였다. 그러므로 당연히 그 영향을 받았다.78)

그렇지만 그는 일찍이 1898년 수학과 물리학 등과 같은 자연과학을 배웠다. 또 일본에 유학할 당시에 물리학을 전공한 경력도 있었다. 이 무렵 그는 서양의 근대 실증주의를 어느 정도 이해하였다. 그는 당시에 수학과 물리학이 "가장 확실한 지식"이라고 생각하였다. 그가 체계적으로 철학을 연구하던 시기에 비록 칸트, 쇼펜하우어 등과 같은 사람의 저작에 힘을 쏟았지만, 그러나 로크, 흄과 같은 영국 경험론자의 저작도 섭렵하였으며, 동시에 실증주의자 스펜서의 사상도 연구하였다.79)

그러나 그는 뒤에 형이상학이 비록 "사랑스러운 것"(可愛者)이지만

77) 같은 책, 56쪽.
78) 楊國榮, 『從嚴復到金岳霖-實證論與中國哲學』, 24쪽.
79) 같은 책, 25쪽.

"믿을 수 없는"(不可信) 것으로, 진정으로 믿을 수 있는 것은 실증론이라는 것을 의식하게 되었다. 그러나 왕국유가 비록 실증론을 "믿을 수 있는 것"이라고 긍정하였지만, 또 사랑스럽지는 않다고 생각하였다. 왜냐하면 실증론은 인생의 의미, 궁극적 관심[終極關懷] 문제를 해결할 수 없었기 때문이다.[80]

호적(胡適, 1891-1962)은 1910년 미국에 유학하여 J. 듀이(John Dewey, 1859-1952)에게 실용주의 철학을 공부하였다. 그는 '개인의 자유'에 입각한 사상을 공부하였다.[81] 그는 어느 정도 사상과 표현의 자유를 옹호하며 행동의 측면에서 민주적 절차를 강조하는 경향이 있는 자유주의자였다.[82] 그가 중요하게 생각한 것은 개인의 자유였다.

호적의 개인관에 영향을 준 서구 사상은 네 가지로 정리할 수 있다.[83] 첫째, 개인의 '주체적 성격'을 강조한 측면이다. 그는 '개인'이 보장될 때 중국의 현실 문제, 국가의 부강이 가능하다고 생각하였다. 둘째, 인간 중심의 가치로서의 진화론이다. 생물의 진화 과정을 인간에게 적용한 진화론은 서구에서 '개인'이 중심이 되는데 영향력이 있는 사상이었는데 호적 역시 헉슬리의 진화론을 수용하여 점진적인 노력을 통해 인간은 발전할 수 있다고 믿었다. 셋째, 실용주의(Pragmatism)의 방법론적 측면을 강조한 실험주의(實驗主義, Exerimentalism) 사상이다. 그는 중국의 문제를 해결하는데 듀이에게 배운 실험주의가 유용한 사상이라고 생각하였다. 넷째, 개인의 경

80) 같은 책, 2쪽.
81) 구민희, 「후스胡適의 사상을 통해 '의무가 되어버린 개인의 권리' 찾기」, 조선대학교 인문학연구원, 『인문학연구』 제41집, 2011, 530쪽.
82) 같은 논문, 524쪽 각주 11 참조.
83) 같은 논문 530-533쪽. 참조 요약.

제적 자유에 관한 측면이다. 그는 초기 공리주의의 경제원칙 '최대 다수의 최대 행복'이라는 경제 원칙을 옹호하였다.

호적의 전체 사상을 관통하고 있는 '개인의 자유'에 관한 인식은 그가 당시 중국 현실의 문제를 해결하기 위해 주장하였던 전통유교비판, 문자혁명의 추진, 인권의 주장에 잘 나타났다.[84]

장군매(張君勱, 1887-1969)는 독일에 유학하여 R. 오이켄(Rudolf Eucken, 1846-1926)에게 철학을 배웠다. 그리고 그와 함께 『중국과 유럽의 인생 문제』(中國與歐洲的人生問題)를 출판하였다. 얼마 뒤 프랑스에 가서 베르그송과 함께 중국과 서양의 여러 가지 철학을 비교하는 연구와 토론을 하였다. 그는 어려서부터 중국과 서양의 두 가지 학문 교육을 받았고, 일본과 독일에서 유학을 하였기 때문에 구학문에 대한 공부가 충실하고 또 서양 사상 학술에 대해서도 비교적 깊은 연구와 이해를 하여 서양 학문을 학습하는 공구(工具)와 방법(方法)에 통달하였다.[85] 장군매의 사상 체계는 크게 유가 사상의 영향과 서양철학의 영향을 함께 받았다. 그 가운데 서양철학의 영향은 독일·프랑스 사상과 영국의 자유주의 철학사상의 영향이 많다.[86] 초기에는 특히 프랑스 철학자 베르그송의 생명주의 철학과 독일 철학자 오이켄의 이상주의 철학의 영향을 받았는데, 뒤에는 독일 철학자 칸트 철학에 더 관심을 집중하였다.[87] 그것은 아마도 칸트 철학과 중국 유가 철학 사이에 모종의 유사성이 있었기 때문이 아닌가 생각한다.

84) 같은 논문, 535쪽.
85) 鄭大華, 『張君勱學術思想評傳』, 北京圖書館出版社, 1999, 29쪽.
86) 심창애, 「장군매(張君勱)가 바라본 중국 유가철학의 현실과 대응방안」, 忠南大學校 儒學硏究所, 『儒學硏究』 제37집, 2016, 311쪽.
87) 같은 논문, 313쪽.

정문강(丁文江, 1887-1936)과 왕성공(王星拱, 1889-1950)은 마하(Mach)주의를 중국에 소개하였다. 호적, 정문강, 왕성공 등은 과학과 현학 논쟁에서 '과학파'를 형성하였다. 일반적으로 말하면, 과학의 통일성을 추구하는 것은 실증주의의 공통된 경향이었다. 제1대 실증주의자 A. 콩트는 실증철학을 과학의 종합으로 보았으며, 마하는 인식론의 기초에서 과학의 통일을 시도하였다.88)

풍우란(馮友蘭, 1894-1990)은 일찍이 미국에 유학하여 영미의 신실재론을 받아들였는데, 그것을 중국 전통철학, 특히 정주(程朱)의 리학(理學)과 회통하여 자기의 철학 체계를 건립하였다. 그는 논리의 방식을 운용하여 리(理), 기(氣), 도체(道體), 대전(大全) 등과 같은 범주를 중심으로 신리학(新理學) 체계를 형성하였다.89)

> 인식론과 방법론에서 풍우란은 실증주의의 경험실증원칙(經驗實證原則)을 융합하고, 또 신실재론과 논리실증주의의 논리분석방법을 흡수하였지만, 그러나 동시에 또 명제를 두 가지로 분류하였는데, 즉 본연명제(本然命題)와 실제명제(實際命題)이다. 본연명제는 본연(本然, 自然)의 리(理)를 내용으로 하는데 그것이 실제적으로 사람에게 표술(表述)되는지 여부와 상관없이 그것은 모두 존재하는 것이다. 실제명제는 본연명제를 근거로 하는데, 그것은 곧 사람들이 본연명제에 대해 진술하는 것이다. 본연명제는 영원히 참된 것[영진적]이고, 실제명제는 그것과 서로 부합할 때에만 참인 성질[眞的性質]을 갖는다.90)

88) 楊國榮, 『從嚴復到金岳霖-實證論與中國哲學』, 3쪽.
89) 같은 책, 4쪽.
90) 위와 같음.

그런데 풍우란은 뒤에 새로운 형이상학을 추구하였다.

> 풍우란은 변명석리(辯名析理)를 통해 형이상학을 새롭게 건립하였는데 결국은 바로 사람들이 이상적 인생경계(人生境界)에 들어가도록 이끌기 위한 것이었지만, 후자는 곧 도덕철학(道德哲學)과 연관되었다. ……도덕철학의 연구에서 풍우란은 개념의 확실성을 중시하였다. 그러나 그는 신실재론과 논리실증주의에 찬성하지 않았으며, 논리학을 단지 도덕 언어의 분석에 귀결시켰고, 철학은 마땅히 인생과 서로 연계되고, 각성[覺解](理性覺悟)의 정도에 근거하여 인생을 네 가지 경계로 구분하였다.91)

풍우란의 이러한 철학적 변화는 신실재론에서 중국 전통철학으로 회귀하였음을 나타낸다.

양수명(梁漱溟, 1893-1988)은 현대 신유학의 창시자 한 사람으로 평가한다. 그는 "그대의 서양문명과 서양철학을 적극적으로 학습하고 주체적으로 대응하려 한 세대였다."92) 서양학자 Guy. S. 알리토(Alito)는 그를 '최후의 유자'(last Confucian)라고 칭하였다.93) 양수명은 베르그송의 철학을 받아들였다. 베르그송은 서양철학사에서 "직관을 중심으로 반이성주의적 경향"을 대표하는 철학자였다. 그는 20세기 초반 과학 기술과 이성이 지배하던, 즉 과학주의와 실증주의가 지배하였던 상황에서 비이성주의를 대표하는 학자였다.94) 그가 특히 관

---

91) 같은 책, 5쪽.

92) 강중기, 「양수명의 과학관」, 인제대학교 인간·환경·미래연구원, 『인간·환경·미래』 제2호, 2009, 57쪽.

93) Guy S. Alito, *The Last Confucian, Liang shu-mng and the Chinese Dilemma of Modernity*, University of Califonia press, 1986. (강중기, 「양수명의 과학관」, 58쪽. 재인용.)

94) 최홍식, 「베르그송 철학의 중국적 전개-양수명의 직관 이론을 중심으로」,

심을 가진 것은 베르그송 철학의 '직각'(직관)에 관한 관점이다. 그는 과학적 방법은 인생관의 문제를 해결할 수 없으며, 철학-현학의 방법은 직관에 의해야 한다고 주장하였다. 이것은 유학적 도덕 형이상학을 구축하기 위한 것이었다.[95] 양수명은 베르그송의 사고 체계를 불교 유식학(唯識學)의 사고 체계와 비교하면서 전통 유학의 형이상학과 연결하였다.[96]

여기에서 한 가지 언급할 필요가 있는 것은 그 당시 중국 사회에서 유행한 '서학의 중국 기원설' 문제이다.

당시 지식인들은 서양의 학문이 중국의 어떤 학문과 대응하는지, 왜 고대 중국에서 싹을 피웠던 서양의 근대 학문이 중국에서 계승 발전되지 않았는지를 토론하였으며 서양의 학문이 중국의 고대에 있었다는 인식을 공유하고 있었다. 그들은 춘추전국시대 제자백가의 사상을 바탕으로 서양의 근대 학문의 맹아가 모두 중국에 있었다는 서학의 중국 기원설을 주장하였다. 때문에 그들에게 있어 서양 학문의 수용은 자신의 것을 다시 회복하는 과정이었다.[97]

이러한 사고는 당시 중국인에게는 비교적 보편적인 관점이었다. 그 몇 가지 대표적인 것을 소개하면 다음과 같다.

장지동의 말이다.

『중용』에서 말하는 '천하의 지극한 정성', '사물의 본성을 다하는 것', '천

한국철학사상연구회, 『시대와 철학』 9, 1998, 26쪽.

95) 같은 논문, 28쪽.

96) 같은 논문, 37쪽.

97) 尹志源, 「엄복의 근대인식과 중·서학의 회통」, 176-177쪽.

지의 화육에 찬동하는 것'은 서양학문의 격치格致(물리학)의 원리이다.(『대학』의 격치와 서양의 격치는 상관이 없다. 서양 서적을 번역할 때 글자를 빌려 쓴 것에 불과하다) 『주례』의 토화지법土化之法, 화치사시化治絲枲, 칙화팔재飭化八材는 화학의 원리다. ……이 모든 것들이 성현의 경전에 담겨진 깊은 뜻이고 서양의 핵심가치와도 통할 수 있다.98)

양계초의 관점이다.

당시 의원제 설립을 목표했던 양계초는 입헌군주제를 이야기하며 그 근거로 『예기』와 『맹자』의 말을 의회 사상의 중국적 기초로 보았다. 그리고 의회 제도는 고대 중국의 성인이 내려준 가르침과 일치한다고 주장한다.99)

엄복에 관한 것이다.

엄복 역시 서학의 중국 기원설을 벗어나기 어려웠다. 그는 서양의 논리학을 통해 연역법과 귀납법을 알았고, 이것이 중국 고대 경전인 『춘추』와 『주역』의 방법론과 일치한다고 주장한다.100)

그런데 윤지원은 또 "엄복은 서학의 기원을 중국에서 찾고, 그것을 증명하려는 지식인들의 태도를 비판한다"고 말하였다.101) 그렇다면 도대체 엄복의 입장은 무엇이 맞는가? 이 문제를 좀 더 고찰하려면 시

98) 장지동, 『권학편』, 169-172쪽.
99) 같은 논문, 177쪽.
100) 양일모, 『옌푸[嚴復]: 중국의 근대성과 서양사상』, 태학사, 2008, 188-189쪽. (尹志源, 「엄복의 근대인식과 중·서학의 회통」, 177쪽 각주 19. 재인용.)
101) 尹志源, 「엄복의 근대인식과 중·서학의 회통」, 177쪽.

대적 변화에 따른 그의 사상 변화의 과정을 추적할 필요가 있다.

담사동(譚嗣同) 역시 마찬가지였다.

> 상학은 관자와 염철론이 있고, 병학은 손자·오자·사마양저 장군이 있고, 농학은 상앙이 있고, 공학은 공수자가 있고, 형명학은 등석이 있고, 교섭은 소진과 장의가 있고, 법률은 신불해와 한비자가 있고, 변학은 공손룡과 혜시가 있다.[102)]

그렇지만 장지동은 또 이렇게 말하였다.

> 하지만 성현의 경전이 모두 이미 도리를 발견하고 제도를 만든 것은 맞지만 성현의 경전이 서양인의 기술을 습득하고 서양인의 도구를 갖추었고 서양과 같은 방식을 취했다고 말하는 것은 그르다.[103)]

당시 중국 지식인들의 '서학의 중국 기원설'은 몇 가지 의미가 있다.

첫째, 중국인의 완고한 중화주의, 중화제국주의 경향이다.

서양학자 J. 레벤슨(Joseph Levenson)은 "이처럼 중국인이 외래사상을 흡수하는 특징적인 태도를 1) 외부의 것이 다름 아닌 자신의 것이어야 하며, 2) 시간과 공간을 초월한 보편적인 것이어야 한다고 지적한다. 즉 근대 중국의 지식인들에게 중국적인 것은 특수한 것이었지만 보편적인 것이어야 했으며, 중국 이외의 외부 세계에도 만일 보편

---

102) 譚嗣同, 「論黔日西學與中國古學」. (尹志源, 「엄복의 근대인식과 중·서학의 회통」, 177쪽 각주 18. 재인용.)

103) 장지동, 『권학편』, 172쪽.

적인 것이 있다면 그것은 중국적이어야 했다"고 지적하였다.104) 물론 양계초가 1890년대 후반에 이미 "오늘날 서학이 흥하지 않음을 걱정할 것이 아니라 중학이 장차 없어질까 걱정한다"는 것처럼,105) 당시 중국 지식인의 우환의식을 나타낸 것이라고 좀 더 긍정적으로 이해할 수도 있다. 그러나 중국 지식인의 이러한 관점은 철저하게 중화주의의 산물이다. 중국인의 이러한 경향은 오늘날에도 변함이 없다. 이것은 우리에게 매우 익숙한 것이다. 우리는 이것을 '중화제국주의'라고 부를 수 있다.

둘째, 서양의 정신문화 수용을 쉽게 하였다.

그렇지만 이것은 또 객관적 사실을 왜곡하는 문제이기도 하였다. 중국의 전통 철학에 이미 서양철학의 이론이 존재했다고 함으로써 서로 전혀 다른 철학적 배경을 갖는 철학사상을 함부로 일치시켰다. 물론 이렇게 말함으로써 중국인이 서양의 문명을 받아들일 때 거부감, 저항감을 줄일 수 있었을 것이다. 그렇지만 이렇게 할 때 넓게는 서양문명을, 좁게는 서양철학을 왜곡할 가능성이 매우 높았다. 실제로 근대 중국의 현대 신유학자들은 많은 경우 서양철학을 왜곡하여 자신의 유가철학을 정당화하였다. 예를 들어 양수명은 베르그송 철학의 직관주의를 중국 현대 신유가의 입장에서 해서하였다.106) 모종삼은 칸트의 형이상학에서 '물자체'(物自體, Ding an sich) 개념을 자신의 '도덕형이상학'을 정당화하는 개념으로 이용하였다.107) 사실 이처럼 중국 현대

---

104) 尹志源, 「엄복의 근대인식과 중·서학의 회통」, 177쪽 각주 18.

105) 같은 논문, 176쪽.

106) 최홍식, 「베르그송 철학의 중국적 전개-양수명의 직관 이론을 중심으로」, 39쪽. "베르그송의 직관이 인식하는 것은 객관적인 실체이고, 양수명의 직관이 인식하는 것은 객관적인 내용을 갖지 않는 형세나, 경향 등과 같은 주관적인 것이다."

신유학자에 의해 여러 서양철학 학자의 철학 개념이 왜곡된 번역 또는 해석이 적지 않다. 그것이 의도적이든 의도적이지 않든 많은 문제점이 있다. 물론 그렇게 할 수밖에 없었던 현대 신유학자의 고민도 이해할 수 있다.

셋째, 중국의 전통 철학이 서양문명의 대안이 될 수 있다는 잘못된 사고의 확장이다.

양계초는 이렇게 말하였다.

> 우리가 유럽에 온 이래 이러한 비관적 논조가 확실히 귀에 가득할 정도로 들렸다. 한번은 미국의 저명한 신문기자 사이먼(그가 저술한 『전쟁사』는 최고의 호평을 받았다.)과 한담을 나눴는데 그가 나에게 물었다. “당신은 중국에 돌아가면 무슨 일을 할 것입니까? 서양문명을 가지고 갈 건가요?” 내다 “당연히 그래야죠.”라고 답하자, 그는 한숨을 쉬며 “아, 안타깝군요! 서양문명은 이미 파산했습니다.”라고 말했다. 내가 “당신은 미국에 돌아가서 무엇을 할 겁니까?”라고 물으니, 그는 “돌아가서 문을 닫고 기다릴 겁니다. 당신들이 중국문명을 보내 와 우리를 구원할 때까지.”라고 대답하였다.[108]

양계초가 매우 자랑스럽게 생각했을 것 같은 분위기가 느껴진다. 물론 당시에 그렇게 생각한 일부의 서양 사람들도 있었을 것이다. 그렇지만, 그렇다고 해서 과연 서양인에 의한 중국문화의 평가가 정당한 것인지, 그리고 더 중요한 핵심 문제는 과연 그 당시 그토록 많은 문제점을 드러낸 중국의 전통문화에 대해 아무런 반성적 성찰이 없이

107) 이명휘, 『중국 현대 신유학의 자아전환』, 최대우·이경환 옮김, 전남대학교 출판부, 2013, 55쪽.
108) 량치차오, 『구유영심록』, 37-38쪽.

몇몇 서양인이 훌륭하다고 평가했다고 해서 중국문화가 그 대안이 될 수 있는지 등등 먼저 이러한 여러 가지 문제를 성찰해야만 하였다. 그렇지 않다면 중국의 전통문화, 특히 유학으로 대표되는 중국의 전통철학은 다시 '사람을 잡아먹는' 지배 이데올로기가 될 것이다.

여기에서 이 문제를 제기한 것은 두 가지 이유에서이다.

첫째, 현대 중국의 공산당 정부의 중국 전통 유학에 대한 지배 이데올로기화에 대한 문제의식이다. 우리가 잘 알고 있는 것처럼, 중국이 개혁개방을 추진한 뒤로 1980년대에 이른바 '문화열'(文化熱)이 있었다. 이것은 전통과 서화에 대한 새로운 시각이라고 말할 수 있다. 그렇지만 또 단순히 학문적/문화적 논의만이 아닌 정치적 문제이기도 하였다.

기본적으로 1979년 11기 3중전회를 기점으로 사상적 분위기가 고조되어 1984년 12기 2중전회를 통해 본격화되었다. 1989년 5·4운동 70주년을 맞아 최고조에 다다르고, 6·4천안문사태를 거치면서 '문화열'과 관련된 논의가 특히 정치와 관련된 논의는 마침표를 찍었다고 이해할 수 있을 것이다.[109]

그렇다면 이 당시 '문화열'은 어떤 성격을 갖는가? 한국의 '문화열' 연구의 총정리에 해당하는 『현대중국의 모색』에서는 유학부흥론, 비판계승론, 서체중용론, 철저재건(전반서화)론 네 가지로 분류하였다.[110] 양태근은 세 가지로 구분한다.[111] 첫째, 유학부흥파로 전통하이다. 둘

109) 양태근, 「1980년대 중국 문화열의 재발견 현장-80년대 회고를 중심으로」, 한국중국현대문학학회, 『중국현대문학』 제43호, 2007, 126쪽.
110) 같은 논문, 127쪽.
111) 같은 논문, 130쪽.

째, 전반서화파, 철저재건론으로 서화파이다. 셋째, 유학부흥파와 전반서화파에 대한 사회주의 씨각에서 비판한 비판파이다. 이 당시의 학술경향에 대해서는 서로 다른 다양한 분류법이 가능할 것이다.

그러나 우리가 여기에서 말하고자 하는 다음과 같은 두 가지 측면의 상황이다.

> '회의 중 회의'(會中會)와 '회의 후 회의'(會下會)라는 속어가 지적하고 있는 것처럼 많은 지식인들이 회의 중 발표하는 것은 형식적인 문건이었으며 실제 열기 가득한 진솔한 이야기들이 쏟아져 나온 곳은 바로 회의가 끝난 후 저녁 시간에 삼삼오오 숙소에 뜻이 맞는 사람들끼리 모여 벌인 난상토론들이었다는 것이다. 이러한 사실과 기억들을 통해 우리는 문헌을 통해 본 문화열 연구의 한계를 여실히 볼 수 있다.[112]
>
> 특히 문화열 기간 신계몽운동의 고전에 대한 맹목적 동경은 바로 현실과 눈앞에 펼쳐지고 있는 지식체계의 새로운 흐름에 대한 무시(포스트모더니즘 혹은 여성주의 같은 새로운 사조)를 가져왔고, 그들이 진행한 봉건주의 전통의식에 대한 전면적 비판에서 문화대혁명과 유사성을 발견할 수 있다는 지적을 우리는 주목해야 한다.[113]

둘째, 한국 사회에서 유학 전공자들의 사고와 태도에서 보이는 '유학 무오류설'과 관계가 있다. 오늘날 한국 사회에서 마치 동양철학이 서양문명의 대안인 것처럼 말하는 사조가 일부 유학 전공자들 사이에서 간혹, 아니 드물지 않게 절대적으로 정당한 논의인 것처럼 하는 것이 보이기 때문이다. 지금 한국 철학계에서도 중국과 마찬가지로 그동

112) 같은 논문, 142쪽.
113) 같은 논문, 144-145쪽.

안 한국의 전통 유학이 보여준 폐단에 대한 반성적 성찰이 없이 마치 유학만이 오늘날 세계에 만연한 문제를 해결할 수 있는 절대적이고 유일한 해답인 것처럼 말한다.

사실 중국 지식인 사회에서 '서학의 중국 기원설'이 유행했다는 것은 어떤 면에서 그 당시 중국 지식인 사회에서 전통과 근대라는 이원적 대립, 즉 진퇴양난의 상황에 처한 '정신적 분열'을 상징한다. 당시 중국 지식인들에게 서양의 근대 문명의 유입은 이처럼 '혼란'과 '분열' 속에서 허둥지둥하는 가운데 흔들리고 있었다. 이 문제는 그 뒤에도 여전히 해결되지 못한 채 문제의식으로 남게 되었다. 오늘날 중국에서 전통문화에 대한 긍정 또는 회귀는 그 전제가 '비판적 계승'이다. 이 말은 '비판'이 전제이고 '계승'은 결과이다. 그런데 필자가 생각하기에 오늘날 중국에서 중국 전통 유학에 대한 관점은 '비판'은 보이지 않고 '계승'만을 말하는 것으로 생각된다.

> 그렇다면 정화만 남은 유가사상은 다시 사랑받을 수 있을까? 그것은 곧 전통과 현대의 진정한 화해가 이루어졌을 때 가능한 일이다. 그런데 그러한 화해는 양자의 단점에 대한 비판은 물론, 그 장점에 대한 긍정을 동시에 용인함으로써만 가능할 것이다. ……전통의 정화와 지게미를 구분하여 전자를 취하고 후자는 버리며, 전자 또는 현대적 해석과 적용이라는 과정을 거쳐야 한다는 것을 의미한다. 그 과정에서 전통과 현대, 중국과 서양의 화해가 이루어지는 것이다. 그런데 최근 중국에서 전통에 대한 중국 관방의 긍정적 수용, 그리고 그를 통한 애국주의 교육 등은 비판적 수용이라고 보기에는 힘들다. 그것은 오히려 전반적 긍정을 초래할 수 있는우려가 있다.[114]

114) 김현주, 「신문화운동의 공자 혐오, 어떻게 시작 되었는가」, 인문사회21, 『인문사회21』 13, 2022, 1007쪽.

중국 전통문화, 특히 유학의 폐단에 대한 '비판'이 없는 '계승'을 주장한다면 중국 유학은 다시 인간을 억압하는 통치집단의 이데올로기 도구가 될 것이다. 특히 요즘 중국에서 나타나고 있는 민족주의, 애국주의 열풍은 매우 위험한, 그래서 매우 끔찍하고 두려운 현상이 되어가고 있다.

근대 중국의 서양철학 유입은 시대적 위기 속에서 이루어졌다. 그런데 그 당시 유입된 서양철학은 독일 관념론과 영국 경험론 그리고 미국의 실용주의 등과 같은 사조였다. 그런 까닭에 당시 중국 지식인이 서양철학의 어떤 경향을 받아들였는가에 따라 동일한 문제에 대해서도 서로 다른 이해와 해석을 할 수밖에 없었다.

서양에서 19세기 중엽에 흥기한 실증주의 철학은 경험주의를 배경으로 한다.

> 철학적 논리의 변화로 볼 때, 실증주의의 이론을 선도한 것은 근대 서양의 경험주의로 소급해 갈 수 있는데 그보다 더 넓은 역사적 근거는 근대과학의 발전에 내재한다. 경험론 전통의 제약은 실증주의를 철학적 논의 영역을 현상계에 한정하고 경험할 수 있는 이외의 "형이상학" 문제에 대한 토론을 거절하도록 만들었다. 근대과학의 발전은 실증주의가 처음부터 비교적 실험과학과 관련이 있는 논리와 과학 방법에 관심을 기울이도록 하였으며, 또 과학의 통일과 철학의 과학화를 실현하도록 힘썼다.115)

서양의 실증주의 철학은 5·4신문화운동 시기에 유입되어 매우 큰

115) 楊國榮,『從嚴復到金岳霖-實證論與中國哲學』, 1쪽.

영향을 주었다. "서구 실증주의 철학의 공헌은 철학 방법론과 전통 형이상학에 대한 성찰을 촉구했다"는 점이다.116) 중국 근대 실증주의 사조는 세 가지 특징이 있다.117) 첫째, 서양의 경험주의와 실용주의 등 다양한 사조가 실증주의로 통합되었다. 둘째, 중국의 독특한 실증주의 사상을 형성하였다. 셋째, 과학을 경시한 중국 전통으로 독립적 사조가 될 수 없었다. 또 이 무렵 호적은 제2대 실증론—실용주의를 유입하였다.118)

그런데 우리가 잘 알고 있는 것처럼, 이러한 서양철학의 여러 사조는 그 철학적 배경이 매우 달랐다. 그런 까닭에 우리가 이 책에서 고찰할 장군매와 정문강의 인생과 과학의 문제 역시 마찬가지이다.

---

116) 한성구, 「중국 근대 실증주의 사조와 딩원장(丁文江)의 인식론」, 240쪽.
117) 같은 논문, 240-241쪽.
118) 楊國榮, 「導言」, 『從嚴復到金岳霖-實證論與中國哲學』, 2쪽.

제4장 인생관과 과학에 관한 문제 제기

제1절 장군매와 정문강의 논쟁

제3절 과학과 인생관 논쟁의 배경

제4장 인생관과 과학에 관한 문제 제기

우리는 어느 날 이 세상에 태어나면서 '인생'이라는 여정을 시작하게 된다. 또 우리 인간은 어느 정도 나이가 들게 되면 '자아'가 형성된다. 그리고 우리 인간은 '자아'가 형성된 뒤 점차 자신의 삶과 죽음에 대해 의식을 하게 된다. 그런 뒤에 인생 문제에 대해 의심을 하기 시작한다. 우리는 왜 존재하는가? 삶을 어떻게 살아야 하는가? 의미 있는 삶이란 어떤 삶인가? 우리 인간은 의식이 있는 존재이기에 이러한 질문에 대한 해답을 요구한다.

장군매와 정문강을 중심으로 한 과학과 인생(관)의 논전은 중국 근대의 역사를 그 배경으로 하여 발생한 것이다.

백화문을 제창하고 구도덕을 반대한 5·4신문화운동의 계몽적 측면은 이렇게 연이어서 일종의 자기 민족문화심리에 대한 질책과 편달로, 하나의 과학주의적인 추구로 표현되었다. 즉 서구의 근대 과학을 기본 정신·태도·방법으로 삼아 중국인을 개조하고, 중국 민족의 문화심리 속에 그것을 주입하고자 했다.

바로 이러한 배경 아래 1923년 '과학과 현학(玄學) 논쟁이 폭발했다.[1]

이 논전이 발생하기 이전, 중국 근대 5·4 신문화운동 시기에 중국 지식인 사회에는 갑자기 두 진영이 출현하였다.[2] 첫째, 자유주의자·무정부주의자·초기 마르크스주의자들이 통일전선을 형성하였다. 이 그룹에는 호적(胡適), 오치휘(吳稚暉), 이대조(李大釗), 진독수(陳獨秀), 노신(魯迅), 파금(巴金) 등과 같은 인물이 속하였다. 이들은 사상적으로 큰 차이가 있었지만 모두 '공자의 타도'[打孔家店]을 주장하였는데 유가 전통과 철저하게 단절해야 한다고 하였다. 이 사상을 '전반적 반전통주의'(林毓生의 말)라고 부를 수 있다. 둘째, 둘째, 보수주의적 문화 진영이다. 여기에는 국수파(國粹派), 학형파(學衡派), 동방문화파(東方文化派) 등이 속한다. 이 그룹은 중국 고유의 문화 전통을 옹호하고 서구 문화를 거부하는 입장이다. 물론 이들 사이에도 사상적 경향은 다양하다. 장군매와 정문강의 과학과 인생(관)에 대한 논쟁은 바로 이러한 시대적 배경에서 나온 것이다.

특히 제1차 세계대전의 종전은 중국과 서양 지식인의 교류사에서 하나의 분기점이 되었다.[3] 이 과학과 인생(관) 논쟁은 "근대 중국이 서양과의 접촉에서 받은 충격으로부터 자신을 추슬러 주체적으로 사

1) 리쩌허우, 『중국현대사상론』, 김형종옮김, 한길사, 2005, 106쪽.
2) 鄭家棟, 『현대신유학』, 한국철학사상연구회 논전사분과 옮김, 예문서원, 1994, 17쪽.
3) [美] 費俠莉(Charlotte Furth), 『丁文江-科學與中國新文化』, 丁子霖·蔣毅堅·楊昭 譯·楊照明 校, 新星出版社, 2006, 83쪽.

상적 방향을 정립하려는 최초의 역동적 자기 성찰 작업이었고, 실제로 현대 신유학의 탄생을 예고한 역사적 계기"가 되었다.[4] 그러므로 이 논쟁의 역사적 의미는 매우 깊다.

장군매와 정문강의 논쟁은 장군매의 강연에서 시작하였다.

제1절 장군매와 정문강의 논쟁

1. 장군매의 강연

북경대학교(北京大學校) 교수였던 장군매(張君勱, 1887-1969)는 1923년 2월 24일 오문조(吳文藻)의 요청으로 청화대학교(淸華大學校)에서 유학을 떠나는 학생들에게 '인생관'(人生觀)이란 제목의 강연을 하였다. 그는 이때의 강연을 『청화주간』(淸華周刊) 272기(期)에 자신의 글 「인생관」(人生觀)으로 발표하였다. 그런데 예상하지 못한 일이 발생하였다. 이 강연으로 1년 여에 걸친 논쟁이 발생하였는데 당시 거의 모든 중국 학술계의 인사들이 이 논쟁에 뛰어들었다. 그리고 장군매 자신은 "현학귀"(玄學鬼)라고 비판받았다.[5]

장군매는 이 글에서 다음과 같이 말하였다.

> 여러분은 오랫동안 교과서를 읽었기 때문에 반드시 천하의 일은 모두 과학의 법칙[公例]이 있고, 모두 인과율(因果律)의 지배를 받는다고 생각합니

---

4) 허남진·박성규, 「과학과 인생관(현학) 논쟁」, 서울대학교 인문학연구소, 『인문논총』 제47집, 2002, 177쪽.
5) 鄭大華, 『張君勱傳』, 中華書局, 1997, 46쪽.

다. 사실 눈을 감고 한번 생각해 보면, 대부분 문제는 반드시 이처럼 명확한 것이 아니라는 것을 알 것입니다. 그리고 이러한 유형의 문제는 철학상의 고상한 학문적 이치[學理]가 아니라, 즉 인생의 일상[日用] 가운데 있습니다. 갑이란 사람이 한 가지 설을 말하고, 을이란 사람도 한 가지 설을 말하는데 시비(是非)·진위(眞僞)의 표준이 한계가 없습니다. 이것은 무엇일까요? 인생(人生)이라고 말합니다. 똑같은 인생이지만, 피차간에 관점이 다르고 의견이 각기 다르기 때문에 세상에는 옛날부터 가장 통일되지 않은 것으로 인생관(人生觀)이 있습니다.[6)]

그는 이어서 이렇게 말하였다.

인생관의 중심점은 '나'라고 말합니다. '나'와 마주하고 있는 것은 '나'가 아닙니다.[7)]

장군매는 이러한 관점에 기초하여 과학과 인생관의 특징에 대하여 다음과 같이 정리하였다.[8)] 첫째, 과학은 객관적이지만, 인생관은 주관적이다. 둘째, 과학은 논리의 방법이 지배하지만, 인생관은 직관[直覺]에서 기원한다. 셋째, 과학은 분석 방법으로 착수할 수 있지만, 인생관은 종합적이다. 넷째, 과학은 인과율이 지배하지만, 인생관은 자유의지적이다. 다섯째, 과학은 대상 사이의 동일한 현상에서 기원하지만, 인생관은 인격의 단일성에서 기원한다.

과학과 인생(관)에 대한 이상의 관점에서 장군매는 이렇게 결론지어

---

6) 張君勱, 「人生觀」, 張君勱 等, 『科學與人生觀』(一), 遼寧教育出版社, 1998, 30쪽.
7) 위와 같음.
8) 같은 책, 31-34쪽 참조 요약.

말하였다.

이상의 말로 볼 때, 인생관의 특징은 주관적(主觀的), 직관적[直覺的], 종합적(綜合的), 자유 의지적(自由意志的), 단일성적(單一性的)이다. (인생관에는) 이 다섯 가지 점이 있기에 과학이 아무리 발달하더라도 인생관 문제의 해결은 과학의 힘으로 할 수 없고, 오직 여러 인간 자신에 따를 수밖에 없다.9)

인생관은 객관 표준이 없기 때문에 오직 자신에게 돌아가 구할 수 있을 뿐인 것으로, 다른 사람의 이미 완성된 인생관을 자신의 인생관으로 삼을 수는 없다.10)

종합하면, 장군매는 인생(관)의 문제는 과학적 방법으로 탐구할 수 없고, 사람마다 각자 다른 것이기 때문에 타인에게 구할 수 없으며, 자기 자신에게 구해야 한다는 것이다.

장군매의 인생(관)에 관한 문제 제기는 즉각 정문강의 반론을 불러왔다.

2. 정문강의 반응

정문강(丁文江, 1887-1936)은 중국의 지질학자이다. 즉 그는 자연과학자이다. 그는 장군매의 이 강연, 글에 대해 「현학과 과학-장군매의 《인생관》을 논평함」(玄學與科學-評張君勱的《人生觀》)에서 아래와 같이 말하였다.

---

9) 같은 책, 35쪽.
10) 위와 같음.

> 우리가 말하는 과학 방법은 세계의 사실을 분류하여 그것의 질서를 구하는 것이다. 질서를 분류하여 분명히 한 뒤에 우리는 다시 가장 간단한 말로 이러한 수많은 사실을 개괄하는데, 이것을 과학의 법칙[公例]이라고 부른다.[11]

그는 이어서 이렇게 말하였다.

> '사실'(事實)은 복잡한 것으로, 당연히 분류하기가 쉽지 않고, 그 질서를 구하기가 쉽지 않으며, 하나의 개괄적인 법칙[公例]을 찾기가 쉽지 않다. 그렇지만 과학 방법은 결코 이러한 이유로 적용할 수 없는 것이 아니다.[12]

정문강은 그렇다고 해서 인생의 법칙을 찾지 못한다고 단정할 수 없다고 말한다.

> 현학가(玄學家)는 이미 하나의 편견[成見]이 있는데, 과학 방법은 인생관에 적용할 수 없다고 말한다. 세상의 현학가는 어느 날 (세상의 모든 사람이) 다 죽지 않는 한 자연히 하루아침에 인생관을 통일할 수 없을 것이라고 하는데, 그러나 이것이 어찌 과학 방법의 잘못인가?[13]

종합하면, 정문강은 우리가 "질서를 분류하여 분명히 한 뒤에" 그것을 "간단히 개괄"할 수 있는데, 이것이 "과학의 법칙[公例]"이라고 말

---

11) 丁文江, 「玄學與科學-評張君勱的《人生觀》」 張君勱 等, 『科學與人生觀』(一), 遼寧教育出版社, 1998, 39쪽.
12) 위와 같음.
13) 같은 책, 40쪽.

한다. 그러므로 우리의 인생관 역시 이러한 "과학의 법칙"으로 고찰할 수 있다고 생각하였다.

그는 또 이렇게 강조하였다.

> 그러나 만약 이른바 '사실'(事實)이 결코 진정한 '사실'이 아니라면 자연히 어떤 질서의 법칙을 구할 수 없다.[14]

이것은 당연히 장군매가 제기한 '인생관'에 대한 비판이다. 정문강에 의하면, 장군매가 제기한 '인생관' 문제가 '사실'의 문제가 아니라면 그것은 당연히 '법칙'을 구할 수 없다. 정문강의 이러한 판단에는 다음과 같은 의미가 있다. 장군매가 제시한 '인생관' 문제가 '사실'의 문제라면 당연히 그에 관한 '법칙'을 구할 수 있다. 그런데 만약 이 '인생관'의 문제가 '사실'의 문제가 아니라면 그러한 문제는 제기할 가치가 없다. 왜냐하면 객관적 '법칙'을 구할 수 없는 문제이기 때문이다.

장군매와 정문강의 과학과 인생에 관한 이러한 논쟁은 오늘날에도 변함이 없다. 우리 역시 각자 자신의 인생 문제를 해결해야 하기 때문이다.

제2절 과학과 인생관 논쟁의 배경

장군매와 정문강의 과학과 인생관의 논쟁에는 그 역사적 그리고 시

---

14) 같은 책, 39쪽.

대적 배경이 있다. 우리는 그 역사적 그리고 시대적 배경을 내적 원인과 외적 원인으로 살펴볼 수 있다.

이 논쟁은 중국의 전통 사상뿐만 아니라 그동안 수입된 서양사상이 총동원되는 모습이었다. 당시 중국은 다윈(C. Darwin)과 스펜서(H. Spencer)의 '진화론', 크로포트킨(A. Kropotkin) 등의 '무정부주의', 니체(Nietzsche)와 쇼펜하우어(Schopenhauer) 사상, 마르크스주의(유물사관), 듀이(J. Dewey)의 '실용주의', 러셀(B. Russell)의 신실재론 등 서양사상이 지식인들에게 이미 광범위하게 퍼져 있었다.[15)]

먼저 중국 전통 지식인의 세계관에 관한 것이다.

실제적으로 청대 경험주의자와 명대의 현학가 사이의 논쟁은 모두 공동으로 받아들인 리학(理學)의 규범이라는 형식 내에서 발생한 것으로, 모든 논쟁은 당연히 주희에게 소급해 갈 수 있었는데 리학을 둘러싸고 두 가지 관점이 존재하였다. "리"(理)는 "물"(物)에 존재하는 것인지 아니면 "심"(心)에 존재하는 것인지였다.[16)]

정문강을 중심으로 한 당시 중국 지식인의 관점이다.

그렇지만 정문강은 호적, 양계초와 마찬가지로 역시 청대학자는 중국에서 과학 방법을 창도했다고 생각하였다. 그들은 이런 관점을 받아들였다. 연구

---

15) 이상화, 「근대 중국 지식인의 진, 선, 미 개념 연구」, 영남대학교 인문과학연구소, 『인문연구』 76호, 2016, 184쪽.

16) [美] 費俠莉(Charlotte Furth), 『丁文江-科學與中國新文化』, 丁子霖·蔣毅堅·楊昭 譯·楊照明 校, 新星出版社, 2006, 75쪽.

자가 주의력을 여러 가지 경험을 근거로 한 실례(實例)에 집중하고, 또 귀납법을 포함한 실험 방법을 운용하여 이러한 자료들에 대해 개괄해야만 과학 사유의 요구를 만족할 수 있다.17)

중국학자 조덕지(趙德志)는 5·4신문화운동 시기 중국 지식인들이 과학만능주의를 주장하게 된 원인을 다음과 같이 말하였다.

한편으로 신해혁명 뒤에 원세개(袁世凱), 장훈(張勛)과 같은 무리가 유교의 이름을 도용하여 공개적으로 황제 체제[帝制]를 회복하려고 하였기에 사람들은 갈수록 전통가치 중심 체제를 멀리하게 되었다. 다른 한편으로 일단의 유학생이 귀국하면서 서양철학, 특히 실증주의 철학을 과학의 이름으로 앞 다투어 들여왔다. 이 두 가지 측면이 서로 작용하여 새로운 세대 지식인들이 이전에는 없었던 열정과 태도로 과학을 선전하고 이해하였다. 그들의 마음 속에 과학은 단지 인식 방법만이 아니라 동시에 또 새로운 인생관, 세계관이어서 일종의 완전히 전통가치 체계를 대체할 수 있는 새로운 관념 계통이었다.18)

그러므로 우리는 이 논쟁을 통해 당시 중국 지식사회의 사상적 동향과 지향 방향을 읽을 수 있다.

따라서 과학과 형이상학 논쟁에서는 서양(西)-동양(東), 현대(新)-전통(舊)에대한 다방면의 논쟁이 공개적으로 진행되었고, 동(東), 서(西), 신(新), 구(舊) 각각의 특징들이 복잡하게 혼재되어 논의되었다. 중국사회가 본격적으

17) 위와 같음.

18) 趙德志, 『現代新儒家與西方哲學』, 遼寧大學出版社, 1994, 12쪽. (鄭大華, 『張君勱傳』, 148쪽. 재인용.)

> 로 사회주의 길을 걷기 직전의 중국 사상계의 양상을 여과 없이 볼 수 있는 거의 유일한 논쟁이 '과학과 형이상학 논쟁'이었다는 의미이기도 하다. 이 논쟁에서 힘을 얻으면서 마르크스-레닌주의가 중국 사상계를 장악하기 시작했기 때문이다.[19]

중국 근대의 역사에서 처음으로 과학만능주의를 제기한 인물은 19세기 말 유신파(維新派) 인물 엄복(嚴復, 1854-1921)이다. 그는 이렇게 말하였다.

> 수학(數學)과 명학(名學)이 아니면 나의 마음은 참된 이치, 필연의 법칙[數]을 살필 수 없고, 역학(力學, 물리학)과 질학(質學, 化學)이 아니면 인과의 상생 법칙, 공효(功效)의 효과를 살필 수 없다.[20]

그는 이미 19세기 중엽에 서양의 여러 문헌을 소개하였다. 그의 사상적 기초의 한 부분은 서양사상의 사조였는데 다윈의 진화론, 헉슬리의 사회진화론 등과 같은 것이었다.[21] 그러므로 그의 사상에서 과학만능주의 경향이 나타난 것은 어떤 면에서 매우 자연스러운 일이다.

1915년 5·4신문화 운동 시기에 중국 지식인들이 강조한 것은 '민주'(民主, '德'先生)와 과학(科學, '賽'先生)이었다. 그렇지만 한결같이 그들은 '민주'를 중국정치의 병폐를 치료할 수 있는 만병통치약으로 본 것과 마찬가지로 신문화파 역시 '과학'을 과학만능주의로 이해하였

---

19) 이상화, 「근대 중국 지식인의 진, 선, 미 개념 연구」, 184-185쪽.

20) 嚴復, 『原强』: "不爲數學·名學, 則吾心不足以察不佞之理, 必然之數也; 不爲力學·質學, 則不足以審因果之相生, 功效之互待也."

21) 鄭大華, 『張君勱傳』, 147쪽.

다.[22]

> (과학만능주의는) 일종의 전통유산 중에서 흥기한 신앙형식으로 과학 자체의 유한원칙인데, 전통과 유산 중에서 보편적 응용이 되었고, 또 문화 설정과 그 문화의 공리가 되었다. 더 엄격하게 말하면, 과학만능주의(형용사는 '唯科學的', Scientistic)는 모든 실재하는 것은 모두 자연질서 내에 둘 수 있고, 또 단지 과학 방법만이 이러한 질서의 모든 면(즉 생물적, 사회적, 물리적 혹은 심리적 방면)의 관점을 인식할 수 있다고 믿는다.[23]

그러므로 그들은 과학 방법이 만능이고 세계의 모든 것의 준칙이 되는 보편 진리라고 생각한다.

> "일체의 사회 인사의 문제" 내지는 우주 사이의 모든 것[萬事萬物]은 전부 만능의 과학 방법으로 연구를 진행하여 그것들 사이의 인과 관계를 구할 수 있다는 것이다.[24]

장군매는 이 당시 이미 유럽에 유학한 경험이 있었다. 그리고 그는 또 유럽에 있을 때 이미 독일 철학자 오이켄, 프랑스 철학자 베르그송의 철학을 접하였다. 이것뿐만 아니라 양계초와 마찬가지로 유럽의 제1차 세계대전이 만든 비참한 현실을 직접 볼 수 있었다. 이러한 경험은 장군매에게 '민주'와 '과학', 특히 '과학'에 대한 새로운 인식을 할 수 있는 계기가 되었다.

---

22) 같은 책, 147-148쪽.
23) [美] 郭穎頤, 『中國現代思想中的唯科學主義』, 江蘇人民出版社, 1989, 17쪽. (鄭大華, 『張君勱傳』, 147쪽. 재인용.)
24) 鄭大華, 『張君勱傳』, 147쪽.

그렇지만 과학파의 입장에서 볼 때, 당시 중국은 아직 '민주'와 '과학'이 전혀 뿌리를 내리지 못한 상황에서 '민주'와 '과학', 특히 '과학'에 대해 그 한계를 지적한 것은 '민주'와 '과학'을 후퇴시켜 문제가 너무도 많은 수구적이고 비민주적인 유학 전통의 전통가치 체제로 되돌아갈 가능성이 있었으므로 당연히 현학파의 입장에 대해 '현학귀'라는 표현처럼 격렬히 반대할 수밖에 없었다.

정문강은 중국의 이전 왕조시대에 대해 아래와 같이 기술하였다. 당대(唐代)에 자유와 예술 문명이 쇠락한 뒤에 송대(宋代)에 반동 조류가 출현하였는데, 신유학(新儒學, 理學)의 기치를 든 사람들이 일종의 사람을 우롱하는 형식주의(形式主義)로 지식인에게 해독을 주었다. 신유학—송명리학(宋明理學)은 표면상으로 볼 때 불교사상을 확 바꾸는 작업을 통해 일종의 현학계몽(玄學啓蒙)이 되었지만, 실제적으로는 반지식적인 것으로, "방법을 말하지 않는 번쇄한 철학, 신앙이 없는 종교"였다.[25]

---

25) [美] 費俠莉(Charlotte Furth), 『丁文江-科學與中國新文化』, 74-75쪽.

제5장 인물 탐구 1: 장군매

제1절 생애

제2절 저작과 번역

제3절 정치의 여정

제4절 학문의 여정

제5절 그에 대한 평가

제5장 인물 탐구 1: 장군매

제1절 생애

장군매(張君勱, 1887-1969)는 중국 현대 신유학 초기 인물 가운데 한 사람이다.[1)] 그는 19세기 중국의 격동기에 태어나 그야말로 파란만장한 역사적 흐름 속에서 일생을 살았던 인물이다. 더군다나 그의 일생은 학문과 정치가 함께한 삶이었다. 그런 까닭에 그의 일생은 간단히 평가할 수 없다.

1. 인생의 여정

1) 황성만, 「현대신유학의 형성 초기에 보이는 몇 가지 문제」, 한국철학사상연구회 논전사분과, 『현대신유학 연구』, 동녘, 1994, 41쪽.

장군매는 본명이 가삼(嘉森)이고, 자는 군매(君勱) 또는 사림(士林)이며, 호는 입재(立齋)이고, 필명(筆名)은 군방(君房), 영문 서명(英文署名)은 Carsun Chang이며, 별서(別署)는 세계실주인(暑世界室主人)이다. 그는 1887년 청(淸)나라 광서(光緖) 12년 강소성(江蘇省) 가정현(嘉定縣)에서 유학과 의학을 겸한 상업을 경영하는 가정에서 태어났다.[2] 그는 어려서는 가숙(家塾)에서 공부를 시작하였다. 그런데 뒤에 청나라 정부가 설립한 학교에서 신학문을 배웠으며, 독일에 유학하여 서양철학을 공부하였다. 그런데 오늘날 우리는 그를 중국 현대 신유학의 초기 단계에서 중요 인물 가운데 한 사람으로 평가한다.

[표5-1] 장군매의 생애 연보[3]

	내용	비고
1887년 1세	1월 18일 강소성(江蘇省) 가정현(嘉定縣)에서 11남매 가운데 둘째로 태어남.	
1892년 6세	가숙(家塾)에 들어가 사서오경(四書五經)을 읽음.	
1898년 12세	서양식 학교 상해(上海) 광방언관(廣方言館)에 입학. 영어와 수학을 배움. 원관란(袁觀瀾)에게 『삼통』(三通)(杜佑의 『通典』, 鄭樵의 『通志』, 馬端臨의 『文獻通考』)을 수학함.	광방언관은 1863년 이홍장(李鴻章)이 설립함. 외국어를 가르치는 학교로 그 입학 대상은 14세 이하 아동이었는데 가난한 집안의 학생들이었음.
1902년 16세	보산현(寶山縣) 향시(鄕試)에 응하여 수재(秀才)로 선발됨.	
1903년 17세	교회에서 설립한 진단학원(震旦	

2) 鄭大華, 『張君勱傳』, 中華書局, 1997; 鄭大華, 『張君勱學術思想評傳』, 北京圖書館出版社, 1999; 吕希晨·陳莹, 『張君勱思想研究』, 天津人民出版社, 1996.

	學院)에 입학하여 라틴어를 배움. 학교장 마상백(馬相伯)에게 서양철학과 역사를 배웠음. 그러나 가정이 빈곤하여 중도에 포기함.	
1906년 20세	보산현 장학생[公費]에 선발되어 일본으로 유학. 와세다[早稻田]대학 정치경제학과 예과에 입학. 이 대학에서 정치학·국제법·헌법·재정학·경제학을 배움. 독일어를 독학하였음.	
1907년 21세	양계초(梁啓超)의 요청으로 정문사(政聞社) 창립에 참여함.	
1909년 23세	일본 동경(東京)에서 자의국사무조사회(咨議局事務調査會)의 창립에 참여하고 『헌정신지』(憲政新志)를 출판함.	
1910년 24세	와세다대학 정치학 학사학위를 받음.	
1911년 25세	귀국한 뒤 청나라 정부의 전시(展試)에 참가하여 한림원(翰林院) 서길사(庶吉士)가 됨.	
1912년 26세	북경에서 농상부(農商部) 비서(祕書)가 됨.	
1913년 27세	독일에 베를린대학에 입학함. 정치학과 국제법을 배움.	
1915년 29세	독일을 떠나 영국·프랑스·벨기에·스웨덴·러시아를 다닌 뒤 1916년 3월 30세에 귀국함.	

1916년 30세	절강성(浙江省) 교섭서(交涉署) 서장(署長)을 맡음. 얼마 뒤 상해에서 『시사신보』(時事新報) 총편집을 담당함. 또 선후로 하여 단기서(段祺瑞)가 설립한 국제정무평의회(國際政務評議會)의 서기장(書記長)과 풍국장(馮國璋) 총통부(總統部)의 비서(祕書)와 북경대학(北京大學) 교수 등의 직책을 맡음.	
1918년 32세	양계초(梁啓超)와 함께 유럽 각국을 시찰함.	이때 독일 철학자 R. 오이켄(Rudolf Eucken, 1846-1926)을 방문함. 그의 인품에 크게 감동함.
1920년 34세	예나(Jena)로 거처를 옮겨 오이켄에게 철학을 배움.	
1921년 35세	오이켄과 함께 『중국과 유럽의 인생 문제』(中國與歐洲的人生問題)를 출판함. 연말에 두리서(杜里舒)와 함께 귀국함.	얼마 뒤 프랑스에 가서 베르그송과 함께 중국과 서양의 여러 가지 철학을 비교하는 연구와 토론을 함.
1922년 36세	두리서를 위해 강학을 하면서 번역을 담당함. 동시에 상해에서 열린 국시회의(國是會議)의 참여하고, 《국헌대강》(國憲大綱)을 기초하는 책임을 맡았으며, 『국헌의』(國憲議)를 저술함.	
1923년 37세	2월 「인생관」(人生觀)의 강연을	베르그송주의와 송명

	발표하여 '과학과 현학 논전'(科學與玄學論戰)을 일으켰음.	(宋明) 육왕심학(陸王心學)을 힘써 주창함.
1928년 42세	1928년 초, 상해에서 《신로》(新路) 반월간을 비밀리에 창간함. 영국 노동당[工黨]의 정치다원론(政治多元論)을 받아들이고 국민당(國民黨) 일당 독재[專政]를 비판하면서 '민주정치'(民主政治)와 '민주적 사회주의'(民主的社會主義)를 힘써 제창함.	
1930년 44세	연경대학(燕京大學) 교수가 되었는데 주로 헤겔 철학을 강의함.	
1932년 46세	장동손(張東蓀), 호석청(胡石青) 등과 함께 북평(北平)에서 중국국가사회당(中國國家社會黨) 창립을 비밀리에 논의함.	동시에 《재생》(再生) 월간을 창간하고, 「아문요설적화」(我們要說的話)와 「국가민주정치여국가사회주의」(國家民主政治與國家社會主義) 등 일련의 문장을 발표하고 강연을 함.
1934년 48세	7월 국가사회당 제1차 전국대표대회에서 중앙총무위원 겸 총비서(中央總務委員兼總祕書)에 선출되었음.	『명일지중국문화』(明日之中國文化)를 발표함. 이 책은 그의 문화철학 사상을 나타낸 대표작이다.
1935년 49세	논문집 『민족부흥지학술기초』(民族復興之學術基礎)를 편집함.	
1937년 51세	1937년~38년에 장개석(蔣介石)이 소집한 여산담화회(廬山談話會), 국방참의회(國防參議會)에	「치모택동선생적공개신」(致毛澤東先生的公開信)을 발표함.

	참가하였고, 국민당(國民黨) 참정회(參政會) 참정원(參政員)이 되었음.	『입국지도』(立國之道)를 발표함.
1940년 54세	운남(雲南)의 대리(大理)에 민족문화서원(民族文化書院)을 설립하고 원장에 취임함.	「호적사상노선평론」(胡適思想路線評論)을 씀.
1941년 55세	양수명(梁漱溟), 좌순생(좌순생) 등의제의를 받아들여 국가사회당(國家社會黨), 청년당(靑年黨), 제삼당(第三黨) 등을 연합 조직하여 중국민주정단동맹(中國民主政團同盟)을 성립하였으며, 중앙집행위원(中央執行委員)과 국제관계위원회(國際關係委員會) 주임위원(主任委員)이 됨.	
1944년 58세	중국민주정단동맹을 중국민주동맹(中國民主同盟)으로 바꿈. 중앙상무위원(中央常務委員)과 중앙집행위원(中央執行委員)으로 선발됨.	
1946년 60세	《중화민국헌법초안》(中華民國憲法草案)을 기초하는 데 참여함.	
1947년 61세	『중화민국민주헌법십강』(中華民國民主憲法十講)을 발표함. 국가사회당과 해외의 민주헌정당(民主憲政黨)을 통합하여 중국민주사회당(中國民主社會黨)을 만들고 주석이 됨.	신유가의 입장에서 헌법 관념을 나타냄.
1948년 62세	상해(上海), 사천(四川), 호북(湖北) 등지에서 강연을 함.	강연의 주제는 「민주사회지철학배경」(民主社會

		之哲學背景), 「민주정치적철학기초」(民主政治的哲學基礎), 「신도덕지기초」(新道德之基礎), 「현대문화지위기」(現代文化之危機) 등과 같은 10여 가지였음.
1949년 63세	10월 대북(臺北)으로 가서 장개석과 만남 뒤에 곧 홍콩으로 돌아가 민사당중앙상무위원회(民社黨中央常務委員會)를 개최하였음. 인도(印度) 교육부의 초청에 응하여 인도의 11개 대학에서 「중국철학」(中國哲學), 「중국정당지발전」(中國政黨之發展), 「유가수불교영향후지부활」(儒家受佛教影響後之復活) 등을 강연함.	이때부터 실제적으로 중국의 정치 무대에서 내려옴.
1952년 66세	4월 미국 시애틀(Seattle)에 정착함.	
1955년 69세	모종삼(牟宗三)이 장군매의 왕양명과 관련이 있는 글을 모아 『비교중일양명학』(比較中日陽明學)을 출판함.	미국 샌프란시스코 중국교포의 요청으로 공교총회(孔教總會)에서 「의리학십강강요」(義理學十講綱要)를 강연함.
1956년 70세	샌프란시스코로 이주함. 《세계일보》(世界日報)에 사론(社論)를 발표함.	
1957년 71세	『신유가사상사』(新儒家思想史)(상)을 출판함.	1962년 76세 때 『신유가사상사』(하)를 출판함.

1958년 72세	당군의(唐君毅), 모종삼(牟宗三), 서복관(徐復觀) 등과 함께 「위중국문화경고세계인사선언—아문대중국학술급중국문화여세계문화전도지공동인식」(爲中國文化警告世界人事宣言—我們對中國學術及中國文化與世界文化前途之共同認識)을 발표함.	
1960년 74세	이때부터 《인생》(人生), 《동서철학》(東西哲學) 등의 잡지에 「신유가철학지기본범주」(新儒家哲學之基本範疇), 「유가윤리학지부흥」(儒家倫理學之復興) 등을 발표함.	
1963년 77세	홍콩대학[香港大學], 신아서원(新亞書院), 연합서원(聯合書院)의 요청으로 강학을 함. 8월 인생관 논전 40주년을 기념하여 「인생관논전지회고—사십년래동서철학지사상가」(人生觀論戰之回顧—四十年來東西哲學之思想家)를 발표함.	
1965년 79세	샌프란시스코에 자유중국협회(自由中國協會)를 창립하였고, 홍콩에서 《자유종》(自由鐘) 월간을 창간하였으며, 4년간 「자유중국협회연기」(自由中國協會緣起), 「국민심리지전이」(國民心理之轉移), 「신유가정치철학」(新儒家政治哲學), 「문화핵심문제—학문지독립왕국론」(文化核心問題—學問	한국 고려대학교의 초청으로 서울에서 개최한 "아세아근대화문제국제학술대회"(亞細亞國際學術大會)에 참가하여 「중국현대화여유가사상부흥」(中國現代化與儒家思想復興)을 발표함.

	之獨立王國論), 「명일지중국문화재판신서」(明日之中國文化再版新序) 등 30여 편의 논문을 발표함.	
1967년 81세	이광요(李光耀)의 초청으로 싱가포르에서 「사회주의운동개관」(社會主義運動概觀), 「일백오십년지사회주의」(一百五十年之社會主義) 등을 강연함. 12월 미국의 일리노이(Illinois) 대학에서 「중국대우서방도전지반영」(中國對于西方挑戰之反映)을 강연함.	
1968년 82세	12월 20일 『맹자와 플라톤』(孟子與栢拉圖)을 완성하지 못하고 병으로 입원.	
1969년 83세	2월 23일 서거.	

중국학자 정대화(鄭大華)는 『장군매전』(張君勱傳)에서 장군매의 일생을 다음과 같이 정리하였다.

장군매는 평생 정치를 하고 또 학문하였는데 "학술과 정치 사이"를 배회한 인물이다. 그는 정치 활동에 종사할 때에도 학술을 잊지 않았고 학술 연구에 종사할 때에도 정치를 잊지 않았으며, 중국 현대학술사와 정치사에서 중요한 지위를 갖는다. 학술 방면으로 말하면 그는 정치대학(政治大學)·학해

3) 吕希晨·陳莹, 『張君勱思想硏究』, 天津人民出版社, 1996; 鄭大華, 『張君勱傳』, 中華書局, 1997; 鄭大華, 『張君勱學術思想評傳』, 北京圖書館出版社, 1999. 참조 요약.

서원(學海書院)과 민족문화서원(民族文化書院)을 세웠으며, 북경대학(北京大學)과 연경대학(燕京大學) 교수를 역임하였는데……[4]

정대화의 말처럼, 장군매는 학문과 정치, 즉 지식인의 삶에서 가장 중요한 두 측면—이론과 실천을 겸비한 독특한 인물이다. 물론 우리는 그의 이러한 삶에 대해 긍정적/부정적 평가 모두 가능하다. 그러나 그러한 평가는 그의 구체적인 삶에 관한 성찰을 통해 이루어져야 한다.

2. 정치와 학문 사이를 배회함

한 시대에 태어나 지식인으로 살아간다는 것은 결코 간단한 일이 아니다. 특히 난세에 태어나 지식인 노릇을 한다는 것은 때로 사는 것이 죽는 것만 못한 일이기도 하다. 물론 사이비 지식인이 되어 자신의 호의호식을 위해 산다면 오히려 더 좋은 시절이리라. 그러나 그런 삶이 어떤 의미가 있을까?

이미 위에서 살펴본 것처럼, 장군매는 단순히 학문만을 했던 학자가 아니다. 그는 학문과 정치를 모두 했던 학자이다. 이것은 철학적으로 말하자면 이론과 실천의 문제이다. 그가 이렇게 할 수밖에 없었던 이유는 한편으로 당연히 그가 살았던 시대의 현실 상황이 그를 그렇게 만들었다. 그렇지만 다른 한편으로 그의 인간적 성품이 그를 그렇게 이끌었다. 그러므로 우리가 장군매의 일생을 이해하려면 그의 학문 활동과 정치 참여 두 측면, 그리고 이 두 측면의 관계를 모두 살펴보아

4) 같은 책, 1-2쪽.

야 한다.

장군매의 생애 연보에서 알 수 있는 것처럼, 그의 일생은 정치와 학문 사이를 오고 간 삶이었다. 어떤 면에서 학문(이론, 이상)보다 정치(실천, 현실)가 더 중요했다고 말할 수 있다. 그 이유는 그가 살았던 시대적 상황이 그를 그렇게 만들었다고 할 것이다. 물론 거기에는 그의 기질이 강하게 작용했다. 그가 만약 당시의 시대적 현실 문제에 대해 외면하였다면, 그래서 학자로서 삶을 살았다면 어떤 면에서 더 편안하고 안정적인 삶을 살 수 있었을 것이다. 그러나 그는 그렇게 살지 않았다. 그는 자신의 일생에 대해 “학술과 정치 사이를 배회하였다”(徘徊于學術與政治之間)고 말하였다. 그의 말처럼, 그는 일생은 정치와 학문, 즉 이론과 실천을 일치시키려고 노력하였다. 그러므로 그것은 그 성취의 성공과 실패 여부와는 상관없이 그 자신이 현실에서 학문과 정치, 즉 이론과 실천을 모두 실현한 인물이라는 것을 나타낸다.

중국학자 경운지(耿云志)의 말이다.

> 장씨는 먼저 정치에 투신하여 역사 무대에 등장하였는데 입헌구국(立憲救國), 정당구국(政黨救國)에 종사하였으며, 만년에는 문화부흥운동에 힘쓰면서 신유가(新儒家) 발전을 추진하였다. 이러한 활동이 모두 일찍이 구체적인 성공을 얻지는 못하였다. 그러나 그 유형무형의 영향은 무시할 수 없는 것이다.[5]

정대화의 말이다.

---

5) 耿云志, 「序」, 鄭大華, 『張君勱傳』, 中華書局, 1997, 2쪽.

> 장군매의 일생은 정치를 하고 또 학술을 하였는데 "학술과 정치 사이를 배회한"(徘徊于學術與政治之間) 인물이다. 그는 정치 활동에 종사할 때 학술을 잊지 않았고, 학술 연구에 종사할 때 정치를 잊지 않았다. 중국 현대 학술사와 정치사에서 매우 중요한 지위를 차지한다.6)

정대화는 장군매의 학술과 정치의 일생에 대해 '배회하다'(徘徊)라는 용어를 사용하여 부정적 어감을 주었지만 그런 평가와는 달리 긍정적으로 볼 수도 있다. 본래 동양철학이란 이상과 현실, 정치와 학문 사이에 존재하기 때문이다. 어느 하나를 무시하는 것은 동양철학을 학문으로 삼는 학자의 올바른 태도가 아니다. 여기에서 문제는 장군매가 어떤 마음 상태에서 정치와 학문에 종사했는지 그 기준을 살펴보는 것이 중요하다. 그의 정치 활동과 학문 활동이 사적 이익을 위한 것이었는지 아니면 공적 이익을 위한 것이었는지, 그리고 표면적으로 나타나는 것처럼 '기회주의적'이었는지 아니면 그 내면에 어떤 '일관성'이 있었는지, 그리고 그러한 '일관성'이 있었다면 그 핵심 내용은 무엇인지 등등 여러 가지 고려해야 할 문제가 많다. 한 사람의 일생을 인상비평하듯 간단히 평가할 수는 없다.

제2절 저작과 번역

장군매의 학술 활동은 크게 저작과 번역 두 측면으로 나눌 수 있다. 물론 이것과 함께 학술과 정치에 관한 강연 등도 포함할 수 있다.

---

6) 鄭大華, 『張君勱傳』, 1쪽.

1. 저작

장군매의 저작 활동은 1906년 그의 나이 20세 무렵부터 시작하였다. 그의 저작 목록을 정리하면 다음과 같다.

[표5-2] 장군매의 주요 저작 목록[7)]

	서명	출판사	출판 연도	비고
1	『國憲議』	上海時事新報社	1922	
2	『新德國社會民主政象記』	上海商務印書館	1922	
3	『國內戰爭六講』	江蘇自治學院	1924	
4	『武漢見聞』	國立政治大學	1926	
5	『蘇俄評論』	上海新月書店	1927	저자명이 世界室主人으로 되어 있음.
6	『史太林治下之蘇俄』	北平再生雜誌社	1933	
7	『民族復興之學術基礎』	北平再生雜誌社	1935	
8	『明日之中國文化』	上海商務印書館	1936	
9	『立國之道』	桂林商務印書館	1938	
10	『尼赫魯傳』	重慶再生雜誌社	1940	
11	『印度復國運動』	重慶商務印書館	1941	
12	『法國崩壞日記』	重慶商務印書館	1943	
13	『中華民國民主憲法十講』	上海商務印書館	1947	
14	『從陶尹皮文化自覺說看中國』	香港自由出版社	1951	
15	『比較中日陽明學』	臺北中華文化事出版判委員會	1953	
16	『義理學十講綱要』	臺北華國出版社	1955	
17	『辨證唯物主義駁論』	香港友聯出版社	1958	
18	『張君勱新大陸言論集』	香港自由出版社	1959	鄒自强 編
19	『張君勱先生開國前後言論	臺北再生雜誌社	1971	

	集』			
20	『中西印哲學文集』(上·下冊)	臺灣學生書局	1981	程文熙 編
21	『新儒家思想史』	臺北弘文館	1986	
22	『中國專制君主政制之評議』	臺北弘文館	1986	
23	『社會主義思想運動槪觀』	臺北稻香出版社	1988	

이상의 목록에서 알 수 있는 것처럼, 장군매의 주요 저작은 정치와 학술, 특히 유학에 관한 저작이 대부분을 차지한다. 이것은 그의 전 생애가 정치와 학문의 이중주였다는 것을 보여준다.

2. 번역

장군매는 몇 권의 번역서를 출판하였다. 그는 또 자신이 번역한 글을 논문으로 발표하였다. 그 목록을 정리하면 다음과 같다.

[표5-3] 장군매의 주요 번역 논문과 서적 목록8)

	서명	저자	출판사	출판 연도	비고
1	「譯〈穆勒約翰議院政治論〉」		《新民總報》第4年 18號	1906	
2	『國際立法條約集』		北京正蒙印書局	1912	上海神州大學 編,

7) 呂希晨·陳瑩, 『張君勱思想硏究』, 653-654쪽. 장군매의 저작, 논문과 번역 문헌의 구체적인 목록은 이 책의 부록 「張君勱論著編年目錄」(385-420쪽)에 보인다.

					『梁任公先生演說集』第一集, 北京正蒙印書局, 1912年 12月.
3	「世界議和文牘滙錄」			1918	譯輯. 《東方雜志》 15권 제4호. 1918년 4월 15일.
	「世界議和文牘滙錄」(續)				譯輯. 《東方雜志》 15권 제5호. 1918년 5월 15일.
	「世界議和文牘滙錄」(續)				譯輯. 《東方雜志》 15권 제6호. 1918년 6월 15일.
4	「俄羅斯蘇維埃聯邦共和國憲法全文」			1919	《解放與改造》 제1권 6호. 1919년 11월 15일.
	「國際聯盟條約草案」				《法政學報》 제1권 11기.
	「國際聯盟條約修正案」				《法政學報》 제1권 11기.
5	「國家哲學」	한스 드리쉬(Hans Driesch,		1922	드리쉬가 강소성(江蘇省) 법정전문학교(法政專門學校)에서 행한

		1867-1941)			강연. 《時事新報·學燈》 1922년 12월 19일.
6	『杜里舒演講錄』	한스 드리쉬	上海商務印書館	1923	1923년 1월.
	『康德后繼之哲學』	한스 드리쉬 강연			南京 《文哲學報》 제4기.
7	『愛因斯坦相對論及其批評』	한스 드리쉬	上海商務印書館	1924	아인슈타인의 상대성이론
8	『心與物』		上海商務印書館	1925	
9	『政治典范』		商務印書館	1926	署名 張士林
10	「菲希德對德意志國民演講摘要」			1932	《再生》 제1권 3기. 1930년 7월 20일.
	「菲希德對德意志國民演講摘要」				《再生》 제1권 4기. 1930년 8월 20일.
	「菲希德對德意志國民演講摘要」				《再生》 제1권 5기. 1930년 9월 20일.
11	『菲希德對德意志國民演講』	R. C. 오이켄(Rudolf Christoph	《再生》雜誌社	1933	1933년 3월.

<table>
<tr><td></td><td></td><td>Eucken 1846-1926) 節本</td><td></td><td></td><td></td></tr>
<tr><td>12</td><td>『全民族戰爭論』</td><td>루덴도르프(Ludendorff, 1865-1937)</td><td>上海國民經濟研究所</td><td>1937</td><td>독일의 군사 전략가, 장군.</td></tr>
<tr><td rowspan="3">13</td><td>「福煦大將軍對捷克的預言」</td><td></td><td></td><td rowspan="3">1939</td><td>《再生》 제19·20 合刊</td></tr>
<tr><td>「自由陣線之恢復」</td><td></td><td></td><td>《再生》 제25기. 1939년 6월 10일.</td></tr>
<tr><td>「波蘭之國際地位」</td><td></td><td></td><td>《再生》 제27기. 1939년 6월 19일.</td></tr>
<tr><td>14</td><td>『雲南各夷族及其言語研究』</td><td>H. R. 데이비스(Davis)</td><td>長沙 商務印書館</td><td>1941</td><td></td></tr>
<tr><td>15</td><td>『近一百五十年之印度』</td><td>네루(Jawaharlal Nehru, 1889-1964)</td><td>重慶 商務印書館</td><td>1942</td><td>『印度復國運動』 상권. 1942년 12월 초판.</td></tr>
<tr><td>16</td><td>『法國崩壞日記』</td><td>AQMSTRONG</td><td>重慶 商務印書館</td><td>1943</td><td>1943년 5월.</td></tr>
</table>

그의 번역 문헌은 주로 서양의 정치, 국제법 등과 관련한 것이 많다.

3. 신유학 관련 문헌

장군매는 1949년 그의 63세가 되었을 무렵 실제적으로 정치 무대에서 물렀다. 그는 이후 주로 학술 활동에 종사하였다. 이 당시 장군매의 학술 활동에서 중요한 것은 신유학 관련 작업이었다. 그의 신유학 관련 문헌 목록을 정리하면 다음과 같다.

[표5-4] 장군매의 신유학 관련 주요 문헌 목록[9]

	논문/저작명	발행지	발행연도	비고
1	『中國哲學中之理性與直覺』	香港 《再生》	1955	
	『比較中日陽明學』	臺北 中華文化出版事業委員會		
	『義理學十講綱要』	臺北 華國出版社		
2	『新儒家哲學思想史』(上冊)(英文版)		1957	미국에서 출판. 1957년 3월.
3	「孟子哲學」(待續)	臺北 《民主中國》 제1권 5기.	1958	1958년 12월 1일.

8) 呂希晨·陳莹, 『張君勱思想研究』, 天津人民出版社, 1996; 鄭大華, 『張君勱傳』, 中華書局, 1997; 鄭大華, 『張君勱』 北京圖書館出版社, 1999; 啓良, 『現代新儒學批判』, 上海三聯書店, 1996. 참조 요약.

4	「孟子哲學」(續完)	臺北 《民主中國》 제2권 4기.	1959	1959년 2월 16일.
	「儒家哲學之復活」	臺北 《民主中國》 제2권 6기.		1959년 3월 16일.
5	『新儒家哲學之基本範疇』	香港 《人生》 잡지 제232기.	1960	1960년 7월 1일.
	『新儒家之基本範疇』(上)	臺北 《民主中國》 제3권 15기.		1960년 8월 1일.
	『新儒家之基本範疇』(下)	臺北 《民主中國》 제3권 16기.		1960년 8월 16일.
	『儒家思想與中國共產主義』	서독 《東歐》 잡지 제10권 4기.		
6	「儒家倫理學之復興」	香港 《人生》 잡지 제245기.	1961	1961년 2월.
	「儒家倫理學之復興」(續)	香港 《人生》 제252기.		1961년 5월.
	『孟子哲學之意義』			1961년 10월. 王春光 漢譯.
7	『新儒家哲學思想史』(下冊)			영문판. 미국에서 출판.
8	「漢學宋學對于吾國文化史上之貢獻」		1964	
	「儒學之復興」	香港 《人生》		1964년 6월 16일.

		제327기.		
	「宋代儒學復興之先例」	香港 《人生》 제356기.		1964년 11월.
	「孟子致良知說與當代英國直覺主義倫理學之比較」(英文)			江日新 漢譯, 臺灣《淸華學報》 제8권 2기.
9	「新儒家政治哲學」	《自由鍾》	1965	
	「孔子與栢拉圖倫理思想的比較」	《思想與時代》 잡지 제132기		
10	『孟子哲學』	미국 東方人文學會 出版	1967	『儒學在世界論文集』에 수록.
11	『孟子與栢拉圖』		1967	
12	「新儒家哲學之基本範疇」	《民主社會》 잡지 제6권 1기	1970	1970년 2월.
	「中國哲學中之理性與直覺」	《民主社會》 제6권 1기.		1970년 2월.
13	「新儒家思想史」	臺北 《再生》	1974	1974년 1월부터 1975년 12월까지 연재.
	「中國學術思想上漢末宋兩派之長短得失」	臺北 《再生》 제4권 3기.		
14	『新儒家思想史』	臺北 弘文館出版社	1986	1986년 2월.

9) 위와 같음.

4. 강연

장군매는 글을 쓰는 한편 강연을 통해 자신의 정치적 관점과 학술 사상을 발표하였다. 그의 강연과 관려한 주요 내용을 정리하면 다음과 같다.

[표5-5] 장군매의 주요 강연 목록10)

	주제	장소	발표연도	비고
1	"人生觀"	중국 청화대학교	1923	1923년 2월 14일 청화대학교에서 강연함. 丁文江의 비판으로 人生觀과 科學의 논쟁이 일어났음.
2	"儒家受佛教影響之後之復活" "中國現代文藝復興" "孔子哲學" "孟荀哲學" "老子哲學" "中國政黨之發展"	인도	1949	印度協會付印出版.
3	"中國現代化與儒家思想復興"	한국	1965	서울에서 열린 "亞細亞近代化問題國際學術大會"에서 강연함. 1965년 6월

				29일.

위에서 이미 지적한 것처럼, 장군매의 일생은 정치와 학문 사이를 배회한 삶이었다. 그런데 정치와 학문에서 먼저 정치가 그 주동적 역할을 하였다. 그러므로 우리는 아래에서 장군매의 일생을 고찰하면서 먼저 그의 정치 여정을 살펴보고 난 뒤에 학문 여정을 살펴보기로 한다.

제3절 정치의 여정

장군매의 정치 역정은 1907년 그의 나이 21세 때 양계초와 함께 정문사(政聞社) 창립에 참가한 일부터 시작되었다고 말할 수 있다. 그는 1908년 중국으로 돌아와 헌정운동(憲政運動)을 발동하였는데 청나라 정부의 처벌을 피해 다시 일본으로 돌아갔다. 그런데 그는 일본에서 '자의국사무조사회'(諮議局事務調查會)에 창립에 참여하고, 《헌정신지》(憲政新志)를 출판하였다.

1911년 귀국하여 청나라 정부의 전시(展試)에 참가하여 한림원(翰林院) 서길사(庶吉士)에 제수되었다. 신해혁명(辛亥革命) 이후 보산현(寶山縣)으로 돌아가 의회(議會) 의장(議長)이 되었다. 1912년 북경에서 농상부(農商部) 비서가 되었다. 1922년 '국시회의'(국시회의)에 참가하고 《헌법대강》(憲法大綱)을 기초하고, 『국헌의』(國憲議)를 저술하였다. 1932년 장동순(張東蓀), 호석청(胡石青) 등과 함께 북평(北平)에서 비밀

10) 위와 같음.

리에 중국국가사회당(中國國家社會黨, 國社黨)을 창립하였으며, 동시에 월간지 《재생》(再生)을 출판하였고, 「우리가 해야 할 말」(我們要說的話), 「국가민주정치와 국가사회주의」(國家民主政治與國家社會主義) 등과 글과 강연을 하였다. 1934년 7월 국사당 제1차 전국대표회의에서 중앙총무위원 겸 총비서로 선출되었다.

1937~8년에는 장개석(莊介石)의 개최한 여산담화회(廬山談話會), 국방참의회(國防參議會) 등에 참가하였고, 국민당(國民黨)의 참정회(參政會) 참정원(參政員)으로 참여하였다.

1941년 양수명(梁漱溟), 좌순생(左舜生) 등의 제의로 국사당(國社黨), 청년당(青年黨), 제3당(第三黨) 등의 조직과 연합하여 중국민주정단동맹(中國民主政團同盟)을 결성하였고, 장군매는 중앙집행위원(中央執行委員)과 국제관계위원회(國際關係委員會)의 주임위원(主任委員)이 되었다. 1944년 중국민주정단동맹을 중국민주동맹(中國民主同盟)으로 개칭하고, 장군매가 또 중앙상무위원(中央常務委員), 중앙집행위원(中央執行委員)으로 선출되었다. 1946년 《중화민국헌법초안》(中華民國憲法草案)을 기초하는 작업에 참여하였다. 다음 해 「중화민국민주헌법십강」(中華民國民主憲法十講)을 발표하였다.

1949년 10월 타이베이[臺北]에서 장개석을 만났으며, 홍콩으로 돌아와 민사당 중앙상무위원회를 개최하였다. 이때부터 그는 사실상 정치적 무대에서 물러났다.11)

정대화는 정치 활동을 했던 장군매에 대한 평가를 다음과 같이 하였다.

---

11) 呂希晨·陳瑩, 『張君勱思想硏究』, 24쪽, 참조 요약.

장군매의 일생은 모순으로 충만하다. 그는 국민당에 납치되었고, 2년 동안 연금되었으면서도 또 장개석의 귀한 손님[座上客]이 되어 국민당의 반공내전정책(反共內戰政策)을 지지하였다. 그는 공산당과 매우 좋은 관계를 유지하였는데 61세 생일 때 주은래(周恩來)는 그에게 "민주지수"(民主之壽)라는 수편(壽匾)을 보냈으며, 또 공산당 인사와 양립할 수 없었기에 모택동(毛澤東)은 그를 마지막 전범이라고 선포하였다. 그는 중국민주정단동맹(中國民主政團同盟)(뒤에 民主同盟이라 칭하였다)의 창립자 가운데 한 사람으로 오랫동안 민주동맹의 중요한 지도자였으며, 또 민주동맹의 정치원칙을 위배하여 민주동맹에 의해 퇴출되었다. 그는 열정적으로 러시아 10월 혁명을 중국에 소개하였는데 요즘 사람들이 통용하는 "소유애"(蘇維埃, 소비에트)라는 용어는 그가 처음 사용한 것이며, 또 러시아 10월 혁명에 지나치게 제멋대로 공격하였는데 평생 중국이 러시아인이 걸어갔던 길을 따라가는 것을 반대하는 것이 옳다고 생각하였다.[12)]

그런데 여기에서 우리가 좀 더 고찰할 필요가 있는 것은 정대화가 말한 '모순'의 의미이다. 정대화의 말을 단순히 이해하면 장군매의 정치 활동은 '기회주의자'로 보일 가능성이 있다. 그러므로 정대화의 말처럼, 중국의 좌파와 우파, 즉 공산당과 국민당은 모두 장군매를 배척하였다. 그렇다면 왜 중국의 좌파와 우파는 모두 장군매를 부정하였을까? 그 이유는 무엇일까?

……1950년대 이후 장군매는 의연히 "제3세력"의 입장을 견지하였는데, 공산당에 반대하고 또 장개석 개인 독재에 대해서도 불만이었기 때문에 항상 국민당을 비판하는 언론을 발표하였다. 예를 들어 장개석이 헌법을 위반

12) 鄭大華, 『張君勱傳』, 2쪽.

하고 세 차례 대만 "총총" 경선에 나가 당선되었을 때 그는 뇌진(雷震)이 주편한 《자유중국》(自由中國)에 〈우리는 헌법 훼손을 책동한 자에게 경고함〉(我們對毀憲策動者的警告)이라는 글을 발표하여 장개석에게 경고하고 또 미국에서 두 차례 전보를 보내 장개석이 경선으로 "총통"이 된 합법성을 인정하지 않았다.13)

그러므로 우리가 묻는 것은 장군매의 정치적 입장에 대한 '기회주의자'라는 평가는 정당한가? 전혀 그렇지 않다. 중화인민공화국의 성립은 공산당 일당 독재를 의미하였고, 또 대만의 장개석 정부 역시 독재정권이었다는 점은 명백한 사실이기 때문이다. 그런데 장군매가 어떻게 그런 정치 체제를 지지할 수 있었겠는가? 그런 까닭에 그는 '제3세력'의 정치집단을 만들려고 노력한 것이다. 오히려 호적과 같이 장개석 독재정권에 부역한 인물들이 더 비판을 받아야 마땅하다.

제4절 학문의 여정

장군매는 당시 다른 인물과 마찬가지로 처음에는 전통의 구학문을 배웠다. 그러나 뒤에 외국 유학을 통해 구체적으로 서양 학문을 접하게 되었다.

1. 학문의 여정 1: 전통학문

13) 같은 책, 582쪽.

장군매는 1891년 6세 때 동생 가오(嘉璈, 자 公叔)와 함께 가숙(家塾)에 들어갔다. 1897년 12세 때 상해광방언관(上海廣方言館)에 입학하였다. 이곳은 1863년 이홍장(李鴻章)의 상주로 청나라 정부가 세운 학교인데 양무운동(洋務運動)의 산물이었다. 그는 이곳에서 국문(國文)과 영문(英文)을 배웠다. 그는 이 시기에 중국의 고서—사마광(司馬光)의 『자치통감』(資治通鑑), 증국번(曾國藩)의 『증문정공전집』(曾文正公全集), 고염무(顧炎武)의 『일지록』(日知錄), 주희(朱熹)의 『근사록』(近思錄) 등을 읽었다.[14]

1902년 17세 때 장군매는 보산현(寶山縣) 현시(顯試)에 응시하여 수재(秀才)로 선발되었다. 이것은 중국 전통의 학문을 바탕으로 한 것이다. 그는 이처럼 젊은 시절 유학에 대한 학습을 통해 전통 유학에 관한 깊은 이해를 하였다.

장군매가 전통 유학에 대해 새롭게 인식하게 된 계기는 1918년 제1차 세계대전 이후 유럽에 가서 독일의 오이켄과 프랑스의 베르그송을 만난 뒤 서구 문명의 한계와 유럽의 새로운 철학 사조를 만나면서 중국 전통의 유학에 대한 새로운 인식을 하게 된 것이 그 계기였던 것으로 보인다.

딩원지앙 선생! 1919년 파리에 머물 때를 생각해보라. 량치차오와 장바이리(莊百里, 1882~1938), 쉬신류(徐新六, 1890~1938) 등이 중국의 사상 변화에 자극받아 베르그송을 만나고 문예 부흥사를 연구할 때, 나는 이런 것들에 무관심했었다. 왜 그랬을까? 내 마음에 그러한 충동이 없었기 때문

14) 鄭大華, 『張君勱傳』, 5-6쪽.

> 이다. 그러나 오이켄을 만나고 난 후에는 단번에 마음이 끌려 국제정치학에 대한 관심을 잠시 접어두었다. 어떤 이유 때문인가? 가슴속의 열정을 발산하지 않으면 참을 수 없을 정도로 답답했기 때문이다. 그 후로 나는 서양 학술의 원류에 대해 깊이 연구하기 시작했다. 광활한 학문 영역에 비해 내 능력이 보잘 것 없다는 사실에 탄식할 수밖에 없었다.15)

그는 1949년 정치 무대에서 물러나면서 주로 강연과 저작을 통해 중국 신유학의 관점으로 서구 문명을 대체할 수 있는, 또는 보완할 수 있는 학문으로 중국의 신유학을 주장하였다. 그러므로 그의 학문 역정에서 중국 신유학은 언제나 핵심 이론이 되었다. 그러나 이것은 단순히 전통 유학을 전적으로 긍정하는, 즉 전통 유학을 되풀이하는 것을 의미하지는 않았다.

> 그는 한편으로 중국 유가철학의 전통을 계승하고 발휘하였으며, 다른 한편으로 또 서양 근현대 철학의 사상 요소를 흡수하고 융합하였는데, 그의 유실적 유심주의(唯實的唯心主義) 체계는 유가철학과 서양 근대철학, 특히 칸트철학의 종합물이라고 말할 수 있다. 그는 서양철학 중의 이성주의와 경험주의, 중국 유가철학 중의 맹자와 순자, 육왕(陸王)과 정주(程朱)의 분기(分岐)를 조절하고 융합하여 심물(心物)의 평형, 이지(理智)와 직각(直覺를 함께 중시함, 도덕과 과학을 함께 강조하는 것을 실현해야 한다고 주장하였다.16)

중국의 전통 유학에 대한 단순히 보수적인 고수가 아니라 '새로운'

15) 장쥔마이, 「인생관과 과학을 다시 논함」, 천두슈 외, 『과학과 인생관』, 한성구 옮김, 산지니, 2016, 171쪽.
16) 鄭大華, 『張君勱傳』, 606쪽.

이해였다. 그것은 당연히 시대적 변화가 그러한 '새로운' 이해를 요구한 것이다. 문제는 중국 전통의 유학에서 무엇을, 그리고 어떤 시각에서 취사선택을 할 것인지 그 기준이었다.

2. 학문의 여정 2: 신학문

장군매가 비록 처음에는 가숙에서 전통적 학문을 배웠고 상해광방언관에서 중국 고전문헌을 읽었지만, 그는 이 시기에 이미 영문, 라틴어를 배웠으므로 신학문을 접할 수 있는 기본 소양을 갖춰 나가고 있었다.

1903년 17세 때는 진단학원에 진학하여 라틴어, 서양철학과 역사를 배웠다. 1906년 보산현(寶山縣)의 장학생에 선발되어 일본 와세다[早稻田] 대학에서 정치학, 국제법, 헌법, 재정학과 경제학을 배웠으며, 동시에 독일어도 학습하였다. 그는 1910년 와세다 대학 정치학과를 졸업하였다. 19013년 독일 베를린대학에 입하여 정치학과 국제법을 배웠다. 1916년 3월 귀국하였다. 이때까지 장군매가 주로 배운 것은 정치학을 중심으로 한 사회과학이었다. 이것은 당시 중국이 서구 식민지 제국주의에 의한 국가 위기에 처했던 급박한 현실에 대한 우환의식 때문으로 생각한다.

그런데 그는 다시 1918년 제1차 세계대전이 끝난 뒤 양계초 등과 함께 다시 유럽을 시찰하였다. 그때 독일 철학자 R. 오이켄(Rudolf Eucken)을 방문하여 담화를 나누었는데 크게 감동을 하였다. 그래서 1920년 예나(Jena)로 옮겨와 그에게 철학을 배웠다. 다음 해 오이켄과 함께 『중국과 유럽의 인생 문제』(中國與歐洲的人生問題)를 저술하였다. 얼마 뒤에는 프랑스 철학자 베르그송과 함께 중국과 서양의 여러 가지 철학을 비교하는 연구와 토론을 하였다. 그리고 다음 해 귀국하였다. 이 과정에서 장군매는 중국 전통 유학에 대한 새로운 인식을 하는 계기를 얻게 된 것으로 추정할 수 있다. 왜냐하면 장군매는 서구문명의 한계와 그 대안으로 중국 전통 유학에 대한 새로운 인식, 즉 긍정적 측면을 발견할 수 있었기 때문이다. 이것은 장군매의 인생에서, 즉 정치 역정과 학문 역정에서 모두 매우 중요한 의미가 있다.

1923년 2월 청화대학에서 〈인생관〉 강연을 하여 정문강과 과학과 인생관 논전을 하였다. 같은 해 상해에 자치학원(自治學院)을 세워 원장(院長)을 맡으면서 '유물사관비판'(唯物史觀批判)이란 과목을 강의하였다. 1930년 연경대학(燕京大學) 교수로 있으면서 주로 헤겔 철학을 강의하였다.

3. 전통학문과 신학문의 관계

장군매의 학문 섭력 과정에서 그는 당시의 다른 사람들과 마찬가지로 먼저 전통학문을 배웠다. 그런데 그는 12세 때 어머니의 말을 받들어 신학문을 배우기 시작하였다. 그러므로 그의 사고가 익어갈 무렵부터는 서양 학문의 영향이 매우 컸다고 할 수 있다. 그렇지만 그는 다른 한편으로 중국의 전통학문 역시 학습하였다. 그는 특히 선진유학과 송명유학을 매우 높게 평가하였다. 그러므로 그의 학문에는 전통학문과 신학문이 모두 중요한 역할을 담당하였다.

그는 어려서 신식 학당에 들어갔고, 일본과 독일에서 유학하였지만 오히려 수재(秀才)와 한림(翰林)의 공명(功名)을 얻었다. 그는 3개국어에 통달하여 독일어와 영문으로 쓴 저작이 있지만 도리어 백화문(白和文) 사용을 거부하였다. 그가 발표하고 출판한 중문 논저는 모두 문언문(文言文)을 써 완성하였다. 이와 같은 것 등등이다.17)

장군매가 철학에 좀 더 진지하게 관심을 갖게 된 계기는 1918년 제1차 세계대전이 끝난 뒤 독일에 갔을 때 이후로 보인다.

딩원지앙 선생! 1919년 파리에 머물 때를 생각해 보라. 량치차오와 장바이리(蔣百里, 1882~1938), 쉬신류(徐新六, 1890~1938) 등이 중국의 사상변화에 자극받아 베르그송을 만나고 문예 부흥사를 연구할 때, 나는 이런 것들에 무관심했었다. 왜 그랬을까? 내 마음에 그러한 충동이 없었기 때문이다. 그러나 오이켄을 만나고 난 후에는 단번에 마음이 끌려 국제정치학에 대한 관심을 잠시 접어두었다. 어떤 이유 때문인가? 가슴속의 열정을 발산하지 않으면 참을 수 없을 정도로 답답했기 때문이다. 그 후로 나는 서양학술의 원류에 대해 깊이 연구하기 시작했다. 광활한 학문 영역에 비해 내 능력이 보잘 것 없다는 사실에 탄식할 수밖에 없었다.18)

그는 당시 그곳에서 독일 철학자 R. 오이켄(Rudolf Christoph Eucken, 1846-1926), 프랑스 철학자 H. 베르그송(Henri Bergson,

---

17) 같은 책, 2쪽.
18) 장쥔마이, 「인생관과 과학을 다시 논함」, 천두슈 외, 『과학과 인생관』, 한성구 옮김, 산지니, 2016, 171쪽.

1859-1941)과 만났다. 이 당시 유럽은 기존의 세계관이 무너지고 자연과학의 발전으로 철학의 정체성이 위협을 받는 상황이었는데 삶의 가치, 인생에 관한 근본 질문을 하게 되었다.[19] 이 두 사람의 서양 철학자들 가운데 베르그송은 경험론과 합리론을 강조하는 이성 중심주의와 달리 직관을 중심으로 한 반이성주의 경향을 대표하는 철학자이다. 그는 과학 만능과 이성에 대한 극단적인 신뢰를 강조하는 철학에 비판적이었다.[20] 베르그송은 "이성에 대한 직관과 본능의 우월성을 강조했으며", "인간의 이성은 근원적인 실재와 전혀 다르며 어떤 경험의 흐름이나 충동의 흐름을 절단해서 얻은 고정물과 관계하는 것"이기 때문에 "따라서 진정으로 살아있는 것에 대해서는 다룰 수가 없다"고 지적하였다.[21] 베르그송 철학에서 "진정으로 살아있는 것"은 "'생명의 약동', '지속', '창조적 진화"이고, 이것을 파악하는 방법은 '직관'인데 "직관은 현실과 실재를 그 내부에서 직접 파악하는 인간의 능력이며, 이것으로는 생명 활동과 같은 내면 세계를 파악한다"는 것이다.[22] 오이켄은 '신이상주의'를 표방하였는데, "그는 인간이 '정신생활'을 통해 자연의 속박으로부터 벗어나는 독립성을 획득할 수 있으며, 이러한 '정신생활'이 인간 개개인의 자기보존에 그치는 것이 아니라 사회나 세계와 같은 전체로 무한하게 확대될 수 있다"고 생각하였다.[23] 그는

---

19) 최호영, 「오이켄(R. Eucken) 사상 수용과 한일 지식인의 '문화주의' 전개양상-다이쇼기 일본 사상계와 『학지광』을 중심으로-」, 한림대학교 일본학연구소, 『한림일본학』 제32집, 2018, 154쪽.

20) 최홍식, 「베르그송 철학의 중국적 전개-양수명의 직관 이론을 중심으로」, 한국철학사상연구회, 『시대와 철학』 9, 1998, 26쪽.

21) 같은 논문, 29쪽.

22) 위와 같음.

23) 최호영, 「오이켄(R. Eucken) 사상 수용과 한일 지식인의 '문화주의' 전개양상-다이쇼기 일본 사상계와 『학지광』을 중심으로-」, 156쪽.

결국 “외부세계에서 내부세계로, 자연적인 것에서 정신적인 것으로 인생관을 전환시킴에 따라 인간 개개인의 특수한 가치를 발견하고자 했으며, 개체의 개성을 전체의 인격으로 발휘하는 방향으로 ‘정신생활’을 정초하려”고 하였다.[24] 그러므로 이들의 정신을 강조하는 철학 사조가 장군매에게 새롭게 다가왔을 것이다.

장군매는 자신의 학문과 정치에 대한 태도를 이렇게 말하였다.

> 나의 학문 태도와 정치적 지향에는 일관된 원칙이 있다. 그것은 ‘나를 인정하여 써주면 도를 천하에 행하고, 버리고 써주지 않으면 도를 내 몸에 간직한다’(用之則行, 舍之則藏)는 것이다. 내가 어떤 것을 알려고 하지 않거나 하려고 하지 않는 것은 아직 때가 아니라서 그런 것이 아니다. 또 내가 어떤 것을 알려고 하거나 하려고 하는 것도 때가 좋아서 그런 것이 아니다. 이름을 날리기 위해 때의 좋고 나쁨을 따진다면 학문적 성과뿐만 아니라 명성도 얻지 못할 것이다. 그러면 결국 명예를 도둑질하는 수밖에 없다. 정치나 학문이 모두 마찬가지다.[25]

이것은 전통적 유학자의 관점, 태도와 일치한다. 그런 까닭에 그의 학문에는 특히 유학적 관점이 그 핵심이었다. 그는 전통 유학을 중심으로 서양의 정신문화와 물질문화를 비판, 수용한 것이다.

1949년 이후 장군매는 사실상 현실 정치의 무대에 물러났다. 그 이후 그의 인생 역정은 주로 학술적인 작업이었다. 그 주요 작업은 중국 신유학의 저술과 강연이었다.

1949년 11월 인도 교육부의 초정으로 11개 대학에서 〈중국철학〉

---

24) 위와 같음.
25) 장쥔마이, 「인생관과 과학을 다시 논함」, 171쪽.

(中國哲學), 〈중국 정당의 발전〉(中國政黨之發展), 〈불교의 영향을 받은 뒤의 유가의 부활〉(儒家受佛教影響后之復活) 등의 강연을 하였다. 1955년 『비교중일양명학』(比較中日陽明學)을 출판하였다. 미국에서 〈의리학십강강요〉(義理學十講綱要)를 강연하였다. 1957년과 1962년에 『신유가사상사』(新儒家思想史)(上下冊)을 출판하였다. 1958년 당군의(唐君毅)·모종삼(牟宗三)·서복관(徐復觀) 등과 함께 〈중국문화를 위해 세계 인사에게 삼가 알리는 선언-우리의 중국 학술 및 중국문화와 세계문화의 전도에 대한 공통인식〉(爲中國文化敬告世界人事宣言—我們對中國學術及中國文化與世界文化前途之共通認識)을 발표하였다.

1960년부터 《인생》(人生), 《동서철학》(東西哲學) 등 여러 잡지에 「신유가 철학의 기본 범주」(新儒家哲學之基本範疇), 「유가 윤리학의 부흥」(儒家倫理學之復興) 등의 글을 발표하였다. 또 『중국철학가—왕양명』(中國哲學家—王陽明)을 출판하였다. 1963년 8월에는 「인생관 논정의 회고-40년 이래 서양 철학계의 사상가」(人生觀論戰之回顧—四十年來西方哲學界之思想家)를 3회에 걸쳐 발표하였다. 1965년 이후 4년 동안 「자유중국협회연기」(自由中國協會緣起), 「국민심리지전이」(國民心理之轉移), 「신유가정치철학」(新儒家政治哲學), 「문화핵심문제—학문지독립왕국론」(文化核心問題—學問之獨立王國論), 「명일지중국문화재판신서」(明日之中國文化再版新序) 등 30여 편의 논문을 썼다. 또 1965년 한국 고려대학교에서 「중국현대화여유가사상부흥」(中國現代化與儒家思想復興)이라는 논문을 발표하였다. 1967년에는 싱가포르에서 〈사회주의운동개관〉(社會主義運動概觀), 〈일백오십년지사회주의〉(一百五十年之社會主義) 등을 강연하였다. 같은 해 12월 미국 일리노이대학에서 〈서양의 도전에대한 중국의 반영〉(中國對于西方挑戰之反映)을 강연하였다. 1968년

『맹자와 플라톤』(孟子與柏拉圖)이라는 미완성 글을 남겨두고, 1969년 83세로 세상을 떠났다.26)

제5절 그에 대한 평가

정대화는 장군매에 대한 이전의 여러 가지 다양한 평가를 이렇게 소개하였다.

> 20세기에 시작하여 사람들은 장군매에 대해 서로 다른, 심지어는 확연히 반대되는 평가를 하였는데, 어떤 사람은 그를 '현학귀'(玄學鬼), '반동분자'(反動分子), '진보당 잔당'[進步黨餘孽], '지주자산계급의 대변인'[地主資産階級代言人], '국민당의 졸개'[國民黨幫凶]라고 말하였다. 어떤 사람은 그를 '공산당의 주구'[共産黨走狗]라고 말하였다. 또 어떤 사람은 그를 '정치가'(政治家), '사상가'(思想家), '대학자'(大學者), '국사'(國士), '일대종사'(一代宗師), '지식인의 모범'[知識分子楷模]……라고 칭하였다.27)

이처럼 장군매에 관한 평가는 긍정적인 것과 부정적인 것이 모두 있다. 그것은 아마도 장군매의 학문과 정치 두 측면에서 나온 것이리라. 그렇다면 우리는 이러한 서로 대립하는 다양한 평가에 대해 어떻게 '평가'할 수 있을까? 필자는 이러한 여러 가지 평가 역시 그 자체로는 의미가 있는 것으로 존중해야 한다고 생각한다. 그런데 그들의 이러한 다양한 평가의 근거가 무엇인지는 다시 살펴볼 필요가 있다고

---

26) 呂希晨·陳瑩, 『張君勱思想硏究』, 4-6쪽 참조 요약.
27) 鄭大華, 『張君勱傳』, 2쪽.

생각한다.

계량(啓良)의 관점이다. 그의 평가는 비교적 긍정적이다.

> 우리나라(중국-인용자) 대륙의 청년들이 현재 알고 있는 지식에 의하면 장군매는 반과학을 제창한 현학의 인물로 사람들이 "현학귀"(玄學鬼)라 칭하였다. 실제로 장군매는 양계초(梁啓超), 양수명(梁漱溟) 두 사람과 마찬가지로 (세상일에) 고심하였던 인물이고, 매우 성취가 있던 사상가였다. 그는 40년대 이전에 대륙에서 양수명·웅십력(熊十力)과 함께 신유학의 사상적 기초를 세웠을 뿐만 아니라 대륙을 떠난 뒤에는 또 홍콩과 대만에서 당군의(唐君毅)·모종삼(牟宗三)·서복관(徐復觀) 등과 함께 사상 그룹을 형성하여 신유학이 새로운 수준으로 발전하도록 하였다. 이것뿐만 아니라 장군매는 외국어도 뛰어나 서양철학에 대한 깊은 연구를 하였으며, 또 중서철학의 비교연구를 기초로 하여 중국문화의 특징을 파악하였다. 이러한 것들은 양수명과 웅십력이 미칠 수 없는 것이다.[28]

정대화의 말이다.

> 그런데 장군매 자신은 때로 자신은 실패자라고 생각하였다.[29]

장군매 자신은 "학술과 정치 사이를 배회하였다"(徘徊于學術與政治之間)고 말하였다. '배회하였다'라는 말에서 부정적 어감이 보이지만 그는 또 자신은 "정치 활동을 하면서 학술을 잊지 않았고, 학술 연구를 할 때는 정치를 잊지 않았다"(從事政治活動時不忘學術, 從事學術研究時

28) 啓良, 『新儒學批判』, 120쪽.
29) 鄭大華, 『張君勱傳』, 2쪽.

不忘政治)고 말하였다.30)

그가 홍콩에 있을 때 기자의 방문 취재가 있었는데 그때에도 이렇게 말하였다.

> 내 자신의 흥취로 학문과 정치 사이를 배회하였는데, 정치에서 나를 필요로 하지 않으면 학문에 대한 흥취가 세월을 보내기에 충분하였고, 정치에서 나를 필요로 하면 나는 국가를 사랑하고 문화를 사랑하는 까닭에 마땅히 해야할 의무라 생각하고 부름에 응당하지 않을 수 없었다.31)

그러므로 우리는 장군매의 자신은 '실패자'라는 자평은 겸손의 말로 이해하는 것이 정당할 것이다. 아니면 그의 정치 활동 가운데 실재적으로 성공을 거둔 것이 별로 없었다는 생각에서 나온 솔직한 말이라고 이해할 수도 있다. 그러나 그의 정치 활동이 결과적으로 어떤 성공을 이루지 못했다고 하더라도 난세에 태어난 한 지식인으로서 그의 모든 역량을 동원하여 '구망'(救亡)에 나섰다는 점 그 자체는 매우 높게 평가할 일이다. 그러므로 그가 결과적으로 어떤 성과를 얻었는가, 하는 후일담의 평가는 다른 차원의 문제이다.

그러나 계량은 이와는 달리 평가하였다.

> 그의 일생 학술 목표는 유학을 부흥하는 것이었고, 정치 목표는 민주헌법정치 체제를 건립하여 중국사회의 현대화를 실현하는 것이었다. 이 두 측면에서 장군매는 모두 탁월한 성취를 이루었다고 말할 수 있다.32)

---

30) 같은 책, 1쪽.
31) 같은 책, 571쪽.
32) 啓良, 『新儒學批判』, 123쪽.

그렇다면 장군매는 왜 자신을 '실패자'로 생각한 것일까? 이것은 단순히 겸손의 말은 아닐 것이다. 정대화는 그 원인을 다음과 같이 말하였다.

장군매의 일생을 종합적으로 살펴보면, 그는 "학문과 정치 사이를 배회한"(徘徊于學問與政治之間) 인물로, 그는 정치 활동에 종사할 때 학술을 잊지 않았고, 학술 활동에 종사할 때 정치를 잊지 않았는데 이 두 영역에서 모두 대단히 활발하였다. 학술적 측면으로 말하면, 그는 정치대학(政治大學), 학해서원(學海書院)과 민족문화서원(民族文化書院)을 창립하고, 북경대학(北京大學)과 연경대학(燕京大學)에서 교수로 재직했으며, 1923년 "인생관논전"(人生觀論戰)의 논쟁자와 1958년 《문화선언》(文化宣言)의 발기인, 정문강(丁文江)·호적(胡適)·진독수(陳獨秀)와 글로 논쟁하였던 사람으로, 선후로 하여 『인생관』, 『민족부흥지학술기초』(民族復興之學術基礎), 『명일지중국문화』(明日之中國文化), 『신유가사상사』(新儒家思想史) 등의 논저를 발표하고 출판하였다. 정치적 측면에서 보면, 그는 일찍이 양계초(梁啓超)를 따라 입헌 활동에 종사하였는데 정문사(政聞社)의 핵심 인물이었다. 30년대부터는 또 선후로 하여 중국국가사회당(中國國家社會黨), 중국민주정단동맹(中國民主政團同盟)과 중국민주사회당(中國民主社會黨)을 조직하거나 조직에 참여하였으며, 두 차례 헌법 운동에 참여한 것은 국방참의회(國防參議會) 참의원(參議員), 국민참정회(國民參政會) 참정원(參政員)의 신분이었다. 1946년 정치협상회의(政治協商會議의 대표였으며, 또 《중화민국헌법》(中華民國憲法)을 기초하였다.[33]

그런데 정대화는 또 다른 책에서 장군매에 대해 아래와 같이 평가

33) 鄭大華, 『張君勱學術思想評傳』, 28-29쪽.

하였다.

> 장군매의 일생을 종합하여 살펴보면, 정치상에서 그는 자유주의자이다. 그는 완고하게 중국 공산당에 반대하였고, 중국 인민이 (러시아의) 10월 혁명의 길을 걷는 것에 반대하였으며, 또 국민당 일당 독재에 불만이었기 때문에 중국은 자산계급 민주정치를 실행해야 한다고 주장하였다. 문화학술상에서 그는 보수주의자이다. 그는 마르크스주의에 반대하고 유물사관에 반대하였으며, 또 5·4신문화운동에 반대하여 진독수(陳獨秀), 호적(胡適) 등과 같은 사람이 전통을 비판하고 서화(西化)를 주장한 것에 대해 격렬한 비판을 하였으며, 동시에 완고한 보수적 구세력과도 일정한 거리를 두면서 유학, 특히 송명신유학(宋明新儒學)의 부흥을 주장하였는데 유학 사상 본위로 민족 신문화 계통을 건립하려고 하였다.[34]

정대화의 평가를 간략히 정리하면 세 가지이다. 첫째, 중국 공산당에 반대하였다, 둘째, 장개석 독재정권에 반대하였다. 셋째, 유학 부흥을 제창한 문화보수주의자이다. 그렇지만 정대화의 평가에는 그 자신이 중국 공산당 정부 아래에서 활동하는 학자라는 점 역시 고려해야만 그의 평가에 대해 다시 정당한 평가가 가능할 것이다.

정대화는 또 이렇게 말하였다.

> 정치상의 자유주의가 현대 중국에서 뿌리를 내려 성장할 토양을 갖지 못하였고, 문화학술상의 보수주의가 현대 중국의 문화 학술 발전의 역사적 방향과 부합하지 않았으므로 장군매가 비록 "학술과 정치 사이를 배회하면서"(徘徊于學術與政治之間) 정치 활동에 종사할 때 학술을 잊지 않고 학술

34) 鄭大華, 『張君勱傳』, 649쪽.

> 연구에 종사할 때 정치를 잊지 않았지만, 그러나 그가 정치와 학술 이 두 영역에서 했던 일체 활동은 모두 그가 예견했던 목적을 달성하지 못하였다.35)

정대화의 평가는 먼저 그가 중국 공산당이 지배하는 정치 체제에 속하는 학자라는 점을 참작해야 한다. 그런 까닭에 장군매의 중국 공산당 일당 독재 체제에 대한 비판을 부정적으로 본 것이다. 그렇지만 오늘날 중국이 공산당 일당 독재 체제로, '새로운 황제'들의 지배 체제라는 것은 매우 분명한 사실이다. 또 대만의 장개석 국민당 독재 체제 역시 1인 독재 체제였다는 것 역시 사실이다. 그러므로 장군매의 입장에서 중국 공산당 일당 독재 체제이든 대만의 장개석 국민당 1인 독재 체제이든 부정할 수밖에 없었을 것이다.

유학 부흥을 제창한 문화보수주의자라는 점은 분명한 사실이지만, 또 유학 부흥과 관련한 문제의 관점에는 논쟁의 여지가 많이 있다.

> 장군매는 일찍이 자칭 "학술과 정치 사이를 배회하였다"(徘徊于學術政治之間)고 하였는데 그 자신은 "정치로 인해 철학을 잊지 않고 철학으로 인해 정치를 잊지 않기를"(不因政治忘哲學, 不因哲學忘政治) 기대하였다. 그의 평생은 항상 근심·걱정하고 편안할 날이 없었는데 현실 정치를 잊지 않은 동시에 유가의 문화와 철학을 적극적으로 선전하면서 많은 저작과 논문을 썼다.36)

장군매의 중국 유학 부흥을 말하려면 먼저 그가 어떤 관점에서 중

---

35) 위와 같음.
36) 吕希晨·陳莹, 「序言」, 『張君勱思想研究』, 6쪽.

국 유학 부흥을 말하고 있는지를 고찰할 필요가 있다. 다시 말해 그가 말하는 중국 유학 부흥이 과거의 유학을 단순히 회복하는 것을 주장하는지 아니면 새로운 유형의 유학 부흥을 말하지 곷찰할 필요가 있다.

우리는 중국 유학 부흥을 말하려면 무엇보다도 먼저 중국의 과거 역사 속에서 유학이 해왔던 역할에 대한 반성이 필요하다고 생각한다. 과거 유학은 군주 한 사람의 독재 체제를 정당화한 이론이었기 때문에 사실 현대사회의 민주주의 이념과는 어울리지 않는다. 그런데도 단순히 유학 부흥만을 주장한다면 그것은 철저하게 '보수적', 때로는 '수구적' 입장을 정당화하는 이데올로기가 될 것이다. 오늘날 공산당 일당 독재 체제가 지배하는 중국에서 왜 유학 부흥을 주장하고 유학 연구에 많은 공을 들이고 있는지를 살펴보면 그 우려를 이해할 수 있을 것이다.

장군매는 중국 현대의 저명한 자산계급 정치가·사상가이고, 또 중국 현대 신유학 사상의 적극적인 창도자이다. 최근 반세기 이래 그는 중국 전통 유가문화의 부흥을 자신의 책무로 삼고 중국 현대 신유학의 연구와 선전에 적극적으로 종사하였다. 그는 현대 신유학의 입장에서 출발하여 고금중외(古今中外)의 서로 다른 학술 사상을 비교하고 서로 융합하는 방법으로 중국 현대 자산계급의 정치·경제·문화·철학·과학·교육 및 그것과 상관이 있는 여러 가지 문제를 광범위하고 심각하게 탐구하였다. 그는 중국 현대 신유학의 형성과 발전을 위해, 그리고 유가 학설이 세계문화 속에서 중요한 지위를 회복하기 위해, 또 중국 특색과 현대 세계에 의미가 있는 중국 자산계급 문화와 철학을 건립하고 구축하기 위해 모두 무시할 수 없는 공헌을 하였다.

장군매는 중국현대철학사와 중국현대정치사상사, 특히 중국현대신유학사

상사의 발전에서 깊고 큰 영향을 주었다.37)

그런데 앞에서 말한 것처럼, 장군매 자신도 자신의 일생을 평가하면서 '실패자'라고 말하였다. 그러나 우리는 그렇게만 평가할 수는 없다.

장군매가 비록 실패자인지만, 그러나 이것은 그가 근대 중국 정치사와 문화 학술사에서의 지위는 중요하지 않다는 것을 의미하는 것이 아니라, 실제적으로 이 두 영역의 수많은 측면에서 그는 모두 유형 무형의 영향을 주었다. 우리는 이렇게 말할 수 있다. 그의 정치 활동과 문화 학술 활동은 이미 근현대 중국 역사에서 구성 부분이 되었으며, 그의 생애와 사상을 연구하는 것은 중국 근현대 역사에 대한 이해에 도움이 되고, 국가 정황[國情]에 대한 인식을 더욱 심화할 수 있는데, 특히 그가 대표하는 중간 사회(中間社會)의 인식에 도움이 된다.38)

정대화 역시 그를 '실패자'라고 규정하였지만, 이것은 과도한 평가이다. 우리가 그의 정치와 학문의 관점에 대해 동의하든 동의하지 않든 공자가 그랬던 것처럼 '안되는 줄 알면서 행한다'는 점에서 볼 때 그러한 실천적 지식인의 모습은 높게 평가할 일이다.

실제적으로 장군매의 출신, 성격과 문화 배경으로 말하면, 그는 정치가보다는 학자에 더 어울린다. 그러므로 그의 몇몇 친구와 제자는 장군매가 "학문과 정치 사이를 배회하여"(徘徊于學問與政治之間) 한결같은 마음으로 학문 연구에 종사한 것이 아니라 겸하였거나 심지어 오랜 시간 동안 주로 정치

37) 같은 책, 6-7쪽.
38) 鄭大華, 『張君勱傳』, 649-650쪽.

활동에 종사한 것은 그의 현명하지 못한 행위, 그의 사업 실패라고 생각하였다.[39]

그렇다고 해서 그를 실패자라고 평가하는 것은 지나치다. 장군매의 일생은 "실천적인 사상가"였다.[40] 2013년 6월 북경대학교 고등인문연구원의 세계윤리센터[世界倫理中心]에 주관한 〈장군매와 현대중국〉(張君勱與現代中國) 국제학술대회에서 중국학자 두유명(杜維明)은 축사를 통해 이렇게 말하였다.

> 장군매 선생이 체현한 인격 형태는 행동하는 지식이었습니다. ……그는 자유주의 전통 속에서 소극적 자유주의가 아니라 적극적 자유주의라 할 수 있습니다. 사실 그는 정치상의 과정에 대해서는 깊은 이해를 하고 있었지만 그가 굳건히 지킨 개인 존엄과 개인 자유는 헌법 정치 중의 주체였습니다. 이러한 관념은 많은 사람이 관련되어 민주사회당[民社黨]과 국가사회당[國社黨]를 성립하도록 하는 경향이 되었지만, 그러나 자유주의 가운데 인간의 존엄과 인간의 자유라는 이러한 측면은 그의 전체 철학사상 속에서 매우 중요하며, 강조할 만한 가치가 있는 전통이었습니다.[41]

우리가 장군매의 정치와 학문이라는 두 측면에서 어떤 입장에 서 있었는가에 대한 평가는 논외로 하더라도, 무엇보다도 중요한 점은 그의 일생에서 가장 큰 특징 가운데 하나가 바로 삶과 사상의 일치라는 것이다.[42] 그러므로 그가 비록 자신의 일생을 "학술과 정치 사이를

39) 鄭大華, 『張君勱學術思想評傳』, 29쪽.
40) 심창애, 「장군매(張君勱)가 바라본 중국 유가철학의 현실과 대응방안」, 忠南大學校 儒學硏究所, 『儒學硏究』 제37집, 2016, 324쪽.
41) 같은 논문, 325쪽. 한글 번역은 약간의 수정을 하였다.

배회하였다", 자신을 또 "실패자"라고 자평하였지만, 이와는 달리 긍정적으로 보면 그는 이론과 실천을 모두 중시한 진정한 유학자라고 말할 수 있다.

우리가 장군매 일생의 사상을 회고해보면, 가장 현저한 특징 중의 하나는 그의 일생의 사상이 고도로 일치한다는 것이다.[43]

42) 같은 논문, 325-326쪽.
43) 위와 같음.

제6장 인물 탐구2: 정문강

제6장 인물 탐구 2: 정문강

제1절 생애

정문강(丁文江, 1887-1936)은 자(字)가 재군(在君), 필명은 종엄(宗淹)이다. 그는 근대 중국의 저명한 지질학자이다. 그러므로 그는 중국 근·현대 지질학의 선구자라고 말할 수 있다.[1]

정문강은 1887년 강소성(江蘇省) 태흥(泰興)에서 태어났다. 그는 일본과 영국에 유학하였다. 1906년 케임브리지 대학에 입학했지만, 곧 그만두었다. 그리고 1908년에 글래스고(Glasgow) 대학에서 동물학·지질학으로 학위를 받았다. 부전공으로 지리학을 하였다. 1911년 귀국하였다. 그는 귀국한 뒤에 교육과 정치에 종사하였다.

정문강의 생애 연보를 간략히 정리하면 다음과 같다.

---

1) 車雄煥, 「丁文江의 抗日問題認識과 反應」, 한국중국학회, 『中國學報』 제42집, 2000, 345쪽.

[표6-1] 정문강의 주요 생애 연보[2)]

	내용	비고
1887년 1세	강소성(江蘇省) 태흥(泰興)에서 출생. 어렸을 때 사숙(私塾)을 하였다.	
1891년 5세	어머니 단(單) 부인에게 글자를 배움.	정문강은 어렸을 때 『자치통감』(資治通鑑)과 『사사』(四史)(즉 『史記』, 『漢書』, 『後漢書』, 『三國志) 등을 읽음.[3)]
1901년 15세	호남(湖南) 수현(攸縣)의 용연선(龍硏仙)이라는 은사(恩師)를 만남.	용연선은 정문강의 부친에게 그를 일본유학을 보내도록 권하였다.
1902년 16세	일본으로 유학함. 약 1년 반 정도 있었음. 이때 일어와 영어를 배웠다. 그러나 정식으로 입학을 하지는 않았다.	정문강은 국제 조류에 대한 감각이 뛰어났는데 일본에 관한 관심이 많았다. 뒤에(1927년) 일본에 있던 호적(胡適)에게 중국의 존망이 일본에 달려 있다고 말하였다.[4)]
1904년 18세	영국으로 유학함. 2년만에 캠브리지 대학에 입학하였지만 경제사정으로 반년 만에 중도에 포기하였음. 글래스고우(Glasgow) 대학에 진학하여 지질학을 공부하였다.	1904년 2월 8일 러일전쟁이 발생함.

2) 車雄煥, 「丁文江의 抗日問題認識과 反應」, 한국중국학회, 『中國學報』 제42집, 2000; 천두슈 외, 『과학과 인생관』, 한성구 옮김, 산지니, 2016; 胡適, 『丁文江傳』, 東方出版社, 2009; 胡適, 『丁文江的傳記』, 安徽教育出版社, 1999 등 참조.

1908년 22세	런던대학 의과에 입학시험을 쳤지만 한 과목의 성적이 부족하여 실패함. 결국 의학을 포기하였다. 글래스고우 대학 입학하여 동물학을 전공으로, 지질학을 부전공으로 배웠다.5)	뒤에 지리학 역시 전공으로 하고 지리학을 부전공으로 하였다.
1911년 25세	글래스고우 대학에서 동물학·지질학 학위를 받고 귀국. 지리학을 부전공으로 하였다. 상해 남양공학(南洋公學)에서 동물학·화학·지질학과 영어·서양사를 가르침.	경사학부(京師學府)에서 유학생을 대상으로 한 시험에 합격하여 격치진사(格致進士)가 되었음.
1913년 27세	2월 북경에서 공상부(工商部) 광정사(礦政司)의 지질과(地質科) 과장(科長)이 되었다.	공상부에 지질연구반(地質研究班)을 열었는데 뒤에 지질연구소(地質研究所)라 칭하였다. 뒤에 '벨기에'에서 귀국한 옹문호(翁文灝)가 지질연구소 주임 교수로 취임하였다. 이곳에서 지질학 전공 인재를 양성하였다.
1914년 28세	지질학연구소에서 민국 3년(1914년) 이후 고생물학(古生物學)을 담당하였음.	민국 5년 이후 북경대학(北京大學) 이과(理科)에 다시 지질학과(地質學科)를 설치하면서 지질연구소에 있던 문헌을 회수하였다. 지질연구소는 전문적으로 지질조사를 하였다.

1916년 30세	지질조사소(地質調査所)를 만들어 소장으로 취임함.	
1919년 33세	양계초 등과 함께 유럽 시찰을 하였으며, 파리회의에 참석하였음.	이때 장군매 역시 함께 하였다.
1921년 35세	지질조사소에서 여러 해 동안 지질조사를 한 결과물을 『중국철광지』(中國鐵鑛志)로 출판하였다.	
1922년 36세	5월 호적 등과 함께 『노력주보』(努力週報)를 창간하였음. 장홍종(章鴻釗)·옹문호(翁文灝)·이사광(李四光) 등과 함께 중국지질학회(中國地質學會)를 창립함.	
1923년 37세	장군매와 '과학과 인생관' 논쟁을 하였음.	장군매는 현학을 주장하였고, 정문강은 과학을 주장하였다.
1931년 45세	북경대학 지질학과 교수로 초빙됨.	
1933년 47세	중국지질학회 회장에 취임함.	이때 회장 취임 논문으로 「중국조산운동」(中國造山運動, Orogenic Movements in China)을 발표함. 이 글은 『중국지질학회회지』(中國地質學會會志) 제8권에 수록하였다.
1934년 48세	6월 18일 중앙연구원(中央研究院)에서 총간사(總幹事)의 직무를 맡았음.	

1935년 49세	호남성(湖南省) 장사(長沙)에서 탐광 탐사 작업을 하였음. 그런데 이때 병을 얻음.	
1936년 50세	1월 5일 병으로 사망.	

그는 불행하게도 50세라는 젊은 나이에 죽었다.

정문강의 평전을 쓴 C. 퍼드(Charlotte Furth)는 「작자의 말」(作者的話)에서 정문강에 대해 이렇게 평가하였다.

이 책에서 말하는 정문강이라는 그 사람이 어떤 유형의 인물인지 한 가지로 귀결하기는 어렵다. 전공으로 말하면 그는 지질학자이다. 구중국의 혼란스런 시대에 그는 아마도 소수의 서양 교육을 받은 과학자 중에서 가장 유명한 선구자이지만, 그러나 그는 또 정부 관리, 신문기자, 기업가, 정치논평가[政論家], 교육자로—1920년대와 1930년대 북경 학술계의 리더였으며, 동시에 또 "신문화"(新文化)운동의 중요 인물 가운데 한 사람이었다. 20세기 초 몇십 년 중에 중국은 마땅히 전반 "서화"(西化)를 하고, 사상을 개량해야 한다고 견지하던 중국의 지식인들이 웅장한 뜻을 품고 있을 때 정문강은 그가 종사하였던 여러 가지 활동에 "과학유신"(科學維新)의 전경(前景)을 가지고 왔다. 이밖에 그는 서향문제(書香門第) 출신으로 어렸을 때부터 공자 유학[孔儒]의 훈도(薰陶)를 받았기 때문에 그러한 전통이 규정한 방식[模式]에 근거하여 유신파 과학자의 사업을 성취하려고 하였다. 종합하면, 정문강 일생의 사업은 두 가지의 힘[努力]이 지배하였고, 또 이 두 가지 가운데 어느 하나를 버리지 않았다. 첫째, 그는 현대과학과 그것이 중국의 구문화 질서

3) 胡適, 『丁文江傳』, 11쪽.
4) 車雄煥, 「丁文江의 抗日問題認識과 反應」, 347쪽.
5) 胡適, 『丁文江傳』, 31-32쪽.

에 대한 영향을 이해하려고 힘썼다. 둘째, 공자 유학의 치국지도(治國之道)의 뛰어난 인재[精英]로, 그는 의미[意義] 있는 행동 방법을 찾으려고 예민하게 의식하였다.6)

이 단락의 글에서 퍼드는 정문강이 공자 유학의 영향이 깊었다고 주장하였다. 이것은 의외의 논평이다.

차웅환은 정문강이 살았던 시대의 당시 지식인의 시대적 상황에 대해 다음과 같이 말하였다.

丁文江과 동시대인들은 태어난 당일부터 정치와 끈을 맺을 수밖에 없는데, 그것은 당시가 亡國滅種의 위기이기 때문에 당대 문제에 관심을 가질 수밖에 없었다는…… 더군다나 정문강은 당시의 정치에 만족하지 못했다. 그래서 지식인은 정치에 관여할 책임을 버려서는 안 되며, 모든 평화적인 사회 개선을 위해서는 좋은 정치가 필요하기 때문에 정치 개량을 위한 노력은 지식인의 의무라고 하면서 오히려 이러한 정치적인 노력을 하지 않으려는 지식인을 비난했다.7)

그러므로 장군매와 정문강의 '과학과 인생(관)' 논쟁 역시 그들이 살았던 시대적 상황에 대한 이해가 필요하다.

제2절 저작과 번역

6) [美] 費俠莉(Charlotte Furth), 「作者的話」, 『丁文江-科學與中國新文化』, 丁子霖·蔣毅堅·楊昭 譯·楊照明 校, 新星出版社, 2006, 2쪽.
7) 車雄煥, 「丁文江의 抗日問題認識과 反應」, 345쪽.

정문강의 저작, 논문 등과 관련한 목록은 호적의 『정문강전』(丁文江傳) [부록]에 있는 장기윤(張其昀)의 「정문강선생저작계년목록」(丁文江先生著作系年目錄)을 참조하여 정리하였다.[8)]

1. 저작

정문강은 지질학자인 까닭에 그의 저작은 주로 정치와 과학에 관한 것이 많다.[9)]

[6-2] 정문강의 주요 저작 목록

	서명	출판사	출판연도	비고
1	『동물학』(動物學)	商務印書館	1914	民國시대 때 새로운 교과서 가운데 하나이다. 생물진화론의 관점에서 쓴 저작이다.
2	영문 서적 “Geology of Yangtze Estuaty Below Wuhu”	上海濬蒲總局	1919	왕호정(汪胡楨)의 역문이 『揚子江水道整理委員會月刊』

8) 또 참고할 만한 자료로 중국에서 번역 출판한 [美] 費俠莉, 『丁文江』(丁子霖·蔣毅堅·楊昭 著·楊照明 校, 新星出版社, 2006)의 [附錄二] 〈丁文江學術著作系年目錄〉과 [附錄三] 〈文獻目錄〉이 있다. 정문강에 관한 연구 자료는 歐陽哲生 編, 『丁文江先生言行錄』(中華書局, 2008)에 있는 歐陽哲生·陳雙 編, [附錄] 〈丁文江紀念, 研究資料索引〉을 참고할 수 있다.

9) 정문강의 연구 저작과 관련하여 좀 더 구체적인 내용은 劉瑞升의 『徐霞客丁文江 研究文稿』(地質出版社, 2011, 228-233쪽.)를 참고할 수 있다.

	(「揚子江下流之地質」)			一卷 一期~三期에 게재. 또 『太湖流域水利季刊』 一卷 二~三期에 게재.
3	『광정관견부수개광업조례의견서』 (礦政管見附修改礦業條例意見書)	地質調查所	1920	옹문호(翁文灝)와 합저.
4	『제일차중국광업기요』 (第一次中國礦業紀要)		1921	옹문호와 합저. 1912년부터 1921까지 쓴 것이다.
5	『민국군사근기』 (民國軍事近紀)	商務印書館	1926	
6	『서하객년보』 (徐霞客年譜)	商務印書館	1928	서하객(徐霞客, 1586-1641)은 이름이 굉조(宏祖)이고 강음(江陰) 사람이다. 만력(萬曆) 14년에 태어나 숭정(崇禎) 14년에 죽었다. 그는 양자강(揚子江) 위에 금사강(金沙江)이 있다는 것을 처음 발견한 인물이다. 그의 저작으로 『금사강유기』(金沙江遊記), 『강원고』(江源考), 『반강고』

				(盤江考) 등이 있다. 『금사강유기』는 실전한다. 정문강은 그를 매우 존경하였다.
7	『서하객유기』 (徐霞客遊記)	商務印書館	1928	『徐霞客年譜』와 함께 上下冊으로 출판. 부록으로 年譜, 地圖가 있음.
8	『중국관판광업사략』 (中國官办礦業史略)	地質調査所	1928	
9	『외자광업사자료』 (外資礦業史資料)	地質調査所	1929	
10	『천광철도노선초감보고』 (川光鐵島路線初勘報告)	『地質專報』 乙種四號	1931	보고서. 부록 영문 요약.
11	『양임공선생년보장편초고』 (梁任公先生年譜長篇初稿)		1936	정문강이 이해 1월 5일 죽은 뒤 옹문호(翁文灝)에 의해 5월 출판함.

정문강은 말년에 『소아여행기』(蘇俄旅行記)를 썼다. 이 글은 크게 두 부분으로 나누어진다. 제1부분은 「설자」(楔子)이다. 제2부분은 『소아여행기』의 본론이다. 제1부분은 『독립평론』 제101호, 제103호, 제104호, 제107호, 제109호에 게재하였다. 그러나 그는 이 책을 완성하지 못하고 죽었다.10)

10) 胡適, 『丁文江傳』, 181쪽.

2. 논문

정문강의 논문 역시 대부분 지질학과 관련한 것이다. 그렇지만 정치에 관한 논문과 시론 역시 많다.

[표6-4] 정문강의 주요 논문 목록

	논문명	발표지	발표 연도	비고
1	「조사정태철로부근지질광무보고서」(調查正太鐵路附近地質礦務報告書)	『農商公報』 一卷一期, 二期	1914	8월, 9월. 이 논문은 독일 지질학자 솔거(Solger), 왕석빈(王錫賓) 두 사람과 함께 썼다.
2	영문 논문 "Tungchwanfu, Yunnan Copper Mines"(「雲南東川銅礦」)	『遠東時報』 (Far Eastern Review)	1915	11월.
3	영문 논문 "The Coal Resources of China"(「中國之煤礦」)	『遠東時報』	1916	1월.
4	영문 서적 "Geology of Yangtze Estuaty Below Wuhu"(「揚子江下流之地質」)	왕호정(汪胡楨)의 역문이 『揚子江水道整理委員會月刊』 一卷一期~三期에 게재. 또 『太湖流域水	1919	

		利季刊』 一卷 二~三期에 게재.		
5	「직예산서간울현광령양원매전보고」 (直隷山西間蔚縣廣靈陽原煤田報告)	『地質調查所地質汇報』 第一號	1919	이 글은 장경징(張景澄)과 함께 썼다. 부록으로 영문 요약이 있다.
6	영문 논문 “China's Mineral Resources” (「中國之礦産」)	『遠東時報』	1919	2월.
7	「북경마로석료지연구」 (北京馬路石料之研究)	『農商公報』 七卷十一期	1921	6월.
8	「양자강하유최근지변천-삼강문제」 (揚子江下遊最近之變遷-三江問題)	『北京大學地質研究會會刊』 第一期	1921	10월.
9	영문 논문 “The Tectonic Geology of Eastern Yunnan” (「雲南東部之構造地質」)	『第十三次國際地質學會報告書』	1922	
10	「경조창평현서호촌맹광」 (京兆昌平縣西湖村錳礦)	『地質汇報』 第四號	1922	부록으로 영문이 있음.
11	영문논문 “The Aims of the Geological Society of China” (「中國地質學會之目的」)	『중국지질학회회지』 (Bulletin of the Geological Society of China) 創刊號	1922	
12	「중국북방군대적개략」	『努力週報』	1922	필명 宗淹.

	(中國北方軍隊的概略)	第一期 第二期		5월 7일, 14일.
13	「봉직양군적형세」 (奉直兩軍的形勢)	『努力週報』 第一期	1922	필명 宗淹. 5월 7일.
14	「봉직전쟁진상」 (奉直戰爭眞相)	『努力週報』 第三期	1922	필명 宗淹. 5월 21일.
15	「광동군대개략」 (廣東軍隊概略)	『努力週報』 第五期	1922	필명 宗淹. 6월 4일.
16	「답관우〈아문적정치주장〉적토론」 (答關于〈我們的政治主張〉的討論)	『努力週報』 第六第七期	1922	필명 宗淹. 6월 11일, 18일.
17	「충고구국회의원」 (忠告舊國會議員)	『努力週報』 第九期	1922	필명 宗淹. 7월 2일.
18	「재병계획적토론」 (載兵計劃的討論)	『努力週報』 第十四期	1922	필명 宗淹. 8월 6일.
19	「호남군대개략」 (湖南軍隊概略)	『努力週報』 第十九期	1922	필명 宗淹. 9월 10일.
20	「산해관외여행견문록」 (山海關外旅行見聞錄)	『努力週報』 第李十八期	1922	필명 宗淹. 11월 12일.
21	「위법적악례」 (違法的惡例)	『努力週報』 第三十期	1922	필명 宗淹. 11월 26일.
22	「최근오십년지광업」 (最近五十年之礦業)		1923	『最近之五十年』(申報館)에 수록.
23	「중인『천공개물』시말기」 (重印『天工開物』始末記)	『讀書雜志』 第五期	1923	이 책은 17세기 인물 송응성(宋應星)의 저작 『천공개물』(天工開物)에 소개이다. 이 책은 원래 중국에서 일찍이 실전하였는데 정문강이 일본 명화(明和) 8년(1771)

				번각본(飜刻本)에 근거하고 또 강서(江西)의 『봉신현지』(奉新縣志) 등의 책을 참고한 것이다. 송응성의 약전(略傳)이 있다.11)
24	「일개외국붕우대우일개유학생적충고」(一個外國朋友對于一個留學生的忠告)	『努力週報』第四十二期	1923	필명 宗淹. 3월 4일.
25	「중국 역사 인물과 지질의 관계」(中國歷史人物與地質之關係)	『科學雜志』第八卷一期	1923	1월 『東方雜志』 第二十卷第五期에, 3월 『努力週報』에 게재.
26	「란인하반적비극」(蘭因河畔的悲劇)	『努力週報』第四十七期	1923	필명 宗淹. 4월 8일.
27	「현학과 과학」(玄學與科學)	『努力週報』第48卷 第49期	1923	4월 15일, 22일. 장군매(張君勱)가 『청화주간』(清華週刊)에 발표한 「인생관」(人生觀)에 관한 강연 글을 비판하였다.
28	「현학과 과학—장군매에게 답함」(玄學與科學—答張君勱)	『努力週報』第五十四第五十五期	1923	5월 27일, 6월 3일.
29	「현학과 과학의 논전 여흥」(玄學與科學的討論的餘興)	『努力週報』第五十六期	1923	6월 10일.
30	「소수인의 책임」	『努力週報』	1923	필명 宗淹.

	(小數人的責任)	第67期		8월 26일.
31	「서하객유기」 (徐霞客遊記)	『小說月報』 第十七卷 號外 “中國文學研究”	1926	
32	영문 논문 “The Orogenic Movements in China” (「中國造山運動」)	『中國地質學會會志』 第八卷	1929	
33	「광서동어지연구」 (廣西僮語之研究)	『科學雜志』 十四卷一期	1929	1월.
34	영문 논문 “On the Stratigraphy of the Fengninian System” (「豊寧系之分居」)	『中國地質學會會報』 第十卷	1931	
35	「중국지리학자의 책임」 (中國地理學者之責任)	『北京大學地理研究會會刊』 第五期	1931	4월. 원래는 강연원고.
36	영문 논문 “A Statistical Study of the Difference between the Wildheight Ratio of the Spirifer tingi and that of Spirifer hsichi” (「丁氏石燕及謝氏石燕的寬高率差之統系研究」)	『中國地質學會會志』 第十一卷	1932	
37	영문 보고서 “Reconnaissance of a Railway Line form Chungking to	『中國地質學會會報』 第十一卷	1932	증세영(曾世英)과 합저.

	Kwangchowwan" 「천광철도노선초감보고」 (川光鐵島路線初勘報告)			
38	「만유산기」 (漫遊散記)	『獨立評論』 第五期~八十一期	1932	6월 19일~34년 1월 14일.
39	「견양피자여일본정국적전도」 (犬養被刺與日本政局的前途)	『獨立評論』 創刊號	1932	5월 22일.
40	「일본의 신내각」 (日本的新內閣)	『獨立評論』 第二期	1932	5월 29일.
41	「일본의 재정」 (日本的財政)	『獨立評論』 第二期	1932	5월 29일.
42	「소위북평각대학합리화운동」 (小委北平各大學合理化運動)	『獨立評論』 第三期	1932	6월 5일.
43	「중국 정치의 출로」 (中國政治的出路)	『獨立評論』 第十一號	1932	
44	「내가 만약 장학량이라면」 (假如我是張學良)	『獨立評論』 第十三號	1932	8월 초.
45	「내가 만약 장개석이라면」 (假如我是莊介石)	『獨立評論』 第插十五號	1933	1월 15일.
46	「항일의 효능과 청년의 책임」 (抗日的效能與青年的責任)	『獨立評論』 第三十七號	1933	1933년 출판.
47	「공산주의를 평론하고 또 중국공산당원에게	『獨立評論』 第五十一號	1933	5월 21일

	충고함」 (評論共産主義, 幷忠告中國共産黨員)			
48	「나의 신앙」 (我的信仰)	天津 『大公報·星期論文』	1934	5월 6일. 『獨立評論』 第一百號(5월 13일)에 게재.
49	「민주정치와 독재정치」 (民主政治與獨裁政治)	『大公報·星期論文』	1934	12월 18일. 『獨立評論』 第一三三號(12월 30일)
50	「통제경제를 실행하는 조건」 (實行統制經濟的條件)	『獨立評論』 第一百八號	1934	7월 8일. 『大公報·星期論文』(12월 18일) 게재함.
51	「민치와 독재를 다시 논함」 (再論民治與獨裁)	『獨立評論』 第一三七號	1935	2월 3일. 마르크스주의의 가치론, 역사관 등을 비판하였음. 그는 또 소련의 "무산계급(無産階級)의 전정(專政)"에 대해서도 비판하였음.
52	「과학화의 건설」 (科學化的建設)	『獨立評論』 第一五一號	1935	5월 19일. 원래 5월 7일 방송원고.
53	「소아혁명외교사적일항급기교훈」 (蘇俄革命外交史的一頁及其教訓)	『大公報·星期論文』	1935	7월 21일. 『獨立評論』 第一六三號(8월 11일)
54	「경자유전의 방법을 실행함」 (失行耕者有其基的办法)	『大公報·星期論文』	1935	10월 13일.

3. 번역

정문강 역시 번역을 하였는데 많지는 않다.

[표6-5] 정문강의 주요 번역 목록

	번역서명	출판사	출판 연도	비고
1	H. G. 웰즈(Welles)의 『세계사대강』(世界史大綱)			梁啓超의 도움을 받아 번역함.

4. 강연

정문강은 다른 학자들과 마찬가지로 강연을 하였다.

[표6-6] 정문강의 주요 강의 목록

	강연주제	장소	연도	비고
1	서하객(徐霞客)에 관한 강연	북경의 문우회(文友會)	1921	
2	"양자강하류최근지변천-삼강문제" (揚子江下流最近之變遷-三江問題)		1921	이 강연은 조국빈(趙國賓)이 기록함. 10월 『北京大學地質研究會會刊』 第一期에 게재.
3	"중국지리학자의 책임"		1931	이 강연 원고는

11) 같은 책, 99쪽.

	(中國地理學者之責任)			『北京大學地理研究會會刊』 第五期에 게재하였다.
4	"항일의 효능과 청년의 책임" (抗日的效能與青年的責任)	燕京大學, 協和醫學校	1933	이 강연은 1933년 2월 12일「抗日的效能與青年的責任」이라는 제목으로 『獨立評論』 제37호에 게재하였다.
5	"과학화의 건설" (科學化的建設)		1935	5월 7일 방송 강연 원고.

제3절 학문관

정문강은 인문학자가 아니라 동물학과 지질학을 공부한 과학자이다. 즉 자연과학을 공부한 인물이다. 그는 J. 로크(John Locke, 1632-1704), E. 마하(Ernst Mach, 1838~1916), K. 피어슨(Karl Pearson, 1857-1936), T. 헉슬리(Thomas Henry Huxley, 1825-1895), J. 듀이(John Dewey, 1859-1952) 등의 영향을 받았다.

1. 과학주의

정문강은 그 자신이 지질학을 연구한 과학자이다. 그러므로 그가 장군매의 인생관에 관해 과학적 시각에서 비판했다는 것은 매우 자연스러운 일이었다. 그렇지만 우리는 또 정문강이 살았던 시대적 상황에 대한 이해가 필요하다.

> 민국 초기에 과학으로 말하자면, 가장 엄중한 사상 장애는 공자 유학 학설의 유풍(遺風)보다 심각한 것이 없었는데, 이러한 유풍은 1, 2십 년 사이 서양을 연구한다고 해서 제거할 수 있는 것이 아니었다. 심지어 젊었을 때 지질학에 열중하였던 사람의 그 사상 관념도 공자 유학 사상을 배경으로 한 인도주의 색채가 농후하였다.12)

정문강은 '과학'을 통해 인간과 자연의 모든 문제를 해결할 수 있다고 주장하였다. 그러므로 그에게 '과학'이란 유일무이한 판단의 기준이었다.

> 과학의 목적은 개인의 주관적인 편견—인생관 최대의 장애물—을 없애는 것이며, 사람들이 공인할 수 있는 진리를 추구하는 것이다.13)

그런 까닭에 그는 장군매와 논쟁에서도 이 '과학'(적) 방법을 통해 '인생(관)'의 문제를 해결할 수 있고, 해결해야 한다고 주장한 것이다.

> ……과학은 외부, 내부와 상관없을 뿐만 아니라 교육과 수양의 탁월한 수단이다.14)

---

12) [美] 費俠莉(Charlotte Furth), 『丁文江-科學與中國新文化』, 32쪽.
13) 딩원지앙, 「현학과 과학-장쥔마이의 「인생관」을 말함」, 천두슈 외, 『과학과 인생관』, 82쪽.
14) 위와 같음.

그렇지만 정문강의 이러한 '과학주의'는 '과학'의 한계에 대한 인식이 부족한 것이다. 물론 앞에서 말한 당시 중국의 시대적 상황을 이해한다면 왜 정문강이 이처럼 좀 과도하게 또는 과격하게 '과학주의'를 주장했는지 이해하지 못할 것도 없다.

우리는 정문강의 주장처럼 '과학'을 통해 인간의 '몸'과 '마음'에 대해 연구할 수 있다. 특히 21세기에 들어와 '뇌과학'의 발전은 우리 '인간'에 대한 시각을 완전히 바꾸었다. 더군다나 이제 '인공지능'(AI)의 연구성과는 마침내 '인공생명'을 곧 만들어낼 수 있을 것으로 보인다. 이것은 장군매가 말한 '과학'의 위험성일 것이다. 본래 '과학'의 발전이라는 것이 인간을 위한 것일 텐데, 이러한 '과학'의 무한 발전은 오히려 우리 '인간'을 위협하고 있다. 만약 지금 정문강이 살아있다면 지금의 상황에 대해 어떻게 말할까?

물론 우리는 당시에 정문강이 왜 이토록 '과학'을 강조했는지 이해할 수 있다. 장군매와 정문강이 '과학과 인생(관)' 논쟁을 할 당시 중국 사회는 여전히 전통적 사유의 틀, 다시 말해 구시대의 낡은 관념에서 벗어나지 못하였기 때문에 '민주'와 '과학'이라는 것을 전혀 말할 수 있는 수준이 아니었다.

호적의 비판이다.

> 끝없이 타오르는 과학은 현학의 망령들을 두려워하지 않는다. 그러나 중국으로 건너오면 상황이 달라진다. 과학의 혜택을 제대로 누려보지 못한 중국이 과학이 초래한 "재난" 따위를 말할 수 있겠는가. 눈을 크게 뜨고 한번 살펴보자. 도처에 널려 있는 제단과 사원, 도술(道術)과 심령, 낙후한 교

통과 산업,—우리가 과학을 배척한다는 게 진정 어울린다는 말인가? "인생관"을 한번 보자. 중국인의 인생관은 오로지 출세하고 부자 되는 인생관, 하루 벌어 하루 먹고사는 인생관, 점술과 운세에 의지하는 인생관, 『안사전서』(安士全書)의 인생관, 『태상감응편』(太上感應編)의 인생관이 있을 뿐이다.15)

정문강은 인간의 '감성'에 관해 다음과 같이 말하였다.

감성은 완전히 선천적인 것으로 환경에만 의지해 발전하는 반면, 지식은 거의 후천적으로 그 원동력은 유전에서 기인한다. 본래 지식은 감성처럼 표준이 없다. 근래 수백 년 동안 자연과학이 발전하여 지식의 어떤 영역에 사용하더라도 상당한 성과를 낼 수 있는 지식 획득의 방법이 발견되었다. 따라서 방법을 그다지 중시하지 않는 감성보다 지식을 믿는 편이 낫다. 감성적 충돌은 지식으로 전환되어야 발전할 수 있다.16)

그는 '현학'에 관해 이렇게 정의하였다.

광의의 현학은 증명할 수 없는 가설에서 추론해 나온 규율이다.17)

정문강은 우리가 현학파가 제시한 '초월적'인 문제에 대해 '존의적 유심론'을 주장하였다.

15) 후스, 「『과학과 인생관』 서문」, 천두슈 외, 『과학과 인생관』, 한성구 옮김, 산지니, 2016, 28쪽.
16) 딩원지앙, 「현학과 과학-장쥔마이에게 답함」, 285-286쪽.
17) 胡適, 『丁文江的傳記』, 安徽教育出版社, 1999, 93쪽.

2. 존의적 존재론

정문강은 마하의 영향을 받아 '존의적 존재론'(存疑的存在論, Skeptical Idealism)을 주장하였다.[18]

> 수많은 가설적 사실 중에는 그것의 존재 유무를 증명할 수 없는 것들이 있다. 그러나 반증할 수 없다고 해서 그것을 진리로 인정할 수는 없다. 왜냐하면 그것의 존재 여부를 증명할 의무는 문제를 제기한 사람에게 있기 때문이다.……
>
> 이상에서 말한 것은 일종의 기초적인 과학 지식론이다. 철학적인 용어로 말하자면 존의적 유심론(skeptical idealism)이다.[19]

그는 또 이렇게 말하였다.

> 그러므로 존의주의는 적극적인 것이지 소극적인 것이 아니며, 투쟁적이지 방관적인 것이 아니다. "증거가 충분하지 않은 모든 것들에 대해 엄격하게 회의해야만 하며, 비유와 추측으로 나에게 얘기한다고 해도 쓸모없는 일이다". 따라서 어떤 주장, 어떤 주의에 대해서도 첫마디 말은 **"증거를 대봐라!"**는 말이어야 한다.[20]

이것은 그의 철저한 과학주의 정신을 나타낸다. 그렇지만 그가 이렇

---

18) 許全興·陳戰難·宋一秀, 『中國現代哲學史』, 北京大學出版社, 1998, 190쪽.
19) 딩원지앙, 「현학과 과학-장쥔마이의 「인생관」을 말함」, 75쪽.
20) 딩원지앙, 「현학과 과학-장쥔마이에게 답함」, 천두슈 외, 『과학과 인생관』, 269쪽.

게 말한 것은 당시 그의 친한 친구였던 현학가들의 "일종의 천박한 과학지식론"(一種淺近的科學知識論)을 비판하기 위한 것이었다.[21]

그는 '종교'와 '영혼'에 관해 이렇게 말하였다.

……나는 세계를 주재하는 상제(上帝)가 있고, 신체를 떠나 독립적인 영혼(靈魂)이 있다는 것을 믿지 않는다.[22]

또 아래와 같이 말하였다.

많은 사람이……종교의 연원[來源]을 오해하였다. 종교를 믿는 마음[宗教心]은 전체 종의 영속을 위해 한 개체가 일시적으로 희생하는 천성(天性)으로, 인류가 집단[群體]생활을 한 뒤에 오랫동안 변화해온 결과인데, 왜냐하면 이와 같이 하지 않으면 생존할 수 없었기 때문이다.[23]

이러한 관점은 그의 과학적 정신을 잘 보여준다. 그런데 그는 또 인간의 '종교심'(宗教心) 문제를 제기하였다.

나는 결코 사람마다 똑같은 종교심(宗教心)이 있다고 말하는 것은 아니다. 왜냐하면 사람은 똑같지 않을 뿐만 아니라 평등한 것도 아니다. ……종교심은 사람마다 있는 것인데, 그러나 사람의 지혜와 마찬가지로 강하고 약한 것이 서로 매우 다르다. 무릇 사회의 진정한 지도자[首領]는 모두 종교심이 특히 풍부한데 모두 소수이다. ……[24]

21) 胡適, 『丁文江的傳記』, 81쪽.
22) 丁文江, 「我的信仰」, 天津 『大公報』. 『獨立』 第一百號. (胡適, 『丁文江傳』, 121쪽. 재인용.)
23) 위와 같음; 딩원지앙, 「현학과 과학-장쥔마이에게 답함」, 283쪽.

아래 역시 정문강의 말이다. '인성'(人性)과 '종교심'에 관한 내용이다.

장쥔마이와 나의 근본적인 차이는 다음과 같다. 그는 인성이 원래 선하지만 물질과 인성이 충돌하여 사람이 악해진다고 여겼다. 그리고는 물질을 기독교의 선악과로 바꾸어 버렸다. 나는 인성의 어떤 일부는 군체를 이루기에 적합하며 어떤 일부는 군체와 충돌한다고 생각한다. 이것은 모두 물질의 영향을 받는 것이다. 사람이 선하지 악한지는 1) 선천적으로 타고난 것이 어떤지를 봐야 하며, 2) 후천적인 환경도 봐야 한다. 우생학은 선천적인 것을 개량하는 것이고, 교육은 후천적인 것을 이용하려는 것이다. 인류 생활에 적합한 종교심을 만들어낼 수 있는 환경을 만들어내는 것이 교육의 가장 큰 과제이다.

우리가 과학 교육을 적극적으로 부르짖는 까닭은 과학 교육이야말로 종교성의 충돌을 맹목적인 것에서 자각적인 것으로, 암흑에서 광명으로, 애매한 것에서 분석적인 것으로 변화시켜 줄 수 있기 때문이다. 우리는 종교성을 발전시켜야 할 뿐만 아니라 인생에 가장 적합한 발전의 방향을 찾아야 한다. 세상의 충돌은 목적에서 기인하기 보다는 방법에서 기인한다.[25]

그러므로 그의 초월적 문제에 대한 관점을 무조건 부정적으로만 볼 수는 없다.

그는 '인생관'에 관해 결론적으로 이렇게 말하였다.

---

24) 丁文江, 「我的信仰」. (胡適, 『丁文江傳』, 122쪽. 재인용.)
25) 딩원지앙, 「현학과 과학-장쥔마이에게 답함」, 284쪽.

한 사람의 인생관은 그의 지식과 감성, 그리고 지식과 감성에 대한 그의 태도이다.[26]

종합하면, 정문강의 '존의적 존재론'의 입장을 정리하면 다음과 같다: 우리가 이해하는 것은 우리의 사유 활동이 감지한 데이터로부터 현상 질서를 구성하는 것으로, 그렇지만 우리는 감각 데이터 배후의 물질 현실이 궁극적으로 어떤 것인지 알 수 없다.[27] 그렇다면 그가 말한 '감각 데이터'를 초월한 '어떤 것'에 대해 우리는 침묵하라는 것인가? 그렇게 말하면 충분한가? 그의 '존의적 유심론'은 '비판적 유심론'(批判的唯心論)의 반응이다.[28] 그런데 이 논쟁에 참여한 호적, 오치휘, 진독수 등과 같은 대다수의 친과학적 인물들은 정문강이 제시한 '존의적 유심론'은 현학에 일종의 양보라고 비판하였다.[29] 그리고 호적은 정문강 자신 역시 '정감'에서 '종교적'이었다고 평가한다.

재군(在君) 자신이 실재는 **<u>"종교심이 특별히 풍부한"(宗教心特別豐富的) "소수"(少數)의 사람</u>** 가운데 하나였다. 그는 가정, 사회, 학문, 민족, 국가에 대해 진정으로 "전체를 위해 개인을 일시에 희생하는" **<u>종교 정감</u>**이 있었다. 그의 **<u>"개인적 정감"(個人的情感)</u>**은 그의 정치 주장에 영향을 주었고, 또 그의 종교와 "종교심"(宗教心)에 대한 견해에도 영향을 주었다. 그러므로 그의 종교 신앙이 비록 동물학, 천연론(天演論)의 과학이라는 외피를 입었지만, 사실 "일부분은 개인의 정감으로, 시비를 증명할 수 없는 것이기 때문에 무단(武斷)적이라는 혐의를 벗어날 수 없는" 것이었다.[30] (밑줄과 강조는 인용

26) 같은 논문, 285쪽.
27) [美] 費俠莉(Charlotte Furth), 『丁文江-科學與中國新文化』, 94쪽.
28) 같은 책, 95쪽.
29) 같은 책, 97쪽.

자)

호적과 같은 과학파가 '유과학주의'를 주장하는 관점에서 보면 정문강의 이러한 관점은 분명히 현학파가 그들의 관점을 정당화할 수 있는 여지를 남긴 것이다.

제4절 현실과 학문

정문강은 과학자이면서도 현실 문제에 많은 관심을 가졌다. 그가 그렇게 한 것은 그 당시 중국의 시대적 상황이 절박하였기 때문이다.

> 중국문예부흥 사상은 특수한 감염력이 있었다. 그것이 가리키는 시간은 당대에 가까웠기 때문에 곧바로 신문화운동과 연계되었다. 학생과 지식인들이 글을 써 중국문예부흥을 칭찬할 때 통상적으로 먼저 생각하게 되는 것은 그들이 처했던 시대—하나는 문학혁명의 시대이고, 하나는 공자 유학 학설과 군주제도와 투쟁하던 시대, 하나는 서양 과학과 기술을 소개하던 시대로, 이것은 모두 당시에 봉건적 질곡 중에서 해방하려는 격동하던 인심(人心)의 시대였다.[31]

따라서 당시 중국의 지식이 현실 문제에 깊은 관심을 가질 수밖에 없었던 것은 그 당시 중국의 지식인이라면 누구도 회피할 수 없는 '시대적 운명'이었다.

---

30) 胡適, 『丁文江的傳記』, 101쪽.
31) [美] 費俠莉(Charlotte Furth), 『丁文江-科學與中國新文化』, 73-74쪽.

丁文江과 동시대인들은 태어난 당일부터 정치와 끈을 맺을 수밖에 없는데, 그것은 당시가 亡國滅種의 위기이기 때문에 당대 문제에 관심을 가질 수밖에 없었다는…… 더구나 정문강은 당시의 정치에 만족하지 못했다. 그래서 지식인은 정치에 관여할 책임을 버려서는 안 되며, 모든 평화적인 사회 개선을 위해서는 좋은 정치가 필요하기 때문에 정치 개량을 위한 노력은 지식인의 의무라고 하면서 오히려 이러한 정치적인 노력을 하지 않으려는 지식인을 비난했다.[32]

그런데 정문강에 대한 평가 역시 부정적인 것과 긍정적인 것이 모두 있다.

1. 현실 정치에 참여함

호적은 『정문강전』이라는 평전에서 정문강이 왜 정치에 관심을 두게 되었는지 이렇게 말하였다.

재군(在君-丁文江 옮긴이)이 왜 그의 친구들에게 정치를 토론하고, 정치를 비평하며, 정치에 간여해야 한다고 고취하였는가? 우리 친구들은 모두 당시 정치에 불만이었는데—민국 9년 이전 안복부(安福部)의 정치, 민국 9년의 안복부 붕궤 이후의 이른바 "직봉합작시기"(直奉合作時期)의 정치 및 민국 11년에 봉군(奉軍)이 패퇴하여 출관(出關)한 이후의 무리, 오패부(吳佩孚)의 통제하에 있던 정치—이것은 자세히 말할 필요가 없는 것이다. 재군은 항상

32) 車雄煥, 「丁文江의 抗日問題認識과 反應」, 345쪽.

심양(瀋陽), 북표(北標), 천진(天津) 사이를 왕래하였으므로 그는 장작림(張作霖) 계열의 군대와 장교들의 상황에 대해 잘 알고 있었다. 그는 특히 민국 9년에 있었던 "직환전쟁"(直皖戰爭) 이후 장래에 반드시 봉계군인(奉系軍人)이 북경의 정치를 통제하는 날이 올까 걱정하였다. 그는 그러한 국면 아래에서 중국의 정치는 필연적으로 더욱 법과 기율[法紀]이 없게 될 것이고, 더욱 부패하고, 더욱 암담하게 될 것이라고 매우 두려워하였다. 이것은 그가 시간만 나면 항상 친구들에게 말했던 것이다. 그는 정치에 간여하는 책임을 방치해서는 안 된다고 질책하였다.[33]

정문강은「소수인의 책임」(小數人的責任)이라는 글에서 다음과 같이 말하였다.

정치가 우리의 유일한 목적이고, 좋은 정치가 우리의 유일한 의무라는 것을 알아야 한다. 남이 해야 할 일이고, 정치를 개량하는 것은 실업교육(實業教育)에서 착수해야 한다고 말해서는 안 된다.[34]

이것은 정문강의 당시 정치 현실에 대한 깊은 우환의식을 나타낸다. 이것은 지식인의 당연한 의무이기도 하다. 그 결과가 바로『노력주보』(努力週報)의 창간이었다.[35]

1922년 5월 14일 채원배(蔡元培), 왕총혜(王寵惠), 나문간(羅文干) 3명을 중심으로 정문강과 호적을 포함한 16명이 서명한「우리의 정치주장」(我們的政治主張)을『노력』제2기에 발표하였다.[36] 그 구체적인

33) 胡適,『丁文江傳』, 88쪽.
34)『努力』第67期. (胡適,『丁文江傳』, 88쪽. 재인용.)
35) 胡適,『丁文江傳』, 90쪽.
36) 같은 책, 90-91쪽.

내용은 다음과 같다.

일, 정치 개혁은 마땅히 사람마다 모두 이해할 수 있는 목표가 있어야 한다. 국내의 뛰어난 인물들의 이상 중의 정치조직이 무엇이든지 간에 현재는 모두 평상심으로 돌아가 현재 중국 정치를 개혁하는데 최소한도의 요구로써 “좋은 정부”(好政府)라는 목표를 공인해야 한다.

이, “좋은 정부”는 적어도 이런 함의이다. 소극적 측면에서 정당한 기관이 있어 사리를 꾀하고 부정을 저지르는 관리를 감독하고 방지해야 한다. 적극적 측면에서 첫째로 정치 기관을 충분히 운용하여 전체 사회를 위해 충분한 복리를 도모해야 하고, 둘째로 개인의 자유를 충분히 용납하고 개성의 발전을 보호해야 한다.

삼, 지금 이후의 정치 개혁에 대해 우리는 세 가지 기본 요구가 있다. (1) 헌정(憲政)의 정부이다. (2) 공개적(公開的) 정부인데, 재정(財政)의 공개와 고시(考試)를 공개하여 사람을 쓰는 것 등등을 포함한다. (3) 계획(計劃)이 있는 정치이다.

사, 정치 개혁의 첫걸음은 “좋은 사람”(好人)이라고 자임하는 사람들이 반드시 분투하는 정신이 있어서 악의 세력과 싸워야 한다.……

오, 우리의 당면한 문제에 대한 의견은 다음과 같다. (1) 민의를 대표하는 남북화회(南北和會)가 빠른 시일 안에 정식으로 남북 분열의 문제를 해결할 것을 공개적으로 요구한다. (2) 우리는 남북이 화해할 수 없는 문제는 없다고 깊게 믿는다. 남북의화(南北議和)에 대해 우리는 이렇게 요구한다. (갑) 남북협상(南北協商)은 민국 6년에 해산한 국회를 소집하고, (을) 화회(和會)는 마땅히 기한을 정하여 헌법을 책임지고 완성하며, (병) 화회는 마땅히 군축을 협상하고, (정) 화회는 일체의 회의를 모두 마땅히 공개한다. (3) 우리는 군축 문제에 대해 네 가지를 주장한는데, 그 가운데 한 가지 사항은 심사하여 불필요한 재정을 없애고 부족한 재정은 증액하지 않는 것으로 정문강의 주장이 가장설득력이 있다. (4) 우리가 제시한 공무원을 관리하는 방법과 또 각국의 문관 고시법을 참작할 것을 주장하는데 "고시(考試)를 쳐 임용한 공무원"과 "고시가 아닌 방식으로 임용한 공무원"의 범위와 승진 방법을 규정할 것을 제시하였다. 무릇 "고시를 쳐 임용한 공무원"에 속한 것은 고시를 통하지 않으면 위임하지 않는다. (5) 현행의 선거제도에 대해 우리는 복선제(復選制)를 폐지하고 직접선거제(直接選擧制)를 채용하고, 또 선거를 엄정하게 하여 잘못된 법률이 없도록 할 것을 주장한다. (6) 재정 문제에 대해 우리는 "철저하게 회계를 공개하고", 국가의 수입에 근거하여 국가의 지출을 전반적으로 통제할" 것을 주장한다.[37)]

이 당시 정문강은 종엄(宗淹)이란 필명으로 『노력』에 여러 편의 현실 정치에 관한 글을 발표하였다.

「中國北方軍隊的槪略」(第一期, 第三期)
「奉直兩軍的形勢」(附地圖. 第一期)
「奉直戰爭眞相」(第三期)
「廣東軍隊槪略」(第五期)
「裁兵計劃的討論」(第十四期)
「湖南軍隊槪略」(第十九期).[38)]

이 글은 모두 1926년 상무인서관(商務印書館)에서 『민국군사근기』(民國軍事近紀)라는 책으로 출판하였다.

장군매는 1926년 2월 남쪽으로 내려가 중영경관고문위원회(中英慶

37) 같은 책, 91쪽.
38) 같은 책, 93쪽; 胡適, 『丁文江的傳記』, 70-71쪽.

款顧問委員會)의 웰링턴중국방문단(衛靈敦中國訪問團) 회의에 참가하였다.[39] 이것은 신축조약(辛丑條約, 1901)에 따른 13개 국가에 대한 배상 문제를 해결하기 위한 회의였다. 중국 측 위원(委員)으로 정문강, 왕경춘(王景春), 호적 세 사람이 참가하였다.

정문강은 일찍이 중국의 군사교육을 개혁할 웅대한 마음이 있었다.[40] 그는 이렇게 말하였다.

> 중국의 군사 지휘관[首領] 가운데 지휘에 뛰어나고 애국적 열정, 굳건한 의지력을 가진 사람이 적지 않지만, 현대적 지식과 훈련이 부족하여 흔히 국가가 위기에 처했을 때 막중한 책임을 맡을 만하지 않다. 이것은 참으로 국가적인 큰 손실이니, 가장 애석한 것이다![41]

호적은 정문강이 생각한 이상적인 고등군사학교의 표준을 다음과 같이 정리하였다.[42] 첫째, 교원의 임용은 반드시 엄격한 학술 표준을 취한다. 둘째, 학생의 선발은 추천제를 폐지하고 반드시 엄격한 입학고시를 통해 가장 우수한 인재를 선발해야 한다. 셋째, 학교는 반드시 최고의 역사, 지리, 정치, 경제 등의 학과가 있어야 하고, 군사를 배우는 학생은 군사를 충분히 배우는 것 이외에 현대 학문에도 충분히 배워야 한다. 그는 자신이 이러한 일을 충분히 잘 할 수 있다고 말하였다.

그는 또 아래와 같이 말하였다.

---

39) 胡適, 『丁文江傳』, 127쪽.
40) 같은 책, 131쪽.
41) 같은 책, 132쪽.
42) 위와 같음.

지리학은 군사학의 핵심[骨幹]이다.43)

우리가 이미 알고 있는 것처럼, 그가 영국에서 유학할 당시에 이미 지리학을 부전공으로 하였다. 그러므로 그가 하는 말을 단순히 서생의 말이라고 비웃을 수는 없다. 호적은 이 단락의 [부주](附注)라는 부분에서 이렇게 말하였다.

나는 『독립평론』(獨立評論) 제41호의 몇 구절을 인용하여 "군관이 지도를 읽지 못한다"(軍官不會讀地圖)라는 한 구절에 대한 부주(附注)를 대신하려고 한다. 민국 22년 열하(熱河)가 함락되기 전에 북평(北平)의 한 민중 기관 책임자는 나에게 이렇게 말하였다. "이번에 군대가 출발하는데 모두 우리에게 지도가 필요하다고 말하였다. 우리는 반값에 많은 소갑영(蘇甲榮)이 편인(編印)한 동삼성(東三省) 열하(熱河) 지도를 그들에게 주었다." 소갑영의 지도가 어찌 군사 지도로 사용할 수 있겠는가! 어찌하여 이처럼 간단한 지도조차도 없다는 것인가!44)

당시 중국군의 상황이 이러하였다. 당시 중국과 유럽인이 번역하고 인쇄한 지도는 모두 17세기 천주교 선교사가 강희(康熙) 황제를 위해 준비한 지도를 저본으로 하였다. 정문강이 소장하고 있던 당시에 널리 사용하던 지도책 중에는 건륭(乾隆) 황제 때 무창여지학회(武昌輿地學會)에서 인쇄한 것이있었고, 또 최근에 상해(上海)의 상무인서관(商務印書館)에서 출판한 것도 있었지만, 그것들은 모두 강희 황제 시대 때의

---

43) 위와 같음.
44) 위와 같음.

원본을 저본으로 한 것이었다. 그러므로 강희 황제 시대 이후 중국의 지리적 변화를 적용하지 못하였다. 한마디로 엉터리 지도였던 것이다.[45] 그러므로 정문강이 왜 이렇게 말하였는지 충분히 이해할 수 있다. 정문강은 그가 제1차 국내여행을 했을 때 쌓은 제도측량(制圖測量) 자료를 참고하여 중국에서 처음으로 완비된 현대지도책(現代地圖冊)을 편집하였는데, 1934년 옹문호(翁文灝), 증세영(曾世英)과 함께 『중국분성신도』(中國分省新圖, 中國申報館)를 출판하였다.[46]

정문강은 이 당시 '대상해'(大上海)라는 원대한 계획이 있었다. 동남오성(東南五省) 연합군 총사령관 손전방(孫傳芳)은 1926년 5월 5일 상해(上海) 총상회(總商會)에서 '대상해'의 계획과 조직을 발표하는 연설을 하였다. 그런데 이 계획은 정문강이 기초한 것으로, 외국 신문에 보도한 영문 번역 원고 역시 그가 쓴 것이다.[47] 이것은 사방에 서양 열강의 조계(租界)가 있는 중국 지역에 행정을 담당하는 행정을 총괄하는 기구를 설립하려는 것이다. 그 안에는 당연히 서양 열강의 조계를 제거하려는 목적도 담고 있었다.

1932년 5월 20일 정문강은 호적, 장정불(蔣廷黻, 1895-1965), 부사년(傅斯年, 1896-1950) 등과 함께 『독립평론』(獨立評論)을 창간하였다. 『독립평론』은 모두 244기(期)를 출판하였고 1,309편의 글을 발표하였다. 정문강은 이 잡지에 총 64편의 글을 발표하였다.[48] 논문 24편, '만유산기'(漫遊散記) 21편, '소아여행기'(蘇俄旅行記) 19편이다.[49]

---

45) [美] 費俠莉(Charlotte Furth), 『丁文江-科學與中國新文化』, 31쪽.
46) 위와 같음. 각주 3 참조.
47) 胡適, 『丁文江傳』, 133쪽.
48) 같은 책, 168-169쪽.
49) 같은 책, 172쪽.

1935년 무렵 당시 중국에서 가장 유행한 말은 '통제경제'와 '건설'이었다.

정문강은 「통제경제를 실행하는 조건」(實行統制經濟的條件)이라는 글에서 그 선결 조건으로 세 가지를 제시하여 이렇게 말하였다.

> 문제가 없는데 첫 번째 조건은 진정한 통일적 정부가 있어야 한다.…… 두 번째 조건은 조계(租界)를 되찾아 불평등조약을 무효화해야 한다.…… 세 번째 조건은 행정제도가 먼저 철저하게 현대화해야 한다.[50]

다음으로 '건설'에 관한 것이다.

> 건설이 만약 과학화해야 한다면 첫째, 건설의 비용은 외자의 수입이 없다면 국민경제의 능력을 초과할 수 없다. 건설에 사용하는 차관의 전액은 고정적인 투자로…… 원금의 회수는 장기적이기 때문에 경제 현상 속에서 이러한 투자가 가능한 총수는 국민 전체의 수입과 상당한 비례가 있다.…… 둘째, 경중완급(輕重緩急)의 표준이 있어야 한다.…… 셋째, 건설은 당연히 통일된 직권(職權)이 있어야 한다.…… 넷째, 모든 건설은 실행하기 이전에 반드시 충분한 연구와 설계가 필요하다.[51]

이상의 내용에서 알 수 있는 것처럼, 정문강의 '통제경제'와 '건설'에 관한 생각은 즉흥적인 것이 아니라 나름대로 주도면밀한 사유를 한 결과물이라고 할 수 있다.

1935년 정문강은 아직 완성하지 못한 월한철로(粵漢鐵路) 건설의

---

50) 같은 책, 198쪽.
51) 같은 책, 199-200쪽.

설계에 참여하였다. 그런데 이것과 관련하여 먼저 철도 운행에 필요한 석탄공급을 위해 탄광 조사가 필요하였다. 당시 철도부장(鐵道部長) 고맹여(顧孟餘)가 그에게 요청한 것이다. 그는 자신이 호남(湖南) 지역에 월한로(粤漢路) 일대의 탄광 저장량과 상태를 조사하기로 결정하였다. 그런데 정문강은 상담(湘潭) 지역 담가산(譚家山) 일대를 둘러보고 난 뒤 곧 병으로 쓰러졌다. 그가 탄광 조사를 하면서 가스중독으로 발병했지만, 주된 원인은 뇌 중추혈관의 손상이었다.[52] 마침내 정문강은 1936년 1월 5일 50세라는 젊은 나이에 세상을 떠났다.

우리가 정문강의 당시 중국의 현실 정치 문제와 관련하여 평가할 때 기본적으로 세 가지 측면을 모두 고려해야 할 것으로 보인다.[53] 첫째, 항일 문제에 대한 입장이다. 둘째, 국민당에 대한 입장이다. 셋째, 중국 공산당에 대한 입장이다.

첫 번째 대일 정책에 관한 입장이다.

정문강에 대한 부정적 평가는 주로 그가 당시 일본의 중국 침략에 대해 주화론(主和論)을 주장했다는 것과 관련이 있다. "항일 문제를 말할 때 丁은 主和主義者 혹은 공업화우선주의자, 國民黨의 타협 정책 지지자라고 불리며 부정적 평으로 평가되어 왔"다.[54] 그러므로 이 문제와 관련하여 사람들은 일반적으로 정문강을 대일주화론자(對日主和論者)라 평가한다. 그 근거로 그는 항일보다 중국의 현대화를 우선시했다는 점, 그가 항일보다 주화론을 주장했다는 점을 가지고 그를 국민당이 화북(華北) 지역에서 했던 대일 타협 정책을 지지한 인물이라

52) 같은 책, 205-222쪽. 참조 요약.
53) 車雄煥, 「丁文江의 抗日問題認識과 反應」, 346쪽.
54) 같은 논문, 360쪽.

고 부정적으로 평가하였다.55)

호적의 말이다.

> 우리의 주장은 일치하지 않았는데 때때로 격렬한 논쟁을 하였다. 예를 들어 일본의 문제에 대해 맹진(孟眞)은 나의 의견에 반대하였고, 재군(在君)은 나의 의견에 찬성하였다. 또 예를 들어 무력 통일 문제에 대해 정불(廷黻)은 찬성하였고, 나는 반대하였다. 또 예를 들어 민주와 독재에 대한 쟁론이 있었는데 재군은 이른바 "신식의 독재"(新式的獨裁)를 주장하였고, 나는 반대하였다.56)

이 단락에서 호적은 일본의 문제에 대해 정문강이 자신의 견해에 찬성했다고 말하였다. 그렇다면 일본의 문제에 대한 호적의 관점은 무엇이었는가?

> (민국) 20년(1931) 11월 호적지(胡適之) 선생이 장문의 편지 한 통을 써 송자문(宋子文) 선생에 보내 빨리 일본인과 교섭해야 한다고 주장하였다. 내가 그에게 말하였다. "나는 자네의 주장에 찬성하네. 그러나 국민당 지도자[首領]는 찬성을 한다고 하더라도 감히 그렇게 할 수 없고, 할 능력도 없을 것인데, 왜냐하면 그들의 전제 정치[專政]는 가짜[假的]이기 때문이라네.57)

이 단락의 내용에 의하면 호적과 정문강은 일본과 주화(主和)를 주장한 것이다. 따라서 당시 중국의 상황으로 볼 때, 일본과 주화를 주

55) 같은 논문, 345-346쪽.
56) 胡適, 『丁文江傳』, 171-172쪽.
57) 같은 책, 201-202쪽.

장하는 것은 매국노라는 오명을 쓰기에 좋은 실마리가 되었다.

정문강은 『독립편론』 초창기에 이미 일본의 국정(國情)에 관한 글을 여러 편 발표하였다.

「견양피자여일본정국」(犬養被刺與日本政局) (第一號)
「일본적신내각」(日本的新內閣) (第二號)
「일본적재정」(日本的財政) (第二號) (二十一年五月二十九日)
「일본적재정」(日本的財政) (第三十號) (二十一年十二月十一日)58)

여기에서 '이십일'(二十一)년은 민국 21년으로 1932년이다. 그러므로 정문강은 이 당시 다른 중국 지식인보다 일본에 관해 잘 이해하고 있었다고 생각한다. 특히 주목할 점은 그가 일본의 재정 문제에 관심을 가졌다는 점이다.

정문강은 당시 일본의 정치적 불안에 대해 이렇게 말하였다.

> 일본 정치의 불안정은 결코 중국의 복이 아니다. 우리는……자신이 자신을 속일 수 없으니 일시의 구차한 편안을 희망할 것인가!59)

그렇지만 정문강은 중국을 침략한 일본군에 저항해야 한다고 말하면서 전략적인 견해까지 밝히고 있다.

> ……우리의 진정한 방어, 장기적 전쟁은 북진(北津)에 있는 것이 아니라 열하(熱河)에 있다.60)

---

58) 같은 책, 172쪽.
59) 같은 책, 173쪽.

> 불행하게도 우리는 몇 차례 얻기 어려운 기회를 모두 잃었다. ……일본이 공개적으로 "만주국"(滿洲國)을 승인하고 흑룡강(黑龍江)의 의용군(義勇軍)을 적극적으로 소멸할 때가 되자 우리는 곧 일본이 반드시 진일보한 거동을 할 것임을 알게 되었기 때문에 우리는 적극적으로 열하(熱河)를 방어해야 한다고 주장하였다.[61]

정문강이 항일 문제에서 오해를 받게 된 원인은 그가 당시의 시대적 상황에 대해 깊은 정세 분석을 했기 때문으로 생각한다. 그러면 정문강은 이 문제를 어떻게 이해하고 있었을까?

먼저 정문강의 국제 정세에 대한 시각이다. 그는 특히 일본의 재정 문제에 대해 잘 이해하였다. 호적의 말에 의하면 정문강은 1932년 일본 전국의 대외무역이 27억원이고, 중국 본부의 대일무역(東三省은 제외하고 홍콩은 포함) 총액은 약 2억 6천만원으로 아직 일본 대외무역 총액의 100분의 10이 되지 않는다고 재정 분석을 하였다.[62] 그런 까닭에 그는 중국의 청년이 의용군에 들어가는 것을 반대하면서 이렇게 말하였다.

> 목전의 문제는 사람이 부족하고, 돈이 부족하며, 총이 부족하고, 탄알이 부족하며, 복장이 부족해서가 아니라, 특히 지휘와 조직을 할 수 있는 인재가 부족해서이다.[63]

---

60) 丁文江, 「假如我是張學良」, 『獨立評論』 第十三號. (胡適, 『丁文江的傳記』, 150쪽. 재인용.)
61) 丁文江, 「假如我是莊介石」, 『獨立評論』 第三十五號, 二十二年一月五日出判. (胡適, 『丁文江的傳記』, 151쪽. 재인용.)
62) 胡適, 『丁文江傳』, 173-174쪽.
63) 같은 책, 174쪽.

또 청년들에게 다음과 같이 말하였다.

항일구국(抗日救國)은 며칠, 몇 년의 일이 아니라 장기적인 결심과 노력이 있어야만 성공할 수 있는 것이다. 목전의 중국에서 40세 이상의 사람은 신중국을 건설할 능력이 거의 없다. 우리의 유일한 희망은 지금 고등교육을 받은 청년이다.……64)

또 아래와 같이 말하였다.

오늘의 청년은……마땅히 십이분(十二分) 노력하여 근대 중국이 무엇을 필요로 하는지 철저하게 이해하고, 근대 국민의 인격과 태도를 배양하며, 최소한도의 전문적 기능을 배워야 하는데, 그런 뒤에야 그들의 애국심이 결정품(結晶品)이 되어 효능이 있는 행위를 나타낼 수 있다. 일본에 저항하고 실지(失地)를 수복하려면 반드시 중국이 일본의 역량을 이길 수 있는 때가 되어야만 현실이 될 수 있다. 중국에 그런 때가 오려면 반드시 철저하게 신식의 중국으로 개조해야 한다. 이렇게 신국가로 개조하는 예비 작업이 오늘날 고등교육을 받은 청년의 유일한 책임이다!65)

정문강은 항일 문제를 단기적으로 해결할 수 있는 문제가 아니라 장기적 안목을 갖고 해결해야만 하는 문제로 인식한 것이다.

1927년 호적은 당시 일본에 머물고 있던 정문강이 그에게 보낸 편지에서 "그 자신은 근래에 일본 문제를 연구하고 있는데 중국의 존망

---

64) 위와 같음.
65) 위와 같음.

안위(存亡安危)의 관건은 일본에 있다"고 말하였다.[66] 그런데 1931년 9월 18일 마침내 심양(瀋陽)에서 일본군의 만주사변(滿洲事變)이 일어났다. 이것은 "관동군이 동북 군벌 張學良의 심양 北大營을 급습한 것"이다.[67] 이 만주사변으로 "일본은 중국 동북지방과 동부 내몽골 지역을 군사적으로 침략한 후, 1932년에는 만주 지역에 괴뢰국가 형태의 '만주국'을 설립하고, 바로 관동군 주도하에 만주국군을 창설하였다."[68]

당시 정문강은 일본에 대해 관심이 많았는데, 특히 일본의 재정과 관련한 정밀한 분석을 하고 있었다.

> 일본에 대한 이러한 관심과 연구가 계속되어, 정문강은 일본 문제의 本質을 잘 알고 있었다. 특히 일본의 중국 침략 문제와 結付된다고 생각되는 日本軍部와 財政問題를 조사하고 연구해서 그 결과를 『獨立評論』에 발표하고 있다.[69]

우리가 잘 알고 있는 것처럼, 전쟁의 승패는 그 나라의 경제적 상황, 즉 국가재정과 밀접한 관계가 있다. 전쟁은 한 나라의 국가재정을 모두 빨아들이는 블랙홀과 같은 것이기 때문이다. 그러므로 차웅환은 정문강의 일본에 대한 대응을 "당시 중국의 역량을 감안한 상당히 현

66) 같은 책, 167쪽.

67) 김주용, 「동북아시아의 전쟁과 난민: 만주사변(9.18), 피난 한인의 위기와 그 현재적 의미」, 원광대학교 인문학연구소, 『열린정신 인문학연구』 23-3, 2022, 42쪽.

68) 유지아, 「만주사변 후, 만주국군 창설과 역할 변화-일본의 만주국군 지도요령을 중심으로-」, 동국대학교 일본학연구소, 『일본학』 제48집, 2019, 245쪽.

69) 車雄煥, 「丁文江의 抗日問題認識과 反應」, 347쪽.

실적이고 합리적인 면이 있는 관점"이라고 평가한 것이다.[70] 그렇지만 중국의 인민에게는 그러한 냉철한 분석이 심정적으로는 받아들이기 어려웠을 것이다.

정문강은 단순히 일본의 정치, 재정, 군사에 관한 연구에 그치지 않았다. 그가 쓴 『민국군사근기』(民國軍事近紀)와 『광동군사기』(廣東軍事紀)를 보면 당시 중국 군벌의 군사 상황에 대한 그 분석이 매우 치밀하다.[71] 그러므로 그의 일본과 일본 군대에 대한 이해와 생각은 일반인과 그 수준이 달랐다.

두 번째 문제 국민당에 대한 입장이다.

정문강은 당시 장개석의 국민당 정부에 대해 어떻게 생각했을까? 이미 앞에서 인용한 글이지만 그는 「민치와 독재를 다시 논함」(再論民治與獨裁)에서 이렇게 말하였다.

> (민국) 20년(1931) 11월 호적지(胡適之) 선생이 장문의 편지 한 통을 써 송자문(宋子文) 선생에 보내 빨리 일본인과 교섭해야 한다고 주장하였다. 내가 그에게 말하였다. "나는 자네의 주장에 찬성하네. 그러나 국민당 지도자[首領]는 찬성을 한다고 하더라도 감히 그렇게 할 수 없고, 할 능력도 없을 것인데, 왜냐하면 그들의 전제 정치[專政]는 가짜[假的]이기 때문이라네.[72]

이 문제와 관련하여 우리는 정문강이 쓴 '신독재'(新獨裁)에 관한 관점을 살펴볼 필요가 있다.

---

70) 같은 논문, 360쪽.
71) 丁文江 撰, 『民國軍事近紀·廣東軍事紀』, 中華書局, 2007.
72) 胡適, 『丁文江傳』, 201-202쪽.

> 나는 만약 (국가의) 지도자[首領]가 되어 한 국가 내에 있는 소수의 총명재덕(聰明才德)한 인재들을 단결하여 통치 설계의 작업을 한다면 정체(政體)는 문제가 되지 않는다고 생각한다. 뿐만 아니라 이것은 이미 자본주의, 공산주의 국가에 공통으로 있는 현상으로 변하였는데, —루스벨트 대통령은 한편으로 의회에서 이전에는 없었던 수많은 대권을 얻었고, 한편으로 정객(政客) 이외의 "두뇌집단"(智囊團)을 조직하였으니 바로 현대정치 추세의 풍향계이다.73)

또 '신독재'의 네 가지 조건에 대해 이렇게 말하였다.

> 일, 독재의 지도자는 완전히 국가의 이익[利害]을 이익으로 삼아야 한다.
> 이, 독재의 지도자는 철저하게 현대화한 국가의 성질을 이해해야 한다.
> 삼, 독재의 지도자는 전국의 전문적인 인재를 충분히 이용해야 한다.
> 사, 독재의 지도자는 목전의 국난 문제를 이용하여 전국적으로 정치에 참여할 자격이 있는 사람들의 정서(情緖)와 이지(理智)에 호소함으로써 그들이 하나의 깃발 아래 모이도록 해야 한다.74)

사실 이것은 매우 위험한 정치적 발언이었다. 읽기에 따라서는 '목적'[국가]을 위해 어떤 '수단'[정치 또는 국민]을 써도 좋다는 의미로 읽을 수 있기 때문이다. 그러므로 호적은 당시 여러 친구가 정문강의 '신독재'론에 대해 비판했다고 말하였다.

> 우리의 몇몇 친구들은 그 당시 재군(在君)이 독재의 정치를 제창해서는

73) 같은 책, 197쪽.
74) 같은 책, 201쪽.

안 된다고 자못 비판하였다. 20여 년이 지난 뒤 우리가 그의 정치에 관한 글을 자세히 읽고 되돌아보면—가장 좋은 것은 그가 만년에 쓴 몇 편의 정론을 모아 읽는 것이다—우리는 그의 애국적 고민[愛國苦心], 그의 과학 태도, 그의 세밀한 사고를 인식할 수 있을 것이다.75)

다시 정문강의 말이다.

동시에 나 역시 독재제(獨裁制)를 미신하는 것은 아니다. 현대사회에서 독재를 실행하는 지도자[首領]는 책임이 너무도 중대한데, 천재적 재능이 많은 어떤 사람이라도 모두 그 직책을 감당하기 어렵다. 이러한 제도의 폐단은 매추 분명하다. 만약 영원히 독재를 하려면 반드시 정적(政敵)을 제거해야 할 뿐만 아니라 정적이 나오지 못하도록 해야 하는데, 그러므로 반드시 일체의 비판과 토론을 금지해야 한다. 이러한 제도 속에서는 지도자의 부패[腐化]와 맹목[盲化]은 시간문제일 뿐이다.76)

세 번째 중국 공산당에 대한 입장이다.

앞에서 이미 정문강은 공산주의와 소련에 대해서 비판했다는 점을 말하였다. 그렇다면 중국 공산당에 대한 그의 생각은 무엇일까? 그는 「내가 만약 장개석이라면」(假如我是莊介石)에서 일본군에 대항하는 대책으로 세 가지를 제시하였다.

제1, 나는 곧바로 국민당 내부의 단결을 완성할 것이다.……

제2, 나는 곧바로 군 지도자[軍事首領]의 합작을 도모할 것이다.……

---

75) 같은 책, 197-198쪽.
76) 같은 책, 197쪽.

> 제3, 나는 곧바로 **공산당과 상의하여 휴전을 할 것**이다. 휴전의 유일한 조건은 항일(抗日) 기간에는 서로 공격하지 않는 것이다.[77] (밑줄과 강조는 인용자)

이 당시 정문강은 국민당과 중국 공산당 사이의 휴전과 합작을 주장하였다. 그렇지만 이것만으로 그의 중국 공산당에 관한 구체적인 견해를 알 수는 없다. 다만 그의 공산주의에 대한 생각을 통해 간접적으로 이해할 수 있다.

> 그렇다면 나는 왜 공산당의 당원이 아닌가? 첫째, 나는 혁명이 유일한 길이라는 것을 믿지 않는데, 특히 무슨 "역사적 논리"(歷史的論理)가 혁명이 성공하도록 한다거나, 혹은 어떤 환경 속에서도 혁명은 반드시 똑같은 방식을 취해야 한다는 것을 믿지 않는다. 둘째, 나는 인류의 진보가 장기적으로 계속 노력하는 것 이외에 어떤 지름길이 있다는 것을 믿지 않는다. 그러므로 비록 공산주의의 일부분(혹은 대부분)을 동정한다고 하더라도 공산당식의 혁명에 찬성하지 않는다.[78]

2. 학문의 연구

앞에서 이미 지적한 것처럼, 정문강은 동물학과 지질학을 공부한 자연과학자이다. 그는 또 지리학에도 관심이 많았다.

1911년 정문강이 귀국하였다. 이 무렵, 즉 1911-1912년 겨울에

---

77) 丁文江, 「假如我是張學良」. (胡適, 『丁文江的傳記』, 152쪽. 재인용.)
78) 胡適, 『丁文江的傳記』, 169쪽.

남경정부(南京政府)는 공상부(工商部) 광정사(礦政司) 아래 지질과(地質科)를 설립할 것을 결정하였다. 다음 해 공상부는 북경으로 옮겨 통일된 공화정부(共和政府)의 지침을 접수한 뒤에 정문강에게 지질과 과장의 직책을 맡도록 요청하였다. 그리고 뒤에 정문강의 지도로 지질과는 발전하여 중국지질조사소(中國地質調查所)가 되었다. 그는 1921년까지 지질조사소의 책임자였다. 그와 지질연구소의 여러 가지 사업은 그가 죽을 때까지 계속하여 긴밀한 관계를 맺었다.[79]

1913년 북경대학에는 아직 지질과가 설치되지 않았다. 북경대학은 일찍이 1910년 독일 지질학자 F. 솔게르(Friedrich Solger, 赫爾·梭爾格, 1877-1965)를 초청했지만 학생 모집을 할 수 없어서 중단하고 말았다.[80]

1913년 2월 정문강은 북경에 와서 지질과 과장이 되었다. 중국 지질 연구의 선구자인 그는 장홍조(章鴻釗)와 함께 서양학자의 저작을 번역하는 작업에 힘을 쏟았다. 그들에게 가장 긴박한 임무는 지질학 방면의 인재를 길러내는 것이었다. 그는 북경대학 측과 협상하여 지질학과 설립을 위해 마련했던 약간의 설비를 자신에게 빌려주도록 하는 한편 F. 솔게르의 교수 초빙을 허락받았다. 또 1914년에 외국인 전문가 J. G. 앤더슨(Anderson, 安得生) 역시 지질과에서 일하도록 하였다. 그는 이전에 일찍이 『서전지질감탐』(瑞典地質勘探)을 주편한 인물이다. 앤더슨은 조수 두 명을 데리고 왔는데 농상부(農商部) 고문이 되었다.[81]

79) [美] 費俠莉(Charlotte Furth), 『丁文江-科學與中國新文化』, 30쪽.
80) 같은 책, 32쪽.
81) 같은 책, 31-35쪽. 참조 요약.

광정사(礦政司)의 지질학교(地質學校), 즉 지질연구소(地質研究所)는 1913년 정식으로 문을 열었다. 그리고 1916년 여름 1회 졸업생 30명을 배출하였다. 정문강, 장홍조, 솔게르가 대부분의 과목을 담당하였다. 1914년 솔게르의 직책을 옹문호(翁文灝)가 이어받았는데, 그는 벨기에 루뱅(Louvain, 魯汶)대학 지질학과 졸업생이었다. 1916년 1회 졸업생 가운데 18명은 초급 연구 작업을 하도록 초빙하였고, 가장 뛰어난 학생들은 외국으로 유학을 보내 석사과정에 진학하도록 하였다.[82)]

1913년 12월부터 1914년 1월까지 정문강은 솔게르와 함께 대략 6주 동안 산서(山西)에서 태행산맥(太行山脈)을 고찰하고, 또 정형(井陘)과 양천(陽泉) 지역 석탄 매장량을 조사하였다. 북경으로 돌아온 뒤 며칠 되지 않아 더 중요한 임무를 띠고 운남(雲南)으로 가게 되었는데 1년의 기간을 보냈다. 이 장기출장은 교통부(交通部)와 중법공업은행(中法工業銀行)이 협정한 사업으로 곤명(昆明)과 중경(重慶)을 연결하는 철도건설이었다.[83)]

1914년 금사강(金沙江) 유역을 여행하는 도중에 정문강은 소형의 천연 동광(銅礦)을 답사하였다. 그는 회리현(會理縣)의 청광산(靑礦山)에서 당시 중국의 유일한 얼광(鎳礦, 니켈광산)을 참관하였다.[84)] 동천(東川)에서 출발하여 동쪽으로 갔는데, 위녕현(威寧縣)에서 귀주(貴州)로 들어갔다. 그 뒤 남쪽으로 방향을 바꾸어 의위(宜威), 곡정(曲靖)과 육량(陸良)을 지나 다시 곤명(昆明)으로 되돌아 나왔다. 그리고 1915년

82) 같은 책, 36쪽.
83) 같은 책, 36-37쪽.
84) 같은 책, 41쪽.

2월 북경의 집으로 돌아왔다.[85]

1917년 채원배(蔡元培, 1863-1940)가 북경대학 교장이 되었는데, 북경대학은 지질학과를 다시 설치하도록 결정하였다. 이와 동시에 정문강은 그가 조직한 기구를 지질조사소(地質調査所)로 개명하여 전문적으로 지질학을 연구하는 작업에 종사하였다. 정문강과 채원배 두 사람은 이사광(李四光, 1889-1971)과 독일계 미국 지질학자이자 고생물학자 A. W. 그레이보(Amadeus William Grabau, 葛利普, 1870-1946)를 북경대학에 초빙하였다.[86]

정문강의 도움을 받아 동상(董常)이 영문을 번역하여 『간명사전』(簡明詞典)을 편찬하였다. 광물 조사의 결과물은 《지질학보》(地質學報)와 1921년 창간한 《중국광업기요》(中國礦業紀要)에 게재하였다. 1919년에 정문강은 또 두 권의 학술 잡지 《지질회보》(地質汇報, *the Bulletin of the Geological Survey of China*), 《중국고생물지》(中國古生物志, *Paleontologica Sinica*)를 발행하였다. 그는 《중국고생물지》의 주편을 15년 동안 담당하였다. 1924년에는 지도를 만들 장기적인 계획을 세우기도 하였다.[87] 왜냐하면 당시 중국의 지도는 전혀 현실적으로 쓸 수가 없는 매우 낡은 것이었기 때문이다.

정문강은 1928년 서남(西南) 지역에서 광산 지질조사를 하였다. 그리고 5년 뒤 1933년 미국의 고생물학자 A. W. 그레이보(Amadeus William Grabau, 1870-1946)와 함께 제16회 국제지질학회에 논문 「중국의 이첩기와 그 이첩기 지층 분류상의 의의」(中國之二疊紀及其在

---

85) 같은 책, 42쪽.
86) 같은 책, 43쪽.
87) 같은 책, 43-45쪽. 참조 요약.

二疊紀之層分類上的意義, The Permian of China and its Bearing on Permian Classification)을 발표하였다.88)

1929년 지질조사소에서 서남(西南) 전 지역의 지질을 조사하는 대규모 계획을 세웠는데 몇 단계로 나누어 진행하였다. 그 총책임자가 정문강이었다.89)

1931년 45세 때 북경대학 지질학과 교수가 되었다. 그는 북경대학에서 3년 동안 교수로 있었는데 그는 이 3년 동안의 기간이 그의 일생에서 가장 즐거운 시절이었다고 말하였다.90)

1933년 47세 때 정문강은 중국지질학회 회장에 취임하였다. 그는 회장 취임 논문으로 「중국조산운동」(中國造山運動, Orogenic Movements in China)를 발표하였다. 이 글은 『중국지질학회회지』(中國地質學會會志) 제8권에 수록하였다.91)

같은 해 여름방학 때 정문강은 미국의 고생물학자 A. W. 그레이보, 프랑스의 지질학자이자 고생물학자 T. 샤르댕(Teilhard de Chardin, 1881-1955) 등과 함께 미국에서 열린 국제지질학회 제16차 대회에 참가하였다. 8월 2일 뉴욕에서 유럽에 갔다. 또 8월 31일 모스크바에 도착하였다.

1933년 정문강은 미국으로 가는 길에 선상에서 러시아 여행기 『소아여행기』(蘇俄旅行記)을 작성하기 시작하였다. 이 무렵 이 책의 제1부분 〈설자〉(楔子)를 섰다. 이것을 『독립평론』(獨立評論) 제101호, 제103호, 제104호, 제107호, 제109호에 게재하였다.92) 그렇지만 아쉽게도

---

88) 胡適, 『丁文江傳』, 147쪽
89) 같은 책, 151쪽.
90) 같은 책, 157쪽.
91) 같은 책, 150쪽.

그는 이 책을 완성하지 못하고 죽었다. 그의 이번 러시아 여행은 단순한 여행을 위한 것이 아니라 역시 러시아의 지질을 탐사하기 위한 것이었다.

그는 러시아를 떠날 무렵 열차 속에서 자신에게 이렇게 질문하였다.

나는 어렸을 때 일찍이 민주정치가 가장 발전한 국가에서 공부를 하였다. 1년 전, 나는 일찍이 득의만만한 채 러시아를 참관하였다. 내가 러시아를 떠날 때 열차 속에서 나는 일찍이 자신에게 이렇게 물었다. "만약 내가 자유롭게 선택할 수 있다면 나는 영미(英美)의 노동자[工人]가 될 것인가, 아니면 러시아의 지식인이 될 것인가?" 나는 전혀 의심하지 않고 말할 것이다. "영미의 노동자!" 나에게 또 물었다. "나는 파리의 백러시아 사람이 될 것인가, 아니면 러시아의 지질 기술자[技師]가 될 것인가?" 나는 전혀 의심하지 않고 말할 것이다. "러시아의 지질 기술자!"[93]

그가 이렇게 말한 것은 그 나름의 러시아에 대한 관찰에 근거한 것이다.

호적은 그 당시 정문강의 입장을 이렇게 기록하였다.

그가 출국하기 전에, 그는 일찍이 1만 자에 해당하는 장문의 「공산주의를 평론하고, 또 중국 공산당원에게 충고함」(評論共産主義, 幷忠告中國共産黨員)이라는 글을 썼다(『獨立』 第五十一號, 二十二年五月二十一日出判, 출국하기 1개월 전이다). 그 긴 글에서 그는 먼저 마르크스주의의 가치론을 서술한 뒤에 이러한 가치론은 "성립하기 매우 어려운 것으로"(是很難成立的)—"그

---

92) 胡適, 『丁文江的傳記』, 155쪽.
93) 같은 책, 165쪽.

학설은 경제적 진리라고 말하는 것보다는 정치적 구호라고 말하는 것이 낫다"(與其說是經濟的眞理, 不如說是政治的口號). 다음으로, 그는 마르크스의 유물사관, 변증론적 진리, 계급투쟁을 서술한 뒤에 그는 "근본적으로 역사에 어떤 논리가 있다는 것을 믿지 않는다. ……뿐만 아니라 그를 이용하여 폭력으로 공포스럽게 살인을 하는 근거로 삼는다면, 그것은 얼마나 위험한가!"라고 지적하였다.94)

우리는 이것을 어느 정도 호적 개인의 관점이 개입된 것이라고 이해할 수 있다. 그러나 대체적으로 정문강의 생각을 읽을 수 있다.

그는 마르크스는 19세기 중엽에 두세 가지 역사적 사실을 알지 못하였다. 예를 들어, "최근 주식회사의 주식은 흔히 여러 사람의 수중에 있다"는 것이다. 예를 들어, "최근 7, 80년 이래 서구와 북미의 노동자[工人]의 생활 정도는 마르크스가 『자본론』을 쓸 때보다 매우 높은데, ……세계 경제가 공황에 빠진 상태에서도 영국의 실업 노동자가 얻는 실업 수당이 러시아의 봉급보다 높다." 또 예를 들어 최근 몇십 년 사이에 "유럽의 많은 국가는 모두 자유롭게 정권을 봉권귀족의 수중에서 중산계급의 수중으로 전환하였다." 이것은 모두 마르크스가 꿈도 꾸지 못한 역사적 사실이다.95)

그러므로 그는 러시아에 대해서도 비판적이었을 것이다.

……러시아의 현상을 보면, 우리는 조금도 평등 자유의 광명을 볼 수 없다. 맞는 말이니, 자본주의는 없다. ……통치계급은 매우 매우 청렴하고 매우 노력을 하는데 많은 비공산당도 모두 인정한다. 그렇지만 평등은 완전히

94) 같은 책, 167쪽.
95) 위와 같음.

그렇지 않다. ……러시아 통치자의 생활은 평민과 다르다. ……권력은 금전과 같이 매우 두려운 독약이다.……

러시아의 지도자[首領]는 과학을 가장 믿지만, 그러나 자유는 과학을 기르는 가장 중요한 공기이다. 오늘 이것은 자산계급의 여독(餘毒)이라 말한다. 내일은 이것은 마르크스, 레닌의 학설과 위배한다고 말한다.[96]

정문강은 귀국 뒤에 발병하였다.[97]

1933년에는 미국에서 지질학 학회에 참석하였다. 그리고 러시아 여행을 하였다.

C. 퍼드는 정문강에 대해 이렇게 평가하였다.

그는 과학 영역에서 개척자, 촉진자와 조직자이다. 이것을 위해 그는 (자신을) 희생하였다. 개인적으로 유감인 것은 순수 학술 연구에 중요한 공적이 없다는 점이다. 1922년에 운남(雲南) 동부(東部) 지층학(地層學)에 관한 논문을 벨기에에서 열린 국제지질학과 고생물학 대표 회의에 투고한 것 이외에 정문강은 단지 5편의 학술 전문 저작을 발표하였다. 절대다수는 중국 북방의 여러 지역 광산 자원에 관한 것이다. 그러나 그는 언제나 이런 신념을 갖고 있었다. 헉슬리 역시 영국 사회에서 다윈주의 전도자의 역할을 담당하기 위해 개인의 연구를 희생하였다. 정문강의 이러한 자신을 희생하는 정신이 바로 과학 사업의 개척에 유익한 것이다.[98]

정문강의 연구 범위는 지질학에 그치지 않았다. 중국학자 유서승(劉瑞升)은 『서하객 정문강 연구 문고』(徐霞客丁文江硏究文稿)에서 이렇게

96) 같은 책, 167-168쪽.
97) 胡適, 『丁文江傳』, 159쪽.
98) [美] 費俠莉(Charlotte Furth), 『丁文江-科學與中國新文化』, 48-49쪽.

말하였다.

필자는 정문강의 중국 지질학에 대한 것 이외의 연구 성과가 절대 지질학 연구의 성과보다 수준이 떨어진다고 생각하지 않는다. 예를 들어 그는 현대과학의 시각으로 17세기 명대 대 두 가지 과학 문헌 『서하객유기』(徐霞客遊記)와 『천공개물』(天工開物)의 과학 가치를 발견하였으며, 또 글을 써 서하객(徐霞客)과 송응성(宋應星)이 인류 과학사에서 차지하는 지위를 확립하였는데, 중국 고대과학 유산이 20세기에 다시 빛나게 하였다. 그는 또 이족(彝族), 장족(壯族)을 중심으로 소수민족의 역사 언어 문헌을 정리하여 『찬문총각』(爨文叢刻)을 편찬하였기 때문에 정문강은 중국에서 가장 일찍이 소수민족의 언어 문헌 연구를 한 학자라고 부를 수 있다. 그가 쓴 『민국군사근기』(民國軍事近紀)는 민국(民國) 전기(前期) 군사편제(軍事編制) 여러 가지 많은 사료를 보존하여 사람들이 북양정부(北洋政府) 시기 군사 역사를 연구하는데 중요한 참고자료 문헌 가운데 하나가 되었다. 그는 일찍이 가장 잘 완비된 중국 인종 자료를 수집하였는데 중국 인류학 연구의 개척자이다.[99]

또 이렇게 평가하였다.

정문강은 중국 지질사업의 기초자 가운데 한 사람이다. 그는 여러 방면에 성취가 있는 과학자일 뿐만 아니라 그는 인문과학의 영역을 섭렵한 인물인데, 동물학, 인류학 및 정치, 군사, 역사, 문화, 경제, 사회 등 여러 방면에 걸쳐 많은 논문을 발표하였으며, 그로 인하여 자못 영향력이 있는 자유주의 지식인의 대표적 인물 가운데 한 사람이 되었다.[100]

99) 劉瑞升, 『徐霞客丁文江研究文稿』, 204-205쪽.
100) 같은 책, 215쪽.

제7장 장군매와 정문강의 과현 논쟁

제1절 논쟁 과정

제2절 장군매의 관점

제3절 정문강의 관점

제4절 장군매와 정문강의 논점 비교와 평가

제7장 장군매와 정문강의 과현 논쟁

제1절 논쟁 과정

장군매와 정문강의 인생관과 과학의 논쟁, 즉 과학과 현학의 논쟁은 몇 차례 진행 과정이 있었다. 또 이 두 사람의 논쟁은 당시 여러 가지 다양한 관점에 서 있던 지식인들이 참여하면서 또 서로 다른 관점으로 분화하였다.

그런데 당시 이 논쟁은 서양철학을 그 이론적 배경으로 하고 있다.

이 논쟁은 중국의 전통 사상뿐만 아니라 그동안 수입된 서양사상이 총동원되는 모습이었다. 당시 중국은 다윈(C. Darwin)과 스펜서(H. Spencer)의 '진화론', 크로포트킨(A. Kropotkin) 등의 '무정부주의', 니체(Nietzsche)와 쇼펜하우어(Schopenhauer) 사상, 마르크스주의(유물사관), 듀이(J. Dewey)의 '실용주의', 러셀(B. Russell)의 신실재론 등 서양사상이

지식인들에게 이미 광범위하게 퍼져 있었다.[1)]

장군매는 그의 강연과 글에서 J. 벤담(Jeremy Bentham, 1748-1832), C. R. 다윈(Charles Robert Darwin, 1809-1882), A. 쇼펜하우어(Arthur Schopenhauer, 1788-1860), R. C. 오이켄(Rudolf Christoph Eucken, 1846-1926), H. 베르그송(Henri Bergson, 1859-1941), B. 러셀(Bertrand Russell, 1872-1970) 등을 말하였다. 정문강은 W. S. 제번스(William Stanley Jevons, 1835-1882), C. 다윈, T. 헉슬리(Thomas Henry Huxley, 1825-1895), W. 제임스(William James, 1842-1910), K. 피어슨(Karl Pearson, 1857-1936), H. 스펜서(Herbert Spencer, 1820-1903), E. 마하(Ernst Mach, 1838-1916), J 듀이(John Dewey, 1859-1952) 등을 말하였다. 이처럼 장군매와 정문강의 인생관과 과학의 논쟁에는 서양의 다양한 학자들의 여러 가지 이론이 그 배경으로 놓여 있다.

그렇지만 이와 달리 우리는 또 한 가지 다음과 같은 반시대적 조류의 변화에 대한 인식이 필요하다.

> 중국 지식인의 서양[歐洲]에 대한 이해가 갈수록 깊어졌다. 그들의 관념은 서양 계몽주의 시대의 경전 저작과 19세기 과학 이성주의자 중의 계승자—J. 벤담(Jeremy Bentham, 1748-1832), J. S. 밀(John Stuart Mill, 1806-1873), I. 칸트(Immanuel Kant, 1724-1804), H. 스펜서(Herbert Spencer, 1820-1903), T. 헉슬리(Thomas Henry Huxley, 1825-1895)—의 저작을 읽

1) 이상화, 「근대 중국 지식인의 진, 선, 미 개념 연구-'과학과 형이상학 논쟁'(科玄論爭)을 중심으로-」, 영남대학교 인문과학연구소, 『인문연구』 76호, 2016, 184쪽.

으면서 형성되었다. 세상의 한 곳이었던 서양의 역량과 물질적 풍요, 질서가 있는 헌법 정부 및 상업과 법률 방면의 높은 효율성은 모두 안정되고 통일된 문명의 증거와 같았다. 그렇지만 1920년 제1 세대의 인물들이 서양을 긴급하게 연구한 뒤에 중국인은 깨어나지 않을 수 없었다. 많은 서양의 조직기구와 그 제도는 원래 그들 국가 내에서 격렬한 논쟁의 초점이었으며, 그들이 당초에 서양 역량의 기초가 된다고 생각한 사상은 흔히 서로 충돌하던 것이다. 민족주의는 전쟁과 식민주의를 자극한 것으로 보였고, 민주는 계급의 충돌을 이끌었다. 자유 역시 이러한 가치 관념에 불과한 것으로, 즉 단지 무역 중의 보호주의, 정치 중의 독재주의와 인류 복리 방면의 사회주의에 불과한 것으로 생각되었을 때 그 존재를 위해 투쟁할 가치가 있었다.

중국인은 좌익이 서양의 마르크스주의자는 산업생산의 자본주의 형식은 착취하는 제도라 비판한다는 것을 듣고 말하였는데, 이러한 착취는 사람과 사람의 관계를 탐욕과 의존이라는 관계를 형성하고 결과적으로 특권계급의 배를 불리고 많은 군중은 실제로 이익이 되지 않는다는 것이다. 그들은 또 입헌 정부는 계급을 조종하는 도구이고, 자본주의의 착취 경제적 논리는 전 세계에서 강자가 약자를 능멸하는 것이기 때문에 국제적 문제는 제국주의와 전쟁을 불러일으켰다고 말하는 것을 듣게 되었다. 자본주의의 우익은 당대의 자본주의에 불만이라는 말을 듣게 되었는데, 이것은 기술의 반인도주의적 성질에 대한 저항을 표명하고, 또 여러 가지 복잡한 위장적 이성주의에 대해 이성의 반란을 진행해야 한다는 것을 나타냈다. 그들은 인문주의에 대한 신뢰에서 실존주의 철학과 유심주의 철학으로 물러났으며, 예술가들은 미학 가치가 있는 종교를 창조하였지만, 독재주의 정치의 예언가는 반이성[反李智]적 자유 숭배와 권력 숭배를 선전하였다. 마지막으로 그들이 관찰한 것은 기술 생산이라는 파괴적 무기와 인류의 통제하지 못하는 어리석음이 세계대전이라는 두려운 괴물을 낳았다는 것이다. 이러한 모든 것은 서양과 마찬가지로 동양에서 전체 문명에 대한 문제 제기를 형성하였다.[2)]

따라서 우리가 장군매와 정문강의 '과학과 인생관의 논쟁', '과현논쟁', '과학과 현학의 논쟁', '과학과 형이상학의 논쟁'을 이해하려면 이러한 당시 서양철학의 다양한 이론적 배경을 이해할 필요가 있다.

1. 1차 논쟁

1923년 장군매는 '인생관'이란 강연에서 인생관의 문제는 과학으로 해석할 수 없다고 주장하였다. 그런데 정문강은 그에 대해 비판적 관점을 제시하였다.

먼저 장군매의 관점이다. 그는「인생관」(人生觀)이란 강연과 그 강연을 수록한 글에서 인생관과 과학의 차이를 다섯 가지 점으로 요약하였다.

> 첫째, 과학은 객관적이지만 인생관은 주관적이다. ……둘째, 과학은 논리적 방법이 지배하지만 인생관은 직관[直覺]에서 시작한다. ……셋째, 과학은 분석 방법으로 착수할 수 있지만 인생관은 종합적이다. ……넷째, 과학은 인과율이 지배하지만 인생관은 자유의지적이다. ……다섯째, 과학은 대상의 동일현상에서 기원하지만 인생관은 인격의 단일성에 기원한다. [3)]

---

2) [美] 費俠莉(Charlotte Furth),『丁文江-科學與中國新文化』, 丁子霖·蔣毅堅·楊昭 譯·楊照明 校, 新星出版社, 2006, 84-85쪽.
3) 張君勱,「人生觀」, 張君勱 等,『科學與人生觀』(一), 遼寧教育出版社, 1998, 31-34쪽. 참조 요약.

그는 이 관점을 종합하여 다음과 같이 정리하였다.

이상에서 말한 것으로 볼 때, 인생관의 특징은 주관적, 직관적, 종합적, 자유의지적, 단일성적이다. 인생관에는 이 다섯 가지 특징이 있기 때문에 과학이 아무리 발전하더라도 인생관 문제의 해결에는 과학은 결코 그럴 힘이 없고, 오직 사람들 자신에 의지할 수 있을 뿐이다.4)

그러므로 장군매는 사람마다 각기 인생관은 다를 수밖에 없다고 주장하였다.

사조가 변하면 즉 인생관이 변한다. 오늘의 중국이 바로 그 시기이다. ……인생관은 객관 표준이 없기 때문에 자기 자신에게 되돌아가 구할 수 있을 뿐인 것으로, 다른 사람의 이미 완성된 인생관을 자신의 인생관으로 삼을 수는 없는 것이다.5)

장군매의 이러한 관점은 곧바로 정문강의 논쟁을 불러들였다. 정문강은 「현학과 과학-장군매의 《인생관》을 논평함」(玄學與科學—評張君勱的《人生觀》)에서 먼저 이렇게 비판하여 말하였다.

만약 우리가 그것이 모순이고 사실과 부합하지 않는다는 것을 증명하면 그는 가능한 한 우리에게 그것은 논리학과 사실의 지배를 받지 않는 것이라고 대답한다.6)

---

4) 같은 논문, 35쪽.
5) 위와 같음.
6) 丁文江, 「玄學與科學-評張君勱的《人生觀》」, 張君勱 等, 『科學與人生觀』(一), 38쪽.

정문강은 장군매가 말하는 인생관은 '논리학과 사실'을 부정하는 관점이라는 것이다. 그런데 그는 인생관 역시 과학적 방법을 통해 시비진위(是非眞僞)를 판단할 수 있다고 주장한다.

> 그러므로 장군매의 이유는 인생관은 "세상에서 가장 통일되지 않는"(天下古今最不統一) 것으로, 그런 까닭에 과학 방법은 적용할 수 없다고 한다. 그러나 인생관이 현재 통일(된 관점)이 없는 것은 한 가지 사건이고, 영원히 통일할 수 없다는 것은 또 다른 한 가지 사건이다. 당신이 사실적 이유를 제시하여 그것이 영원히 통일할 수 없는 것임을 증명하지 않는 한 우리는 언제나 그것의 통일을 추구할 의무가 있다. 하물며 현재 "시비진위의 표준이 없다"(無是非眞僞之標準)고 하여 시비진위를 (영원히) 구할 수 없다고 할 수 있는가? 시비진위를 구하지 않는다는 것은 어디에서 나온 표준인가? 시비진위를 요구하는 것은 과학 방법이 아니면 또 무슨 방법이 있는가?[7]

정문강은 인생관의 문제 역시 '과학 방법'을 통해 시비진위를 판단해야 한다고 말하였다.

> 우리가 말하는 과학 방법은 세계의 사실을 분류하여 그것들의 질서를 구하는 것을 벗어나지 않는다. 분류하여 질서를 분명하게 하면 우리는 다시 가장 간단한 말로 개괄하는데 이러한 수많은 사실을 개괄하는 이것을 과학의 공례(公例, 법칙)라고 부른다. 사실은 복잡한 것이게 당연히 분류하기가 쉽지 않고, 그것의 질서를 구하기가 쉽지 않으며, 하나의 개괄적 공례를 찾기가 쉽지 않지만, 그렇다고 해서 과학 방법을 적용할 수 없다는 것은 아니

7) 같은 논문, 39쪽.

다. 그러나 만약 사실이라는 것이 진정한 사실이 아니면 자연히 무슨 질서의 공례라는 것을 찾을 수 없을 것이다.8)

정문강은 이와 같은 관점에서 장군매의 인생관을 비판한 것이다.

현학가는 한 가지 선입견[成見, 편견]이 있는데 과학 방법은 인생관에 적용할 수 없다고 말한다. 세상에서 어느 날 현학가가 모두 죽지 않는다면 자연히 인생관은 통일될 수 없다고 하는데, 그러나 이것이 과학 방법의 잘못이란 것인가?9)

그는 이어서 장군매가 이처럼 잘못된 관점을 갖게 된 원인을 두 가지로 설명하였다.

이처럼 통할 수 없는 논의의 연원은 반은 현학을 미신한 것에서 나오고, 반은 과학을 오해한 것에서 나온 것으로, 과학은 물질적, 기계적이라고 생각한 것이다.10)

정문강은 과학의 목적과 방법에 대해 다음과 같이 말하였다.

과학의 목적은 개인의 주관적 선입견[成見, 편견]—인생관의 가장 큰 장애—을 제거하여 사람마다 공인(共認)하는 진리를 구하는 것이다. 과학의 방법은 사실의 진위를 변별하여 참된 사실을 찾아 자세하게 분류한 뒤에 그것들의 질서 관계를 구하고, 가장 간단하고 분명한 말로 그것을 개괄하는 것이

8) 위와 같음.
9) 같은 논문, 40쪽.
10) 같은 논문, 49쪽.

다. 그러므로 과학의 만능, 과학의 보편, 과학의 관통(貫通)은 그 재료에 있는 것이 아니라 방법에 있다.[11]

2. 2차 논쟁

장군매는 정문강의 비판에 대해 다시 「인생관과 과학을 재론하고 또 정재군에게 대답함」(再論人生觀與科學幷答丁在君)이라는 논문을 썼다. 그는 이 글에서 먼저 개념 문제를 제기하였다.

2, 30년대 이래 우리나라 학계의 중심사상을 과학만능(科學萬能)이라고 부른다. ……우리나라 사람[國人]은 과학을 미신하여 과학은 무소불능(無所不能), 무소무지(無所不知)라고 여긴 것이 최근 수십 년 동안 귀에 닳도록 들었기에 그러려니 한다. 비록 그렇기는 하지만 무엇을 과학이라고 하는지 물어보면 명확히 대답할 수 있는 사람은 드물다. 이것뿐만 아니라 같은 과학에도 물질과학(物質科學)이 있고 정신과학(精神科學)이 있는데 이 둘의 차이점과 공통점이 무엇인지 명확히 말할 수 있는 사람은 더욱 적다.[12]

이 단락에서 장군매는 두 가지 문제의식을 보여준다. 첫째, 과학에 대한 정확한 이해 또는 개념 규정이 없다. 둘째, 과학은 크게 물질과학과 정신과학으로 나누어진다.

그는 또 정문강이 제시한 '과학적 지식론'에 대해서도 이의를 제기

11) 위와 같음.
12) 張君勱, 「再論人生觀與科學幷答丁在君」, 張君勱 等, 『科學與人生觀』(一), 57-59쪽.

하였다.

> 재군(在君, 丁文江)은 아는가? 지식론이란 철학 범위 내의 일로 과학과는 무관하다. 과학자의 지식론이 반드시 철학자의 지식론보다 우월할 것이 없고 철학자의 지식론이 반드시 과학자의 지식론보다 열등한 것도 아니다.[13)]

장군매는 이것을 전제로 물질과학(물리학)과 정신과학(생물학, 심리학)의 차이를 설명하기 위해 물질과학의 4대 원칙을 정신과학과 비교하여 제시하였다.

> 첫째, 공간에 있는 물질은 실험하기 쉽지만 생물학에서 (생물의) 생명 활동[生活力, Vital Force)이 지배하는 것은 실험하기 쉽지 않고, 심리학은 더 어렵다.
>
> 둘째, 공간에 있는 물질의 전후 현상은 명확히 나타낼 수 있기 때문에 그 인과 관계를 구하기 쉽다. 생물계의 전후 현상이 비록 분명하더라도 (하나의) 세포가 전체(全體, 생물체-인용자)가 되는 그 원인은 알기 어렵다. 심리학은 순간순간 다양하게 변하기 때문에 더욱더 고정된 상태를 구할 수 없다.
>
> 셋째, 3좌표(三座標) 또는 4좌표(四座標)는 하나의 작은 질점(質點)을 표준으로 실험하여 그것을 일월성신에 추론해 나가는 것인데 이것은 생물학, 심리학에는 적용할 수 없는 원칙이다.
>
> 넷째, 물리의 개념은 아톰, 원자, 질량, 능력이라고 말한다. 이 몇 가지는 추상(Abstraction)하여 얻은 것이지만 물체라는 구체적 실재(Concrete Reality)(이 명사의 의미는 제임스의 책에 보인다)에 의해 무너지지 않는다.

---

13) 같은 논문, 80쪽.

생물학에는 종별(種別)이 있고 개성(個性)이 있다. 심리학은 더 심하다. 그러므로 생물, 심리 두 세계는 갈수록 개성의 차이로 복잡하게 되어 그 순일한 현상(純一現象, Uniformity)을 얻기 어렵다.14)

장군매가 이렇게 한 목적은 당연히 자신이 말하는 인생관 문제를 정신과학과 연계하기 위한 것이었다.

물리현상에는 이 4대 원칙이 있기 때문에 갈수록 정확하게 되고 있다. 생물심리현상은 이 4대 원칙이 없기 때문에 갈수록 정확하게 될 수가 없다. 즉 이와 같이 정확하지 않기 때문에 정신과학의 가치는 추구할 수 있다.

……내가 묻고자 하는 것은 물리학의 확실한 공례(公例)처럼 정신과학 중에도 그런 어떤 공례(公例)가 있는가? 천문현상에 대한 천문학, 물체에 대한 물리학과 같은 어떤 공례가 있어 미래의 변화를 추산할 수 있는가? 나는 감히 단언하여 말한다. 반드시 없다. ……(그 이유는) 다른 것이 없다. 정신과학에는 확실한 원칙이 없고, 또 이미 완성된 사례를 가지고 미래를 추산할 수 없다. ……왜 그런가? 정신과학의 공례는 이미 지나간 일에 한정되고, 미래의 일에는 추산할 수 없다.15)

그는 이상의 논의를 전제로 자신의 인생관을 다시 이렇게 말하였다.

내가 청화대학교에서 한 강연은 인생관과 과학을 비교한 것이지 정신과학과 물질과학을 비교한 것은 아니다. 그러므로 나의 사회과학(社會科學, 人文科學을 포함한다-인용자)에 대한 태도로 나의 인생관 '절대자유지설'(絶對自由之說)을 반박할 수 없다. 사회과학은 분명히 인생관과 표리를 이룬다.

14) 같은 논문, 69쪽.
15) 같은 논문, 69-70쪽.

그렇지만 사회과학의 일부 대상은 물질 부분(경제학 중의 토지 자본 등)이다. 물질은 고정된 것이기 때문에 공례를 구할 수 있다. 이 밖에 오이켄이 말하는 측정할 수 없는 부분은 즉 내가 말하는 인생관이다.

인간이 이 세상에 태어나면 내면은 정신이라고 외면은 물질이라고 말한다. 내면의 정신은 변동하는 것이고, 외면의 물질은 고정된 것이다. 물질이라는 것은 나 이외의 것이 모두 속한다. ……인생이 어느 날 끝나지 않는 한 인생의 목적이 변화하는 것은 영원히 멈출 때가 없다. 그러므로 인생이란 변하는 것(變也), 활동하는 것(活動也), 자유로운 것(自由也), 창조적인 것(創造也)이다. ……오! 진실로 인생이란 논리학을 초월한 것인데 어떤 정의를 말할 수 있는가? 어떤 방법을 말할 수 있는가? 어떤 과학을 말할 수 있는가? 과학자가 비록 인과율을 좋아하고, 비록 공례를 좋아하지만 어찌 이러한 사실을 뒤집을 수 있겠는가?[16)]

장군매의 논박에 대해 정문강은 「현학과 과학—장군매에게 답함」(玄學與科學—答張君勱)이라는 논문으로 응답하였다. 그는 I. 뉴턴(Sir Isaac Newton, 1642-1727)의 과학의 법칙을 발견하는 '네 가지 원칙'을 제시하고[17)] 이어서 이렇게 말하였다.

과학에서 말하는 공례(公例)는 우리가 관찰한 사실의 방법을 설명하는 것

---

16) 같은 논문, 73-76쪽.

17) 丁文江, 「玄學與科學—答張君勱」, 張君勱 等, 『科學與人生觀』(一), 173쪽. 뉴턴은 과학의 공례를 발견하는데 네 가지 원칙이 있다고 말하였다. (1) 만약 하나의 원인이 관찰한 결과를 설명하기에 충분하다면 그 밖의 다른 원인을 다시 설정할 필요가 없다. (2) 비슷한 결과는 마땅히 비슷한 원인으로 귀결해해야 한다. (3) 관찰할 수 있는 물질이 갖는 성질은 일체의 물질을 추론하는데 방해가 되지 않는다. (4) 많은 사실에 근거하여 얻은 과학 관념은 마땅히 그것은 사실이라고 가정하고, 새로운 사실을 발견하여 적용할 수 없을 때는 그것을 다시 수정한다.

> 으로, 만약 새로 발견한 사실에 적용할 수 없으면 그때 변경할 수 있다. 마흐와 피어슨 모두 과학의 공례에 필연성이 있다는 것을 인정하지 않는 것은 바로 이러한 의미이다. 이것이 과학과 현학이 근본적으로 다른 점이다. 현학가는 사람들이 모두 절대불변하는 "규율"(System)을 조직하여 사람마다 모두 자신의 규율을 정론(定論)으로 삼아야 한다는 것이다. 과학의 정신은 절대 이러한 규율에 미혹한 심리와 상반된다.[18]

그는 또 이렇게 말하였다.

> 모든 사실은 모두 과학의 방법을 사용하여 연구할 수 있고, 모두 과학이 될 수 있다. 일종의 학문이 과학으로 성립하는지 여부는 모두 정도의 문제이다.[19]

정문강은 장군매가 '과학'에 대해 오해하고 있다고 지적하였다.

> 군매의 과학에 대한 두 번째 종류의 오해는 과학의 분류를 과학의 경계로 삼은 점이다. ……연구의 편리를 위하여 우리는 그것을 물리·화학 등으로 나누는데 사실 절대적으로 서로 다른 것처럼 보이는 과학 사이에는 또 수많은 서로 연계된 것이 있어서 과학은 그것들을 관통하여 함께 한다.[20]

그런 까닭에 정문강은 장군매가 정신과학과 물질과학으로 나누고, 또 과학의 여러 분야를 마치 서로 연관이 없는, 전혀 다른 것으로 보는 것을 비판하였다.

---

18) 위와 같음.
19) 위와 같음.
20) 같은 논문, 176쪽.

분류는 과학 방법의 제일보인데 저자는 왜 승인하지 않는가? 그러나 과학의 분류를 승인하는 것은 한 가지 일이고, 정신과학과 물질과학에 진정으로 근본적인 분별이 있다고 승인하는 것은 또 다른 한 가지 일이다. ……이러한 관념은 과학을 배우는 사람은 보통 모두 아는 것으로……[21]

정문강은 자신의 관점 '존의적 유심론'(存疑的唯心論)에 대한 장군매의 비판에 관해서도 이렇게 대응하였다.

그러므로 존의주의는 적극적이지 소극적이지 않다. 분투(奮鬪)적이지 방관적이 아니다. "일체의 충분한 증거가 없는 것을 엄격하게 믿지 않고", "비유와 추측을 사용하여 나의 말이 무용하다고 한다면", 그러면 어떤 논단(論斷), 어떤 주의(主義)라 하더라도 첫 번째 말은 이렇다:

"증거를 가져오라!"[22]

이어서 정문강은 장군매가 제기하였던 '아'(我)의 문제에 대해 이렇게 설명하였다.

기억은 정감과 함께 이루어진 복잡체(複雜體)로 하나의 특별한 물(物)로 연합한 것이다! 우리의 신체상에서 "아"(我)를 이룬다. "아"는 자연히 비교적 영구적인 것이지만, 그러나 우리는 흔히 단지 그것이 영구적인 것이라고 기억할 뿐 그것의 영구성은 비교적 그렇다는 것을 망각한다. "아"의 영구성은 전부 사상의 연속으로 양성한 습관이 근거가 된 것이다. 그렇지만 오늘의

21) 같은 논문, 177쪽.
22) 같은 논문, 179쪽.

"아"와 수년 전의 "아"를 자세하게 생각해보면 궁극적으로 얼마나 비슷한가? 만약 우리가 기억으로 그것들을 연합하지 않는다면 오늘의 "아"는 필연적으로 옛날의 "아"라고 인식할 수 없다. 그러므로 "아"는 고정적인 것, 불변하는 단위가 아니다. "아"의 특징은 연속에 있는데, 그러나 연속은 "아" 속에 예비하고 보존하는 일종의 방법에 불과한 것으로, 내용이 기초를 이루는 것이며 "아"보다 더 중요하다.23)

정문강의 결론은 다음과 같다.

한 사람의 인생관은 그의 지식 정감이고, 그의 지식 정감에 대한 태도와 같다.24)

호적은 정문강의 관점은 두 가지로 정리하였다.25) 첫째, 과학의 대상은 결코 "사물질"(死物質)이 아니고 단지 개념(概念)과 추리(推理)일 뿐인데—모두 심리적 현상(心理的現象)이다. 둘째, 여러 가지 "인생관"(人生觀)은 모두 개념과 추론으h, 당연히 모두 마땅히 과학 방법의 평가를 받아야 한다.

장군매와 정문강의 논쟁은 팽팽한 긴장을 유지하였다. 그러므로 이들 사이의 논쟁으로 어떤 결론을 끌어낼 것이라고 기대할 필요는 없다. 그것은 이미 불가능한 일이라는 것이 논쟁 초기부터 예정된 일이었다.

장군매와 정문강의 '과학과 인생관'에 대한 논쟁은 이처럼 2차에 걸

23) 같은 논문, 184쪽; 딩원지앙, 「현학과 과학-장쥔마이에 답함」, 천두슈 외, 『과학과 인생관』, 한성구 옮김, 산지니, 2016, 276쪽.
24) 丁文江, 「玄學與科學—答張君勱」, 190쪽.
25) 胡適, 『丁文江的傳記』, 安徽教育出版社, 1999, 82쪽.

쳐 마무리되었다. 그런데 정문강은 그 뒤 다시 한 편의 논문을 발표하여 이 논쟁을 언급하였다.

3. 논쟁의 마무리와 회고

장군매는 자신의 인생관에 관한 글을 2차 논쟁으로 끝마쳤다. 그런데 이 두 사람의 논쟁에서 장군매가 중국대학(中國大學)에서 행한 강연을 동과서(童過西)가 필기한 글「과학에 대한 평가-장군매 선생의 중국대학 강연」(科學之評價-張君勱先生在中國大學講)[26]과 정문강이 이 논쟁에 관한 여파를 마무리한 논문「현학과 과학 토론의 여흥」(玄學與科學的討論的餘興)이 있다. 그런데 이 두 편의 논문 가운데에서 동과서가 장군매의 강연을 정리한 글은 기본적으로 앞의 논쟁에서 나타난 장군매의 관점을 필기한 것이다. 그러므로 장군매의 글이다. 또 정문강의 논문은 논쟁이라기보다는 정문강 자신의 과학에 대한 관점을 간단히 정리·소개하는 글이다.

먼저 동과서가 장군매의 강연을 정리한「과학에 대한 평가-장군매 선생의 중국대학 강연」에서 이렇게 말하였다.

> 혹자는 과학이 인생을 지배할 수 있다고 말한다. 그러나 과학의 이해득실을 따져본다면 과학이 사람을 위해 이용되는 것이지, 사람이 과학을 위해

---

26) 한성구가 번역한 천두슈 외,『과학과 인생관』의 목차를 보면 저자가 딩원지앙으로 되어있는데 오해의 소지가 있다. 그런데 본문에서는 통궈시(童過西) 필기라고 하였다. 따라서 장군매가 중국대학에서 강연한 것을 통궈시가 필기한 것이 정확하다.

이용되는 것이 아니라는 것을 알 수 있을 것이다. 우리는 우리가 만든 것에 대해 어떤 경우에는 좋은 느낌, 또 어떤 경우에는 안 좋은 느낌을 갖게 된다. 과학도 사람이 만든 것이기 때문에 좋아하고 싫어하는 것의 범위를 벗어날 수 없다. 따라서 과학이 인생의 문제를 해결할 수 있는지 여부는 충분히 상상할 수 있다. ……그러나 과학은 지금까지 인생에 어떤 영향을 끼쳤는가? 중국 사람들은 이것을 별로 문제로 여기지 않을 수도 있다. 왜냐하면 과학은 분명 유익한 것이라고 생각하기 때문이다.27)

장군매는 결론적으로 '과학의 한계'를 다음과 같이 정리하였다.28) 첫째, 과학의 목적은 일정한 인과 관계를 도출하고 그것을 수량화하는 데 있다. 비록 우리가 세계 속에서 생활하고 있지만 모든 일을 수량화시켜 계산할 수 있는지는 의문이다. 생물학과 심리학에서 인과를 논의하는 것은 쉽지 않으며 인과를 수량화시키는 것도 불가능하다. 둘째, 과학자들은 인과만을 말할 뿐이지 감각 기관의 능력과 한계에는 신경쓰지 않는다. 그러나 논리학 법칙이나 인과 법칙 등 과학의 최고 원칙은 눈과 귀의 능력이 미치지 못하는 것들이다. 윤리학에서 말하는 선악시비의 기준과 충신독경(忠信篤敬)과 같은 인류의 미덕들에 형태가 있는가? 진화론자들은 내적 영역에 속하는 정신을 유형(有形)의 것으로 만든 후 발생론적 방법(Genetic method)을 사용하여 사회제도에서 인류의 도덕을 추론할 수 있다고 한다. 왜냐하면 이것도 역시 진화의 산물이기 때문이다. 이런 방식은 무형적인 것들의 근원이 유형적인

27) 張君勱, 「과학에 대한 평가-장권마이 선생의 쭝궈대학(中國大學) 강연, 통궈시(童過西) 필기」, 천두슈 외, 『과학과 인생관』, 한성구 옮김, 산지니, 2016, 305쪽.

28) 같은 논문, 307-311쪽. 참조 요약.

것에 있다고 생각하는 것에 기인한다. 발생론적 방법의 옳고 그름은 또 다른 문제다. 만에 논리적 추리가 습관에서 오는 것이며(경험주의 철학의 주장), 도덕이 환경의 지배를 받는 것이라면 이는 과학이 유형적인 것을 이용해 무형적인 것을 해석함으로써 인류 정신의 독립성을 훼손시키는 것이다. 셋째, 과학자들은 각각의 문제에 대해 완벽한 대답을 내어놓을 수 없다. 물질의 본성이 어떠한지, 생명이 어디에서 유래했는지 등의 문제는 끊임없이 논쟁해온 것들이다. 따라서 이러한 문제들에 대한 의문을 가질 수밖에 없다. 해결 여부와는 상관없이 물음을 던지는 것은 인류의 본성이다. 이처럼 과학자는 사물의 본체와 인류가 나아갈 길에 대해 만족스러운 대답을 내어놓지 못함에도 거만하게 전능한 척한다. 이것이 인류가 과학에 좋지 않은 감정을 갖게 된 가장 큰 이유이다. 넷째, 과학 자체가 문제가 아니라 과학의 결과에 관한 것이다. 유럽 각국은 상공업입국을 표명하면서 영사(領事)와 은행단을 파견하고 해외에 투자하였지만 이것이 외국을 망하게 만들었다. 또한 국가는 이를 교육의 방침으로 삼아 지식과 기능을 전수했는데, 이것 역시 국제적인 군사 전쟁과 상업 전쟁을 일으키려는 목적에 이용되었다. 외형적인 발전만을 추구하고 내부의 안녕을 도외시하는 문명은 절대 오래 지속되지 못한다. 이것이 바로 1914년 세계대전 발발의 확실한 원인이다. 사상 방면에서도 만약 실용성을 강조하는 과학만 신뢰하고 형이상과 예술 방면의 것을 망각한다면 국가의 장래는 절대로 밝지 않을 것이다.

때로 이지의 판단으로 불가능한 일이 의지의 역량으로 실현되는 경우가 있다. 만약에 모든 일이 환경의 지배만을 받는다고 한다면 세상은 한 발짝도 앞으로 나아갈 수 없을 것이다.[29]

장군매는 다음과 같은 말로 결론을 맺고 있다.

만약에 과거 유럽의 사조를 감각주의라고 한다면 나의 주장은 일종의 초감각주의라고 할 수 있다. 그것의 이해득실은 다음과 같다.

첫째, 감각주의의 결과: 실험과학의 발달, 이지에의 치중, 상공업입국, 국가주의.

둘째, 초감각주의의 결과에 대한 예측: 정신수양(혹은 내적 생활)의 중시, 정감에 치중, 물질생활 외에 예술의 발달, 국제주의.[30]

정문강은 「현학과 과학 토론의 여흥」에서 아래와 같이 말하였다.

그러나 유감스럽게도 현학을 좋아하는 사람들의 대부분은 그것을 기호품으로 생각하지 않는다. ……나는 과감하게 말하겠다.

"넓은 의미의 현학은 증명할 수 없는 가설로부터 추론되어 나온 규율이다."[31]

결론적으로, 정문강은 '과학'이 '인생관에 유익한지에 대해 이렇게 "진정한 과학의 정신"(眞正科學的精神)은 가장 좋은 "처세입신"(處世立身)의 교육으로 가장 고상한 인생관이 깊게 믿었다.[32]

퍼드는 장군매의 관점을 이렇게 정리하였다.

---

29) 같은 논문, 312쪽.

30) 같은 논문, 313쪽.

31) 딩원지앙, 「현학과 과학 토론의 여흥」, 천두슈 외, 『과학과 인생관』, 한성구 옮김, 산지니, 2016, 350-351쪽.

32) 胡適, 『丁文江的傳記』, 86쪽.

장군매가 대체적으로 논증하려고 한 것은 다음과 같다. 어떤 문제는 과학 추리를 통해 대답할 수 없는데, 특히 생물과 관련이 있는 것, 본질상 유기체 방면에 속하는 문제이다. 당연히 그는 그 가운데에서 가장 중요한 문제는 인간의 경험 심리의 범위와 정신 범위에 관련한 문제이다. 장군매는 개인의 도덕 규범과 가치 관념에 대한 것, 개인 관계에 관한 것, 사회 문제에 관한 것 및 종교신앙 등의 문제에 대한 태도는 자유적(自由的)이라고 말하였다. 이른바 자유(自由)에 대해 장군매가 지적한 것은 두 가지이다. 첫째, 사람에게 "자유의지"(自由意志)가 있다는 것이다. 둘째, 위에서 서술한 신앙과 같은 개인의 문제에 관한 것은 진(眞)과 가(假)인 것으로, 과학은 그것에 대해 판단할 수 없다.[33]

장군매는 1931년~1935년 사이에 쓴 20여 편의 글을 『민족부흥의 학술 기초』(民族復興之學術基礎)라는 책으로 발표하였는데, 이 책에서 인생관 논전에 대해 회고하였다.[34] 그런데 장군매는 또 먼 훗날에 이 논쟁에 관한 회고를 하였다. 그는 1963년 3회에 걸쳐 홍콩의 《인생》(人生)이라는 잡지에 「인생관 논쟁의 회고-40년 이래 서방 철학계의 사상가」(人生觀論戰之回顧-四十年來西方哲學界之思想家)를 발표하였다.[35]

「人生觀論戰之回顧-四十年來西方哲學界之思想家」(一), 香港 《人生》 第313期, 1963年 11月 16日.

「人生觀論戰之回顧-四十年來西方哲學界之思想家」(二), 香港 《人生》 第314期, 1963年 12月 1日.

---

33) [美] 費俠莉(Charlotte Furth), 『丁文江-科學與中國新文化』, 87쪽.
34) 심창애, 「장군매(張君勱)가 바라본 중국 유가철학의 현실과 대응방안」, 忠南大學校 儒學硏究所, 『儒學硏究』 제37집, 2016, 309쪽.
35) 吕希晨·陳瑩, 『張君勱思想硏究』, 天津人民出版社, 1996, 414-415쪽.

「人生觀論戰之回顧-四十年來西方哲學界之思想家」(續完), 香港《人生》第315期, 1963年 12월 16日.

장군매는 결론적으로 “유럽 지식인들이 과도한 물질 문명의 폐해에 대해 반성하며 제시한 정신 중심, 인간 중심의 유심론에 경도되어 정신생활을 강조하면서 중국 유가사상 속의 도덕 중심, 인간 본위 중심의 전통을 되살려야 한다”고 한 것이다.[36] 그렇지만 정문강과 같은 과학파의 입장에서 보면 그것은 문화보수주의자로, 전통으로 되돌아가자는 복고주의 사조에 불과한, 그리하여 당시 낙후한 중국에 민주와 과학의 수입과 발전을 부정하는 매우 위험한 사상적 경향으로 생각되었을 것이다.

제2절 장군매의 관점

1. 장군매 철학의 이론적 배경

장군매의 철학사상은 전체적으로 보면 중국 유가철학 가운데 주희의 리학(理學), 왕양명(王陽明)의 심학(心學)과 서양철학의 영향을 받았다. 그는 또 일찍이 일본과 독일에 유학하여 서양철학을 배웠다. 그는 유럽에서 독일·프랑스의 사상과 영국의 자유주의 철학사상의 영향을 많이 받았다.[37]

---

36) 金珍煥, 「張君勱의 民主社會主義思想에 대한 연구」, 중국학연구회, 『中國學研究』 제17집, 1999, 149쪽.

37) 심창애, 「장군매(張君勱)가 바라본 중국 유가철학의 현실과 대응방안」, 311

심창애는 장군매의 유학과 과학의 차이에 관한 관점을 다음과 같이 말하였다.

그는 유학이 과학과 다른 점을 학(學)과 사(思)의 공부라고 보았다. 과학은 정의(定義)와 두루 통하는 이치가 있으며 일정한 법칙과 대상범위가 있지만, 유학은 그렇지 않기 때문에분명하게 설명해 낼 수 없는 특징이 있다고 하였다.

한편 "철학의 기본정신을 이성(理性)의 운용"이라고 보았는데, 공맹(孔孟)은 '사(思)'를 가장 중시하였으며, 이것은 곧 '이성의 운용'이라고 주장하였다. 다시 말해, 그는 기본적으로 유학이 과학과 다르지만 전통 유학에 이미 '이성'에 대한 자각이 있었으며, 이는 철학의 밑바탕이기 때문에 전통 유학에 새로운 생명을 불어넣어 부흥시키는 것은 당연한 이치라고 보았다.[38]

장군매는 독일에 유학하였을 때 R. 오이켄(Rudolf Christoph Eucken, 1846-1926)의 영향을 받았다. 그의 철학사상에 영향을 준 철학자로는 서양 철학자로는 오이켄 이외에 I. 칸트(Immanuel Kant, 1724-1804). H. 베르그송(Henri Bergson, 1859-1941) 등이 있다. 심창애는 장군매의 철학사상은 유가상에서 공맹을 비롯하여 왕양명의 심학과 주희의 리학을 중시하였으며, 서양사상에서는 초기에는 베르그송과 오이켄의 영향을 받았고, 그 후로는 칸트의 영향을 많이 받았으며, 정치사상에서는 영국의 자유주의 사상, 특히 H. J. 래스키(Harold Joseph Laski, 1893-1950)의 영향을 많이 받았다고 정리하였다.[39]

쪽.

38) 위와 같음.

39) 같은 논문, 313-314쪽.

I. 칸트는 독일 관념론 철학을 종합한 인물이다. 장군매는 철학에 관심을 가지면서 점차 칸트의 지식론과 도덕론 그리고 형이상학의 철학사상에 몰두하게 되었다. 그가 칸트철학에 관심을 갖게 된 것은 칸트의 경험을 바탕으로 한 지식론에 대한 관점이 유럽의 경험주의와 이성주의 인식론을 종합한 것으로 생각하였기 때문이다.[40]

칸트는 인간을 '이성적 존재자'로 규정하는데 '인간이란 무엇인가?'라는 문제를 제기하였다. 그는 이 과정에서 세 가지 질문을 하였다. ①나는 무엇을 알 수 있는가? ②나는 무엇을 해야 하는가? ③나는 무엇을 희망해도 좋은가?[41]

그는 다음과 같이 말하였다.

> 우리의 모든 인식이 경험과 **함께** 시작된다고 할지라도, 그렇다고 해서 우리의 인식 모두가 바로 경험**으로부터** 생겨나는 것은 아니다. 왜냐하면, 우리의 경험 인식조차도 우리가 [감각] 인상들을 통해 수용한 것과 (순전히 이 감각 인상들의 야기로) 우리 자신의 인식 능력이 자기 자신으로부터 산출해 낸 것의 합성이겠으니 말이다.[42]

칸트는 모든 인식은 '판단'의 형식으로 표현되고, '판단'은 이성이주어 표상과 술어 표상을 결하여 성립한다고 생각하였다. 여기에는 '분석판단'과 '종합판단'이 있다.[43] 그리고 우리는 이 가운데 '종합판단'을 통해 지식의 확장이 이루어진다. 그런데 이 과정에는 인식이 가능

---

40) 같은 논문, 313쪽.
41) 백종현, 『서양 근대철학』, 철학과 현실사, 2001, 66쪽.
42) 같은 책, 67-68쪽.
43) 같은 책, 68쪽.

하도록 하는 일정한 '틀'[형식]이 존재하는데 그것은 '선험적'(a priori)인 것이다.[44] 칸트는 공간과 시간을 우리의 감각에게 주어지는 모든 사물 관계의 객관적 질서의 '틀'이라고 한다. 그리고 사고의 형식으로 기능하는 '범주'가 있다. 그러므로 우리는 '공간'과 '시간' 그리고 '범주'의 '틀'을 통해 사물을 인식하게 된다. 그런데 그것은 '초월적'(transzendental)이다.[45]

칸트의 비판적, 선험적 관념론은 외계는 인간 주관의 선험적 인식의 여러 형식에 따라 구성되며, 객관적 타당성을 가진 현상(現象)이지만, 이 현상의 배후에 있는 참다운 실재, 즉 '물자체'(物自體, Ding an Sich, Thing in itself)는 인간이 인식할 수 없다고 한다.[46] 그런데 그는 자신의 법칙론적 윤리설, 의무론적 윤리설에서 "인간 사회에는 모든 인간이 누구나 따라야 할 자유 법칙인 도덕률이 있다"고 말하였다."[47] 그리고 도덕적 행위의 선악을 판정하는 궁극적 표준을 '최고선'을 제시하였다. 그가 말하는 이 '최고선'의 특징은 ①그 자체로서 선한 것, ②제한을 받지 않는 것, ③순수한 동기에서 이루어진 것이다.[48]

R. 오이켄은 독일의 유명한 유심주의 철학자이다. 그는 괴팅겐 대학에서 독일 사상가이자 목적론 유심주의자 R. H. 로체(Rudolf Hermann Lotze, 1817-1881)에게, 또 베를린 대학에서 독일 철학자 트렌델렌부르크(Trendelenburg, 1802-1872)에게 배웠다. 1871년

44) 같은 책, 69쪽.
45) 같은 책, 71쪽.
46) 이석호, 『근세·현대 서양윤리사상사』, 철학과 현실사, 2010, 191-192쪽.
47) 같은 책, 214쪽.
48) 같은 책, 218쪽.

바젤(Basel) 대학 교수가 되어 니체와 함께 근무하였다. 3년 뒤에는 예나 대학 교수직에 임명되어 1920년 퇴직할 때까지 근무하였다. 그는 1926년 죽었다.[49)]

오이켄 철학은 '생활 세계 철학'(Lebenswelt, Geistslebensphilosophie)이라고 말한다.[50)] 그의 철학은 서양철학사에서 생명철학 사조에 속한다. 생명철학은 19세기 말에서 20세기 초에 독일과 프랑스에서 유행하였던 생명의 발생과 발전으로 우주를 해석하는 사조로, 심지어 지식 혹은 경험 해석을 기초로 한 유심주의 철학 유파이다. 그의 철학은 쇼펜하우어의 생존의지론(生存意志論)과 니체의 권력의지론(權力意志論), 다윈의 생물진화론(生物進化論)과 스펜서의 생명진화학설(生命進化學說) 및 프랑스 귀요(Guiyo)의 생명도덕학설(生命道德學說)의 영향 속에서 형성되었다. 그 대표적인 인물로는 오이켄 이외에 독일 철학자 W. 딜타이(Wilhelm Dilthey, 1833-1911), G. 짐멜(Georg Simmel, 1858-1918),과 프랑스 철학자 H. 베르그송(Henri(-Louis) Bergson, 1859-1941) 있다.[51)]

오이켄은 후설과 같이 직관 인지(eidetische Kognition)에 기반한 명증성(Evidenz), 객관성(Objektivität), 자명하고 필연적인 진리(apodiktische Wahrheit), 완전한 정당성(endgültige Begründung) 등을 모색하였다.[52)] 그런데 그는 "대중사회 내의 일방적이고 피상적인 기술-기계적, 도구적, 유물론-공리주의적인 노동문화의 지배, 그것의

49) 鄭大華, 『張君勱傳』, 中華書局, 1997, 65쪽.
50) 김강식, 「후설의 선험적 현상학은 오이켄의 질서자유주의에 어떠한 영향을 미쳤는가?」, 한독경상학회, 『경상논총』 제34권 1호, 2016, 45쪽.
51) 鄭大華, 『張君勱傳』, 65쪽.
52) 김강식, 「후설의 선험적 현상학은 오이켄의 질서자유주의에 어떠한 영향을 미쳤는가?」, 49쪽.

방향감각 상실과 인간 소외, 정신 영역·인지 영역(정신문화)의 무시 등을 비판했다."[53] 그는 또 "개인의 정신적 자유, 독립성, 자율성을 매우 중시하였다. 그렇지만 지나친 개인주의에 대해서는 매우 비판적이었으며 사회적 결속의 유지가 무엇보다 중요하다고 주장했다."[54]

> 루돌프 오이켄은 개인이 자신의 정신적 능력을 확장하고, 기독교 가치관에 기반해서, 그리고 전통과 정신문화를 중시하는 사회에서 신성한 정신적 생활에 참여하는 것을 중시했다. 루돌프 오이켄은 이를 위해 개인주의와 사회주의 간, 이상주의와 현실주의 간의 두 영역 즉 긴장 영역을 극복 내지 해결하는 것이 필요하다고 하였다.[55]

오이켄의 이러한 관점은 당연히 장군매에게 매우 매력적으로 보였을 것이다. 왜냐하면 오이켄의 관점을 통해 중국 유학을 새롭게 해석할 수 있는 근거가 되었기 때문이다.

장군매는 1920년 1월 1일 양계초 일행과 함께 오이켄의 집을 방문하여 약 한 시간 반 동안 교담(交談)을 하였다. 그 교담 중에 그는 오이켄의 인품에 감동하여 "그의 철학을 연구하는데 흥미"가 생겼다.[56] 그런데 장군매가 오이켄의 철학은 연구한 것은 그의 일생에서 중요한 분수령이었다고 말할 수 있다.[57]

> 사실 내가 사회과학에서 철학으로 전환하게 된 관건은 오이켄을 직접 만

53) 같은 논문, 55쪽.
54) 위와 같음.
55) 위와 같음.
56) 鄭大華,『張君勱傳』, 64쪽.
57) 같은 책, 65-66쪽.

나고나서였다. 내 의식 속에는 언제나 현실 정치에 대한 불만과 사회과학에 대한 불만이 깔려 있었다.[58]

그는 "오이켄으로부터 깊은 영향을 받았으며, 특히 오이켄의 자유의지 정신생활에 깊은 감명을 받았다."[59]

……장군매는 오이켄의 영향으로 유럽 철학(특히 독일 철학 계통)을 접촉하기 시작했으며 또한 중국문화에 대해 새로운 인식과 해석을 가져오게 했다. 더욱이 그는 물질 만능주의에 비판적 태도를 보였으며 당시 중국의 사상사적 사조인 富强을 잠시 멀리하고 인간이 가치 및 인간 행복의 우위성을 강조했다.[60]

H. 베르그송은 '생의 철학'의 중요한 인물 가운데 한 사람이다. 이 '생의 철학'은 19세기 이후 현대 철학의 한 조류인데, '체험으로서의 생'에서 출발하여 인간의 삶(생)을 직접적으로 파악하려는 철학이다.[61] 그는 한편으로 프랑스 유심론의 전통을 계승하였고, 다른 한편으로 다윈과 스펜서 등의 진화론의 영향을 받아 생명의 창조적 진화를 주장하였다.[62] 그는 시간과 공간에 관해 논의하면서 시간은 매 순간 새로운, 일회적이며 반복하지 않는 것이라고 하였다. 이것을 '철학적 시간'이라고 말할 수 있는데 "유일무이하고 그 자체에서의 분할이란 있을

58) 張君勱, 「我從社會科學跳到哲學之經過」, 『中華民國獨立自主與亞洲前途』, 自由出版社, 1955, 207-221쪽. (金珍煥, 「張君勱의 民主社會主義思想에 대한 연구」, 142쪽. 재인용.)
59) 金珍煥, 「張君勱의 民主社會主義思想에 대한 연구」, 142쪽.
60) 같은 논문, 144쪽.
61) 이석호, 『근세·현대 서양윤리사상사』, 454쪽.
62) 같은 책, 463쪽.

수 없는 끊임없는 흐름 또는 생성"이다.[63] 여기에서 인간의 두 가지 인식 능력, 즉 '오성'과 '직관'을 제시하였다. 그는 '오성'은 고정적이며 공간적인 성질을 갖는 물질을 인식의 대상으로 삼는데, 공간적 영역에서는 '오성'도 진리에 도달할 수 있다고 하였다. 그러나 '오성'의 힘으로는 순수 지속으로서 구체적인 시간을 파악할 수 없다고 하였다. 그는 '직관'(intuition)을 통해 순수한 지속으로서의 시간을 파악할 수 있다고 생각하였다. 그러므로 베르그송에 의하면 "직관은 우리에게 참된 현실을 제시한다."[64]

> 베르그송에게 삶(생명)은 물질을 정복하고, 물질을 관통하는 삶을 끊임없이 창조해가는 과정이라는 것이다. 이러한 창조적 진화 발전의 원동력을 '삶(생명)의 약동'이라고 불렀다.[65]

베르그송의 직각에 관한 사상은 양계초(梁啓超), 양수명(梁漱溟), 장동손(張東蓀), 풍우란(馮友蘭), 장군매(張君勱) 등 대부분 사상가에게 영향을 주었다.[66] 물론 그들은 주로 중국의 전통 유학을 강조하는 문화 보수주의자들이었다. 장군매는 "베르그송의 직관론을 받아들여 직관이 이성보다 중요하다고 강조했으며, 인간의 자아 역시 이와 같다"고 했는데 "내재적 자아는 인간으로 하여금 결정 능력과 도덕 의지를 만들어 낸다"고 생각하였다.[67]

---

63) 같은 책, 465쪽.
64) 같은 책, 466쪽.
65) 같은 책, 467쪽.
66) 한성구, 「中國 近代哲學에 나타난 神秘主義 경향 연구」, 한국중국학회, 『중국학보』 제56집, 2007, 518쪽.
67) 金珍煥, 「張君勱의 民主社會主義思想에 대한 연구」, 142쪽.

장군매는 「나의 철학사상」(我之哲學思想)에서 초기에는 베르그송과 오이켄의 영향을 받았지만, 칸트의 지식론과 도덕론 그리고 형이상학의 철학사상을 연구하게 되었다고 말하였다.[68]

2. 장군매의 인생관과 과학의 관계에 대한 입장

위에서 이미 말한 것처럼 장군매는 과학과 인생관의 차이점에 관해 몇 가지로 범주화하였다. 이것을 도표화하면 이렇다.

[표7-1] 장군매의 과학과 인생관의 비교[69]

과학	인생관
객관적	주관적
논리적	직관적[直覺]
분석적	종합적
인과율	자유의지적
대상의 동일현상	인격의 단일성

그는 이상의 내용을 종합하여 또 다음과 같이 말하였다.

이상과 같은 말로 볼 때, 인생관의 특징은 주관적, 직관적, 종합적, 자유의지적, 단일성(單一性)적이라고 말한다. 이 다섯 가지 점이 있기에 과학은 어떻게 발달하든지 간에 인생관 문제의 해결은 결코 과학이 할 수 없는 것으로, 인간 자신에게 의지할 수밖에 없다.[70]

68) 심창애, 「장군매(張君勱)가 바라본 중국 유가철학의 현실과 대응방안」, 313쪽.
69) 장쥔마이, 「인생관」, 천두슈 외, 『과학과 인생관』, 57-61쪽. 참조 요약.
70) 같은 논문, 61쪽.

그렇다면 장군매가 이해한 '과학'은 어떤 의미인가?

과학의 쓰임은 주로 외부 세계에 집중한다. 그 결과 중국에 수많은 실험실과 공장이 들어섰다. 인생도 아침에 만들었다가 저녁에 해체하는 기계처럼 여겨지니 정신상의 안위(安慰)는 어디서도 얻을 수 없다.[71]

또 이렇게 말하였다.

그러나 한 나라가 공업에만 편중되어 발전한다면 제대로 된 인생관이 정립될 수 있을까? 제대로 된 문화가 형성될 수 있을까? 유럽 사람들과 비교해보면, 이에 대해 의문을 갖지 않을 수 없다. 세계대전이 끝나고 물질문명에 대한 이삼백 년 간의 득실을 따져봤을 때, 물질 지향주의를 혐오하는 사람들이 매우 많아진 것을 알 수 있다. 이것이 바로 오늘 우리가 정신과 물질의 경중(輕重)에 주목할 수밖에 없는 이유이다.[72]

그는 이처럼 '과학'에 대해 비판적이다.

과학이 무엇인지에 대해 분명하게 대답할 수 있는 사람은 드물다. 또한 과학에는 물질과학과 정신과학이 있는데, 그 둘의 차이가 무엇인지에 대해서 분명하게 말할 수 있는 사람도 역시 드물다.[73]

과학에 대한 엄격한 정의에 따르면 정신과학은 과학이라고 볼 수 없

71) 같은 논문, 62쪽.
72) 같은 논문, 63쪽.
73) 장쥔마이, 「인생관과 과학을 다시 논함, 아울러 딩원지앙에게 답함」, 천두슈 외, 『과학과 인생관』, 95쪽.

다.[74]

과학자의 최대 목표는 모든 현상에 대해 인간의 주관을 배제하고 객관적인 상태에서 추론함으로써 인과상생(因果相生)의 관계를 밝히는 것이다.[75]

나는 물질과 관계된 것은 반드시 법칙을 도출할 수 있고, 법칙이 있는 것은 과학이 될 수 있다고 생각한다.[76]

따라서 '과학'은 '인생(관)', 즉 인간을 이해하는데 전혀 의미가 없다는 말인가?

시대사조가 변하는 때가 바로 인생관이 변하는 때이다. 지금의 중국이 바로 그러한 시기이다. 누군가 우리에게 합당한 인생관이란 무엇인가라고 물을 수 있다. ……인생관에는 객관적 표준이 없으며 오직 자신에게서만 구할 수 있는 것이다. 타인의 인생관이 아무리 완전하다 해도 그것으로 나의 인생관을 삼을 수는 없다.[77]

그렇지만 우리 인간 역시 '몸'과 '마음'이라는 것을 갖고 있다. 그리고 이 '몸'과 '마음'에는 일정한 작동 방식, 즉 법칙이 있다. 장군매는 이런 것까지 부정하는 것일까? 그의 논점을 살펴보면 그렇게 보인다. 그러므로 그는 "인생관은 인과도 없고 법칙도 없으므로 통일될 수 없다는 주장"을 한 것이다.[78]

---

74) 같은 논문, 97쪽.
75) 같은 논문, 98쪽.
76) 같은 논문, 104쪽.
77) 장쥔마이, 「인생관」, 62쪽.
78) 장쥔마이, 「인생관과 과학을 다시 논함, 아울러 딩원지앙에게 답함」, 107쪽.

> 물리현상은 4대 원칙이 있기 때문에 시간이 지날수록 정확해지는 것이며, 생물의 심리현상에는 4대 원칙이 없기 때문에 시간이 지나도 정확해질 수 없는 것이다. 즉 이런 부정확함으로 인해 정신과학의 가치는 재고될 수밖에 없다. ……이는 정신과학에는 만고불변의 법칙이 없으며 절대로 과거의 예로써 미래를 예측할 수 없다는 것을 말해주는 것이다.[79]

그가 말한 '과학'의 4가지 원인/원칙은 ①실험, ②인과 관계, ③적용 가능성, ④추상적인 것은 구체적인 것의 영향을 받지 않음 등이다. 그렇지만 그가 제시한 4가지 원인/원칙은 오늘날의 관점에서 보면 성립하지 않는다.

그렇다면 장군매를 중심으로 한 현학파들이 공맹(孔孟)을 높이고 송명철학의 정주(程朱)와 육왕(陸王)을 높이는 것이 무슨 의미가 있다는 말인가? 우리가 그들을 훌륭한 인물로 여기는 것은 그들의 인생에서 무엇인가 좋은 점을 본받기 위해서가 아닌가? 만약 그렇다면, 우리는 인생(관)에도 일정한 공통적 요소가 있다는 것을 인정하는 것이 옳다고 생각한다.

우리는 장군매를 중심으로 한 현학파의 과학만능주의 시대사조에 대한 우환의식은 충분히 이해할 수 있다. 오늘날에도 이러한 문제가 여전히 남아있지 않는가? 그러나 그러한 우환의식과 무관하게 '과학'이 '인생(관)' 문제를 해결할 수 있는지, 또는 이 둘 사이의 관계를 어떻게 설정할 것인지는 성격이 다른 문제이다. 또 그렇다고 해서 이미 수많은 폐단이 드러난 중국 전통 철학 중의 유학으로 되돌아가는 것 역시 정당한 대안이라고 볼 수도 없다.

---

79) 같은 논문, 111쪽.

제3절 정문강의 관점

1. 정문강 과학의 이론적 배경

앞에서 이미 지적한 것처럼, 정문강은 J. 로크(John Locke, 1632-1704), E. 마하(Ernst Mach, 1838~1916), K. 피어슨(Karl Pearson, 1857-1936), T. 헉슬리(Thomas Henry Huxley, 1825-1895), J. 듀이(John Dewey, 1859-1952) 등의 영향을 받았다.

J. 로크는 영국의 경험론 철학자이다. 그는 『인간오성론』에서 "인간의 지식에 관한 탐구", 즉 "인간 오성, 그 범위와 한계를 탐구"한 철학자이다. 그러므로 그는 근대 철학에서 지식론의 지위를 처음으로 논의한 인물이라고 말할 수 있다.[80] 그는 이 책의 「머리말」에서 저작의 목적을 "신념과 견해 그리고 동의의 근거와 정도와 함께 인간 지식의 기원, 확실성 그리고 범위를 탐구하는 것"이라고 하였는데 "관념들, 개념들 ……인간이 자신의 마음 속에서 스스로 의식하고 관찰하는 것들의 기원, 그리고 오성이 그것들을 공급받게 되는 방식들"을 탐구하는 것이다.[81]

로크는 먼저 "관념"이란 "환상, 개념, 종(種) 개념에 의하여 의미되는 모든 것, 또는 사고할 때 그것에 관하여 마음이 사용될 수 있는

80) F. 코플스톤, 『영국경험론』, 이재영 옮김, 서광사, 1991, 102-103쪽.
81) 같은 책, 104쪽.

모든 것"이라고 정의하고, "마음의 대상들은 관념들"이라고 하였다.82) 그는 먼저 '본유 관념'이라는 개념을 제시하고 그것을 비판하였다.

> 오성에는 어떤 본유적인 원리들, 몇몇 원초적인 개념들, 공통 개념들, 특성들이 있다. 그것은 사람의 마음에 새겨져 있는 것 같아서 영혼은 그 시초에 그것을 받아들이며, 그것과 함께 세상에 나온다.83)

그는 이 '본유 관념' 찬성하는 논의는 무가치한 것이라 하였는데 "어떤 원리의 진리에 관한 보편적 동의란 없기 때문이다"고 하였다.84) 그는 '경험'에 관해 이렇게 말하였다.

> 마음은 어디에서 이성과 지식의 모든 재료를 얻는가? 여기에 대해 나는 한마디로 **경험**으로부터라고 대답한다. 우리의 모든 지식은 경험 안에 근거하며, 궁극적으로 그 자체를 경험으로부터 끌어낸다.85)

로크는 우리가 '경험'을 통해 '관념'을 낳게 되는데 "모든 관념은 궁극적으로 감각이나 반성으로부터 끌어내어지며, 이 두 가지가 경험을 구성한다는 것이다."86)

> 개별적인 감각 대상들에 친숙한 우리의 감각 기관들이 그 대상들이 그것들에 영향을 미치는 방식에 따라서 마음에 사물의 여러 다른 지각을 전달한

82) 같은 책, 103-104쪽.
83) 같은 책, 105쪽.
84) 같은 책, 106쪽.
85) 같은 책, 109쪽.
86) 위와 같음.

다. ……내가 감각 기관들이 마음에 전달한다고 말할 때, 나는 그것들이 거기에서 그 지각들을 산출한 것은 외부 대상으로부터 마음에 전달한다는 것을 의미한다.[87]

E. 마하는 "과학사와 과학철학을 통합한 모범적 사례를 선구적으로 개척한 인물"이다.[88] 그의 저작으로 『일 보존 법칙의 역사와 뿌리』, 『역학의 발달: 역사적·비판적 고찰』 등이 있다. 그는 물리학자, 생리학자, 심리학자로 물리학, 생리학, 심리학, 역사학 그리고 과학철학에 큰 영향을 미쳤다.[89] 그는 "19세기와 20세기, 그리고 자연과학과 철학을 잇는 중요한 교량에 해당하는 인물이다."[90]

전대경은 마하의 철학을 다음과 같이 정리하였다.

1. 마하는 과학의 모든 학제를 꿰뚫는 연구 방법론(혹은 연구 처랗ㄱ)이 있다고 믿었다.

2. 마하는 감각 세계를 감각에 기초하여 파악하는 방법이 바로 그것이라고 보았다.

3. 따라서 마하는 감각 뒤에 숨겨진 미지의 실재를 가정할 필요가 없다고 보았다.

---

87) 위와 같음.

88) 서민우, 「'영구 계몽'을 위한 내재적 물리학 비판: 서거 백주기에 다시 읽는 마하의 『역학의 발달』」, 한국과학철학회, 『과학철학』 19권 3호, 2016, 167쪽.

89) 전대경, 「아인슈타인의 상대성 이론의 발전과 그의 인식론적 기회주의: 마하와의 관계 속에서 발전한 아인슈타인의 시공간에 관한 인식론의 역사적 여정을 중심으로」, 한국기독교철학회, 『기독교철학』 33호, 2022, 225쪽.

90) 고인석, 「빈 학단의 과학사상: 배경, 형성과정, 그리고 변화」, 한국과학철학회, 『과학철학』 13권 1호, 2010, 55쪽.

4. 마하는 감각(sensations)이라는 말보다 좀 더 중립적인, 요소(element)라는 말을 선호했다.

5. 마하는 세계가 요소들(혹은 감각들) 간의 연결들(connections) 그 이상의 무엇도 아니라고 보았다.

6. '자연과학을 연구하는 모든 목표는 연결된 사상(thoughts)을 파악하는 데에 초점을 맞추어야 한다.'고 마하는 보았다.

7. 그 사상은 바로 '사유경제성'(principle of the economy of thought)이다.[91]

마하는 19세기와 20세기가 교차하던 시기에 반형이상학적 정신을 상징하는 인물이었다. 그의 저술과 강연은 빈 학단의 반형이상학을 한 단계 고양시키고 강화하였는데 그는 반형이상학적 정서를 결속시키는 상징적 구심점 역할을 하였다.[92] 그의 과학사상은 학문을 '삶을 위한 장치'로 보았다. 즉 그에게 학문은 '인간의 생존 그리고 번영'과 관계된다. "이런 관점에서 볼 때 학문적 탐구는 진리 그 자체에 대한 갈망으로부터 말미암는다기보다 사회적-종적 효용에 뿌리를 두고, 교육은 진리의 전수라는 관점에서보다 사회적 효용이 관점에서 고찰된다."[93]

마하는 개별과학의 분야들이 "오로지 전체와의 관계 속에서만 완전하고 신선한 생명력을 얻는다"고 하면서 분야별 간의 상호보완적인 접합 관계를 묘사하였는데 『역학의 발달: 역사적·비판적 고찰』에서 물리

---

91) Holton, "Mach, Einstein, and the Searth for Reality", 638f. (전대경, 「아인슈타인의 상대성 이론의 발전과 그의 인식론적 기회주의: 마하와의 관계 속에서 발전한 아인슈타인의 시공간에 관한 인식론의 역사적 여정을 중심으로」, 225-226쪽. 재인용.)

92) 고인석, 「빈 학단의 과학사상: 배경, 형성과정, 그리고 변화」, 60쪽.

93) 위와 같음.

학의 지배를 경계하면서 상대적으로 생물학적-심리학적 관점의 중요성을 강조하였다.94)

K. 피어슨은 영국의 수학자, 통계학자로 현대 통계학을 수립한 인물 가운데 한 사람이다. 피어슨의 통계학에서 상관계수(Pearson's correlation coefficient)는 이변량 연관성을 측정하고 그것의 통계적 유의성을 검토하기 위한 지배적인 통계량의 지위를 누려 왔다.95) 통계학에서 두 변수 x와 y가 있을 때, 서로 어떠한 관계에 있는지 파악하는 분석을 상관분석이라 하는데 피어슨의 상관계수에서 상관계수의 값이 양수인 경우 두 변수는 같은 방향으로 변화하는 관계이고, 음수인 경우 두 변수가 반대 방향으로 변화하는 관계이다. 피어슨의 상관계수를 제곱하면 분산에서 공유하는 비율과 같다. 그런데 상관계수는 선형적인 관계를 측정하므로 두 변수가 비선형적인 특징을 갖고 있다면 측정하기 어렵다. 게다가 피어슨 상관계수는 공분산을 기반으로 측정되기 때문에 등간척도와 비율척도를 사용한 변수에만 적용이 가능하다.96)

그런데 피어슨의 상관계수는 두 가지 중대한 문제점이 있다.97) 첫째, 두 공간적 패턴 간의 연관성을 측정하는 도구로서 피어슨 상관계수가 갖는 가치가 심대하게 훼손된다. 즉, 피어슨 상관계수는 두 변수

---

94) 같은 논문, 62쪽.

95) 이상일, 「고유벡터공간필터링 접근법에 기반한 피어슨 상관계수의 요소분해」, 대한지리학회, 『대한지리학회지』 제5호, 2019, 546쪽.

96) 이동호·이민서·이재서·박희조·전현성·유시환, 「피어슨 상관계수를 이용한 실시간 적응형 모델 학습 기법」, 한국정보학회, 『2021년 한국소프트웨어종합학술대회 논문집』, 2021, 1536쪽.

97) 이상일, 「고유벡터공간필터링 접근법에 기반한 피어슨 상관계수의 요소분해」, 546쪽.

간의 공변동(co-variation)의 정도는 측정할 수 있지만 두 공간적 패턴 간의 공형성(共型性, co-patterning)의 정도는 측정하지 못한다. 둘째, 피어슨 상관계수가 상정하고 있는 '독립관측가정'(independent observation assumption)이 심대하게 훼손된다.

T. 헉슬리는 영국의 "제국의 자유주의자"이고,[98] 또 "19세기 자유주의 과학인의 멘토"라고 하는데,[99] 그는 과학자, 인본주의자, 교육자였지만 "진보적 자유주의자"는 아니었다.[100]

헉슬리는 다윈의 『종의 기원』의 관점을 받아들였지만 자연선택, 점진적 진화관 등 다윈의 주요 이론에 의구심을 표명하였으며, "자연선택은 종의 형성을 과학적으로 탐구해 볼 수 있는 유일한 과학적 가설"이었다.[101]

> 자연 과정으로서 진화는, ……창조 및 다른 모든 초자연적 간섭을 배제한다. 또 고정된 질서의 표현으로서 진화는, 매 단계가 규율에 따라 작용하는 원인들의 결과이기 때문에, 마찬가지로 우연성의 개념을 배제한다. 그러나 진화는 우주 과정에 대한 설명이 아니라 이러한 과정을 조성한 방법과 그 결과에 대한 일반화된 진술일 뿐이라는 점을 반드시 기억해야 한다.[102]

---

98) 김기윤, 「다윈과 헉슬리: 진화론, 자유주의, 그리고 제국주의」, 호남사학회, 『歷史學硏究』 제67집, 2017, 301쪽.
99) 이종민, 「20세기 중국의 사회진화론 재정립을 위하여-헉슬리의 『진화와 윤리』(Evolution and Ethics)를 중심으로」, 한국중국현대문학학회, 『中國現代文學』 제62호, 2012, 45쪽.
100) 김기윤, 「다윈과 헉슬리: 진화론, 자유주의, 그리고 제국주의」, 316쪽.
101) 같은 논문, 313쪽.
102) 토마스 헉슬리, 「진화와 윤리」, 이종민 역, 한국중국현대문학학회, 『中國現代文學』 제47집, 2008, 180쪽.

또 이렇게 말하였다.

> 선택은 어떠한 변이를 장려하여 그 자손을 유지시키는 수단이지만, 생존 경쟁은 선택에 도달하는 수단 가운데 하나일 뿐이다.103)

즉 헉슬리는 "다윈 이론의 핵심인 점진적인 진화나 자연선택의 힘을 확인된 사실로 인정하지는 않았다."104) 그는 "자연선택설은 아직 가설에 불과하다고 보면서 새로운 종의 탄생에는 돌연한 변이가 주된 역할을 했을 것이라 생각했다."105)

그런데 그는 말년에 쓴 저작 『진화와 윤리』에서 "윤리라는 자연(ethical nature)이 우주라는 자연(cosmic nature)으로 탄생했지만, 그 탄생의 근원과 적대적 관계"라고 하였다.

> 정원의 인공 상태는 자연 상태와 적대적일 뿐만 아니라, 인공 상태를 조성하고 유지하는 원예 과정의 원리 역시 우주 과정의 원리와는 대조적이다.106)

그에 의하면 "인간과 인간의 사회 역시 자연 즉 '우주의 과정' 속에서 생겨난 생명체이지만, 인간 그리고 인간의 사회는 인간 스스로의 절제와 인내 그리고 관리 없이는 유지될 수 없다."107) 다시 말해, "인

---

103) 같은 논문, 186쪽.
104) 김기윤, 「토머스 헉슬리와 자연에서 인간의 위치」, 호남사학회, 『歷史學研究』 제63집, 2016, 223쪽.
105) 같은 논문, 239쪽.
106) 토마스 헉슬리, 「진화와 윤리」, 185쪽.
107) 김기윤, 「토머스 헉슬리와 자연에서 인간의 위치」, 236쪽.

간 사회의 윤리적 진보는 우주 과정을 모방하면서 얻어지는 것도 아니고 또 그로부터 도피함으로써 얻어낼 수 있는 것도 아니며, 우주 과정과 싸워 얻어내는 것"이라고 주장하였다.108) 그런 까닭에 그는 "인간의 삶의 조건을 자연 상태와 문명 상태의 두 가지 조건으로 나누어 자연 상태를 극복한 인간 사회의 현 상태를 문명사회라고 인식하며, 이러한 문명 상태를 지속시키기 위해서는 자연 상태에서의 생존경쟁의 원리와 다른 차원의 동력, 즉 윤리 과정이 필요하다고 주장한다."109) 그런데 그가 말하는 '문명사회'란 영국 또는 서구의 한 국가를 의미하는 것으로, 즉 '문명사회'는 "다른 사회를 압도함으로써 살아남은 사회를 뜻하는 것"으로, 그에게 "윤리적 과정이란 사회 내에서의 생존을 위한 투쟁을 완화 또는 제거해 나가는 과정"이었다. 그런 까닭에 그가 말하는 '윤리적 과정'은 "인류 전체의 역사에서 투쟁이 사라져가는 과정이 아니라, 한 사회 내에서 내부적 투쟁을 억누름으로써 다른 사호와의 투쟁에서 경쟁력을 얻어가는 과정"이었다.110) 우리는 그의 이러한 시각에서 '제국주의자'의 면모를 살펴볼 수 있다.

J. 듀이는 미국 실용주의 철학의 중요한 철학자이다. 그의 실용주의 철학을 프래그머티즘이라고 부른다. 그의 실용주의 철학은 도구주의, 실험주의(experimentalism)이다. 그는 인간의 삶이란 환경과 상호 작용이라고 한다. 그러므로 인간은 자연환경에 대해 적응과 개조를 하고, 사회환경에 대해 법률, 제도를 적용하여 개선해나간다고 하였

---

108) 같은 논문, 237쪽.

109) 이종민, 「20세기 중국의 사회진화론 재정립을 위하여-헉슬리의 『진화와 윤리(Evolution and Ethic)』를 중심으로」, 한국중국현대문학학회, 『中國現代文學』 제62집, 2012, 51쪽.

110) 김기윤, 「다윈과 헉슬리: 진화론, 자유주의, 그리고 제국주의」, 317쪽.

다.[111]

인간은 삶을 살아가면서 문제 상황(problematic situation)에 직면하게 되는데 그 과정에서 '경험'이 발생한다. 그러므로 우리의 삶은 생활체와 환경의 상호 작용이라는 넓은 의미의 경험이고 이러한 경험의 연속이다.[112] 따라서 그에게 철학이란 인생의 문제를 해결하고 세계를 변혁하는 도구이다. 그는 자신의 실용주의적 인식론을 '도구주의'라고 불렀다.

그의 관점에 의하면 우리는 문제를 해결하기 위해 '사고 활동'을 한다.

> 우리는 문제 상황에 부딪힐 때 상황을 파악하는 사고 활동에 들어가게 된다. 즉, 문제 해결을 위한 활동이 사고 활동이다. ……인간은 생각하도록 되어 있기 때문에 사고하는 것이 아니라, 당면 문제를 해결하기 위하여 사고한다는 것이 듀이의 견해다.[113]

그리고 그는 또 문제를 해결하기 위한 지성의 활동을 '탐구'(inquiry)라고 하였다.

> 탐구란 문제 상황 속에 있는 불확실성을 해소하여 문제 해결이라는 확실성으로의 전환을 위한 지적 활동이다. 그러므로 탐구 활동에서 지성의 역할이 매우 중요하다는 것이다.[114]

---

111) 이석호, 『근세·현대 서양윤리사상사』, 446쪽.
112) 위와 같음.
113) 같은 책, 447쪽.
114) 위와 같음.

그렇다면 '지성'이란 무엇인가?

듀이에 의하면, 지성은 선천적인 능력이 아니고 경험의 산물이며, 후천적으로 길러지는 능력이라는 것이다. 이런 지성은 사고 활동을 통해서 길러지는 능력으로서 문제 상황에 따른 대상을 파악하고 예견하는 능력이다. 다시 말해서, 있는 그대로의 현실뿐 아니라 미래를 예측하고 문제를 해결하는 능력이라는 것이다. ……인간의 지성은 현실의 파악에 머무르지 않고 미래를 내다보고 미래를 향해서 달리는 데 그 특성이 있다. 그는 이것을 곧 '창조적 지성'(creative intelligence)이라고 하였다.115)

그러므로 "우리의 모든 지식의 타당성과 가치는 그것이 우리 경험 속에 나타난 혼란과 곤란(문제)을 제거하여 문제 해결의 도구로서 가능하냐 못하냐에 따라 결정된다는 것이다."116)

2. 정문강의 과학과 인생관의 관계에 대한 입장

장군매의 논문에 대한 정문강의 비판에서 이미 드러난 것처럼, 그는 기본적으로 '과학'을 통한 '인생(관)'의 문제 해결이 가능하다고 생각하였다.

장쥔마이는 인생관이 "천하고금을 통해 가장 통일되기 어려운" 것이기 때

115) 같은 책, 448쪽.
116) 위와 같음.

문에 과학 방법을 적용할 수 없다고 했다. 그러나 현재 인생관이 통일되지 않았다는 것과 영원히 통일되지 않을 것이라는 말은 완전히 다르다. 당신이 실제적인 근거를 들어 인생관이 영원히 통일되지 않을 것이라는 사실을 증명하기 전까지 우리는 계속해서 그것을 통일시켜야 할 의무가 있다. ……시비진위를 가리려고 한다면 과학 방법 이외에 또 어떤 방법을 사용할 수 있겠는가?117)

이처럼 정문강은 '인생(관)'의 문제 역시 일정한 과학 법칙이 있다고 말하였다. 그런데 여기에서 문제는 그가 '과학'이라는 개념에 대한 구체적인 설명이 없다는 것이다. 사실 그는 '과학'과 '과학 방법'을 구별하지 않았다.

우리가 말하는 과학 방법이란 그것을 이용해 세상의 사실들을 분류하고 질서를 찾아낼 수 있는 것이다. 분류가 잘 되어 질서가 분명해지면 매우 간략한 언어로 수많은 사실을 개괄할 수 있게 되는데 이렇게 나온 것이 바로 과학 방법이다.118)

엄밀하게 보면, '과학'과 '과학 방법'은 다른 개념이다.

그런데 장군매와 정문강의 '과학'과 '인생(관)' 논쟁에서 핵심 문제는 '물질'과학이 아니라 '정신'과학에 해당한다. 왜냐하면 우리가 비록 인간으로 삶을 살아가면서 우리 자신이 '몸'과 '마음' 또는 '정신'이라는 두 부분으로 구분하는(그것의 정당성 여부와는 상관없이) 구성 요소로 되어있지만, 우리는 흔히 인간을 '인간답게' 하는 부분을 '몸'이

117) 딩원지앙, 「현학과 과학-장쥔마이의 「인생관」을 평함」, 68쪽.
118) 위와 같음.

아닌 '마음' 또는 '정신'에 두고 있기 때문이다. 이 과정에서 '마음' 또는 '정신'이라고 하는 부분은 인간의 '감각'과 관련이 있다.

정문강의 인간 '감각'에 대한 견해이다.

개념은 감각 기관이 느낀 것에 연상과 추론을 더한 것으로 연상과 추론은 감각 기관이 과거에 경험한 것이 있기 때문에 가능한 것이다. 감각 기관이 받아들인 것은 우리가 물질을 인식하기 위해 기본적으로 필요한 것이다. 다른 대상을 추론할 수 있는 까닭도 과거에 경험한 것을 기억하고 있기 때문이다. 물질이란 기억되어 있는 수많은 감각과 느낌이며 여기에 약간의 직접적인 감깍과 느낌이 더해진 것이다. 만약 감각 기관의 구조가 다른 형태였다면 우리가 인식하는 물질의 형태도 분명 달라졌을 것이다.[119]

그러므로 인간의 '심리'라는 것 역시 과학 연구의 대상이 될 수 있다고 주장하였다.

심리상의 내용은 지극히 풍부하며 동시적인 직접 감각이나 직접 감각한 대상에 의해 제한받지 않는다. 이런 심리상의 내용은 모두 과학의 재료이다. 우리가 알고 있는 물질은 알고 보면 심리상의 감각적 느낌에 불과하며 지각에서 개념이 생기고 개념에서 추론이 나오게 되는 것이다. 과학이 연구하는 것은 이러한 개념과 추론일 뿐인데, 정신과학이나 물질과학이니 하는 구분이 어디 있겠는가? 마찬가지로 순수 심리 현상이 과학 방법의 지배를 받지 않는다고 말할 근거가 어디있겠는가?[120]

119) 같은 책, 71쪽.
120) 같은 책, 73쪽.

오늘날 심리학 역시 다양하게 발전하였다. 그에 관한 이론도 매우 복잡하다. 그러나 정문강의 장군매에 대한 비판은 장군매가 말하고자 한 핵심 논점을 빗나간 비판으로 보인다.

제4절 장군매와 정문강의 논점 비교와 평가

1. 논점의 비교

유희성은 장군매와 정문강의 '과학과 현학 논쟁'을 '과학주의'와 '인문주의'/'도덕주의'의 문제로, "구체적으로 인과율과 자유의지, 사실(존재)과 가치(당위), 경험적 인식과 초경험적 인식, 마음(정신)과 육체(물질) 등의 중요한 철학적 문제와 관련된다"고 파악한다.[121]

그런데 그는 또 "과학주의자들은 대체로 물리주의(physicalism)의 입장을 취하면서 사실과 가치, 마음과 육체의 통일성을 견지하는 심신일원론을 주장하며, 반면에 인문주의자들은 마음과 자유의지는 인과율의 지배를 벗어나며 물리적으로 환원불가능하다는 심신이원론의 입장을 취한다"고 평가한다.[122] 필자는 이 단락에서 우리는 과연 과학주의자들은 심신일원론이고, 인문주의자들은 심신이원론의 입장이라 말할 수 있는지 의문이다.

나지희는 장군매와 정문강의 과학과 인생관 논쟁의 그 철학과 과학

---

121) 유희성, 「과현(科玄) 논쟁과 지적 직각(智的直覺)-자유의지와 결정론을 중심으로-」, 서강대학교 철학연구소, 『철학논집』 제22집, 2010, 167쪽.
122) 위와 같음.

적 배경을 다름과 같이 정리하였다.

[표7-2] 장군매와 정문강의 철학·과학적 배경[123)]

정문강 측의 경향		장군매 측의 경향
로크의 경험론(經驗論) (Lockian Empiricism)		칸트의 이원론(二元論) (Kantian Dualism)
마하-피어슨 지식론(知識論) (Mach-Pearsonian Epistomology)	대항 vs.	드리쉬의 생기론(生氣論) (Drieschean Vitalism)
헉스리의 존의론(存疑論) (Huxleyean Agnosticism)		오이켄의 정신론(精神論) (Euckenian piritualism)

이 밖에도 베르그송, 윌리엄 제임스 등이 있다. 그런데 나지희는 이들을 언급하지 않은 이유에 대해 이렇게 말하였다.

국내의 어떤 사람들은 장군매는 베르그송을 추숭하는데 왜 내가 배르그송을 거론하지 않는지 묻는다. 그러나 내 개인적으로 장군매의 논조 가운데에는 오이켄과 드리쉬의 분위기가 배르그송에 비해 강하다. 그러므로 내가 단지 드리쉬와 오이켄 두 거론한 것이다. 드리쉬의 철학이 비록 그가 생물학을 연구한 배경이 있지만, 그러나 한편으로 베르그송의 낭만관을 취하고 다른 한편으로 칸트의 이원론을 융합하였기 때문에 자못 변형된 "초상주의"(超象主義)로 흘러갔다. 오이켄의 정신론이 비록 베르그송의 학설과 마찬가지로 신비성을 갖고 있지만, 그러나 오이켄이 말하는 "정신생활"은 더 종교에 가깝다고 생각한다. 정문강이 비록 약간 "실험주의"의 색채를 띄고 있고 그 입론은 윌리엄 제임스에게 인증한 것이 자못 많지만, 그러나 제임스는 결코 정문강처럼 현학을 말살하거나 천박하게 생각하여 버리지 않고 또

123) 羅志希, 『科學與玄學』, 商務印書館, 2000, 11쪽.

그 자신은 현학의 계통을 건설해야 하였다. 그러므로 정문강의 측면에 대해서도 제임스를 넣지 않았다. 나는 편견이 없이 연구하는 사람이라면 아마도 나의 의견에 동의할 것이라고 생각한다.124)

이처럼 두 사람의 사상적 배경이 달랐기 때문에 하나의 일치된 견해를 찾는 것 역시 불가능하였을 것이다.

2. 평가

장군매와 정문강의 과학과 인생관 논쟁에서 가장 먼저 검토해야 할 과제는 두 학자가 사용하고 있는 '과학'과 '현학'이라는 개념의 정의 문제이다. 이 문제와 관련하여 중국학자 나지희(羅志希)는 이렇게 지적하였다.

그리고 불행하게도 두 사람[兩方面]이 '현학'(玄學), '과학'(科學)에 대해 수많은 말을 하였지만 도리어 일찍이 시종일관 '현학'과 '과학'의 의의와 범위를 따져 확정하지 않았다는 것이다.125)

그는 장군매와 정문강의 논쟁은 많은 경우 개념의 불확실성에 나온 결과라고 지적하였다. 왜냐하면 그는 장군매와 정문강의 과학과 현학(인생관)의 논쟁은 '혼란스러운 논쟁'[混戰]이라고 생각했기 때문이다.

정대화의 장군매에 관한 평가이다.

---

124) 같은 책, 11-12쪽.
125) 같은 책, 10쪽.

양수명(梁漱溟)의 뒤를 이어 '5·4' 시기 두 번째 현대신유학의 발단을 여는 데에 공을 세운 인물은 장군매이다. 만약 양수명의 『동서문화 및 철학』(東西文化及其哲學)이 문화 방면으로 현대신유학을 열었다고 말한다면, 장군매는 1923년에 일어난 '인생관 논쟁'과 그가 논쟁 중에 과학주의를 비판한 것은 대부분 철학 방면에 현대신유가의 사상 진로를 진일보하게 한 것이다.126)

매우 상식적인 말이지만 사실 우리가 학술 활동을 할 때 무엇보다도 중요한 것은 개념, 용어, 의미 등등 언어와 관련한 것들이 분명해야 한다. 왜냐하면 우리의 학술 활동은, 비록 불완전한 것이기는 하지만, 기본적으로 언어라는 매개체를 통해 이루어지기 때문이다. 따라서 만약 학술 활동에서 언어가 불확정적이면 그만큼 이해, 해석의 어려움을 겪을 수밖에 없고, 어떤 경우에는 이해, 해석이 거의 불가능하게 된다. 물론 불교의 선문답과 같은 방식도 있을 수 있다. 그러나 그것은 학술 활동이 아니다. 그러므로 여기에서는 더 논의하지 않기로 한다.

그렇다면 먼저 장군매와 정문강의 과학에 대한 이해는 어떻게 다른가? 먼저 장군매의 관점이다.

장군매와 정문강의 '과학'에 대한 입장은 분명하게 다르다. 장군매는 과학의 전제인 인과율은 오직 사실(존재)의 영역인 자연 세계에만 적용 가능

126) 鄭大華, 「張君勱與現代新儒學」, 『天津社會科學』 第4期, 天津社會科學院, 1989, 31쪽. (심창애, 「장군매(張君勱)가 바라본 중국 유가철학의 현실과 대응방안」, 309쪽. 각주 4. 재인용)

> 하며, 과학은 자연현상을 논리적이고 객관적이며 분석적인 방법에 의해 연구하는 것이라고 생각한다. 반면에 자유의지에 의한 인간의 삶은 직관적이고 주관적이며 종합적인 것이기 때문에 인과율이 적용되지 않는 가치의 영역이라는 것이다.127)

다음은 정문강의 관점이다.

> 이에 대해, 정문강은 장군매의 가치의 영역이라고 하는 자유의지 등의 심리 현상도 모두 물리현상으로 환원가능하며, 인과율의 적용을 받는 것이므로 과학의 연구 대상이라고……128)

이와 같이 장군매와 정문강의 기본 입장은 서로 완전히 다르다. 그런 까닭에 어떤 일치점을 구한다는 것은 처음부터 불가능하였다.

독일 사회학자 막스 베버는(Max Weber, 1864-1920)는「직업으로서의 학문」이라는 글에서 과학과 의미의 관계 문제에 관해 이렇게 지적하였다.

> 그러면 오늘날은 어떻습니까? 특히 자연과학 분야에서 발견되는 몇몇 애어른들을 제외하면, 오늘날 누가 아직도 천문학이나 생리학, 물리학, 화학 등의 지식이 <u>세계의 의미</u>에 대해서 뭔가를 가르쳐 줄 수 있다고 믿을까요? 아니면 누가 아직도 이런 학문들이 최소한 어떻게 우리가 <u>세계의 의미</u>—도대체 이런 의미가 있기나 하다면—의 단서를 찾을 수 있을지에 대해 뭔가를 가르쳐 줄 수 있다고 믿습니까? 이 문제에 관한 한 자연과학은 오히려 <u>세</u>

---

127) 유희성, 「과현(科玄) 논쟁과 지적 직각(智的直覺)-자유의지와 결정론을 중심으로-」, 170쪽.
128) 위와 같음.

계의 '의미' 같은 것이 있다는 믿음을 송두리째 파괴하는 데 적합할 뿐입니다.[129] (밑줄과 강조는 인용자)

베버의 지적처럼, '과학'은 '의미'에 관해 아무런 해답을 줄 수 없다. 과학은 오직 이 세계의 존재 양태를 설명할 수 있을 뿐이다.

그러나 알 가치가 있다는 이러한 전제 자체는 결코 증명될 수 없는 것입니다. 그리고 그런 학문들이 서술하는 이 세계가 존재할 가치가 있는 것인지, 그 세계가 '의미'를 갖고 있는지, 그 세계에서 사는 것이 의미가 있는 것인지는 더더욱 증명할 수 없습니다.

자연과학은 그런 것들에 대해서는 묻지 않습니다. ……모든 자연과학은, 만약 우리가 삶을 기술적으로 지배하고자 한다면, 우리가 무엇을 해야 하는가, 라는 물음에 대해서는 답을 줍니다. 그러나 자연과학은 우리가 삶을 기술적으로 지배해야 하는지 또 지배하고자 하는지의 여부, 그리고 이 지배가 궁극적으로 도대체 의미가 있는지의 여부에 관한 문제는 전적으로 제쳐놓거나 아니면 자신들의 목적을 위해서는 당연한 것으로, 즉 삶을 기술적으로 지배하는 것이 의미 있다고 전제합니다.[130]

그렇지만 우리의 인생관, 즉 가치, 의미의 문제는 전적으로 사실과 무관한 것은 아니다. 다시 말해 가치와 사실은 일정 부분 서로 관계가 있다. 우리가 이 문제를 좀 더 구체적으로 논의하려면 사실과 가치의 관계를 다른 시각에서 논의할 필요가 있다.

---

129) 막스 베버, 『프로테스탄티즘 윤리와 자본주의 정신 직업으로서의 학문/직업으로서의 정치/사회학 근본개념』, 김현욱 옮김, 동서문화사, 2016, 244쪽.

130) 같은 책, 246-247쪽.

길병휘는 오늘날 철학에서 이 '사실'과 '가치'의 관계 문제에 대한 관념에 대해 다음과 같이 말하였다.

> 철학의 이러한 분석적 경향은 가치/사실의 이분법적 사고를 결과하게 되고, 이분법에 따라 도덕적 진술은 이제 문자적인 의미를 지니지 못하는(literally meaningless) 무의미한 진술로 간주되기에 이른다.[131)]

그렇다면 우리는 '가치', 즉 '도덕'에 대해 그것은 무의미한 것이므로 침묵해야 한다고 말해야 하는가? 전혀 그렇지 않다. 우리의 실존적 삶은 그런 질문을 하지 않을 수 없게 한다. 다시 말해, 우리의 실존적 삶은 우리에게 '도덕적 판단'이 무의미하다는 것을 의미하지 않는다.

> 이제 도덕적 판단이 주관적이고 상대적인 성격을 지니고 있음을 부인하기는 힘든 것 같다. 그럼에도 불구하고 도덕적 주장이나 판단이 무의한 것 혹은 주관적이고 상대적인 것에만 머무르는 것은 아니다. ……(어떤 문제에 대해) 어느 누구나 각자의 개인적 성향이나 문화적인 차이에도 불구하고 옳지 않다는 도덕 판단을 내릴 것임에 틀림없다. ……도덕적 인식의 가능성을 주장하는 사람들은 도덕 판단이 지닌 자명성과 보편화 가능성 같은 특성을 그 근거로 제시하거나 가치의 구체적 특성을 강조한다.[132)]

인간 삶의 현실이 그러하다. 우리는 매일 삶을 살아가면서 알게 모르게 도덕적 판단을 하면서 살아간다. 이러한 도덕적 판단을 하지 않

---

131) 길병휘, 『가치와 사실』, 서광사, 1996, 16쪽.
132) 같은 책, 17쪽.

고 삶을 살아간다는 것은 불가능하다.

> 이러한 도덕 판단의 특성은 도덕적 가치가 단순히 주관적이고 상대적인 것만이 아니라, 이와는 다른 어떤 특성 혹은 측면을 갖고 있음을 보여주는 것이다.133)

장군매가 그동안 강조한 것처럼, 우리가 과학을 통해 인생의 의미와 가치를 묻는 것은 불가능한 일이다. 장군매가 이렇게 말한 것은 당시 제1차 세계대전이 막 끝난 서구사회의 비참한 현실적 모습에 대한 관찰과 경험, 그리고 "중국의 전통문화를 모조리 배척하고 완전히 서양화할 것을 주장하는 이른바 '전반서화파'들이 득세하였다"는 객관적 상황과도 밀접한 관계가 있다.134)

장군매가 인생관과 과학의 논쟁에서—아니 그는 본래 논쟁을 할 생각이 없었다고 생각하는데— 말하고자 한 것은 그토록 과학이 발전한 서구사회가 제1차 세계대전을 겪으면서 보여준 과학의 위험성과 한계를 중국 전통 유학의 윤리학을 통해 보완하고자 한 것으로 보인다. 그런데 장군매의 이러한 관점은 과학파에게는 아직 민주와 과학이 전혀 발전하지 못한 당시 중국 사회에서 장군매가 제기한 문제의식은 어떤 면에서 중국의 민주와 과학의 퇴보를 의미하는, 그래서 매우 위험한 생각으로 받아들여졌을 것이다. 정문강의 논박은 이러한 우려를 대표한 것으로 보인다. 이 문제와 관련하여 우리는 당시 중국의 자유주의 경향의 지식인 집단이 전통 유학에 대해 갖고 있었던 불신의 시각 또

133) 같은 책, 17-18쪽.
134) 유희성, 「과현(科玄) 논쟁과 지적 직각(智的直覺)-자유의지와 결정론을 중심으로-」, 171쪽.

는 두려움의 시각을 깊게 이해할 필요가 있다.

> 그러므로 내가 이 글을 쓰는 목적은 우리의 친구인 장준마이를 구하기 위한 것이 아니라 아직 현학귀에 씌이지 않은 청년 학생들을 일깨우는 데 있다.135)

그러므로 장군매와 정문강을 중심으로 한 과학과 인생관의 논쟁은 시대적 특수성이 있는 것이다.

> 동방 문화와 서방 문화의 대립이라는 이 문제를 논변할 때 중국인은 모두 일종의 자신의 특징을 가지 사회제도를 반드시 일련의 선험적 철학 원칙과 도덕 원칙에 뿌리내리게 해야 한다고 생각하였다. 서양 철학 문제와 중국 철학 문제를 힘써 연구할 때 그들은 이 두 세계 체제의 버팀목을 나타내기를 희망하였고, 또 미래에 중국 사회가 그것에 의지하여 그 위에 주요 원칙을 세우기를 희망하였다.136)

다음으로 전통 유학이 보여준 문제점에 대한 깊은 문제의식을 보여준다. 중국의 초기 자유주의자들은 전통 유학에 대해 매우 비판적이었다. 그들이 전통 유학을 비판한 것은 지난 중국의 역사에서 그동안 전통 유학이 보여주었던 '폭력성' 때문이다. 예를 들어 중국 전통의 유학이 지배하는 사회 체제에서 '개인'은 존재하지 않았다.

---

135) 딩원지앙, 「현학과 과학-장쥔마이의 「인생관」을 평함」, 67쪽.
136) [美] 費俠莉(Charlotte Furth), 『丁文江-科學與中國新文化』, 丁子霖·蔣毅堅·楊昭 譯·楊照明 校, 新星出版社, 2006, 86쪽.

> 중국 전통사회에서 '민民'은 사회를 구성하는 하나의 개체인 동시에 가족을 이루는 구성원이기도 하다. 국國[天下]과 민民의 관계에서 가족은 국國[天下]과 민民을 연결하는 중간 매개자로서 기능한다. 여기에는 가족뿐 아니라 가家의 확대인 씨족과 무수한 중간 집단이 존재하지만 모두 가家의 본질적 속성에서 벗어나지 않는다. 즉 전통 유가사회에서 개체로서의 민民은 가족의 일원이 되며, 또한 가족을 단위로 하는 집단의 구성원이 되기도 한다. 때문에 개인은 '가家'와 분리되기 어렵다. 가족과 개인의 관계에서 개인은 가족의 이익에 봉사하는 역할을 맡는다.137)

그런데 이러한 상황은 20세기 초 장군매와 정문강이 살았던 시대에도 마찬가지였다.

> 이러한 개인관은 20세기 초에도 여전히 중국에서 보편적인 것으로 받아들여져 일상생활 속에 만연해 있었다. 가족을 위한 개인, 국가를 위한 개인만 있을 뿐 자신이 주체가 되는 개인은 찾아보기 힘들었다.138)

이처럼 '개인'이 존재하지 않는 사회에서 '민주'라는 것은 발전할 수 없었다. 유학에서 '민본'(民本)을 말했다고 하여 마치 유학이 '민주적' 이념 체제인 것처럼 말하는 것은 억지 해석일 뿐이다.

이택후는 이 '개인의 발견'을 장자 철학에서 찾았다. 그러나 도학(道學), 즉 도가(道家), 도교(道敎), 단도(丹道)의 철학은 중국 전통사회에

137) 조경란, 「중국의 전통과 근대에서 개체와 집단의 문제-새로운 공동체를 위한 시론적 접근」, 철학연구회, 『철학연구』 제49집, 2000, 7쪽.(구민희, 「후스胡適의 사상을 통해 '의무가 되어버린 개인의 권리' 찾기」, 조선대학교 인문학연구원, 『인문학연구』 제41집, 2011, 525쪽. 재인용.)

138) 구민희, 「후스胡適의 사상을 통해 '의무가 되어버린 개인의 권리' 찾기」, 525쪽.

서 언제나 변방에 머물렀던 철학으로 정치 체제의 핵심 이론이 되지 못하였다. 따라서 중국 역사에서 개인의 사유, 개인의 욕망이란 언제나 부정되었다.

우리가 잘 알고 있는 것처럼, 중국에서는 유학에 대해 '사람을 잡아먹는 예학'이라는 비판이 있었다. 이것은 '전제군주의 독재'를 정당화한 것에 그 뿌리가 있다.

> 유교는 **'왕도' 즉 일종의 '유교적 교양을 쌓은 자의 독재'**를 사실상 옹호하고 '조화'[和]의 세계관을 통해 모든 계급 갈등을 무마하거나, 그것을 자연법칙으로 설명하고자 노력한다.139) (밑줄과 강조는 인용자)

그렇다면 장군매는 사람들의 유학에 대한 이러한 평가에 대해 좀 더 진지한 고민이 있어야 한다. 바꾸어 말하자면, 중국 전통사회에서 유학은 통치집단의 이익을 위한 지배이데올로기의 역할을 했다는 것은 분명한 사실이다. 그러므로 중국의 전통 유학이 만약 그러한 문제점에 대한 철저한 반성과 비판 그리고 극복을 하지 않고 유학의 여러 문헌에 보이는 그럴싸한 몇 마디의 말을 가지고 유학을 절대화하고 정당화한다면 유학은 다시 '사람을 잡아먹는 예학'이 될 것이다.

필자는 지난 20세기 80년대에 중국이 개혁개방을 추진하면서 중국정부가 추진하고 있는 유학 부흥에서 그러한 의심을 지울 수 없다. 중국이 개혁개방을 추진하면서 중국 현대 신유가에 대한 연구 역시 중시하였다. 중국은 1986년 북경에서 전국철학사회과학 제7기 5개년계획 회의를 개최하였는데 이 회의에서 "현대신유가 사상에 관한 연구

139) 양재혁, 『동양철학-서양 철학과 어떻게 다른가』, 소나무, 1998, 19쪽.

가 중점 연구과제의 하나로 채택"하였다. 그런데 이것은 "국가의 적극적인 지원"에 의해 이루어진 것이라는 점에 주목해야 한다. 그 결과 1987년 제1차 전국신유가학술사조토론회가 개최되었고, 같은 해 『중국철학사연구』(中國哲學史硏究)지의 제8회 하계학술토론회에서 '중국현대철학의 발전(1919~1949)'을 주제로 한 학술모임을 개최하였다.140) 그러므로 현대 신유학에 관한 연구는 철학자 집단에 의한 '순수한 학문 모임'인지 아니면 '관방 학술모임'인지 의문이 든다는 것이다. 그런데 필자 개인의 입장을 솔직하게 말하면, 이것은 '관방 학술모임'이라고 생각한다. 즉 '어용'(御用)일 가능성이 크다.

이상호의 말이다.

> 현대신유학이 전통과 현대라는 문제에 관심을 두고 그것을 접목시키려고 했다는 점에서 높이 평가할 수 있지만, 현대신유학에 대한 평가는 그것으로 그치고 만다.
>
> 그럼에도 불구하고 현대신유학 연구가 국가의 전폭적인 지원을 받고 활발하게 이루어지고 있는 상황은 무엇을 의미하는가? 이것은 단순한 학술사적 연구차원을 넘어선다. 여기에서 중국에서는 전환기적 상황에서 언제나 전통의 문제가 전면에 제기돼왔다는 사실을 상기할 필요가 있다. 이것은 현대 중국의 '전통을 이용하는 또 다른 전통'이라고 이름붙일 수 있는데, 중국에서의 현대신유학 연구 역시 이와 같은 차원에서 이루어지고 있다는 혐의를 지울 수 없다.141)

---

140) 이상호, 「현대신유학(現代新儒學)이란 무엇인가」, 한국철학사상연구회, 『현대신유학 연구』, 동녘, 1994, 9쪽.
141) 같은 책, 10쪽.

그런데 중국 현대 신유학자들은 마치 중국의 전통 유학은 '무오류의 학문'인 것처럼 말한다. 장군매를 중심으로 한 현대 신유학자들이 전통 유학의 이러한 위험성, 문제점에 대한 성찰이 없이 전통 유학을 무조건 옹호한다면 그 폐단은 누가 말하지 않아도 알 수 있다.

앞에 인용한 이상호의 글에서 여기에서 '전통의 필요성'은 어디에 있는가? 라고 질문을 하고, 그 가능성을 두 가지로 정리하였다.[142] 첫째, 전통의 고양과 현대적 전환은 1978년 이래 개혁·개방 정책에 따른 '서구 부르주아적 자유화'의 경향에 때한 차단막으로 작용할 수 있다는 인식이다. 둘째, 현대신유가에 관한 연구를 통해 중국적 민족주의를 고양시킬 수 있다는 생각이다. 그런데 그는 또 여기에 "그리고 만족주이의 고양과 관련된 현대신유학 연구의 중시는 중국의 패권주의적 경향과 관련시켜 볼 수 있으며, 그것은 일종의 '문화적 패권주의'라고 부를 수 있다"고 하였다.[143]

이러한 문제점에 대한 우환의식이 과학파의 입장이었을 것이다. 그런 까닭에 호적, 진독수를 중심으로 한 과학파는 현학파에 어떤 면에서 극단적인 또는 과도한 비판을 한 것이다. 특히 진도수와 같은 인물은 철저하게 '유물론'적 관점에서 현학파를 비판하였는데, 그와 같은 유물론파 철학자들은 "순물질적이고 순기계적인 '인생관'(純物質純機械的人生觀)을 수립하려고 했다. 그들의 과학적 '인생관'에 따르면, 인간의 외부 세계는 물론 내면세계까지도 물질운동의 필연법칙의 지배를 받는다고 한다." 그렇지만 "그런 사유 방식 안에서 인간의 자유의지는 부정되지 않을 수 없다."[144] 만약 우리의 삶이 그런 물질운동의 필연

142) 위와 같음.
143) 같은 책, 11쪽.

법칙에 의해 지배를 받는 존재라면 도대체 인간의 자유의지는 무엇이고, 인간의 존재 의미는 무엇이란 말인가?

필자는 장군매가 제기한 인생관 문제는 기본적으로 과학이 해결할 수 없다는 입장이다. 그러나 그렇다고 해서 장군매가 말한 것처럼 정신과학의 여러 분야가 연구하고 있는 인간의 심리적, 정신적 현상에 대한 연구성과마저도 아무런 의미가 없는 작업이라고 말할 수는 없을 것이다. 오늘날 인간의 심리적, 정신적 현상에 대한 연구는 여러 가지 뛰어난 연구업적을 남기고 있다. 이러한 연구성과는 우리 인간을 이해하는데 여러 가지 좋은 시사점을 제공한다. 물론 이러한 연구성과는 우리 인간 각자의 인생관의 문제—인생의 가치, 의미를 해결할 수는 없다. 비록 우리 인간의 자유의지, 인생의 가치와 의미라는 문제가 일정 부분 과학적 연구를 통해 그 기본 법칙을 밝혀낼 수 있다고 하더라도 우리 인간의 '선택'의 문제는 각 개인의 주체적 결단에 따를 수밖에 없는 것이다. 우리가 만약 이러한 사실을 부정한다면 우리 인간에게 인생의 선택, 가치, 의미란 무의미하게 될 것이다.

장군매와 정문강의 2.5차에 걸친 과학과 현학의 논쟁을 보면 뒤로 갈수록 논쟁의 초점이 흐려졌다는 생각이 든다. 그리고 그들의 논쟁을 강화한 이론적 배경, 시대적 문제의식의 차이는 결국 궁극적으로 아무런 일치점을 찾지 못하고 평행선을 걷도록 만들었다. 그것은 이미 정해진, 그래서 너무도 당연한 결과였다.

그렇지만 과현 논쟁이 아무런 의미가 없는 것은 아니다.

---

144) 이용주, 「근대기 중국에서의 과학 담론: 진독수와 양계초를 중심으로」, 忠南大學校 儒學硏究所, 『儒學硏究』 제26집, 2012, 299쪽.

> 장군매가 청화대학교에서 행한 강연으로 일어난 이 신생관 논전은 현대 중국 사상문화사에 중요한 영향과 지위가 있다. 첫째, 그것은 유과학주의 사조와 인본주의 사조가 중국에서 처음 정면으로 부딪힌 것으로, 이러한 논전 중에 과학과 인생관 문제 부상하였다. 이후 중국현대 자산계급 철학은 명확하게 양대 진영, 양대 노선으로 구분되었는데, 하나는 과학적·실증적 노선을 걷게 되었고, 다른 하나는 인본적·형이상학적 노선을 걷게 되었다. 둘째, 중국 초기 마르크스주의자의 개입과 그들의 현학파·과학파에 대한 비판과 마르크스주의 유물사관의 선전으로 마르크스주의의 영향을 확대했는데, 인생관 논전 뒤에 마르크스주의는 청년들 가운데에서 널리 전파되었다. 셋째, 그것은 현대 신유학의 발전 역정 중에서 하나의 대사건으로 장군매의 강연과 그 이후의 논전과 관련한 문장은 어떤 의미에서 말하자면, 현대 신유학의 사유 방향을 형성하였으며, 장군매 본인도 그로 인하여 현대 신유학의 "개척자" 가운데 한 사람이 되었다.145)

정대화의 과학과 인생관 논전에 대한 평가 가운데 일부는 사회주의 중국 학자의 마르크스주의, 유물론적 관점으로 우리가 동의하기 어렵지만, 그것을 제외하면 비교적 공평한 논평이라고 생각한다.

지난 20세기 20년대에 있었던 과현 논쟁에서 제기했던 문제는 오늘날에도 여전히 우리가 마주해야만 하는 문제이다. 특히 오늘날 과학기술의 눈부신 발전으로 큰 성과를 성취했지만, 어떤 면에서 오히려 인간을 왜소화하였다. 그런 까닭에 오늘날 우리 역시 인생의 의미, 가치에 대해 다시 묻지 않을 수 없다. 왜냐하면 과학 기술이 이토록 발전한 후기-현대사회에서도 이러한 인생의 가치, 의미의 문제는 여전히 백 년 전 장군매와 정문강이 논쟁했던 시대와 별로 달라지지 않았기

---

145) 鄭大華, 『張君勱傳』, 176-177쪽.

때문이다. 과학 기술의 발전과는 반대로 인간의 실존적 상황은 오히려 더 나빠졌다고 할 수 있다. 현대의 과학 기술의 관점에서 보면 인간이란 존재는 한갓 물질 덩어리에 불과하기 때문이다.

장군매와 정문강 두 사람의 논쟁은 과학파와 현학파의 논쟁으로 확장하였다. 확장된 논쟁은 다음 장에서 살펴보기로 한다.

제8장 논쟁의 확장: 현학파와 과학파의 논쟁

제8장 논쟁의 확장: 현학파와 과학파의 논쟁

장군매(張君勱)와 정문강(丁文江)의 과학과 인생관에 관한 논쟁은 단순히 이 두 사람의 논쟁으로 끝나지 않았다.

> 장군매와 정문강 이 두 사람의 현학파와 과학파의 중심인물[主將]이 (논쟁을) 주고받으면서 과학과 인생관의 문제를 둘러싸고 격렬한 논쟁이 전개될 때 학계의 기타 명사들도 이 논쟁에 분분히 개입하였는데 정문강 측에는 호적(胡適), 오치휘(吳稚暉), 왕성공(王星拱), 당월(唐鉞), 주경농(朱經農)이 있었고, 장군매 측에는 장동손(張東蓀), 임재평(林宰平), 구국농(瞿菊農), 도효실(屠孝室)과 양계초(梁啓超)가 있었다.[1]

인생관 논쟁은 1923년 말에 이미 마무리 단계에 이르렀는데, 이해 11월 상해아동도서관(上海亞東圖書館)의 왕맹추(汪孟鄒)가 2만 여자에

---

1) 鄭大華, 『張君勱傳』, 中華書局, 1997, 164-165쪽.

이르는 논쟁과 관련한 문장을 수립하여 출판하였으며, 동시에 호적과 진독수에게 서문을 요청하였다. 거의 같은 시기에 상해태동도서국(上海泰東圖書局)에서도 논전 문집을 출판하려고 하였으며, 장군매에게 서문을 요청하였다. 1924년 말과 1925년에 상해아동도서관의 『과학과 인생관』(科學與人生觀)과 상해태동도서국의 『인생관의 논전』(人生觀之論戰)이 나왔다. 『과학관 인생관은 상·중·하 3책(冊)으로 수록한 논전 문장은 모두 29편이다. 『인생관의 논전』 역시 상·중·하 3책으로 수록한 논전 문장은 역시 29편이다. 그런데 왕성공(왕성공)의 논문 1편이 적고 도효실(도효실)의 논문 1편이 많은 것 이외에 그 밖의 각 편은 서로 같다.[2)]

1997년 출판한 『과학과 인생관』(1/2)의 목차에 의하면 이 논쟁에 참여한 인사로는 장군매와 정문강 이외에 진독수(陳獨秀), 호적(胡適), 임숙영(任叔永), 손복원(孫伏圓), 양계초(梁啓超), 장연존(章演存), 주경농(朱經農), 임재평(林宰平), 당월(唐鉞), 장동손(張東蓀), 국농(菊農, 瞿菊農), 육지위(陸志韋), 왕성공(王星拱), 무(穆), 송고(頌皐, 吳頌皐), 왕평릉(王平陵), 오치휘(吳稚暉), 범수강(范壽康) 등이다. 이 인물들에 대한 자세한 소개는 이 책을 한글 번역한 한성구의 『과학과 인생관』의 「필자소개」 부분에 자세히 보인다.[3)] 다만 이 가운데 무(穆)는 자세히 알 수 없다. 그렇지만 이 논쟁에 참여한 사람은 이들을 포함하여 20여 명이나 된다.

호적은 이 논쟁의 의미를 "최근 사상계에서 벌어진 전대미문의 대

2) 같은 책, 165쪽; 리쩌허우, 『중국현대사상사론』, 김형종 옮김, 2005, 108쪽.

3) 천두슈 외, 『과학과 인생관』, 한성구 옮김, 산지니, 2016, 594-607쪽.

설전(大舌戰)"으로, "25만 자의 글"이 오갔다고 말하였다.[4] 그런데 이 논쟁은 단순히 "과학주의와 인본주의의 대립", "과학과 현학(철학)"의 순수 학술 논쟁이 아니라 새로운 국면의 사상 논쟁이었다. "이 논쟁은 인생관 문제로부터 촉발되어 과학의 대상과 적용 범위를 놓고 다투는 과학과 현학(철학) 논쟁으로 발전했다가 종국에는 현실적 실천 논리로 대립하는 이념 논쟁으로까지 국면이 전환되었다."[5]

그런데 이 시기 중국의 근대 개혁 운동은 기본적으로 세 가지 방향으로 나누어졌다.

> 첫째는 천두슈(陳獨秀), 후스(胡適) 등 서구의 과학과 민주를 기치로 내걸고 낙후된 중국을 서구적 근대사회로 바꾸려 했던 전반서화(全般西化), 곧 서구화 경향이다. 둘째는 량치차오(梁啓超), 량수밍(梁漱溟), 장스자오(章士釗, 장쥔마이(張君勱) 등, 중서문화논쟁, 과학과 현학 논쟁을 통해 서구 근대문명의 한계를 비판하고 유가적 윤리와 도덕을 통해 이를 극복하려고 한 동방문화파이며, 마지막으로 서구 자본주의와 중국 전통 사회를 마르크스주의를 통해 비판하면서 소비에트러시아를 모범으로 삼아 중국에 사회주의 국가를 수립하려고 했던 사회주의 경향이다.[6]

현학파와 과학파 두 진영 가운데 현학파는 장군매, 양계초 등이 대표적 인물이다. 현학파에서 주장하는 인간의 자유의지와 그 철학적 기

---

4) 후스, 「『과학과 인생관』 서문」, 천두슈 외, 『과학과 인생관』, 한성구 옮김, 산지니, 2016, 23,-24.
5) 허증, 「1920년대 '과학·현학' 논쟁과 '救亡' 의식」, 대구사학회, 『대구사학』 제103집, 2011, 3-4쪽.
6) 이현복, 「瞿秋白의 동방문화관 탐색-1920년대 초반 논술을 중심으로」, 고려대학교 중국학연구소, 『중국학논총』 제66집, 2019, 131쪽.

초는 베르그송주의인데 주로 신유가 인생 철학의 사상적 경향을 반영하였다. 과학파는 다시 두 계열로 나누어진다. 하나는 정문강, 호적, 오치휘를 대표로 하는 인물로 자연주의 인생관과 마하주의 이론을 기초로 하는데 기본적으로 서화론자(西化論者)의 인생에 대한 몇 가지 관점을 반영하였다. 다른 하나는 진독수, 구추백을 대표로 하는 마르크스주의자로 역사유물주의 이론의 방향을 견지하였다.[7] 물론 현학파와 과학파 어느 진영에 속하지 않는 중도파 인물들도 있다. 그리고 위에서 말한 분류법 역시 논쟁의 여지가 있다.

여기에서는 장군매와 정문강의 논쟁에 한정하지 않고 그밖에 과학파와 현학파, 그리고 중도파에 속하는 인물들의 전반적인 논쟁을 살펴보기로 한다.

제1절 현학파

현학파는 기본적으로 '문화보수주의자'(Cultural Conservation)의 입장이다. 여기에는 주로 중국 현대 신유학 학자들이 핵심 구성원이었다.

1. 현학파의 인물들

현학파에 속하는 인물로는 장군매를 중심으로 그밖에 양계초, 장동

7) 吕希晨·陳瑩, 『張君勱思想研究』, 天津人民出版社, 1996, 1쪽.

손, 임재평, 구국농, 도효실 등이 있다. 그렇지만 현학파에 속하는 인물들이라고 하더라도 그들 사이에는 역시 다양한 경향이 있었다.

2. 현학파의 분류

현학파로 분류하는 학자들은 주로 현대 신유가를 강조하는 인물들이 그 중심에 있다. 우리는 그들을 '문화 보수주의자'라고 부른다.

(1) 현대 신유가

과학과 현학의 논쟁에서 현학파에 속하는 학자들 가운데 중국 현대 신유가에 속하는 인물은 의외로 많지 않다. 이 논쟁에 참여한 중국 현대 신유가에 속하는 인물은 장군매를 제외하면 장동손이 있다. 중국 현대 신유가의 제1세대에 해당하는 학자들 대부분이 참여하지 않았다는 것이 의외이다.

장동손(張東蓀, 1886-1973)은 강소성(江蘇省) 오현(吳縣) 사람이다. 1905년 일본에 유학하여 불교와 철학을 공부하였다. 그는 1918년 베르그송의 저작 『창조진화론』(創化論)을 번역하였고, 또 1922년 『물질과 기억』(物質與記憶)을 번역하였다. 1927년 철학 잡지 『철학평론』(哲學評論)을 창간하였다. 그의 주요 저작으로 『신철학논총』(新哲學論叢), 『인생관 ABC』(人生觀ABC), 『지식과 문화』(知識與文化), 『이상과 사회』(理想與社會) 등이 있다.[8)]

(2) 기타

임재평(林宰平, 1879-1960)은 자가 지균(志鈞)으로 복건성(福建省) 복주(福州) 사람이다. 그는 법학을 공부한 학자로 불교에 조예가 깊었다. 그는 웅십력(熊十力), 양수명(梁漱溟) 등과 함께 유·불과 과학의 관계에 관해 토론하였다. 그의 주요 저작으로 『삼희당첩고』(三希堂貼考), 『담첩고』(譚貼考)가 있고, 시문집 『북운집』(北雲集) 등이 있다.[9)]

구국농(瞿菊農, 1900-1976)은 이름이 세영(世英)이고 필명이 국농(菊農)이다. 강소성 상주(常州) 사람이다. 구추백(瞿秋白)과 먼 친척이다. 1918년 연경(燕京) 대학 철학과에 입학하여 1926년 철학박사학위를 취득하였다. 그는 베르그송과 드리쉬 철학에 관심이 많았다. 그는 논문 「베르그송과 현대 철학의 추세」(柏格森與現代哲學趨勢), 「드리쉬 철학 연구」(杜里舒哲學之硏究) 등을 썼다. 그의 주요 저작으로 『교육철학』(教育哲學), 『현대철학』(現代哲學), 『서양교육사상사』(西洋教育思想史) 등이 있다.[10)]

도효실(屠孝實, 1893-1932)은 자가 정숙(正叔)으로 강소성 무진(武進) 사람이다. 그는 일본 와세다 대학에서 문학을 전공하였다. 귀국 후 여러 대학에서 철학과 교수를 역임하였다. 그는 윤리학, 종교, 철학, 문학 등을 연구하였다. 그는 1920년 『학예』(學藝)라는 잡지에 「신

---

8) 천두슈 외, 『과학과 인생관』, 602-603쪽.
9) 같은 책, 598-599쪽.
10) 같은 책, 603-604쪽.

앙을 논함』(論信仰)이라는 글을 발표하였는데 “신앙이 인생을 지배할 수 있다”는 관점을 제시하였다. 그는 『신이상주의적 인생관』(新理想主義之人生觀)에서 R. 오이켄(Eucken)의 인생철학과 사상을 소개하였다. 그의 관점은 과학, 종교, 도덕은 각각 영역이 있어 서로 침범할 수 없다고 생각하였다. 그의 주요 저작으로 『명학강요』(名學綱要), 『철학개요』(哲學概要), 『윤리학』(倫理學), 『종교철학』(宗教哲學》, 『신앙론』(信仰論), 『신이상주의인생관』(新理想主義人生觀》 등이 있다.[11]

양계초(梁啓超, 1873-1929)는 자가 탁여(卓如), 호는 임공(任公)이며 별호는 애시객(愛時客), 음빙(飮氷), 음빙실주인(飮氷室主人) 등이다. 그는 강유위와 함께 무술변법을 주도하였다. 이 무술변법운동이 실패한 뒤 일본으로 갔는데, 강유위와 함께 보황회(保皇會)를 조직하여 입헌군주제를 주장하였다. 1919년 유럽 시찰을 하고 『구유심영록』(歐遊心影錄), 『청대학술개론』(清代學術概論), 『선진정치사상사』(先秦政治思想史) 등을 저술하였다. 그 밖에 주요 저작으로 『중국 학술 사상의 변천을 논함』(論中國學術思想變遷之大勢), 『중국역사연구방법』(中國歷史研究方法), 『과학정신과 동서문화』(科學精神與東西文化), 『유가철학』(儒家哲學)이 있는데, 그의 저작을 집대성한 『음빙실합집』(飮氷室合集)이 있다.[12] 양계초는 엄격하게 말하자면 현대 신유학 또는 현대 신유가 학자 그룹에 포함되지 않는다. 그는 제1차 세계대전이 끝난 뒤 장군매, 정문강 등과 함께 유럽을 방문하였다. 이때의 경험은 그에게 유럽 서구 문명의 파산을 의미하였다.

---

11) 같은 책, 606쪽.
12) 같은 책, 597쪽.

> 대개 한 사람에게 안심입명할 곳이 있으면 외부 세계에 각종 어려움이 있더라도 쉽게 물리칠 수 있다. 근래 유럽인들은 이를 잃어버렸다. 무엇 때문에 잃어버리게 된 것인가? 가장 큰 원인은 '과학 만능'을 과신했기 때문이다.[13]

오송고(吳頌皐, 1898-?)는 필명이 송고(頌皐)이다. 상해 복단(復旦)대학을 졸업하고, 프랑스 파리로 유학하여 파리대학에서 법학과를 졸업하였다. 귀국한 뒤 복단대학 법학원 원장, 중앙(中央)대학 법학원 부교수, 중앙정치학교(中央政治學校) 외국어과 교수 등을 역임하였다. 그런데 항일전쟁 기간 때 친일 정부의 주석 왕정위(汪精衛) 아래에서 외교부와 사법부의 관리로 일하였다. 1945년 항일전쟁이 끝난 뒤 체포되어 감옥에서 수감생활을 하던 중에 사망하였다. 그의 주요 저작으로 『치외법권』(治外法權), 『유럽 외교사 대강』(歐洲外交史大綱) 등이 있고, 번역으로 제임스의 『현학상의 문제』(玄學上之文帝), 분트의 『심리학도언』(心理學導言), 아리스토텔레스의 『정치론』(政治論) 등이 있다.[14]

왕평릉(王平陵, 1898-1964)은 본명이 앙숭(仰嵩)이고 자는 추도(秋濤)이다. 진단(진단)대학을 졸업하였다. 1924년 『시사신보·학등』의 편집장을 역임하였다. 1930년 부언장(傅彦長), 황진하(黃震遐)와 함께 『전봉주보』(前鋒周報)를 창간하여 민족주의 문학을 주장하고, 파시스트주의를 고취하면서 좌련(左聯) 문학을 반대하였다. 1949년 이후 대암에서 활동하였다.[15]

양수명은 과학과 현학 논쟁에 직접 참여하지는 않았지만, 현대 신유

---

13) 량치차오, 『구유심영록』, 이종민 옮김, 산지니, 2016, 28-29쪽.
14) 천두슈 외, 『과학과 인생관』, 600쪽.
15) 같은 책, 606쪽.

학의 개창자로 평가하는 인물이다. 그러므로 그 역시 현학파의 핵심 인물 가운데 한 사람이라고 말할 수 있다.

3. 현학파의 논점

먼저 현학파에서 '현학'이란 개념은 서양철학에서 말하는 '형이상학'(Metaphysic)을 의미한다. 그러므로 이 개념의 가장 단순한 의미는 현상계를 초월한 세계, 즉 형이상학, 본체, 이데아 등 어떤 초월적인 것에 대한 논의, 주장, 인정 여부에 대한 판단과 태도이다.

양계초는 "인생관"과 "과학" 두 개념에 대한 자신의 관점을 제시하였다.

> 1) 인류가 주관 세계[心界]와 객관 세계[物界]를 조화롭게 결합시켜 만들어 낸 생활을 "인생"이라고 한다. 우리는 이러한 생활을 완성하기 위해 이상을 설정하는데, 그것을 "인생관"이라고 한다.
>
> 2) 경험적 사실에 근거해서 그것을 분석하고 종합하여 진리에 가까운 법칙을 찾아내고 유사한 사물의 원리를 추론해내는 학문을 "과학"이라고 한다.[16)]

그는 이어서 또 다음과 같이 말하였다.

> 인생 문제의 대부분은 과학 방법으로 해결되며 또한 그럴 필요가 있다.

---

16) 량치차오, 「인생관과 과학」, 천두슈 외, 『과학과 인생관』, 196쪽.

그러나 아주 작은 부분 혹은 가장 중요한 부분은 **초과학적**이다.[17] (밑줄과 강조는 인용자)

그는 이러한 관점에 근거하여 '인생(관)'에 관해 이렇게 말하였다.

인생관을 통일시키는 것이 불가능한 일은 아니지만, 그럴 필요가 없을 뿐만 아니라 그래서도 안 된다. ……더욱이 과학자라면 이런 말을 해서는 안 된다. 과학으로 인생관을 통일시킬 수 있다는 말은 더욱 믿을 수 없다.……

이지를 떠나서 인류의 삶은 생각할 수 없다. 그러나 이지가 인류 생활의 모든 내용을 포괄한다고 할 수는 없다. 이지를 제외하고도 매우 중요한 부분, 즉 혹자가 생활의 원동력이라고 부르는 "감성"이라는 것이 존재한다. 감성이 표출되는 방식이 매우 다양하다. 그 중에 신비성을 띠는 두 부분이 있는데, 그것은 바로 "사랑"과 "미(美)"이다.[18]

장동손(張東蓀)은 양계초의 「인생관과 과학」이라는 논문에 대한 안어(案語)에서 아래와 같이 말하였다.

나는 "분류하여 질서를 도출하는 것"이 과학의 한 측면일 뿐, 모든 것을 포괄하는 것은 불가능하다고 생각한다. ……과학은 잡다하게 뒤엉켜 있는 경험 속에서 "불변의 관계"를 도출해내는 것이라고 생각한다. 이것을 일러 공식[法式] 혹은 법칙(잠정적인 개념이다)이라 할 수 있다.[19]

장동손은 여기에서 '과학'을 '경험'과 관련된 것을 '분류'하여 '불변

17) 위와 같음.
18) 같은 논문, 199-200쪽.
19) 같은 논문, 202-203쪽.

의 관계'를 추출하는 '공식' 혹은 '법칙'이라고 말하였다.

그는 이러한 관점에서 또 이렇게 말하였다.

> 사실 경험적 내용은 전부 일회적인 것들이다. ……그러나 과학은 내용보다는 방식이나 관계, 즉 관계의 공식을 중요시한다. 분류는 초보적인 단계이지 최종 단계가 아니다. "불변의 관계"에 대한 공식이 도출되고 나면 간단하고 분명한 부호로 그것을 표시해야 하는데, 그렇다고 이것이 "이러한 수많은 사실을 개괄"하는 것은 아니다. 과학은 이런 목적을 가지고 선택한 대상에 각각의 방법을 적용하는 것이다. ……여기서 알 수 있듯이, 목적으로서의 과학을 통일하는 것은 과학과 관계있는 여러 방법과 분야가 발전하는 데 아무런 방해가 되지 않는다. 그렇지 않다면 특정한 과학 방법(즉 분류와 귀납 등)이 지상 권위를 얻어 과학을 통일하는 것은 불가능할 것이다. 과학이 과학인 까닭은 방법이 동일하기 때문이 아니라 목적이 일치하기 때문이다. 과학에는 각각의 방법이 있고, 과학 방법은 논리를 벗어나지 않는다.[20]

'인생(관)'은 이와 다르다. 그렇지만 '인생(관)'을 모두 현학적으로 말하는 것 역시 문제가 있다.

> 따라서 한학가들의 고증 방법은 과학 방법이 아니라고 과감하게 말할 수 있다. 한학가들에게 약간의 과학 정신이 있다는 점은 인정한다.[21]

장동손의 이 안어에서는 현학(가)에 대한 구체적인 평가는 보이지

---

20) 같은 논문, 203-204쪽.
21) 같은 논문, 204쪽.

않는다.

임재평은 현학의 핵심을 '본체론'이라고 지적하였다.

현학은 본체론에 관한 학문으로 장쥔마이 선생의 청화대학 강연이 옳은지 그른지와 별 상관이 없다. 장쥔마이 선생은 인생관에 대해서만 얘기했을 뿐, 무엇이 현학인지는 말하지 않았다. 딩원지앙 선생은 현학가들의 본체론에 대해서는 시간을 낭비해가며 공격하지 않겠다고 말했다. 그렇다면 그가 지금 공격하는 것은 도대체 무엇인가? 본체론을 뺀 현학이란 게 존재하기나 한다는 말인가?[22]

그리고 정문강의 '과학'에 관해 다음과 같이 비판하였다.

현재 딩원지앙 선생의 야심은 더욱 큰데, 그는 학문 체계를 세우려는 데에서 그치지 않고 한발 더 나아가 과학으로 모든 것을 통일시키려고 한다. 그의 말투는 흡사 교주와 같아서 종교가 모든 것을 통일시키려는 것처럼 그 또한 동일한 형식, 동일한 신앙으로 인생을 속박하고 세상의 진리를 독점해 더 이상의 예외를 인정하지 않으려 한다. 딩원지앙 선생은 과학이라는 무기로 위로는 일월성신에서부터 아래로는 날짐승과 들짐승에 이르기까지 온 우주를 독점하고, 과학에 따르지 않는 것은 모두 사도(邪道)로 몰아 발본색원하려 한다.[23]

그는 또 이렇게 지적하였다.

---

22) 같은 논문, 220쪽.
23) 린자이핑, 「딩원지앙 선생의 「현학과 과학」을 읽고」, 천두슈 외, 『과학과 인생관』, 220쪽.

과학 방법이 진리를 얻는 유일한 수단이라는 것이 딩원지앙 선생의 핵심적인 생각이다. 따라서 당당하게 과학을 무기로 삼아 모든 것을 통일시키려는 것이다. 또한 가장 통일되기 어려운 것이 개인의 심리작용이므로 "심리상의 내용은 모두 과학적 재료"라고 한 것이다. 만일 과학이 인류의 심리를 지배할 수 있게 된다면 "과학의 목적은 개인의 주관적 선입관을 제거하는 일"이기 때문에 사람들의 주관적 집착을 깡그리 없애버릴 수 있다는 것인데, 세상에 이런 일이 어떻게 가능하다는 말인가? 내 생각에 그것은 불가능한 것으로, 과연 과학이 그런 능력을 가지고 있다는 말인가? ……그러나 과학의 옹호자이며 존경할 만한 도덕성을 갖추고 있는 딩원지앙 선생이라 할지라도 기쁨은 잠시, 결국은 아주 심한 배타적 선입관을 갖게 될 것이라는 것은 누구라도 짐작할 수 있다.……지금 딩원지앙 선생은 가학에 집착해서 대단한 기세로 사람들의 심리를 개량하려 하고 있다.24)

임재평은 결론적으로 이렇게 말하였다.

과학 방법을 기타 과학에 적용시켜도 각각의 독립적인 지위는 유지된다. 하물며 과학 방법을 인생관 문제에 적용한다고 해서 그 둘이 같아진다고 하면 이것이 어찌 견강부회가 아니겠는가? 만약 회화가 기하학은 아니지만 과학 방법을 적용한 것이기 때문에 과학이라 부르고 싶다면 다음과 같이 말해야 한다. 과학 방법으로 회화를 연구할 수는 있지만, 회화는 총체적이고 조화롭고 살아 있는 것으로 분석이 불가능한 것이다. 음악도 이와 같다. 만약에 그것을 과학이라 부른다면 매우 이해하기 힘들 것이다.25)

임재평의 말처럼, 우리는 과학 방법으로 회화, 음악 등에 관해 연구

---

24) 같은 논문, 221-222쪽.
25) 같은 논문, 223-224쪽.

할 수 있다. 그렇지만 그런 방법만이 정당하다고 말하는 것은 문제가 있다. 우리가 어떤 회화, 음악을 보고 들었을 때 그 속에서 '아름다움'을 느낀다면 그것은 과학적으로 틀린 것이라고 말할 수 있을까? 아니면 그런 느낌 역시 과학적으로 해석해야만 정당한 것일까?

임재평은 먼저 사상, 의지, 정서에 관해 아래와 같이 말하였다.

> 사상이나 의지, 정서 등을 다른 물질로 대체하여 실험할 수 있는가?
>
> 비록 순수한 심리 현상에 자연법칙을 적용할 수 없지만, 사상 법칙으로는 그것을 다룰 수 있다. 사상 법칙은 자연법칙과 마찬가지로 일관되고 보편적이어서 상황이 같다면 사상 역시도 다르지 않다.[26]

그가 여기에서 말한 '사상 법칙'이 무엇을 의미하는지 잘 알 수 없다. 그렇지만 또 다음과 같이 말하였다.

> 누구나 인생에 대한 생각을 가지고 있기 때문에 인생관이 완전히 같은 사람을 찾아내는 것은 결코 쉬운 일이 아니다. 가장 오묘한 것이 감성의 활동이다. 감성은 주관성이 매우 짙을 뿐만 아니라 어느 때는 주관과 비주관을 따질 수 없을 정도로 이유 없이 발동한다. 음악이나 시의 천재들이 보여주는 창조 의욕은 사전에 계획된 것이 아니라 알 수 없는 원천에서 자연적으로 솟아나는 것이다. 사람의 마음에는 무궁무진한 원천이 있다. ……이처럼 천태만상의 인생이 떠들썩한 세상을 만들었으며, 이 모두가 인생관에서 비롯된 것이다. 만약에 과학이 이렇게 오묘한 것들을 지배하게 된다면 세상은 매우 단조로워질 것이다. 일률적이지 않고, 분석 불가능하며, 심지어는 감각을 넘어서는 다양한 심의 작용에 대해 과학이 어떤 권위를 가질 수 있

26) 같은 논문, 242쪽.

단 말인가?[27]

그 역시 인간의 '감성' 문제를 제기하였다. 이 문제는 앞에서 양계초가 제기한 인간의 "감성"과 관련이 있는 "사랑"과 "미"의 문제이기도 하다.

구국농의 관점이다. 그는 현대 교육의 붕괴에 따른 문제점을 지적하였다.

> 우주 자체가 변화 가운데 놓여 있으니 변화가 곧 본체이다(卽變卽本體). 이것이 바로 우주 운행의 의의다. 우주의 운행은 생활의 창신(創新)이며, 개인도 변화 속에서 생활해왔다. 따라서 변화는 완전히 가능한 것이다. 만약 우주의 변화는 무궁한데 개인은 외적인 힘의 지배를 받는다면 어떻겠는가? 교육은 절대 불가능할 것이다. 가장 중요한 것은 인간의 자유의지를 인정하는 것으로 자유의지는 핵심적인 창조력이다. ……마음으로 인생의 이상을 이해하고 깨닫게 된다면 이상은 실현될 것이다. 물질은 모든 것을 지배하지만 생기 넘치는 심력은 그 지배로부터 벗어나 있다. 물질은 어느 정도 우리의 신체를 제어할 수 있지만, 인격의 활동은 절대로 넘보지 못한다. 인격은 절대적으로 자유로운 것이다. 이런 전제하에서 누가 감히 교육이 불가능하다고 말하겠는가?[28]

그는 교육을 강조하면서 인생은 물질의 지배로부터 자유로운 자유의지가 있음을 말하였다.

또 이렇게 말하였다.

---

27) 같은 논문, 245-246쪽.
28) 취농, 「인격과 교육」, 천두슈 외, 『과학과 인생관』, 333-334쪽.

개인 생활은 최소한 심신 두 방면으로 나누어질 수 있는데, 신(身)은 신체고 심은 넓은 의미에서의 심리 생활이다. 개인의 심리 생활은 정(情), 지(知), 의(意)의 세 부분으로 나누어지며 세 부분을 초월해서 존재하는 정신 생활이 있다. 이것은 심리 생활의 가장 깊은 영역으로 인격 활동의 원천이다.29)

오송고는 먼저 장군매와 정문강을 중심으로 한 과학과 현학의 논쟁에 참여한 학자들이 "극단적 주장이나 치명적인 결함"이 있게 된 원인에 대해 "대체로 현학의 본질에 대한 이해가 부족하기 때문이다"고 지적하였다.30) 그리고 "현학(Metaphysics)이라는 개념에 대해 분명한 정의를 내리는 것은 진실로 불가능한 일이다"고 말하였다.31)

그는 이어서 현학의 의미에 관해 이렇게 말하였다.

현학이 공허하고(Obscure), 추상적이고(Abstract), 보편적인(General) 문제를 토론하는 까닭은 과학과 인생이 해결하지 못한 것을 쉽게 말하기 위해서이다. 즉 아직 해결되지 않은 문제나, 현묘하고 깊이 있는 문제, 사물의 전체와 영원한 근원에 대한 물음은 모두 현학과 연관된 것이다. ……즉, 사물의 가능에 대해 논하는 것을 현학이라 하는데, 이것은 사물의 실재를 논하는 것과는 분명 다른 것이다. 왜냐하면 후자가 다루는 문제는 대부분이 실제적 사실에 관한 것이기 때문이다.32)

---

29) 같은 논문, 341쪽.
30) 송가오, 「현학상의 문제」, 천두슈 외, 『과학과 인생관』, 399쪽.
31) 위와 같음.
32) 같은 논문, 399-400쪽.

여기에서 그는 현학과 과학의 차이를 '사물의 가능'과 '사물의 실재'로 구분하였다.

그는 현학의 임무에 대해 다음과 같이 말하였다.

현학의 가장 중요한 임무는 이런 단순한 문제에 대해 연구하고 하나하나 해결해 냄으로써 전체적 학문으로서의 지위를 잃지 않는 것이다.33)

왕평릉은 먼저 과학만능주의를 비판하였다.

과학적 일원론(실증주의)의 견해는 사실적으로나 역사적으로 성립 불가능하다. ……과학 만능의 토대에서 성립된 "실증주의"도 과학적 철학에 불과하다. ……따라서 역사적 사실에 비춰볼 때, 과학만능론이 성립 불가능하는 것은 증명할 필요도 없으며, 인간의 본성만 잘 봐도 알 수 있을 것이다. 즉 부분적이고 추상적인 과학적 진리가 인성의 통일에 대한 요구를 완벽하게 만족시켜 줄 수 없다는 것이 대표적인 증거이다.34)

그는 또 과학과 현학이 서로 다르다는 점을 강조하였다.

종합해보면, 과학과 철학은 모두가 "학(學)"이라는 측면에서는 같지만 학문의 성질에서 차이가 있다고 할 수 있다. 과학은 우주 속의 일부 사실들을 분할해 관찰[分觀]하고 원리를 탐구한다. 철학은 우주를 총체적으로 관찰[合觀]하며 천지 간의 모든 사실의 근본을 궁구한다. **과학은 철학의 기초이며, 철학은 과학의 종합이다.** 과학이 사물을 연구하는 것은 사물을 연구하는 것

33) 같은 논문, 402쪽.
34) 왕핑링, 「"과학과 철학 논전"의 에필로그」, 천두슈 외, 『과학과 인생관』, 404쪽.

은 대상의 진위를 묻기 위한 것이 아니라 일상의 경험을 토대로 현상이 실제로 존재한다고 가정한 뒤, 가설을 세우고 원리를 탐구하는 것이다.……

과학과 철학의 대상은 완전히 다르다. 철학의 대상이 전체와 구체적인 실유(實有)라면, 과학의 대상은 부분과 추상체의 실유라고 할 수 있다. 대상이 다르기 때문에 기능에도 차이가 있다. 철학은 정감의 작용을 겸비한 이지를 활용하고, 과학은 순수한 이지를 활용한다. 따라서 철학의 방법은 사변과 논리, 직각을 모두 포함하는 데 반해 과학의 방법은 오로지 경험적이고 귀납적이다. **철학과 과학은 완전히 같지도 완전히 다르지도 않다.**[35] (밑줄과 강조는 인용자)

그렇지만 그렇다고 해서 그가 과학과 철학의 관계를 완전히 부정한 것은 아니다.

철학은 과학의 도움을 받아야만 완전해질 수 있고, 과학 역시 철학의 도움이 있어야 제대로 출발할 수 있다. 이런 이유 때문에 과학과 철학은 상호보완의 이원론적 관계라고 할 수 있다.

결론적으로 말하자면, **과학과 철학은 전체와 부분의 관계이다.** 철학은 과학에서 재료를 얻어 내용을 충실하게 함으로써 공허한 곳으로 빠지는 것을 방지한다. 과학은 철학을 통해 목적과 기초를 공고히 함으로써 논리적 확실성을 획득한다. 두 학문의 발전은 서로 연관되어 있어서 **과학이 발전하면 철학도 발전하고, 철학이 발전하면 과학도 발전한다.**[36] (밑줄과 강조는 인용자)

이상의 논의에서 알 수 있는 것처럼, 현학파라고 해서 과학을 완전

---

35) 같은 논문, 405쪽.
36) 같은 논문, 405-406쪽.

히 부정한 것은 아니었다. 현학파에 속하는 학자들은 과학만능주의, 유과학주의가 갖는 위험성에 대한 불안과 중국의 전통문화에 대한 전반적 부정에 대한 불안을 보여준다.

제2절 과학파

과학파에 속하는 인물이라 하더라도 그들 사이에는 다양한 스펙트럼이 존재한다.

1. 과학파의 인물들

과학파에 속하는 인물로는 정문강을 중심으로 그밖에 호적, 오치휘, 왕성공, 당월, 주경농, 진독수, 구추백 등이 있다. 그렇지만 이 논쟁에 참여하지 않은 인물들 역시 있다.

2. 과학파의 분류

과학파는 다시 유물변증론자[唯物史觀派]와 유심자유주의자[科學方法派]로 분화하였다.[37] 유심자유주의자는 호적, 오치휘, 왕성공, 당월 등

37) 김창규, 「1920年代 中國에서 '玄學'과 '科學' 論爭」, 中國史學會, 『中國史研究』 제78집, 2012, 148쪽.

이 있다. 유물변증론자는 진독수, 구추백 등이 있다.

(1) 유심자유주의자(과학방법파)

호적(胡適, 1891-1962)은 자가 적지(適之) 본명은 사미(嗣糜)이다. 그는 뒤에 이름을 적(適)으로 바꾸었다. 1910년 청화학당(淸華學堂)의 미국 유학생에 선발되었는데 미국에서 존 듀이를 지도교수로 하여 철학박사 학위를 받았다. 주미대사, 북경대학 교장 등을 역임하였다. 그의 주요 저작으로 『호적문존』(胡適文存), 『여산유기』(廬山遊記), 『호적일기』(胡適日記), 『사십자술』(四十自述) 등이 있다.[38]

오치휘(吳稚暉)는 본명이 조(眺)이고 자는 치휘(稚暉)인데 뒤에 경항(敬恒)으로 바꾸었다. 일본으로 유학하였다. 그는 귀국한 뒤에 교육과 정치에 투신하였다. 그는 평생 중국 과학의 발전에 힘썼다. 그의 주요 논문과 저작으로 『오치휘선생전집』(吳稚暉先生全集), 『오치휘학술논저』(吳稚暉學術論著) 등이 있다.[39]

왕성공(王星拱, 1889-1950)은 안휘성(安徽省) 회녕(懷寧) 사람이다. 영국 런던 이공대학을 졸업하였다. 귀국한 뒤에 북경대학 화학과 교수로 재직하였다. 그는 1930년 『과학개론』(科學槪論)을 출판하여 마하주의 과학관을 체계적으로 소개하였다. 그의 주요 저작으로 『철학 방법과 과학 방법』(哲學方法與科學方法), 『과학과 인생관』(科學與人生觀), 『과학개론』 등이 있고, 역서로 B. 러셀의 『철학 중의 과학 방법』(哲學

38) 천두슈 외, 『과학과 인생관』, 596쪽.
39) 같은 책, 599-600쪽.

中之科學方法)이 있다.[40]

당월(唐鉞, 1891-1987)은 심리학자이다. 그는 본명이 백환(柏丸)이고 자는 벽황(擘黃)으로, 복건성 민후(閩侯) 사람이다. 1914년 미국으로 유학을 하여 코넬대학에서 심리학과 철학을 공부하였고, 1920년 하바드대학에서 철학박사 학위를 취득하였다. 1921년 귀국한 뒤 북경대학 철학과 교수, 청화대학 심리학 교수, 중앙연구원(中央硏究院) 심리학 연구소 소장 등을 역임하였다. 그는 일찍이 서양의 심리학과 철학 저작을 번역하였다. 그가 번역한 문헌으로 I. 칸트(Kant)의 『도덕형이상학탐본』(道德形而上學探本), J. S. 밀(Mill)의 『공리주의』(功利主義), W. 제임스(James)의 『심리학원리』(心理學原理), E. 마하(,Mach)의 『감각적분석』(感覺的分析) 등이 있고, 편저로 『서방심리학사대강』(西方心理學史大綱)이 있다. 또 그의 저작으로 『당월문존』(唐鉞文存)이 있다.[41] 그는 과학과 인생관 논전 중에서 '자발적 자연과학 유물론'(自發的自然科學唯物論)의 입장에서 현학파를 비판하였다.[42]

주경농(朱經農, 1887-1951)은 본명이 유야(有野)이고 절강성(浙江省) 포강(浦江) 사람이다. 1920년 미국 컬럼비아 대학에서 교육학 석사학위를 취득하였다. 1921년 북경대학 교육학과 교수가 되었다. 1948년 미국에 건너가 연구 활동을 하였다.[43]

(2) 유물변증론자(유물사관파)

40) 같은 책, 607쪽.
41) 같은 책, 604-605쪽.
42) 許全興·陳戰難·宋一秀, 『中國現代哲學史』, 北京大學出版社, 1998, 190쪽.
43) 천두슈 외, 『과학과 인생관』, 600-601쪽.

진독수(陳獨秀, 1879-1942) 역시 이 논쟁에 직접 참여하지 않았다. 그의 관점은 『과학과 인생관』의 서문에 보인다. 그는 "서구 근대문명의 요체"는 "민주와 과학"이라고 생각하였는데, 이것은 "신문화운동의 시대정신이었다."[44] 진독수는 "신문화운동의 초기 지도자로서 유과학주의적 과학관을 선전하고 중국에 과학 관념이 확산하는데 중요한 역할을 담당한 인물이다."[45]

그는 중국 전통 유교 사회의 폐해를 다음과 같이 정리하였다.

> 첫째 개인의 독립자존의 인격을 파괴하고, 둘째 개인의 의지와 자유를 속박하며, 셋째 개인의 법률상의 평등한 권리를 침해하고, 넷째 의존 근성을 양성하여 개인의 생산력을 저해한다.[46]

그는 인생관을 세 가지로 분류하였다.[47] 그것은 ①종교적 인생관, ②철학적 인생관, ③과학적 인생관이다. 그는 이 세 가지 인생관 가운데에서 '과학적 인생관'에 관해 이렇게 말하였다.

---

44) 허증, 「진독수의 과학사상」, 대구사학회, 『대구사학』 제111집, 2013, 141쪽.

45) 이용주, 「근대기 중국에서의 과학 이론: 진독수와 양계초를 중심으로」, 忠南大學校 儒學研究所, 『儒學研究』 제26집, 2012, 288쪽.

46) 陳獨秀, 「東西民族根本思想之差異」, 『新青年』 1-4, 汲古書院(影印本), 1971, 2쪽. (李相和, 「근대 중국의 계몬, 그 의미와 한계-예교를 대체한 민주, 유교를 해체한 과학에 관하여」, 成均館大學校 大同文化研究院, 『大同文化研究』 제74집, 2011, 366쪽. 재인용.)

47) 陳獨秀, 「人生眞義」 『獨秀文存』(一), 181-185쪽. (鄭貴和, 「1923년 中國의 文化논쟁: 科學과 玄學의 논쟁」, 慶星大學校 人文科學研究所, 『中國問題研究』 제5집, 1992, 18쪽. 재인용.)

> 나는 인류의 장래에 진실로 믿고 행해야 할 것은 반드시 과학이며…… 그러므로 나는 과학으로써 종교를 대체하여 우리의 참된 신앙으로 삼자고 주장하는 바이다.[48]

구추백(瞿秋白, 1899-1935)은 본명이 쌍(雙)인데 뒤에 상(爽), 상(霜)으로 고쳤으며 자는 추백(秋白)이다. 1917년 북경의 아문전수관(俄文專修館)에 입학하였다. 1922년 공산당에 가입하였다. 초기 중국 공산당의 중요 인물이다. 1935년 국민당에 체포되어 36세에 죽었다. 그의 주요 저작으로 『현대사회학』(現代社會學), 『사회과학개론』(社會科學概論), 『사회철학개괄』(社會哲學概括), 『유물론적우주관개설』(唯物論的宇宙觀槪說) 등이 있다.

그 역시 유물사관파의 인물 가운데 한 사람이다. 그는 현학파를 '동방문화파'(東方文化派)라 칭하였는데, 1920년대 초 「동방문화와 세계혁명」(東方文化與世界革命), 「현대문명의 문제와 사회주의」(現代文明的問題與社會主義), 「자유세계와 필연세계」(自由世界與必然世界), 「저팔계-동서문화와 량수밍 그리고 우즈후이」(豬八戒-東西文化與梁漱溟及吳稚暉), 「채찍소리」(鞘聲) 등을 통해 옛 체제와 윤리를 부활시키려는 동방문화파를 비판하였다,[49]

그는 '문화'에 대해 마르크스주의적 세계관으로 설명하였다.

> 문화는 인류의 모든 '하는바'로서, 첫째는 생산력의 상태, 둘째는 이러한

---

48) 陳獨秀, 「再論孔教問題」, 『獨秀文存』(一), 129쪽. (鄭貴和, 「1923년 中國의 文化논쟁: 科學과 玄學의 논쟁」, 18-19쪽. 재인용.)
49) 이현복, 「瞿秋白의 동방문화관 탐색-1920년대 초반 논술을 중심으로」, 132쪽.

상태에 근거하여 경제 관계를 만드는 것, 셋째는 이 경제 관계에 따라 형성한 사회 정치 조직, 넷째는 이 경제 및 사회 정치 조직에 의거하여 결정된 사히 심리, 이러한 사회 심리를 반영하는 갖가지 사상 체계이다.[50]

그는 "동서문화의 차이는 발전 동력의 차이가 아니라 시간의 차이일 뿐이다"고 말하였는데, 이것은 양수명이 서구, 인도, 중국은 보내 서로 다른 문화를 가지고 있다는 관점을 비판한 것으로 "문화는 사회 경제적 변화를 따라 변화하게 된다는 것을 강조한 것이었다."[51]

3. 과학파의 논점

(1) 논점

먼저 유심자유주의자, 즉 과학방법파의 관점을 살펴보기로 한다.
호적은 '과학만능주의'를 선언하며 아래와 같이 말하였다.

최근 삼십 년 동안 중국에서 지상(至上) 존엄의 지위를 얻은 하나의 개념이 있다. 그것에 대해 잘 아는 사람이나 모르는 사람이나, 수구파나 유신파나, 어느 누구도 감히 공공연하게 경시하거나 소홀히 하지 않았다. 그것은 다름 아닌 "과학"이다. ……즉 중국에서 변법유신(變法維新) 시기 유신(維新)

50) 瞿秋白, 「東方文化與世界革命」, 『瞿秋白文集·政治理論編』, 人民出版社, 2013, 20쪽.) (이현복, 「瞿秋白의 동방문화관 탐색-1920년대 초반 논술을 중심으로」, 132쪽. 재인용.)
51) 같은 책, 14쪽. (이현복, 「瞿秋白의 동방문화관 탐색-1920년대 초반 논술을 중심으로」, 132-133쪽. 재인용.)

인사를 자처한 사람들 중 "과학"을 비방한 사람은 아무도 없었으며, 이런 경향은 중화민국 8~9년사이 량치차오 선생이 『구유심영론(歐遊心影錄)』에서 정식으로 과학에 "파산" 선고를 내릴 때까지 계속되었다.52)

우리는 아마도 상제(하느님)가 전능하다는 사실을 쉽게 믿지는 못할 것 같다. 그러나 우리는 과학의 방법이 만능이라는 사실은 믿을 수 있다.53)

그는 또 이렇게 말하였다.

자연주의적 우주 속에서 하늘의 움직임에는 일정한 도리가 있고, 사물의 변화도 자연법칙을 따른다. 인과의 대법칙이 인간의 모든 생활을 지배하며, 생존경쟁의 참담함이 인간의 모든 행위를 채찍질한다.54)

그런데 그는 인간의 자유와 관련하여 다음과 같이 말하였다.

모든 것이 인과법칙의 지배하에 있다 해서 인간의 자유가 억압되는 것은 아니다. 왜냐하면 인과법칙은 인간이 원인에서 결과를 도출하고 결과에서 원인을 추론해냄으로써 과거를 해석하고 미래를 예측할 수 있게 해주기 때문이다. 또한 지혜를 활용하여 새로운 원인을 창조함으로써 새로운 결과를 만들어내도록 해준다. 생존경쟁의 관념도 인간을 그렇게 냉혹하고 무정한 짐승으로 만드는 것은 아니다. 타인에 대한 동정심을 갖고, 호조(互助)의 중요성을 깊이 믿으며, 인위적 노력을 중시하게 만듦으로써 자연경쟁의 참혹함과 낭비를 피하게 할 수도 있다.55)

---

52) 후스, 「『과학과 인생관』 서문」, 천두슈 외, 『과학과 인생관』, 24쪽.
53) 胡適, 「我們對于西洋近代文明的態度」, 『胡適文集』 4, 北京大學出版社, 2013, 9쪽. (이용주, 「근대기 중국에서의 과학 이론: 진독수와 양계초를 중심으로」, 295쪽. 재인용.)
54) 후스, 「『과학과 인생관』 서문」, 43쪽.

호적은 '과학적 인생관'을 '자연주의적 인생관'이라고 부를 것을 제안하였다.[56] 그리고 '자연주의적 인생관'과 '인간의 자유' 관계 문제에 관해 아래와 같이 설명하였다.

> 자연주의적 우주 속에서 하늘의 움직임에는 일정한 도리가 있고, 사물의 변화도 자연법칙을 따른다. 인과의 대법칙이 인간의 모든 생활을 지배하며, 생존경쟁의 참담함이 인간의 모든 행위를 채찍질한다. ……모든 것이 인과법칙의 지배하에 있다 해서 인간의 자유가 억압되는 것은 아니다. 왜냐하면 인과법칙은 인간이 원인에서 결과를 도출하고 결과에서 원인을 추론해냄으로써 과거를 해석하고 미래를 예측할 수 있게 해주기 때문이다. 또한 지혜를 활용하여 새로운 원인을 창조함으로써 새로운 결과를 만들어내도록 해준다. ……결론적으로 말하자면, **<u>자연주의적 인생관</u>**은 아름답지 않았던 적이 없으며, 시(詩)적 의미가 없었던 적이 없으며, 도덕적 책임이 없었던 적이 없으며, "창조적 지혜"를 충분히 활용할 기회가 없었던 적이 없었다.[57] (밑줄과 강조는 인용자)

그런데 "철저한 근대적 보편주의자였던 호적은 각 문명이 지닌 본래적 가치를 인정하지 않는다."[58] 그런 까닭에 그는 '과학'이라는 것을 '보편적인' 것으로 삼아 현학파를 비판하였다. 즉 그는 "과학이 근대문명을 만든 근원적인 지식일 뿐만 아니라 삶의 태도이고, 인생의

55) 같은 논문, 43-44쪽.
56) 같은 논문, 42쪽.
57) 같은 논문, 43-44쪽.
58) 이용주, 「과학은 종교가 될 수 있는가?: '과학과 인생관' 논쟁과 호적의 '과학종교 도그마'」, 포항공과대학교 융합문명연구원, 『문명과 경계』 2, 2019, 148쪽.

이상이라고 평가한다. 따라서 중국이 근대화를 이뤄 위해서는 유교적 가치에 의해 지배되는 전통적 삶을 부정하고 당시 인류가 지향하는 보편적 가치인 과학적 인생관을 습득해야만 한다고 주장한다."[59] 그런데 그가 말하는 '자연주의적 인생관'이라는 것이 과연 얼마나 아름다울 수 있는지 의문이다.

오치휘는 장군매와 정문강의 논쟁에 대해 "대다수가 주요 문제에서 벗어나 일상적인 것만을 가지고 다투니 혼전의 양상으로 빠져들었다"고 진단하였다.[60] 이러한 진단은 매우 정확하다. 그렇지만 그의 장군매에 관한 비판 역시 핵심을 잡지 못하였다. 그의 관점을 정리하면 다음과 같다.

> 논쟁의 발단이 된 것은 다음과 같은 장쥔마이의 주장이다. 즉 과학은 물질문명을 만들어냈고 물질문명은 세계대전을 초래했으니, 재난과 재앙의 원인은 과학이라는 것이다. 그의 인생관에는 물질문명이 필요 없다. ……서양에서는 물질이 진보함에 따라 정신도 함께 발전하였다. ……즉 물질문명이 불가사의할 정도까지 발전하고 전 세계적으로 의무교육이 실시되면 비로소 전쟁 없는 시대를 맞게 될 것이다. ……그러나 세계의 어떤 민족이라도 물질문명을 일으키고 사람을 발전시키려는 야심이 있다는 것은 진리이다. 세계대전으로 인해 우리가 입은 손실은 사람의 책임일 뿐이지 물질문명과 어떤 관계가 있단 말인가?[61]

우리가 생각하기에 장군매의 인생관에 대한 오치휘의 비판은 논점

59) 위와 같음.
60) 우쯔후이, 「양팔고(洋八股)화 되어버린 이학(理學)을 경계함」, 천두슈 외, 『과학과 인생관』, 408쪽.
61) 같은 논문, 408-412쪽. 참조 요약.

을 빗나간 것이다. 장군매를 중심으로 한 현학파는 물질문명의 발전을 반대하지 않았다. 이것뿐만 아니라 오치휘의 비판은 지엽적인 문제에 대한 것이다.

왕성공은 「과학과 인생관」에서 역시 과학으로 인생 문제를 해결할 수 있다는 관점을 강조하였다. 그는 먼저 '인생관'을 '생명의 관념'(Conception of life)과 '생활의 태도'(Mood of living)라는 두 가지 의미로 규정하였다.[62] 그는 이어서 ①인간적 과학관[人主之科學館], ②우주적 과학관[宇宙之科學館]이라는 두 가지 과학관을 제시하였다. 그 구체적인 내용은 다음과 같다.

> 과학으로 생명 문제를 해석하는 것은 마땅히 "인간적 과학관[人主之科學館]"이라고 불러야 하는데, 이것은 과학으로 우주의 문제를 해결하는 것을 "우주적 과학관[宇宙之科學館]"이라 부르는 것과 마찬가지다.[63]

그는 또 "과학적 인생관"을 말하였다.

> 과학적 태도로 사상을 정리하고 의견을 도출해 몸소 실천하는 것을 "과학적 인생관"이라고 부를 수 있다.[64]

그는 "현학가들이 인생 문제를 과학이 해결할 수 없다고 주장하는 가장 큰 이유" 세 가지를 ①의지자유, ②정감의 신비, ③인생관의 불일치로 정리하였다.[65] 그리고 그는 결론적으로 이렇게 강조하였다.

---

62) 왕싱공, 「과학과 인생관」, 천두슈 외, 『과학과 인생관』, 373쪽.
63) 같은 논문, 373-374쪽.
64) 같은 논문, 74쪽.

> 나의 결론은 다음과 같다. 과학은 인과와 동일이라는 두 가지 원리로 구성되어 있으며 생명의 관념이건 생활 태도건 간에 모든 인생 문제는이 원리의 금강권(金剛卷)에서 벗어날 수 없다. 따라서 과학은 인생 문제를 해결할 수 있다.[66]

당월은 『심리 현상과 인과율』(心理現象與因果律)에서 이렇게 말하였다.[67] "일체의 사물 현상에는 원인[因]의 근거가 있는데" 인과율의 지배를 받는다. "일체의 심리 현상은 원인이 있는데" "인과율의 지배를 받는다." 인생관은 지식을 원인으로 하여 변하는 것이다. 그는 심리 현상의 인과가 물질 현상의 인과보다 더 복잡하기 때문에 수많은 심리 현상은 그 원인을 아직 모른다고 생각하였다.

> 이제 적극적인 측면에서 간단히 말하겠다. 인생관이란 만물과 인류에 대한 한 사람의 태도로서 신경구조나 경험, 지식 등이 변화함에 따라 함께 변하는 것이다. 신경구조 등은 인생관의 원인이다.[68]

그는 다른 글에서 또 다음과 같이 말하였다. 이 글은 양계초의 '미'와 '사랑'에 대한 관점을 비판한 것이다.

> 미와 사랑을 분석할 수 있는지 여부와 그것의 가치가 높은지 낮은지는 서로 무관하다. ……왜냐하면 우리는 사실을 논할 때 가치를 개입시키지 않

---

65) 같은 논문, 381-383쪽.
66) 같은 논문, 384쪽.
67) 許全興·陳戰難·宋一秀, 『中國現代哲學史』, 190쪽.
68) 탕위에, 「심리현상과 인과법칙」, 천두슈 외, 『과학과 인생관』, 302쪽.

기 때문이다. ……미와 사랑이 과학의 지배를 받게 된다면 인생의 가치가 사라지고 말 것이라는 말에 진심으로 동감한다. 그러나 과학 지배의 결과가 꼭 그런 것만은 아니다. ……과학 방법이 미와 사랑을 지배할 능력이 있는지 여부에 대해서는 잠시 논하지 않겠다. 그러나 만일 과학이 미와 사랑을 지배할 수 있다면 세상은 더욱 질서 정연해지고 인생은 더욱 가치 있어 질 것이다. ……나는 분석을 거치고 나면 사람들이 미와 사랑의 고귀함을 더 크게 느끼게 될 것이라고 생각한다.69)

당월의 관점 역시 현학파가 고민하는 문제의 초점을 파악하지 못하고 있다.

그는 또 이렇게 말하였다.

미감에 대단한 특색이 있는 것은 아닐진대, 우리는 왜 신비성을 느끼게 되는 것인가? 여기에는 이유가 있다. 미란 특별히 기분 좋은 정감이며, 아울러 그것이 갖고 있는 이지적 요소는 매우 복잡해서 분석이 쉽지 않다. 일반적으로 기분 좋은 일반적으로 기분 좋은 정감에 대해 사람들은 분석을 원하지 않는다. 일단 분석을 하게 되면 쾌감은 감소하며 이는 즐거움을 추구하는 본성에 반하는 것이다. 이런 두 가지 원인으로 인해 미는 분석할 수 없는 것처럼 보인다.……

미감을 완전히 분석할 수는 없지만 분석 방법은 나름대로의 효용이 있다. "직각"과 "종합" 방법으로는 아무런 결과도 얻을 수 없다.70)

그러나 그는 '소여성'(所與性, Givenness)에 대해서는 긍정하였다.

---

69) 탕위에, 「어리석은 사람의 잠꼬대-감성은 정말 초과학적인 것인가?」, 천두슈 외, 『과학과 인생관』, 364쪽.
70) 같은 논문, 365-366쪽.

이지적 성분은 과학 방법의 지배를 받는다. 분석 불가능한 것은 직접경험한 미의 성질이며 그것은 과학의 기점(起點)이다. 이지적인 것들도 이렇게 분석 불가능한 것을 기점으로 삼고 있다. 이 기점을 우리는 "소여성(所與性, Giveness)"이라고 부르는데, "소여성" 자체는 분석할 수 없을 뿐만 아니라 분석할 필요도 없다. 우리가 분석해야 하는 것은 하나의 "소여(所與, Datum)"와 다른 "소여"의 관계로 어떤 "소여"가 있어야지 다른 "소여"가 발생하는가 하는 것이다. "소여"의 본체를 분석하는 것은 무의미한 일로, 흰색은 왜 흰색이며 최초의 것 이전에 다시 또 무엇이 있었는지를 묻는 것과 같은 것이다.71)

그는 아래와 같이 말하였다.

현대 심리학과 병리 심리학[心病學]은 개인의 연애가 성격이나 과거 경험, 그리고 현재의 환경에 의해 제약받는다는 사실을 일찌감치 증명해냈다. ……인생관은 동기와 방법이라는 두 측면을 포함하고 있다. 방법이 잘못되면 동기와 상반되는 결과가 나오는데 이것은 훌륭한 인생관이라고 할 수 없다.72)

결론적으로 이렇게 말하였다.

즉, 감성에 관한 것 중에서 지식 범위 내의 것은 적극적으로 과학 방법으로 해결할 수 있다. 감성에 관한 것 가운데 "초과학"적인 것은 "소여적"인 것에 불과하다.73)

---

71) 같은 논문, 367-368쪽.
72) 위와 같음.

당월은 다른 글에서 '과학'에 관해 다음과 같이 정의하였다.

내 생각에 천지 간의 모든 현상은 과학의 재료가 된다. ……세상에 예술이 있기 때문에 예술학이 존재하고, 종교가 있기 때문에 종교학이 존재하는 것이다. (오늘날 말하는 "예술학", "종교학"이 진정한 과학인지 아닌지는 본 글의 주제와 무관하다.) 예술과 종교에 대한 과학적 연구가 과학이라고 말하는 것이지, 예술과 종교 자체를 과학이라고 주장하는 것은 아니다.……

혹자는 종교나 예술의 어떤 부분은 과학 방법으로 연구할 수 없다고 생각한다. 따라서 종교나 예술의 과학은 존재할 수 없다는 것이다. 이것은 잘못된 생각이다.……

과학 방법을 이용한 연구를 모두 과학이라고 할 수는 없다. 왜냐하면 하나의 대상에 수많은 방법을 적용할 수 없기 때문이다. 나의 짧은 생각으로는 각 분야별로 각각의 방법이 있지만 동시에 공통적인 방법도 있다. …… 따라서 모든 과학에 유일한 공통의 방법이 있다면 그 방법으로 연구하는 것을 모두 과학이라고 부를 수 있을 것이다.[74]

주경농은 "장쥔마이의 전술을 하루 종일 들여다 봤지만 핵심을 찾을 수 없었다"고 말한다.[75]

장쥔마이의 "인생관 문제는 과학이 절대로 해결할 능력이 없다"라는 한마디 말로 과학의 장래를 말살시켜버렸다. 그러나 이 말을 들은 사람이라면

73) 같은 논문, 371쪽.
74) 탕위에, 「과학의 범위」, 천두슈 외, 『과학과 인생관』, 389-391쪽.
75) 주징농, 「인생관과 과학에 대한 장쥔마이의 글 두 편을 읽고 생긴 의문」, 천두슈 외, 『과학과 인생관』, 212쪽.

자연히 수많은 의문이 생길 것이다. 장쥔마이는 이런 단언에 대해 "단지 현재만을 논할 때 그렇다는 것이지 장래에 관한 것은 아니"라고 하였다. …… 지금 가시적인 성과가 없기 때문에 그렇게 말한 것이며, 이것은 "현재만을 논할 때 그렇다는 것이지 장래를 말한 것은 아니다"라고 한다면 누가 이런 대답에 만족할 수 있겠는가? "절대로"라는 말과 "아직은"이라는 말ㄹ은 다른 것이다. "아직은"이라는 말은 시간적인 관계를 갖고 있는 말이지만, "절대로"라는 말은 영구불변의 의미다. 만약에 "현재만을 논할 때"라고 했다면 "아직은"이라는 말을 써야지 "절대로"라는 말은 적절하지 않다.[76]

그는 또 이렇게 말하였다.

또 다른 의문이 있다. "내적 수양"이 외부의 영향을 받지 않을 수 있는가? 만약 외부의 영향으로 생긴 것이 있다 하더라도 그 공을 전부 정신에게만 돌리고 그것을 정신문명이라 부를 수 있는가? 내가 아는 한 환경의 영향을 받지 않은 인류 문화는 없으며 물질 관계를 벗어나 존재하는 것은 없다. ……결론적으로, 정신적인 것만으로는 문명의 탄생이 불가능하며, 물질적 관꼐 및 환경의 영향이 절대적으로 중요하다. 물질적 측면을 완전히 무시한 채 정신문명이라고만 부를 수 있는 것은 없다. ……어떤 문명이 국가나 사회와 무관할 수 있는가? 어떤 문명이 순전히 정신에만 속할 수 있는가?[77]

다음은 유물변증론자, 즉 유물사관파의 관점이다.

진독수의 입장이다. 그는 잡지 『신청년』(新青年)에서 '민주'(德先生)와 '과학'(塞先生)을 옹호하는 입장을 밝혔다.

76) 같은 논문, 215쪽.
77) 같은 논문, 217쪽.

> 본지 직원 일동은 데모크라시(德先生)와 사이언스(塞先生)라는 2인을 옹호했기 때문에 이러한 큰 죄를 범했던 것이다. 德先生을 옹호하면, 孔教·禮教·貞節·舊윤리·舊정치에 반대할 수밖에 없고, 塞先生을 옹호하면, 舊예술·舊종교에 반대할 수밖에 없다. 德선생과 塞선생을 동시에 옹호하게 되면 國粹와 舊문학을 반대하지 않을 수 없게 된다.[78]

이처럼 진독수는 '민주'와 '과학'을 강조하였는데, '민주'는 "기존의 가치체계인 전통적 윤리와 정치를 비판하는 기능을 담당한 것"이고, '과학'은 "기존의 세계관과 자연관인 전통적 종교와 예술을 비판하는 기능을 담당한 것"이다.[79]

그는 또 과학에 관해 이렇게 말하였다.

> 우리가 과학을 추종하는 이유는 (그것이 자연과학이건 사회과학이건 간에) "과학자의 최대 목표가 인간의지의 주관적 작용을 배제하고 모든 현상을 객관적인 것으로 만듦으로써 예측할 수 있고 인과법칙에 따라 설명할 수 있도록 하는 것"(장쥔마이)이기 때문이다. 반드시 이렇게 된 후에야 실제에 근거해서 실제를 탐구할 수 있고, 그런 후에야 현학가의 터무니없는 헛소리와 다르게 자연계와 인류사회 고유의 실제를 설명해낼 수 있는 것이다.
>
> 인생관과 (사회)과학의 관계는 매우 명확한데 왜 많은 사람들이 논쟁을 벌이는 것일까?[80]

---

78) 陳獨秀, 「本誌罪案之答辯書」, 『新青年』 6-1, 汲古書院 影印本, 1971, 10쪽. (李相和, 「근대 중국의 계몽, 그 의미와 한계-예교를 대체한 민주, 유교를 해체한 과학에 관하여」, 357-358쪽. 재인용.)

79) 李相和, 「근대 중국의 계몽, 그 의미와 한계-예교를 대체한 민주, 유교를 해체한 과학에 관하여」, 358쪽.

80) 천두슈, 「『과학과 인생관』 서문」, 천두슈 외, 『과학과 인생관』, 13쪽.

진독수는 '과학'과 '공상'을 비교하여 말하였다. 그는 "과학이란 무엇인가?"라고 묻은 뒤 과학을 "우리가 사물을 마주할 때에, 객관적인 현상을 종합하여 그것을 주관에 비추어 볼 때 모순을 일으키지 않는 개념적 이해"라고 정의하였다.[81] 그는 또 '공상'은 "객관적 현상을 넘어서 있고, 또 주관적 이성까지도 내던지고, 공허한 관념에 근거하여 허구적으로 만들어진 것으로, 가정할 수는 있지만 실증할 수 없는 것이며, 인간이 지닌 이성추리 능력으로는 이유와 법칙을 밝히거나 설명할 수 없는 것"이라고 하였다.[82]

이용주는 진독수의 과학론을 네 가지로 정리하였다.[83] 첫째, 과학은 이성의 활동이며 객관적, 실증적 사고 방법이다. 둘째, 과학은 모든 행위와 가치의 표준이다. 셋째, 실증에 근거를 두는 학적 설명은 진리이다. 넷째, 세계대전이 초래한 참상은 과학 자체의 실패/죄악이 아니라 과학을 이용하는 인간의 죄이다.

그렇지만 과학과 현학의 문제에서 핵심 주제는 진독수가 두 번째로 말한 '행위와 가치'의 의미이다. 이 가치의 문제에서 확장된 또는 긴밀하게 연관된 문제가 바로 인간의 의지자유, 인생관 문제이다. 왜냐하면 과학은 가치를 말할 수 없기 때문이다. 과학은 오직 사실 관계를 서술할 수 있을 뿐이다. 따라서 "적어도 진독수의 관점에서 본다면, 과학 그 자체는 가치 판단에서 자유로운, 엄정한 객관적 실증의 세계,

81) 陳獨秀, 「敬告青年」(1917년). 徐洪興 主編, 『20세기철학경전문본』(철학권), 復旦大學出判싸, 1999. (이용주, 「근대기 중국에서의 과학 이론: 진독수와 양계초를 중심으로」, 289쪽. 재인용.)

82) 위와 같음.

83) 이용주, 「근대기 중국에서의 과학 이론: 진독수와 양계초를 중심으로」, 293쪽.

혹은 가치중립적 지식일 뿐이다."[84] 그런데 어떻게 과학을 통해 가치를 말할 수 있다는 것인가?

구추백의 관점이다.

> 취추바이는 이처럼 일찍부터 1차 세계대전과 5·4신문화운동으로 이어지는 시기에 중국의 사상적 혼란을 과학과 민주와 같은 서구적 정신과 문화를 따라가려는 서구화의 경향과 1차 세계대전 이후 다시금 주목받게 된 중국과 인도의 동방문화의 충돌로 설명했다. ……그런데 문제는……서구와 동방의 사상과 문화는 당대 중국의 현실의 문제를 해결하려는 방법으로 제시되었음에도, 현실 문제와 관련된 해결책으로 기능하지 못하면서 문제가 되고 있었다.[85]

그는 철저하게 마르크스주의 역사관에 기초하여 해석하였다. 양건생(楊建生)은 구추백이 "중서문화논쟁에 있어 과학적 방법론을 제창하고 중서문화문제 연구를 유물사관의 토대 위에서 수립했다"고 평가하였다.[86] 그러므로 장군매를 중심으로 한 동방문화파, 즉현학파와 정문강, 호적을 중심으로 한 전반서화파를 모두 비판하였다. 그 결과 유심자유주의자, 즉 과학방법파와 유물변증론자, 즉 유물사관파 사이에 분기가 발생한 것은 너무도 당연한 것이었다.

---

84) 위와 같음.

85) 이현복, 「瞿秋白의 동방문화관 탐색-1920년대 초반 논술을 중심으로」, 137쪽

86) 楊建生, 「瞿秋白的中西文化觀與當代文化建設」, 無錫市哲學會科學聯合會, 『江南論壇』 2004년 제2기, 55쪽. (이현복, 「瞿秋白의 동방문화관 탐색-1920년대 초반 논술을 중심으로」, 133쪽. 재인용.)

(2) 분화

과학파의 분파인 과학방법파와 유물사관파 사이에도 관점의 차이로 인하여 논쟁이 있었다.

호적의 진독수에 대한 비판이다. 그는 진독수의 관점을 두 가지로 정리하였다.

> 우선 내 개인적 의견을 말하겠다. 1) 천두슈가 말하는 것은 일종의 "역사관"이고, 우리가 토론하는 것은 "인생관"이다. ……역사관은 인생관의 일부분일 뿐이다. 2) 유물론적 인생관은 물질개념으로 우주 만물과 심리현상을 해석하는 것이며, 유물론적 역사관은 "객관적 물질원인"으로 역사를 설명하는 것이다.[87]

그리고 아래와 같이 말하였다.

> 그러나 천두슈는 줄곧 철저하지 못한 유물론자였다. 그는 한편으로는 "심은 물의 일종의 표현이다"라고 하면서 다른 한편으로는 "물질적"이라는 말을 "경제적"이라는 말로 해석했다.[88]

진독수의 반응이다.

> 후스는 주관적 설명만을 중시했을 뿐, 사회 일반의 객관적인 설명은 소홀

87) 후스, 「천두슈 선생에 답함」, 천두슈 외, 『과학과 인생관』, 45쪽.
88) 같은 논문, 46쪽.

히 했다. 또 과학적 인생관 자체의 완전함만을 설명했을 뿐, 모든 인생관에 대해 가지고 있는 과학의 권위에 대해서는 설명하지 않았다. 그 결과 과학 만능을 증명할 수 없었을 뿐만 아니라 현학의 유령들이 사방에서 활개치고 돌아다닐 수 있는 여지를 남겼다. 나는 주관적 측면에서 과학적 인생관의 신앙을 확립해야 한다고 생각하지만, 더 필요한 것은 객관적 측면에서 모든 초과학적인 인생관에 대해 과학적 해석을 하는 것이라고 생각한다. 과학의 권위가 만능이라는 것을 증명해야지만 비로소 현학귀가 어디에도 발붙이지 못할 것이다.89)

진독수는 "과학의 권위가 만능이라는 것"을 증명해야 한다고 강조하였다. 그는 자신의 철학적 관점을 '유물적 역사관'이라고 규정하였다.

"유물적 역사관"은 우리의 근본 사상이다. 역사관이라 했지만, 사실은 역사에 한정해서 말하는 것이 아니라 인생관 및 사회관에도 응용될 수 있다.90)

그 구체적인 내용은 다음과 같다.

첫째, 유물사관에서 말하는 객관적 물질 원인은 인류사회에서 보자면 자연히 경제(즉 생산방법)를 그 뼈대로 하는 것이다. 둘째, 유물사관에서 말하는 객관적 물질 원인은 물질의 근본 원인을 가리키는 것으로 물질로부터 발생한 심리현상은 당연히 포함되지 않는다. 세상의 어떤 철저한 유물론자라 하더라도 심리현상이 정신현상이라는 사실을 인정하지 않는 사람은 없다. (후스가 생각하는 철저한 유물론이 어떤 것인지는 나는 잘 모르겠다.) 유물

89) 천두슈, 「후스에게 답함」, 천두슈 외, 『과학과 인생관』, 49쪽.
90) 같은 논문, 49-50쪽.

론적 철학자가 사상과 문화, 종교와 도덕, 종교 등 심리현상의 존재를 중시하지 않는 것은 아니다. 오로지 이 모든 것이 경제적 토대 위에 세워진 건축물이지 그 토대 자체는 아니라는 것이다.[91]

그는 호적의 입장을 '심물이원론'이라고 비판하였다.

물질 일원론을 버리면 과학 파산의 길로 들어서는 것인데, 과학을 그렇게나 숭배하는 후스가 어찌 심과 물을 평등하게 간주할 수 있단 말인가! 만약 후스가 물적 원인 외에 심적 원인—즉 지식, 사상, 언론, 교육 등이 사회를 변화시키고 역사를 해석할 수 있으며 인생관을 지배할 수 있다는 생각을 견지한다면 이것은 분명히 심물이원론(心物二元論)을 주장하는 것이다.[92]

그런데 우리는 과연 호적의 입장을 '심물이원론'이라고 평가할 수 있을까?

C. 퍼드는 호적 역시 힘써 '자유의지'를 변호했다고 말하였다.

19세기는 자연 추세를 결정하는 인과법칙이 대기계(大機器)를 지배하고 생사의 대권(大權)을 장악하고 있다는 것을 속수무책으로 받아들이던 시대였다. 호적은 자유의지를 힘써 변호하였다. 그는 사람이 인과관계의 활동에 간여할 수 있을 뿐만 아니라 어쩌면 그 자신의 희망을 원인으로 하여 그것을 따라 나온 결과를 선택할 수 있다고 제기하였다. ……과학의 성질에 대한 이해에서 오치휘(吳致暉)와 호적(胡適)은 장군매(張君勱)와 마찬가지였다. 그들은 다만 과학이 이끌게 될 결과에 만족하는지 여부에서 갈라졌을 뿐이다.[93]

---

91) 같은 논문, 50쪽.
92) 같은 논문, 54쪽.

어쩌면 진독수가 호적을 비판했던 이유가 바로 호적의 관점에 있는 이러한 측면에 대한 반응이었을 것이라고 추론할 수도 있다. 다시 말해 진독수와 같은 유물변증론자(유물사관파)의 시각에서 볼 때 호적의 관점에는 아직도 여전히 치밀하지 못한 또는 철저하지 못한 사유의 흔적이 남아 있다는 것이다. 사실 유물변증론자(유물사관파)의 입장에서 보면 유심자유주의자(과학방법파)의 관점은 많은 면에서 일정 부분 현학파에 경도되었다고 볼 수도 있다. 이 글에서 '유물'변증론자('유물'사관파)라고 말한 것처럼, 그들은 철저하게 '유물'적 시각을 견지하고 있기 때문에 하고, '유심'자유주의자(과학방법파)라고 말한 것처럼, 그들에게는 일정 부분 현학파와 공유할 수 있는 지점이 있었다.

그렇지만 호적과 오치휘는 정문강처럼 대중이 널리 받아들인 "賽先生"(즉, 과학)의 대변인이 절대 아니었다. 그들이 최후의 공격을 받았을 때, 그들이 가장 두려워했던상대방은 오히려 다른 일군의 인물들이었으니, 그들은 과학을 일종의 철학 체계—중국의 마르크스주의—의 파생 도구로 해석하였다. 과학과 현학의 이러한 논쟁의 뒤에 이어진 쟁론은 마르크스 변증법이 이 문제에서 전개한 것으로, 이 쟁론은 1929년과 1930년의 간행물에 충만하였다. 이번의 논쟁은 "역사유물주의"(歷史唯物主義)가 여론에서 그럭저럭 겨우 승리하였다. 1923년에는 단지 진독수(陳獨秀)만이 정문강(丁文江)과 장군매(張君勱)의 논쟁에 마르크스주의 논평을 하였지만, 그러나 이 논평은 갈수록 대중에게 깊숙이 파고들던 과학과 현학의 논쟁 밖에 있던 또 다른 하나의 견해였다.[94]

---

93) [美] 費俠莉(Charlotte Furth), 『丁文江-科學與中國新文化』, 丁子霖·蔣毅堅·楊昭 譯·楊照明 校, 新星出版社, 2006, 111쪽.

그러므로 유심자유주의자(과학방법파)와 유물변증론자(유물사관파) 사이에 다시 논쟁이 발생하여 분화하게 된 것은 너무도 당연한 역사적 추세였다.

진독수는 "이런 것을 볼 때, 세상에 무슨 양심이니, 직각이니, 자유의지이니 하는 것들이 정말로 존재한다고 말할 수 있겠는가!"라고 주장하였다.95)

그는 호적에 대한 비판이다.

그는 호적이 인간이 이상과 바람—종교 신앙 혹은 사회 습속—과 같은 종속성 현상을 인과 관계 중에서 작용이 있는 성분이라고 본 것은 이러한 일들 자체가 최종적으로 모두 실제 환경의 역량에 의해 결정된다는 것을 이해하지 못한 것이라고 비판하였다.96)

또 정문강에 대한 비판이다.

정문강에 대해서는 그가 말한 "존의적 유심론"에 대해 단지 그가 현학가의 수중에 떨어졌다고만 표명하였다.97)

그렇지만 진독수의 호적과 정문강에 대한 비판은 모두 그 자신의 유물주의적 세계관이 호적·정문강의 과학적 세계관과 차이가 있음을

---

94) 같은 책, 112쪽.
95) 천두슈, 「『과학과 인생관』 서문」, 20쪽.
96) [美] 費俠莉(Charlotte Furth), 『丁文江-科學與中國新文化』, 112쪽.
97) 위와 같음.

보여준다.

만약 진독수의 말처럼, 우리가 '양심', '직각', '자유의지' 등에 관해 말할 수 없다면, 그는 무엇을 근거로 '혁명'을 주장하고, '유물론적 세계관'을 말할 수 있는가? '혁명'이 되었건 '유물론적 세계관'이 되었건 그것은 모두 기본적으로 그의 어떤 '가치' 관념을 주장하는 것이 아니겠는가? 예를 들어 그가 '혁명'을 주장하고, '유물론적 세계관'을 주장하는 것은 그것을 통해 그가 말하는 어떤 '좋은 세상'을 만들기 위한 행동일 것이다. 그렇다면 그가 말하는 '좋은 세상'이란 어떤 세상이고, 그것은 '사실 판단'이 아닌 역시 '가치 판단'이 아닌가?

구추백 역시 "마르크스주의의 변증법적 유물론과 사적유물론을 바탕으로 자본주의적 서구를 비판함과 동시에 역사적으로 낙후한 중국 전통 윤리와 도덕으로의 회귀를 반대하고, 민족혁명으로 세계혁명을, 민족해방으로 인류해방을 이루기 위한 중국의 신문화가 곧 인류 보편의 문화를 창도"할 것이라고 생각하였다.[98]

제3절 중도파

여기에서 말하는 중도파는 현학파와 과학파의 입장을 절충하는 관점이다. 이 입장에 해당하는 인물로는 임숙영(任叔永), 손복원(孫伏圓), 목(穆), 장연존(章演存) 등이 있다. 그런데 이 가운데 목이 어떤 인물인지 알 수 없다.

98) 이현복, 「瞿秋白의 동방문화관 탐색-1920년대 초반 논술을 중심으로」, 134쪽.

1. 인물들

임숙영(任叔永, 188-1961)은 본명이 홍준(鴻雋)이다. 1907년 일본으로 유학하여 1909년 도쿄 고등공업학교 응용화학과에서 공부하였다. 귀국한 뒤 혁명에 투신하였다. 1913년 미국으로 유학하여 1917년 콜럼비아 대학에서 화학 석사학위를 취득하고 귀국하였다. 1920년 북경대학 화학과 교수가 되었다. 그는 과학 교육을 강조하였다. 그의 주요 저작으로 『과학개론』(科學概論)이 있다.[99]

손복원(孫伏圓, 1894-1966)은 자가 양천(養泉)이고 본명은 복원(福源)이다. 1918년 북경대학 중문과에 입학하였으며, 5·4운동에 참가하였다. 1921년 북경대학을 졸업한 뒤에 『신보부간』(晨報副刊) 편집장으로 일하였다. 1929년 프랑스 파리에서 근공검학운동(勤工儉學運動)에 참가하였다. 1931년 귀국한 뒤에 평민 교육에 매진하였다. 그의 문집으로 『복원유기』(福源遊記)가 있다.[100]

장연존(章演存, 1877-1951)은 이름이 홍조(鴻釗)이고 호는 애존(愛存)이다. 1905년 일본으로 유학하여 경도(京都)대학과 동경제국대학에서 지질학과에서 수학하였다. 1911년 귀국하여 경사대학당(京師大學堂) 농과(農科)에서 지질학과 광물학을 가르쳤다. 1913년 창립한 지질연구소에서 지질학, 광물학 교수로 근무하였다. 1918년 북경대학에 지질학과가 설립되었는데 광물학과 교수가 되었다. 중국지질학회 회

99) 천두슈 외, 『과학과 인생관』, 604-605쪽.
100) 같은 책, 605쪽.

장, 절강성 지질연구소 고문 등을 역임하였다. 그의 주요 저작으로 『육육자술』(六育自述)이 있다.[101]

2. 논점

임숙영은 장군매의 입장에 대해 이렇게 지적하였다.

장쥔마이의 말을 미루어 보건대, 일반적으로 과학이 공식을 갖고 있는 반면, 인생관은 공식이 없기 때문에 통일되기 매우 힘들다는 것이다. 즉 공식이 없기 때문에 인생관 문제는 과학이 해결할 수 없다는 말이다. 만약 이 말을 오해한 것이 아니라면, 그의 논지는 처음부터 잘못된 것이며 그 자신은 이 사실을 모르고 있는 것이다. 장쥔마이는 인생관에 공식이 없다고 말했다. 그는 과학의 정의를 내리면서 인생관이 과학이 될 수 없다는 것을 증명하고자 했다. 그러나 인생관이 과학이 될 수 없다는 것은 과학이 인생관 문제를 해결할수 있는지와는 근본적으로 다른 문제이다. ……장쥔마이가 말하는 인생관은 두서가 없고 모호해서 과학 방법이 적용될 수 없다. 장쥔마이는 과학을 배운 적이 없어 과학의 성질을 잘 알지 못한다.[102]

다음은 정문강에 관한 것이다.

딩원지앙의 과학 지식론은 "심리적 내용과 참된 개념 추론은 모두 과학의 재료가 될 수 있다."는 사실을 증명하는 것이다. 인생관이 심리 추론 작

101) 같은 책, 603쪽.
102) 런슈용, 「인생관적 과학혹은과학적 인생관」, 천두슈 외, 『과학과 인생관』, 182-184쪽.

용의 범위에서 벗어난 것이 아니라면 당연히 과학의 지배를 받을 것이다. ……우리는 과학 방법이 무소불위라는 것을 잘 알고 있다. (내가 말하는 것은 과학 방법에 관한 것이지 과학 만능을 주장하는 것은 아니다. 독자들은 유의하기 바란다.) 그러나 과학 방법의 응용 범위에는 일정한 한계가 있다. 여기서 말하는 한계라는 것은 분석을 통해 확실하고 분명해진 사실에 한정한다. ……게다가 딩원지앙도 지질학자일 뿐이니 과학으로 장쥔마이의 인생관을 반박한다는 것은 "앞뒤가 맞지 않는다."[103]

그는 이렇게 두 사람의 입장을 비판한 뒤에 자신의 관점을 말하였다.

그렇다면 과학과 인생관은 정말 아무런 관계가 없는 것일까? 이 물음에 대한 나의 대답은 당연히 그렇지 않다는 것이다. 즉 인생관적 과학은 불가능하지만 과학적 인생관은 도리어 가능하다. ……인생관이란 바깥 사물[外物]과 마음[內心]이 조화를 이룬 결과라는 점에 대해서는 모두가 동의한다. ……다시 말하자면, 내면의 나와 바깥의 물질계가 서로 가장 만족할 만한 관계를 정립하는 것이라 할 수 있다. 이는 유물론자들의 말이 아니라 유심론자들의 생각이다. 인생관은 물질계를 떠나 독립적으로 성립할 수 없다. 따라서 물질계에 관한 지식이 발전하면 할수록 인생관도 당연히 변하게 된다. 바꿔 말하자면, 물질계에 관한 지식이 과학적이 되면 될수록 인생관도 그에 비례해서 과학적으로 변한다는 것이다.[104]

그는 또 진화론이 인생관에 미친 영향을 세 가지로 정리하였다.[105]

103) 같은 논문, 183-184쪽.
104) 같은 논문, 184쪽.
105) 같은 논문, 185쪽.

첫째, 자연계에서 인류의 지위를 알려주었다. 둘째, 종교의 창조론과 현학의 운명론을 타파했다. 셋째, 장쥔마이가 예로 든 생존경쟁설이다. 이어서 과학의 성질과 방법의 유래 몇 가지를 말하였다.[106] 첫째, 과학의 목적은 진리 추구에 있으며, 진리는 무궁무진하다. 둘째, 과학 탐구 정신은 심원할 뿐만 아니라 무궁무진하다. 셋째, 과학 연구의 대상은 사물들 사이의 관계이다.

임숙영은 최종적으로 그의 관점을 다음과 같이 정리하였다.[107] 1) 과학은 자신의 한계를 갖고 있다. 2) 만약 인생관이란 개념이 모호한 것이라면 당연히 과학 연구의 범위에 속하지 않는다. 3) 과학은 위대할 뿐만 아니라 고상한 인생관을 만들어 낼 수 있다. 4) 과학 연구의 경험이 없기 때문에 이러한 인생관이 낯설게 느껴진다면 우리는 과학으로써 인생관을 개선해야 하며, 인생관만 중시하고 과학을 경시하는 일은 없어야 할 것이다.

그런데 임숙영의 관점은 과학파의 입장인 것처럼 보이는데, 그가 결론에서 말한 것처럼 **"과학은 자신의 한계를 갖고 있다"**는 점을 분명히 할 필요가 있다. 그의 말처럼 과학자들이 자신의 과학적 관점에 따라 고상한 과학적 인생관을 갖는 것은 가능하다.

> 물질과학이 발전함에 따라 간접적으로는 인생관이 변화했고, 직접적으로는 과학이 하나의 인생관을 만들어 내게 되었다. 과학이 객관적이고 기계적이며 물질적이라고 여기는 사람은 이런 사실을 믿지 않을 것이다. ……과학자들은 대부분 종교를 믿지 않는다. 그러나 대다수의 과학자는 도덕적이며

106) 같은 논문, 185-187쪽.
107) 같은 논문, 187-188쪽.

고상한 인격의 소유자들이다. 만약 인생관을 사회 윤리와 인생의 목적에 관한 일정한 견해라고 말할 수 있다면, 그들에게 인생관이 없다고 말할 수는 없다. 그들의 인생관은 어디서 온 것일까? 바로 그들이 수행하는 과학 연구에서 온 것이다.108)

또 과학이 하나의 인생관을 만들 수 있고, 과학의 발전에 따라 인생관 역시 변화한다는 것 역시 가능한다. 이것은 그 누구도 부정하지 않는다. 현학파를 대표하는 장군매라고 해서 그것을 부정하는 것은 아닐 것이다. 현학파가 문제로 삼는 것은 마치 과학이 인생(관)의 모든 문제를 해결할 수 있다고 하는 '과학 만능'의 그러한 견해이다. 정문강의 논점을 보면 마치 그것을 강조한 것 같다.

임숙영은 인생관과 관련하여 이렇게 말하였다.

과학자들은 인생관에 인과 관념을 적용시키려 할 뿐만 아니라 모든 분야에서 합리성을 추구한다. 합리적인 인생관은 과학 연구의 결과이다.109)

과연 누가 '합리적 인생관'을 부정할까? 다만 여기에서 '합리성'이란 개념의 의미를 어떻게 정의하는지가 문제이다. 문제는 과학파 정문강이 말한 것처럼 '인생'의 모든 문제에 대해 '인과법칙'을 적용하려는 과학파의 입장은 좀 과격한 태도이다.

그리고 그는 "과학자들은 대부분 종교를 믿지 않는다"고 단언하였다. 그러나 이것은 정확한 논의가 아니다. 과학자 가운데 종교를 신앙하는 인물들 역시 많다.

---

108) 같은 논문, 185쪽.
109) 같은 논문, 186-187쪽.

손복원의 말이다. 먼저 다음과 같이 제안하였다.

내 생각에 논전에 참가하고 있는 쌍방이 우선적으로 관심을 가져야 할 문제가 세 가지 있다. 그것은 다음과 같다.

현학이란 무엇인가?

과학이란 무엇인가?

인생관이란 무엇인가?

……그러나 양편은 우선 이 세 개념에 대해 정의부터 내려야 한다.110)

그는 이어서 인생관에 대해 다음과 같이 말하였다.

인생관에 대한 정의는 더욱 내리기 어렵다. 그러나 내가 위에서 말한 조잡한 정의에 비춰보면, 인생관이란 인생에 관한 어떤 한 사람(혹은 어떤 한 집단)의 견해와 태도이므로 인생관의 내용을 대략적으로나마 말할 수 있을 것이다. 인생관은 다음과 같은 문제들에 대한 어떤 한 사람(혹은 어느 한 집단)의 생각이다. 인생에는 목적이 있는가? 있다면 그 목적은 무엇인가? 목적이 있다면 비관적인가 낙관적인가? 목적이 없다면 비관적인가 낙관적인가?111)

그는 인생관과 과학의 관계에 대해 이렇게 지적하였다.

인생관은 과학의 영향을 받을 수도 있고 받지 않을 수도 있다. 인생관이 과학의 영향을 받는지와 인생관이 통일될 수 있는지는 다른 차원의 문제이

---

110) 쑨푸위엔, 「현학과 과학 논전 잡담」, 천두슈 외, 『과학과 인생관』, 189쪽.

111) 같은 논문, 191쪽.

다. 나는 인생관이 과학 방법에 영향을 받는다고 말한 런슈용의 의견에 기꺼이 동의한다. ……다시 말하자면, 인생관이 과학의 영향을 받는다는 것과 과학의 지배를 받는다는 것은 완전히 다른 문제다. 만약에 인생관이 사상이라면 나는 절대적인 자유를 요구할 것이다. 사상 영역에 속하는 것이 과학의 지배를 받게 된다면 문학과 예술에서 가치 있다고 여겨지는 수많은 상상들은 사형선고를 받게 될 것이다. 개개인의 인생관이 통일된다면 사상은 자유롭게 발전할 여지를 잃게 되며, 인생은 경직되고 무미건조하고 단조로워져 동물의 생활과 다름없게 될 것이다.[112]

목(穆)은 「방관자의 말」에서 과학파와 현학파의 인생관 특징을 다음과 같이 개괄하여 말하였다.

과학자들의 중요한 정신은 사실을 인정하고 존중한다는 것이다. 이것을 인생관에 응용해 사실을 존중하는 인생관이 나왔다. 신비적 정감을 중시하는 학파의 인생관은 대개 사실을 경시하고 초탈하려는 경향이 있다. 둘의 차이를 비교해보면, 한쪽은 외부대상을 객관적이고 평등하게 보는 반면, 다른 한쪽은 주관적인 좋고 나쁨에 따라 외부대상의 가치를 판단한다. ……따라서 과학적 인생관의 첫째 조건은 마땅히 사실을 존중하는 것이어야 한다.[113]

그는 과학자의 인생관이 갖는 특징을 ①사실 존중, ②평등관, ③엄밀한 조리로 정리하였다.[114]

그러나 그는 정문강의 논리 전개 방식에는 불만을 나타냈다.

---

112) 같은 논문, 191-192쪽.
113) 무, 「방관자의 말」, 천두슈 외, 『과학과 인생관』, 393쪽.
114) 같은 논문, 392-395쪽.

그는 현학을 귀신에, 과학은 신선에 비유했는데 아쉽게도 이것은 가치 판단이지 사실에 대한 서술이 아니다. ……그는 현학귀가 출현하는 원인에 대해서는 연구하지 않았다. ……딩 선생은 과학이 인생관을 통일시킬 수 있다고 말한다. 그러나 딩 선생 자신이 먼저 심사숙고의 태도로 사실을 연구하지 않으면서, 합리적 해결 방법만 찾으려 한다면(딩 선생의 지질학을 말하는 것이 아니라 그가 현학귀를 쫓아버리는 것에 대해 말하는 것이다), 과학자가 마땅히 갖추어야 할 태도를 결여했다고밖에 생각할 수 없다.115)

다음은 장연존의 관점이다. 그는 장군매가 제기한 과학과 인생관의 다섯 가지 차이를 각각 분석/비판하고 단 뒤에 이렇게 말하였다.

장쥔마이가 열거한 과학과 인생관의 다섯 가지 차이에 대해 의문이 해소되지 않았기 때문에 그가 말한 "아"와 "비아"에 관한 아홉 가지 문제는 논의할 수 없다. 다만 "사람들이 각자 옳다고 고집하는 의견에 대해서는 절대로 실험 방법을 통해 옳고 그름을 증명할 수 없다."는 장쥔마이의 말에 대해 몇 마디 설명을 하겠다. 여기서 말한 옳고 그름의 기준은 무엇인가? 장쥔마이는 "모든 것은 나를 중심으로 삼는다(皆以我爲中心)"라고 말했다. …… 만약 장쥔마이의 말을 조금만 바꿔 "이 아홉 가지 사항은 모두 '참[眞]'을 기준으로 삼는다."라고 한다면 이러한 시비의 문제는 바로 해결될 것이다. "아"에 대한 집착을 조금만 버려도 이 문제는 비교적 쉽게 해결될 수 있을 것이다.116)

115) 같은 논문, 396-397쪽.

116) 장옌춘, 「인생관과 과학의 다섯 가지 차이에 대한 장쥔마이의 주장」, 천두슈 외, 『과학과 인생관』, 201-211쪽.

사실 중도적 입장이 좀 더 합리적인 관점이라고 생각한다.

제4절 현학파와 과학파의 논쟁

그렇다면 과학(파)과 현학(파) 논쟁의 쟁점은 무엇인가? 우리가 생각하기에 그 핵심은 '직관'과 '자유의지' 두 가지라고 생각한다. 즉 인간의 '직관'과 '자유의지' 문제는 '과학'을 통해 해결할 수 있는가 아닌가의 문제이다. 이 두 가지 문에서 하나는 인간의 인식 문제이고, 다른 하나는 인간의 자유의 문제이다.

먼저 과학(파)의 입장이다.

> 20세기 초 근대 중국의 지식인들은 전통 철학을 폐기하고 과학적 세계관을 수용하자고 주장하였다. 그것을 과학주의 내지 과학만능주의(scientism)라고 부르는데, 대체로 과학을 경험과 관찰에 기초한 이서억 방법 태도로 여기고 과학이 증명할 수 없는 모든 것, 가령 종교적 신앙·전통적 가치체계 및 형이상학과 양립할 수 없음을 강조하고 과학이 결국 그것들을 대신해서 유일한 의식 형태가 되리라는 입장을 취하였다. 그들에게 과학은 현대문명의 전부였다. 그들은 과학적 방법, 주로 자연과학의 실증주의적 방법이 자연 세계뿐 아니라 인간의 관념과 행위에도 적용될 수 있으며, 과학 외에는 문화도 없고 과학이 철학을 대체하고 심지어는 도덕과 종교를 대체할 수 있다고 보았다.117)

---

117) 강중기, 「양수명의 과학관」, 인제대학교 인간·환경·미래연구원, 『인간·환경·미래』 제2호, 2009, 79-80쪽.

다음은 현학(파)의 입장이다.

> 과학주의에 대한 비판과 그에 대한 과학주의자들의 반박의 반복 과정에서 발생한 논쟁인 '과현논전'(科玄論戰)에서 현학파는 과학주의자들이 자연현상과 사회현상 및 정신적 심리적 현상 모두 물질적 필연법칙의 지배를 받는다는 '순물질적·순기계적 인생관'을 건립하여 사람의 자유의지가 부정되고 따라서 도덕이란 것 자체가 존재할 수 없게 되어버렸다고 비판하였다.[118]

그렇다면 다른 학자들의 평가는 무엇인가?
먼저 양계초의 입장이다.

> 나는 직각과 자유의지를 존중하는 장쥔마이의 견해에 찬성한다. 그러나 아쉽게도 적용 범위가 지나치게 넓고 오류가 많다. ……나는 장쥔마이가 말한 "직각"이라는 것이 어떤 내용을 담고 있는지 분명하게 알지 못한다. 글자 상으로 보면 감각 기관을 초월한 어떤 작용인 것 같다. ……이지와 관련된 것은 당연히 과학의 지배를 벗어날 수 없다. 자유의지는 또 어떤가? 자유의지의 적용 범위에도 한계가 있다. 인간이 만물의 영장인 것은 자유의지가 있기 때문이다. 또한 인류사회가 끊임없이 발전해 나가는 것도 자유의지가 있기 때문이다. 그러나 자유의지가 소중한 까닭은 선과 악의 사이에서 복종과 불복종의 결정을 스스로 내리기 때문이다. 자유의지는 이지와 서로 상보 관계에 있어야 한다. 장쥔마이와 같이 객관을말살해 버리고 자유의지만을 말한다면 그것은 아무 가치도 없는 맹목적인 자유일 뿐이다.[119]

---

118) 같은 논문, 80쪽.
119) 량치차오, 「인생간과 과학」, 198-199쪽.

그는 또 이렇게 말하였다.

그렇다면 나는 딩원지앙의 주장에 완전히 찬성하다는 것인가? 그렇지 않다. 딩원지앙은 지나치게 과학만능을 맹신했는데, 이것은 장쥔마이가 과학을 경시한것과 같은 실수를 범한 것이다. ……인생관을 통일시키는 것이 불가능한 일은 아니지만, 그럴 필요가 없을 뿐만 아니라 그래서도 안 된다. 인생관을 통일시키려 한다면 “흑백을 구별하여 절대적인 것 하나를 세우고” 이에 어긋나는 생각은 가만두지 않을 것이다. ……더욱이 과학자라면 이런 말을 해서는 안 된다. 과학으로 인생관을 통일시킬 수 있다는 말은 더욱 믿을 수 없다. ……이지를 떠나서 인류의 삶은 생각할 수 없다. 그러나 이지가 인류 생활의 모든 내용을 포괄한다고 할 수는 없다. 이지를 제외하고도 매우 중요한 부분, 즉 혹자가 생활의 원동력이라고 부르는 “감성”이라는 것이 존재한다.120)

그가 이런 입장을 취한 것은 제1차 세계대전이 끝난 뒤 유럽 시찰을 다녀와서 『구유심영록』(歐遊心影錄)을 쓰면서부터이다. 그는 이 책에서 서구 문명의 파산을 말하였다. 그는 이처럼 과학이 발전했다는 유럽에서 이토록 비참한 전쟁이라는 참상이 발생한 것은 결국 과학의 책임이라고 생각하였다.

양계초는 그와 같은 인생관과 그 배후에 있는 과학만능주의가 당시 서구 사회의 모든 혼란과 분쟁의 근본 원인이고 1차대전은 그 인과응보라고 보았다.121)

120) 같은 논문, 199-200쪽.
121) 강중기, 「양수명의 과학관」, 80쪽.

양계초는 결론적으로 이렇게 말하였다.

> 또한 종교나 토템, 혹은 특정 이념에 대한 광신적인 정서는 일반인이라면 이해도 해석도 할 수 없는 것이다. 그러나 인류의 역사는 도리어 이러한 신비 속에서 창조되어 나왔다. 이런 측면에서 보자면 주관이니 직각이니 종합이니 하는 분석 불가능한 것들에 대한 장쥔마이의 언급이 전혀 무용한 것은 아니다. 과학 방법으로 인생을 지배하는 것은 불가능할 뿐만 아니라, 인생을 즉은 것이나 가치 없는 것으로 만드는 것이다.
>
> 나의 조잡하고 유치한 생각을 정리해보면 다음과 같다. "이지와 관련된 사항은 절대적으로 과학 방법이 해결해야 하지만, 감성에 관한 것은 절대적으로 초과학적이다."[122]

사실 그 당시에 서양에서도 이미 독일 철학자 O. 슈펭글러(Oswald Spengler, 1880-1936)가 제1차 세계대전 직후 『서구의 몰락』(Der Untergang des Abendlandes〉(2권, 1918~22)이라는 글을 써 서구 문명을 비판하였다.

> 이렇게 보면 서구의 몰락이란 '문명의 문제'에 다름 아니다. 모든고도의 역사의 근본 문제 중 하나가 여기에 있다. 한 문화의 유기적·논리적 경과로서의, 그 완성과 종결로서의 문명이란 무엇인가.
>
> ……문명이란 한문화의 불가피한 운명이다. ……문명이란 고도의 인종이 가능케 하는, 가장 외적이고 또 가장 인공적인 상태이다. 문명이란 종결이다. ……문명이란 취소하기 어려운 하나의 종이다.

---

122) 량치차오, 「인생간과 과학」, 200-201쪽.

> ……역사적인 결과로서의 순수한 문명이란, 무기적(無機的)이 되어 사멸해 버린 형식의 단계적 몰락이다.123)

그렇지만 슈펭글러가 말한 '서구의 몰락'이란 서구 문명의 발전사 가운데에서 나온 문제이지 중국 문명의 발전사에서 발생한 문제가 아니다. 당시 중국의 상황은 '민주'와 '과학' 그 어느 것도 전혀 발전하지 못한 상태였기 때문이다. 다시 말해, 당시 중국은 '민주'와 '과학'이 전혀 발전하지 못한 상태였는데 무슨 '몰락'을 말할 수 있다는 것인가?

양수명의 관점이다.

> 양수명은 현학파가 제시한 일련의 명제들, 가령 과학의 실증방법은 의미 문제를 해결할 수 없고 인생 문제를 물리적 세계의 문제로 귀결시킬 수 없으며, 이지적 인식이 사회와 인생에 대해 필요하기는 하지만 결코 그것으로써 가치에 대한 인식을 대신할 수 없다는 등의 명제들을 일정 정도 수용하고 있다. 그럼에도 불구하고 그는 현학에 대해 냉정한 비판적 관점을 견지하고 과학에 대해 정당한 평가를 내리려고 노력하는 동시에 과학이 지닐 수 있는 한계에도 관심을 기울인다.124)

그런데 양수명에게 근본적이면서 핵심적인 문제는 다음과 같은 것이다.

---

123) 오스발트 슈펭글러, 『서구의 몰락』(1), 박광순 옮김, 범우사, 1995, 65-67쪽.

124) 강중기, 「양수명의 과학관」, 80쪽.

> 동서문화를 둘러싼 양수명의 논의에서 실질적인 난제는 과학이라는 신외왕(新外王)이 그것을 도출해내는 내적 근원으로서 내성(內聖), 즉 전통 유학이 이론적으로 어떻게 연결되는가 하는 것이다. 양수명은 근대 서양문화, 주로 과학과 민주에 보편적 가치를 부여하고 적극적인 수용을 주장하면서도 궁극적으로는 그것을 중국 문화 전통의 통제 아래 두고자 하기 때문이다. 이른바 '신외왕의 도출[開出新外王]' 문제는 달리 말하자면 중국 전통문화, 특히 유가의 범도덕주의적 인생철학·인생태도가 근본정신이 다른 서양의 민주·과학과 어떻게 서로 조화를 이룰 수 있고 나아가 서양의 민주·과학에 대해 '근본정신'이 될 수 있는가 하는 물음이다.125)

그렇다면 오늘날 과학파와 현학파의 논쟁, 그리고 그들의 관점, 문제의식 등에 관한 평가는 무엇인가?

이택후의 입장이다. 그는 먼저 5·4 신문화운동의 핵심을 '계몽'과 '구망'의 이중주라고 표현하였다.

> 오로지 문화비판에만 치중함으로써 그 운동이 시작되었지만, 마침내는 정치투쟁으로 복귀함으로써 끝을 맺었다. 계몽이라는 주제, 과학과 민주주의라는 주제는 다시 한번 구망·애국의 주제와 충돌하여 서로 뒤엉켰고, 발걸음을 같이 하게 되었다. 중국 근현대의 역사는 늘 이러했다. 이전과 다른 것은, 이번의 합류와 충돌이 비교적 오랫동안 복잡한 관계를 수반하게 되었다는 점이다.
>
> 우선 계몽은 곧바로 구망에 매몰되지는 않았다. 오히려 그 다음의 짧은 시기 동안은 계몽운동이 구망운동을 빌려 그 위세를 크게 키워 빠르게 확산되었다. ……그다음으로 계몽은 오히려 구망에게 사상·인재·대오를 마련해

---

125) 같은 논문, 81쪽.

주었다. 이 두 운동의 결합은 양자를 더욱 두드러지게 했으며, 원래의 범위와 영향을 크게 넘어서서 마침내 전체 중국의 지식계와 지식인들을 뒤흔들어 놓았다.126)

그는 과현 논쟁에 관해 이렇게 평가하였다.

과학파는 이른바 과학적 방법·태도·정신을 신앙으로 삼아 그것으로 심신·사회·인생의 모든 문제를 해결할 수 있다고 생각했다. 현학파는 송명이학('송학'宋學)과 당시 서구의 베르그송·오이켄의 형이상학으로 돌아가 신앙을 추구하고 수립함으로써 인생을 지도하려고 했다.127)

또 아래와 같이 말하였다.

따라서 과학파의 과학적 방법·태도·정신·'인생관'에 대한 강조는 실제로는 신앙을 수립하는 의미를 지니고 있었다. ……

이데올로기는 과학이 아니며 사람들의 간념과 행동을 지배하기를 요구하는 일종의 신앙을 포함하고 있다. 따라서 과학과 현학 논쟁의 진실한 내면적 의의는 **진정으로** 과학의 인식이나 평가, 과학적 방법에 대한 탐구가 아니라, **주로 어떠한** 이데올로기적 관념이나 신앙을 수립하는가에 대한 논쟁에 **있었다**. 즉 과학으로 인생과 사회를 지도해야 하는가, 아니면 형이상학으로 인생과 사회를 지도해야 하는가 하는 점이었다. 이 학술 토론은 사상으로서의 의의가 학술로서의 의의보다 컸으며, 사상으로서의 영향이 학술로서의 성과보다 큰 실질적인 일종의 이데올로기 투쟁이었다.

과학파는 실제로는 과학을 이데올로기로 삼을 것을 주장했으며, 현학파는

126) 리쩌허우, 『중국현대사상사론』, 54쪽.
127) 같은 책, 116쪽.

비과학적인 형이상학을 이데올로기로 사모자 했다. 따라서 이것은 과학주의의 결정론을 믿느냐, 아니면 자유의지적인 형이상학을 믿느냐 하는 논쟁이었다. 그것은 확실히 '인생관'에 관한 논쟁이었으나, 이 인생관에 관한 논쟁은 어떠한 사회 개조의 방안을 선택하느냐 하는 문제와 결합되어 있었다. 논쟁 과정에서는 허다한 과학 철학과 우주관·인생관 문제가 다루어진 것처럼 보이지만 진정한 중요 지점과 핵심은 결코 거기에 있지 않았다.128)

정대화는 과현 논쟁의 의미를 다음과 같이 평가하였다.

장군매가 청화대학에서 강연을 하여 일으킨 이 인생과 논전은 현대중국 사상문화사에서 중요한 영향과 지위를 갖는다. 첫째, 그것은 유과학주의 사조와 인본주의 사조가 중국에서 정면으로 충돌한 것으로, 이러한 충돌 가운데 과학과 인생관 문제가 나타났다. 이후에 중국 현대의 자산계급 철학은 명확하게 두 진영으로 나누어졌는데 하나는 과학적, 실증적 노선을 걷게 되었고, 다른 하나는 인본적, 형이상학적 노선을 걷게 되어싸. 둘째, 중국의 초기 마르크스주의자가 개입하고 또 그들이 현학파, 과학파에 비판과 마르크스주의 유물사관을 선전하면서 마르크스주의의 영향을 확대하였는데. 인생관 논전 뒤에 마르크스주의는 청년들 사이에서 더울 널리 전파되었다. 셋째, 그것은 현대 신유학의 발전 역사 가운데 하나의 대사건으로 장군매의 강연과 그 이후의 논전에 관한 문장은 어떤 의미에서 현대 신유학의 사유 방향을 형성하였는데, 장군매 자신도 이로 인하여 현대 신유학의 "개척자" 가운데 한 사람이 되었다.129)

그렇지만 정대화의 관점은 지나치게 마르크스주의 입장에서 비판을

128) 같은 책, 116-117쪽.
129) 鄭大華,『張君勱傳』, 176-177쪽.

전개하고 있다.

강중기의 말이다.

> 과현 논전은 인생관 혹은 인생 철학 사이의 대립이었다. 과학자들이 말하는 과학은, 설령 '과학적 인생관'이라고 말하더라도, 본질은 이지일원론 혹은 기계적 결정론의 인생 철학이었다.[130]

사실 '과학'과 '인생(관)'의 관계 문제는 이 두 가지 관점을 서로 융합해야만 한다. 달리 방법이 없다. '과학'을 무시한 '인생(관)'은 철저히 '주관성'(특수성: 인생의 독단론)에 빠질 위험성이 있고, '인생(관)'의 주관적 영역을 무시한 '과학'은 '객관성'(보편성: 인생의 계량화)에 빠질 위험성이 있다.

제5절 현학파와 과학파의 논쟁 검토와 비판

1910년대부터 중국에서 일어난 신문화운동은 서구 문명의 핵심을 '민주'와 '과학'으로 파악하였다. 이 운동의 핵심 인물들은 서양문명의 '과학'을 통해 전통 유학을 극복할 것을 강조하였다. 다시 말해 그들은 '과학'은 '객관적 실증'을 강조하는 것으로, 지금의 중국 위기를 극복할 수 있는 유일한 방법/대안은 서양의 '과학'과 '과학 정신'이라고 생각하였다. 이 과정에서 '민주'와 '과학'을 통한 전통 비판은 필연적으로 근대와 전통의 관계, 과학과 유학의 관계라는 문제를 만날 수밖

130) 강중기, 「양수명의 과학관」, 80쪽.

에 없었다.131)

1920년대 중국에서 있었던 과학과 현학의 논쟁은 지금도 의미 있는 문제의식이었다. 우리 역시 이 문제에서 자유롭지 못하기 때문이다. 특히 오늘날과 같이 과학의 발전이 점차 인간의 고유 영역이라고 할 수 있는 마음, 정신 등과 같은 분야에서까지 과학적 잣대를 들이대는 상황에서 인생의 문제—1920년 중국 지식인들의 과현 논쟁에서 중심이었던 인간의 자유의지, 삶의 가치와 의미 등—에 대한 성찰은 더욱 절실하고 의미가 있는 실존적 질문으로, 그에 대한 해답 역시 실존적 성찰을 필요로 한다.

1. 논쟁의 불명료성

그런데 1920년대 중국 지식인들의 과학과 현학의 논쟁은 여러 가지 측면에서 매우 부족한 논의로 마무리되었다. 그것은 무엇보다도 먼저 논점이 분산되었다는 점에서 그 원인을 찾을 수 있을 것이다.

먼저 양계초이다. 양계초는 현학파의 입장을 취하지만 이 논쟁에서 어느 정도 중도적 입장에 있다. 그는 "과학과 현학의 문제는 우주에서 가장 중요한 문제이며, 중국에서도 미증유(未曾有)의 논전이다"고 말하였다.132) 그리고 이어서 이 논전의 문제점을 지적하였다. 첫째, 논의를 핵심 문제에 집중시키고 지엽적인 부분에 대한 논의는 최소화해야

---

131) 이용주, 「근대기 중국에서의 과학 이론: 진독수와 양계초를 중심으로」, 278쪽.

132) 량치차오, 「현학과 과학 논전에 관한 "전시국제공법"-임시 중립적 아웃사이더 량치차오 선언」, 천두슈 외, 『과학과 인생관』, 174쪽.

한다. 둘째, 단어 선택에 신중을 기해야 한다.[133] "양쪽의 교전이 시작된 지 얼마 지나지 않았는데 벌써 정도(正道)를 벗어난 말들이 난무하고 있다."[134]

그는 또 이렇게 말하였다.

> 논쟁을 하려면 우선 논쟁의 대상과 내용이 확정되어야 한다. 갑이 무엇이고 을이 무엇인지 정해져야 비롯 둘의 관계를 말할 수 있는 것과 같다. 그렇지 않으면 앞뒤가 맞지 않아 결론을 내기 힘들 뿐만 아니라 보는 사람도 점점 헷갈리게 된다.[135]

그리고 이어서 장군매와 정문강의 논쟁이 모두 불명료하다고 비판하였다.

> 장쥔마이의 글은 대학에서 편하게 강연한 것을 옮긴 것으로 "인생관"과 "과학"에 대한 분명한 정의가 없다. 이 점은 매우 아쉽다. 딩원지양도 마음 가는 대로 아무 주제나 잡아 반박했을 뿐이다. 따라서 "인생관"과 "과학"에 대해두 사람이 같은 말을 하고 있는지 다른 말을 하고 있는지 전혀 감이 오지 않는다. 게다가 그들이 암묵적으로 동의하는 공통의 무엇이 있는 것 같지도 않다.[136]

진독수의 말이다.

---

133) 같은 논문, 174-175쪽.
134) 같은 논문, 176쪽.
135) 량치차오, 「인생간과 과학」, 195-196쪽.
136) 같은 논문, 196쪽.

> 다만 안타까운 것은 장쥔마이(張君勱)와 량치차오(梁啓超)를 공격하던 사람들이 얼핏 보기에는 승리한 것처럼 보이지만, 사실은 적의 근거지를 완전히 부수지 못하고 몇 개의 소부대를 흩뜨려 놓았을 뿐, 겉으로는 아직도 싸우고 있는 듯 보이는 사람들도 암암리에 이미 투항한 것과 다름없다는 사실이다. [판셔우캉(范壽康)의 '선천형식설'이나 런슈용(任叔永, 즉 任鴻雋)의 '인생관적 과학은 불가능'하다는 주장] 전투의 대장격인 딩원지앙(丁文江)이 장쥔마니의 유심주의적 견해를 공격한 것도 알고 보면 '오십 보로써 백 보를 비웃는[以五十步笑百步]' 것에 다름아니다.137)

그가 이 글에서 현학파에 대한 비판은 주로 양계초에 집중하였다. 장군매의 관점에 대해 다음과 같이 비판하였다.

> 이렇게 해서는 그들과 장쥔마이가 무엇 때문에 논쟁을 벌이는지 알 수 없을 뿐만 아니라, 장쥔마이 측의 주장은 논쟁의 중심에서 멀어지고 지엽적인 말들만 늘어놓는 상황이니 이런 것이 이번 논쟁에서 느끼는 안타까운 점이다.138)

그러므로 진독수의 장군매에 대한 관점은 정확히 알 수 없다.
다음은 정문강의 관점에 대한 비판이다.

> ……딩원지앙 등은 "과학이 어떻게 인생관을 지배할 수 있는가"라는 물음에 하나의 증거도 내어놓지 못했으니, 내가 볼 때 이 전쟁은 승리는 고사하고 갑옷과 투구마저 잃어버린 대패전이다.139)

---

137) 천두슈, 「『과학과 인생관』 서문」, 천두슈 외, 『과학과 인생관』, 11-12쪽.
138) 같은 논문, 12쪽.

진독수는 정문강의 사상적 토대 역시 장군매와 다르지 않다고 지적하고 그 근거로 두 가지를 제시하였다.[140] 첫째, 존의적 유심론(存疑的唯心論)이다. 둘째, 유럽 문화의 파산은 과학과 물질문명의 책임이다. 그리고 이렇게 비판하였다.

> ① 우리는 아직 발견되지 않은 물질이나 사실에 대해 의심을 품을 수 있다. 하지만 물질계를 초월해서 독립적으로 존재하며 물질을 지배하는 심(心은 物의 일종의 표현이다)이나 신령, 혹은 신(神)과 같은 것들이 존재하지 않는다는 것은 더 이상 의심할 필요가 없다. ……만약 우리에게 그것들이 존재한다는 증거를 보여줄 수 없다면 우리는 우리의 신념을 포기하지 않을 것이다.
>
> ② 세계대전은 영국과 독일이라는 양대 공업 자본주의 국가가 세계시장을 선점하기 위해 경쟁하는 과정에서 발발한 전쟁이다.[141]

호적 역시 비슷한 말을 하였다.

> 이상의 논의를 종합해 볼 때, 대다수가 과학이 인생 문제 혹은 인생관 문제를 해결할 수 있는지 여부에 대해서만 얘기하고 있을 뿐이지 과학을 인생관에 적용시키면 어떤 인생관이 나오는지에 대해 명확하게 말하는 사람은 아무도 없다는 것을 알 수 있다. ……만약 과학을 인생관에 적용시켰을 때 어떤 결과가 나올지에 대해 먼저 연구하지 않는다면 과학이 인생관을 해결할 능력이 있는지 여부를 어떻게 판단할 수 있겠는가? ……즉 과학 옹호자

139) 위와 같음.
140) 같은 논문, 20-21쪽.
141) 위와 같음.

들이 과학이 인생 문제를 해결할 수 있다는 것에 대해 추상적으로는 인정하고 있지만, 구체적으로 "순물질적, 순기계적 인생관"이 곧 과학적 인생관이라고 분명하고 공개적으로 인정하는 것을 원하지 않고 있기 때문이다.[142)]

임재평(林宰平) 역시 위에서 소개한 것과 같은 비판적 관점음 공유하였다.

현학은 본체론에 관한 학문으로 장쥔마이 선생의 칭화대학 강연이 옳은지 그른지와 별 상관이 없다. 장쥔마이 선생은 인생관에 대해서만 얘기했을 뿐, 무엇이 현학인지는 말하지 않았다. 딩원지앙 선생은 현학가들의 본체론에 대해서는 시간을 낭비해가며 공격하지 않겠다고 말했다. 그렇가면 그가 지금 공격하는 것은 도대체 무엇인가? 본체론을 뺀 현학이란 게 존재하기나 한다는 말인가?[143)]

종합하면, 장군매와 정문강의 과학과 인생(관)의 논쟁이 좀 더 합리적이고 의미 있는 논쟁이 되려면 과학, 인생(관), 그리고 그것의 관계에 대한 개념적 정의와 논쟁의 집중이 필요하였다. 그렇지만 이 두 사람의 논쟁뿐만 아니라 이 논쟁에 참여한 다른 학자들의 관점 역시 개념과 논쟁이 매우 모호하게 진행되어 별 성과 없이 끝나고 말았다.

'과학과 인생관' 논쟁의 핵심 주제는 '과학'과 '인생관'(세계관)의 차이 및 관계 문제였다. 단적으로 말해서, 과학이 인생관을 형성하는 기초를 제공할 수 있는가? 또는 과학 자체가 인생관을 대체할 수 있는가? 그것이 그 논쟁

142) 후스, 「『과학과 인생관』 서문」, 31-32쪽.
143) 린자이핑, 「딩원지앙 선생의 「현학과 과학」을 읽고」, 219-220쪽.

의 과제였던 것이다. 그런 문제를 둘러싸고 과학파와 인생관파(현학파) 사이에 논쟁이 일어났지만, '과학과 인생관(세계관)'의 관계에 대해서 납득할만한 답안이 제시되지 못했다. 미진한 상태로 갑자기 논쟁이 종결되고 말았기 때문이다. 어쩌면, 그것은 몇 사람이 결론을 내릴 수 있는 문제가 아니라는 사실을 그들 모두가 알고 있었기 때문일 것이다.[144)]

물론 장군매와 정문강을 중심으로 한 현학파와 과학파의 논쟁 자체는 그 당시에 매우 중요하고 절박한 시대정신을 담은 철학적 논쟁이었다. 그리고 과학 기술이 고도로 발전한 오늘날에도 여전히 의미 있는 주제이다. 그렇지만 논쟁 자체가 지리멸렬하게 진행되었다는 것 역시 사실이다.

2. 현학파와 과학파의 우환의식

우리는 현학파와 과학파의 과학과 인생(관)에 관한 논쟁을 이해할 때 가장 먼저 고려해야 할 것은 이 논쟁이 진행되었던 1923년 당시 중국의 현실적 상황이라고 생각한다. 왜냐하면 현학파와 과학파의 이러한 논쟁 이면에는 모두 그들이 살았던 당시 중국의 현실 상황에 대한 우환의식에서 비롯되었다고 생각하기 때문이다.

먼저 현학파의 입장이다.

신문화운동에 대립하는 문화보수주의 반응은 1차대전 이후 서양에서 일어

144) 이용주, 「과학은 종교가 될 수 있는가?: '과학과 인생관' 논쟁과 호적의 '과학종교 도그마'」, 150쪽.

난 서양 문명에 대한 자기반성과 베르그송의 생철학을 비롯한 비이성주의 철학사조의 대두에영향을 받아 발생하였다. ……이런 흐름과 연계되어 중국 문화 우월론 내지 대망론(待望論)이라 할 수 있는 이른바 '중국 문화 구세론(中國文化救世論)'한 시기를 풍미하게 되는데, 그것은 서세동점으로 땅에 떨어졌던 중국인의 자존심을 되살리고 문화적 자부심을 만족시키면서 순식간에 거대한 풍조를 형성하여 문화보수주의적 반응을 고조시켰다.145)

다음은 과학파의 입장이다. 진독수의 입장에 관한 것이다.

진독수가 위의 글(「신문화운동이란 무엇인가?」(新文化運動是什麽?)-인용자)을 발표한 1920년은 일차 세계대전의 참상으로 인해 중국 안에서 서양 중심주의가 주춤하고, '과학파산론'자들이 과학만능론자들에 대한 비판의 칼날을 들이대던 시기였다. 과학파산론자들은 과학무용론과 중국문화(=철학) 우월론을 내세우며 서양인들이 동방 문화에 관심을 집중하고 있기 때문에 미래에는 과학이 아니라 정신과 철학의 시대가 도래할 것이라고 주장했다. 진독수의 〈신문화운동〉 논설은 이런 시기에 과학 반대론자들을 겨냥하여 발표된 것이었다.146)

그렇지만 이들의 서로 반대되는 관점의 공통된 근원은 당시의 중국 현실에 대한 우환의식이었다. 물론 그들의 우환의식은 그 초점이 각각 달랐다. 현학파는 과학일방주의, 즉 유과학주의, 과학만능주의에 대해 우려를 나타냈고, 과학파는 현학파를 중심으로 한 보수적 지식인들이 과학파산론, 과학만능주의라는 비판을 통해 무조건적 이미 문제가 많은

145) 강중기, 「양수명의 과학관」, 62쪽.

146) 이용주, 「근대기 중국에서의 과학 이론: 진독수와 양계초를 중심으로」, 292쪽.

과거의 유학 전통으로 회귀하려는 것에 대해 우려를 나타냈다. 과학파산론 등 서구 문명의 한계와 몰락을 예언하는 논의는 중국문화우월론, 중국문화본위론, 중국문화회복론 등 다양한 반근대주의적 혹은 전통주의적 담론으로 나타났다.[147] 이것은 과학파에게 매우 위험한 것으로 보였을 것이다. 왜냐하면 잘못하면 서양문명의 근대과학을 부정하고 과거로 되돌아가는 보수적 복고주의가 될 가능성이 있었기 때문이다. 만약 중국 전통문화의 문제점에 대한 반성과 극복 또는 초월이 없이 다시 보수적 복고주의를 주장한다면 중국은 '민주'와 '과학'을 발전시킬 수 없기 때문이다.

먼저 현학파의 우환의식을 고찰하기로 한다. 현학파의 우환의식은 그들이 제1차 세계대전이 끝난 뒤 유럽 시찰을 하는 가운데 서양문명에 대한 새로운 자각에서 나온 것이다.

양계초의 말이다.

> 요약하자면, 근대인들은 과학 발전을 통해 산업혁명을 일으켰으며, 외부 생활이 급격히 변화함에 따라 내부 생활이 동요되었다는 것이다. ……내부 생활은 본래 종교·철학 등의 힘에 의지하는 것으로 외부 생활을 떠나서도 의연하게 존재할 수 있다. 그런데 근대인들은 어떻게 되었는가? 과학이 발달한 이후 가장 먼저 치명상을 받은 부분이 바로 종교였다. ……우주의 모든 현상은 물질과 그 운동에 불과한데 영혼이 어디에 있고 더욱이 천국이 어디에 있단 말인가? 철학의 경우, 칸트와 헤겔의 시대에는 사상계가 엄숙하여 천하를 통일하는 듯한 권위가 존재했지만, 과학이 점차 발달하면서 유심론 철학이 사분오열 되었다. 그 후 콩트의 실증철학과 다윈의 『종의 기원』이 같은 해에 출판되어 구철학의 근본이 더욱 동요되었다. 솔직하게 말하자면, 철학자가 아

147) 같은 논문, 302쪽.

예 과학의 깃발 아래로 투항한 것이다. 과학자의 새로운 심리학에 근거하면 소위 인류의 심령은 물질운동 현상의 하나에 불과하다. 정신과 물질의 대립은 근본적으로 성립할 수가 없다. 소위 우주의 대원리는 과학적인 방법을 통해 실증한 것이지 철학적인 명상으로 얻은 것은 아니다. 유물론 철학자들은 과학의 비호 아래서 **순물질적이고 순기계적인 인생관**을 수립하여 내부 생활과 외부 생활을 모두 물질운동의 '필연법칙'으로 귀결시켰다. 이러한 법칙은 일종의 변형된 운명예정설이라고 할 수 있다. 그런데 구예정설은 운명을 사주팔자나 하늘의 뜻에 의탁했지만, 신예정설은 운명이 과학법칙에 의해 완전히 지배된다고 주장하였다. 의지하는 근거는 다르지만 결론은 마찬가지이다. 뿐만 아니라, 그들은 심리와 정신을 통일한 사물로 보면서 실험심리학을 근거로 인류의 정신도 일종의 물질에 불과하며 똑같이 '필연법칙'의 지배를 받는다고 우긴다. 그래서 인류의 자유의지가 부정될 수밖에 없었다. 의지가 자유로울 수 없다면 선악의 책임도 존재하지 않는다. 내가 선을 행하는 것은 '필연법칙'의 바퀴가 나를 떠민 것이고, 내가 악을 행한 것도 '필연법칙'의 바퀴가 나를 떠민 것에 불과하다면, 나와 무슨 상관이 있단 말인가? 이렇게 말한다면, 이것은 도덕의 기준이 어떻게 변화해야 하는가의 문제가 아니라, 정말로 도덕이란 것이 존재할 수 있느냐의 문제가 된다. 오늘날 사상계의 최대 위기가 바로 여기에 있다.[148] (밑줄과 강조는 인용자)

장군매의 말이다.

우리 사상계가 하나의 대 목표를 가지고 모두 앞을 향하여 전진하게 하는 것, 즉 우리의 하나의 사상사 위에 하나의 신국면을 열 수 있기를 희망했다.[149]

148) 량치차오, 『구유영심록』, 이종민 옮김, 산지니, 2016, 30-32쪽.
149) 張君勱, 「人生觀論戰之回顧」, 1934. 羅志田, 『二十世紀的中國思想與學術掠

그런데 장군매는 그의 말년에 이렇게 말하였다.

> 구미(歐美)는 과학의 발전이 있었기에 과학 발전에 따른 폐단이 있게 되었다. 우리나라 과학은 아직 발달하지 않았으므로 마땅히 먼저 (과학의) 발달을 도모해야지 (과학의 발전에 따른) 폐단을 방지해야 한다고 말할 필요가 없다.[150]

그는 과학에 네 가지 특징이 있다고 말하였다.[151] 첫째, 과학은 수만 년 전으로 소급하여 인류 생장의 비밀을 탐구한다. 둘째, 과학은 실험 방법으로 우주 가운데의 여러 현상의 인과 관계를 탐색한다. 셋째, 과학은 객관적 태도로 진리의 소재를 탐색한다. 넷째, 과학은 사실에 근거하여 증명하며, 때때로 그 학설을 개정한다.

서양의 과학은 심리학을 포함한 모든 것을 물질 현상으로 환원하는데, 이것은 유물론적 관점이다. '과학적 인생관'에 의하면 인간의 외부 세계와 내부 세계도 물질운동의 필연법칙에 의해 지배를 받는다. 그렇다면 문제는 인간의 자유의지는 부정될 수밖에 없다.[152] 이것이 현학파의 우환의식 가운데 하나였다. 자유의지, 의지자유가 없는 인간의 실존이 무슨 의미가 있겠는가? 다시 말해 의지자유, 자유의지가 없는 인간

影』, 廣東教育出版社, 2001, 16쪽. (허남진·박성규, 「과학과 인생관(현학) 논쟁」, 서울대학교 인문학연구소, 『인문논총』 제47집, 2002, 203쪽. 재인용.)

150) 鄭大華, 『張君勱傳』, 601쪽.

151) 위와 같음.

152) 이용주, 「근대기 중국에서의 과학 이론: 진독수와 양계초를 중심으로」, 299쪽.

에게 선택, 즉 가치란 존재할 수 없기 때문이다.

이러한 과정에서 나온 것이 현학파의 반과학주의이다. 이것을 인문주의 사조라고 부른다.

> 과학주의 사조에 대립하여 나타난 것을 바로 인문주의 사조 혹은 반과학주의 사조라고 한다. 인문주의 사조의 출현은 과학주의의 내재적 모순과 중대한 한계를 간파함으로부터 시작되었다. 과학은 만능이 아니라, 인간의 문제를 해결하는 데 있어서 의식의 형태를 지도할 수 없다는 것이다. 우주와 인생의 문제는 근본적으로 과학의 문제가 아니라 철학의 문제라고 주장하고, 인간과 인간의 문화, 정신의 경지, 자아의 수양 등의 문제를 중시한다. 이러한 인문주의 사조가 중국의 전통문화를 대하는 태도에서 현대 신유학을 형성했다. 그들은 서양의 한계를 비판하고 중국문화의 우수성을 발견했고, 20세기 중국의 새로운 문화의 창조에 있어서 인문주의를 바탕으로 서양철학의 정수를 받아들여야 한다는 것을 주장했다.153)

이 인문주의 사조는 장군매, 양수명 등과 같은 현대 신유가 학자들이 그 중심이었다.

> 현대 신유가는 인문주의 사조를 바탕으로 과학 만능의 사고방식이 갖는 내재적 모순을 간파하고, 서구 사회의 한계를 비판하면서 중국의 미래를 전망하는 과정에서 발전했다. 양수명은 베르그송의 철학을 수용하여 과학적 인식의 한계를 밝히고, 전통 유학의 가치를 새롭게 이어가고자 했다. 베르그송의 철학은 당시 과학주의의 공격으로부터 중국의 전통적 사유 체계를 방어해 주는 방패의 역할을 충분히 담당할 수 있었다. 양수명이 베르그송에게 특히

153) 최홍식, 「베르그송 철학의 중국적 전개-양수명의 직관 이론을 중심으로」, 한국철학사상연구회, 『시대와 철학』 9권 1호, 1998, 27쪽 각주 4.

주목한 것은 바로 직관 이론이다. 그는 과학의 방법은 인생관의 문제를 해결할 수 없으며, 철학[玄學]의 방법은 직관에 호소해야 한다고 주장했다.154)

인문주의 사조를 바탕으로 현대 신유가의 전통 유학에 대한 긍정은 다른 한편으로 보면 바로 과학의 부정을 의미하기도 했다.

그렇지만 과학파의 입장은 이것과 완전히 상반된다.

C. 퍼드(Charlotte Furth)는 당시 중국의 상황을 이렇게 말하였다.

> 민국 초기에 과학으로 말하자면, 가장 엄중한 사상 장애는 공자 유학 학설의 유풍(遺風)보다 심각한 것이 없었는데, 이러한 유풍은 1, 2십 년 사이 서양을 연구한다고 해서 제거할 수 있는 것이 아니었다. 심지어 젊었을 때 지질학에 열중하였던 사람의 그 사상 관념도 공자 유학 사상을 배경으로 한 인도주의 색채가 농후하였다.155)

중국의 당시 상황이 이러했으니 서양에서 과학을 배워 중국의 '과학' 발전을 도모하고자 했던 젊은 신진 학자들이 보기에는 참으로 한심했을 것이다.

먼저 정문강의 입장이다.

> 장군매가 현학을 제창하여 과학과 대적하므로 청년 학생을 오도할까 심히 두려워 부득이 이 글을 썼다.156)

---

154) 같은 논문, 27-28쪽.

155) [美] 費俠莉(Charlotte Furth), 『丁文江-科學與中國新文化』, 丁子霖·蔣毅堅·楊昭 譯·楊照明 校, 新星出版社, 2006, 32쪽.

156) 張君勱·丁文江 等著, 『科學與人生觀』, 山東人民出版社, 1997, 146쪽. (허남진·박성규, 「과학과 인생관(현학) 논쟁」, 203쪽. 재인용.)

호적은 이렇게 말하였다.

우리는 유럽의 과학이 이미 확고하고 안정적인 기반을 확보해서 현학 망령들의 공격쯤은 두려워하지 않는다는 것을 알아야 한다. 몇몇 단동 철학자들을 보면 평소에는 과학의 맛에 흠뻑 취해 있다가도 가끔씩 불평을 늘어놓곤 하는데, 이는 부자가 생선만 먹다 질려서 짠지나 두부를 먹고 싶어하는 것과 같은 이치이다. ……그러나 중국으로 건너오면 상황이 달라진다. 과학의 혜택을 제대로 누려보지 못한 중국이 과학이 초래한 "재난" 따위를 말할 수 있겠는가.157)

진독수의 말이다. 그는 중국의 전통 사회에 대해 다음과 같이 비판하였다.

음양설(오행, 길흉, 생극설 포함)은중화민족에게 수천 년 동안 내려오는 원시적 자연관이다. 중국인들은 사물을 시간의 변화 속에서 '음'과 '양'이라는 상징적 대립과 조화 관계로 인식하고 있다. 직관적 추측(상징화)에 의존하는 상대주의적 관점이 실험적 정량분석을 결여함으로써 사물에 대한 객관적 인식을 저해하였다. 이것은 유가의 충효사상에 비해 사람들에게 더욱 심각한 영향을 끼쳤다. 이 때문에 실증과학이 부흥하지 못하고 民智(이성적 판단)가 날마다 쇠퇴하는 결과를 초래했다.158)

그런 까닭에 그는 전통 중국 사회의 이러한 문제를 과학과 인권을 통

---

157) 후스, 「『과학과 인생관』 서문」, 27-28쪽.
158) 陳獨秀, 「陰陽家」『新青年』 제5권 제1호; 『陳獨秀文章選編』(上), 三聯書店, 1984. (허증, 「진독수의 과학사상」, 147쪽. 재인용.)

해 극복해야 한다고 주장하였다.

> 근대 유럽이 다른 민족보다 우수한 까닭은 과학이 부흥하여 그 공이 인권설에 못지않기 때문이다. ……국민들이여, 몽매한 시대를 벗어나고 싶으면, 천한 국민이 되는 것을 부끄럽게 여긴다면, 어서 일어나 과학과 인권을 함께 소중히 여겨야 할 것이다.159)

구추백의 관점이다.

> 신문화의 기초는 본래 역사적으로는 대치해 왔으나 지금 시대의 초입에 이르러 상부하는 두 문화, 즉 동방과 서방을 연결시키는 것이어야 한다. 현시기 두 문화는 모두 과거 시대의 위험한 병증을 대표하고 있다. 하나는 자산계급의 거간꾼 주의이고, 다른 하나는 '동방식'의 정체이다.160)

이처럼 그에게 동방과 서방의 문화는 "모두 과거 시대의 병증을 대표"하는 문화로 극복 대상이었다. 왜냐하면 그는 "서방의 문화를 곧 자본주의의 자산계급의 문화로 보았으며", 동방문화파는 "중국 고유의 윤리와 도덕"을 주장하였는데, 그런 까닭에 "구시대 윤리와 도덕의 구현자로서 시대의 변화에 무능한 이들"이었기 때문이다.161)

아래에서는 현학파의 과학파의 '우환의식'에 관한 논의를 평가하기로

---

159) 陳獨秀, 「敬告青年」, 제1권 제1호; 『獨秀文存』, 安徽人民出版社, 1987, 7-8쪽. (허증, 「진독수의 과학사상」, 153쪽. 재인용.)

160) 瞿秋白, 「赤都心史」, 『瞿秋白文集·文學編』(제1권), 人民文學出版社, 1998, 213쪽. (이현복, 「瞿秋白의 동방문화관 탐색-1920년대 초반 논술을 중심으로」, 139쪽. 재인용.)

161) 이현복, 「瞿秋白의 동방문화관 탐색-1920년대 초반 논술을 중심으로」, 140-141쪽.

한다.

첫째, 현학파의 우환의식에 관해 평가하면 다음과 같다.

먼저 호적의 말을 소개한다.

> 최근 삼십 년 동안 중국에서 지상(至上) 존엄의 지위를 얻은 하나의 개념이 있다. 그것에 대해 잘 아는 사람이나 모르는 사람이나, 수구파나 유신파나, 어느 누구도 감히 공공연하게 경시하거나 소홀히 하지 않는다. 그것은 다름 아닌 "과학"이다. 이러한 광범위한 숭배가 가치가 있는 것인지 여부는 또 다른 문제이지만 우리는 적어도 다음과 같이 말할 수 있다. 즉 중국에서 변법유신(變法維新) 시기 유신(維新) 인사를 자처한 사람들 중 "과학"을 비방한 사람은 아무도 없었으며, 이런 경향은 중화민국 8~9년 사이 량치차오 선생이 『구유심영록』(歐遊心影錄)에서 정식으로 과학에 "파산" 선고를 내릴 때까지 계속되었다.162)

호적의 말처럼, 당시 중국에서는 '과학'이라는 말이 하나의 절대적 가치처럼 되었다. 그런 상황이었기에 제1차 세계대전의 참상을 목격한 현학파 인물들의 입장에서는 어떤 두려움을 느꼈을 것이다. 호적에 의하면 그 계기가 바로 양계초의 『구유심영록』의 출판이었다.

> 대개 한 사람에게 안심입명할 곳이 있으면 외부 세계에 각종 어려움이 있더라도 쉽게 물리칠 수 있다. 근대 유럽인들은 이를 잃어버렸다. 무엇 때문에 잃어버리게 된 것인가? 가장 큰 원인은 '과학 만능'을 과신했기 때문이다. ……최근 백 년간의 변화는 과거와 달리 과학의 발달로 인해 산업조직이 근저에서부터 급변하기 시작했다. ……요약하자면, 근대인들은 과학 발전을 통

162) 후스, 「『과학과 인생관』 서문」, 24쪽.

해 산업혁명을 일으켰으며, 외부 생활이 급격히 변화함에 따라 내부 생활이 동요되었다는 것이다.163)

그런데 문제는 현학파처럼 서구 문명의 파산을 두려워하여 중국 역시 과학의 문제점에 대해 경각심을 가져야 한다는 것은 분명 정당한 판단이라는 측면이 있지만, 당시 중국 사회의 현실에서 보면 아직 과학 발전이 전혀 이루어지지 않은 중국의 상황에서는 과도한 또는 지나치게 앞선 '우환의식'이 나타난 논의라고 비판할 수도 있었다.

둘째, 과학파의 우환의식에 관한 평가이다.

호적은 현학파가 '과학'의 '파산'을 선언하고 중국의 유학에서 새로운 출로를 찾으려는 것에 대해 역시 깊은 문제의식을 느꼈다.

> 우리는 유럽의 과학이 이미 확고하고 안정적인 기반을 확보해야 현학 망령들의 공격쯤은 두려워하지 않는다는 것을 알아야 한다. ……끝없이 타오르는 과학은 현학의 망령들을 두려워하지 않는다. 그러나 중국으로 건너오면 상황이 달라진다. 과학의 혜택을 제대로 누려보지 못한 중국이 과학이 초래한 "재난" 따위를 말할 수 있겠는가. 눈을 크게 뜨고 한 번 살펴보자. 도처에 널려 있는 제단과 사원, 도술(道術)과 심령, 낙후한 교통과 산업,—우리가 과학을 배척한다는 게 진정 어울린다는 말인가? "인생관"을 한번 보자. 중국의 인생관은 오로지 출세하고 부자 되는 인생관, 하루 벌어 하루 먹고사는 인생관, 점술과 운세에 의지하는 인생관, 『안사전서』(安士全書)의 인생관, 『태상감응편』(太上感應篇)의 인생관만이 있을 뿐이다. 중국인의 인생관이 언제 과학에 눈인사라도 한번 한 적이 있었던가! 우리는 마땅히 과학 홍보가 부족했음을 반성하고, 과학 교육이 발달하지 못했음을 반성하고, 과학이 전국에

163) 량치차오, 『구유영심록』, 28-30쪽.

만연한 혼탁한 공기를 청소해내지 못했음을 반성해야 한다. 그러나 명망 있는 학자들은 도리어 "유럽 문화 파산"의 구호나 외치고, 유럽 문화 파산의 죄명을 과학에 뒤집어씌우고, 과학을 폄하하고, 과학적 인생관의 죄상이라며 줄줄이 나열함으로써 과학이 인생관에 어떠한 영향도 미치지 못하게 하고 있다. 과학을 신봉하는 사람으로서 이런 현상을 보며 걱정이 없을 수 있겠는가? 과학을 대신해 항변하지 않을 수 있겠는가?164)

그렇지만 여기에서 한 가지 말해둘 점은 장군매를 중심으로 한 현학파의 전통 유학에 관점은 전반적인 복고주의가 아니라는 점이다.

중국학자 설화원의 말이다.

반드시 주의해야 할 것은 장군매가 강조한 유가사상 혹은 윤리도덕은 그가 근대 민주 헌정의 가치 취향을 긍정하면서 기본적으로 이미 민주 헌정 가치와 모순되는 '중체서용'(中體西用)론 중의 '삼강오륜'(三綱五倫)의 절대성과 우월성을 배제했다는 것이다.165)

김진환의 평가이다.

장군매는 과학주의에는 반대하였으나 과학이 차지하고 있는 우위성에 대해서는 배척하지 않았다. 그리고 儒家思想과 中國文化에 주의를 돌렸으나 傳統主義者가 되지는 않았다.166)

164) 후스, 「『과학과 인생관』 서문」, 27-28쪽.

165) 薛化元, 「中國現代新儒家思想的發展: 民主憲政的面向」, 韓國中國學會, 『國際中國學研究』 제9집, 2006, 315쪽.

166) 金珍煥, 「張君勱의 民主社會主義思想에 대한 연구」, 중국학연구회, 『中國學研究』 제17집, 1999, 143쪽.

오늘날 우리가 볼 때, 당시 호적이 말한 지식인의 '우환의식'은 매우 정당하다고 생각한다. 물론 현학파의 우환의식 역시 분명히 정당한 근거가 있다.

이 문제는 지식인의 책무와 관련한 문제의식이다. 어느 시대가 되었든 지식인의 역할은 현실에 대한 비판과 미래에 대한 전망을 제시하는 것이다.

> 중국철학 연구의 중심은 희랍과 다른 것으로 일반(一般)과 개별(個別), 공상(共相)과 수상(殊相)의 관계가 아니라 천(天)과 인(人)인 관계이다. 이러한 연구에 종사하는 사람은 냉정한 방관자가 되어 연구 대상의 밖에 서 있을 수는 없고, 반드시 자신의 전체 감정, 희망, 생활 경험, 가치 이상을 그 가운데 투입해야 한다. 이러한 연구에서 추구하는 목표는 희랍철학과 같이 전심전력하여 개념 계통을 세워 사람에게 독립적인 객관 외재의 논리적 필요를 만족하도록 하는 것이 아니라 완전한 가치 계통을 건립하여 개인과 사회의 행위 실천의 필요를 만족하게 하는 것이다.[167)]

우리가 여돈강의 관점에 동의한다면, 장군매를 중심으로 한 현학파와 정문강을 중심으로 한 과학파의 관점에 어느 정도 동조할 수 있을 것이다. 왜냐하면 그들은 모두 그들 나름의 '우환의식'을 나타내고 있기 때문이다. 사실 어느 시대를 살던지 간에 지식인이라면 현실 문제에 대해 언제나 '우환의식'을 갖지 않을 수 없다. 만약 어떤 지식인이 현실 문제에 대해 이러한 '우환의식'이 없다면 그는 지식인이라고 말할 수 없다.

---

167) 余敦康, 『中國哲學論集』, 遼寧大學出版社, 1998, 290쪽.

그런데 오늘날 우리의 입장에서 보면, 그 당시 현학파와 과학파의 이러한 우환의식은 모두 그 나름대로 합리성을 가지면서 동시에 한계성을 갖는 것이었다. 먼저 현학파의 입장에서 보면, 과학파의 관점은 말 그대로 과학만능주의, 유과학주의인데, 이것은 인간의 자유의지, 인간 실존의 가치를 부정하는 것이었을 뿐만 아니라 그 결과는 당연히 중국 전통문화, 특히 유학에 대한 철저한 부정이었다. 그렇지만 오늘날 우리가 볼 때, 전통을 부정하고 과학파처럼 막연히 전반서화론을 주장한다면, 그것은 그야말로 전통의 부정, 즉 자기 부정일 뿐이었다. 그리고 호적의 말처럼, 당시 중국에는 '과학'이라고 말할 만한 것이 전혀 없었는데 현학파처럼 미리 주눅이 들어 '과학'의 파산을 말한다는 것은 논리적으로 맞지도 않는 것이었다.

다음으로 과학파의 입장에서 보면, 현대 신유학자를 중심으로 한 문화보수주의자의 관점은 아직 '민주'와 '과학'이 뿌리를 내리지 못한 중국 사회에서 자칫 잘못하면 과거로 돌아가는 보수적 복고주의가 판을 칠 상황이었다. 오늘날 중화인민공화국에서 전통 유학에 대한 정부 차원의 막대한 지원과 연구가 이루어지고 있는데, 만약 전통 유학이 자기 반성을 통해 과거의 문제점을 극복하지 않고 단순히 전통 유학을 계승한다면 유학은 다시 정권의 나팔수가 되어 '인간을 잡아먹는 예교'가 될 것이고, 결국은 중국 공산당의 선전도구가 될 것이다.

> 확실히 우리는 오늘날 5·4를 계승할 필요가 있다. 그러나 5·4를 되풀이하거나 5·4의 수준에 머물러서는 안 된다. 전통에 대한 태도 역시 마찬가지이다. 5·4처럼 전통을 내던지는 것이 아니라 전통에 일종의 <u>**창조적 전환[轉換性的創造]**</u>을 해야 한다.[168] (밑줄과 강조는 인용자)

정귀화 역시 비슷한 비판을 하였다.

> 당시의 논쟁을 살펴볼 때, 兩派는 각각 지나치거나 모자라는 부분이 있었다. 다시 말해, 과학파는 새로운 가치와 신앙—과학만을 중시한 나머지, 중국의 전통적 가치나 신앙을 거의 완전히 무시했다. 반면에, 현학파는 거의 상반되는 입장을 취하였다. 兩派 모두 중국 전통문화에 대한 '創造的 轉化'에 힘쓰지 않았으며, 이는 자기들의 固有文化와 異質文化가 서로 접촉할 때 당연히 가져야 할 태도인 것이다.[169]

우리는 이 문제와 관련하여 중국 현대 신유가의 초기 인물 가운데 핵심적 역할을 담당했던 양수명의 입장을 다시 상기할 필요가 있다. 우리는 양수명을 '문화보수주의자'라고 평가하지만, 그는 결코 수구적/복고주의적 문화보수주의자는 아니었다. 그는 "당시 일각에서 제기되던 대책 없는 화해론을 비판"하였다. 왜냐하면 "동양(중국) 문화가 과연 자기 변신을 통해 세계 문화로 거듭날 수 있느냐에 있었던 것이다. 세계 문화가 될 가능성이 애초부터 봉쇄되어 버린다면 동양 문화의 존재 의의는 상실될 수밖에 없다. 동양 문화가 자신의 존재를 주장하기 위해서는 어떤 방식으로든지 세계문화와 교통할 수 있는, 나아가 세계 문화의 일부가 될 수 있는 가능성을 마련하는 일 외에 별다른 대안이 없었"기 때문이다.[170] 물론 장군매 역시 "세계의 미래 방향이 '공자의 길'이란 억

---

168) 리쩌허우, 『중국현대사상사론』, 91-92쪽.

169) 鄭貴和, 「1923년 中國의 文化논쟁: 科學과 玄學의 논쟁」, 21쪽.

170) 孔翔喆, 「"5·4"시기 "문화 보수주의"의 담론구조 고찰-梁漱溟의 《동서문화와 그 철학(東西文化及其哲學》을 중심으로-」, 중국어문연구회, 『중국어문논총』 제18집, 2000, 443쪽.

측은 받아들이기 곤란하였다."171) 그러므로 그 역시 "중국의 전통(舊)문화의 부패도 이미 극단에 이르렀다. 마땅히 외래의 혈청제로 한번 주사하여야 한다"고 말한 것이다.172) 이대조(李大釗)는 문화보수주의자에 대해 직접적으로 "서구 물질문명의 폐단만을 지적할 뿐 중국 전통정신의 병폐를 돌아보지 않았다"고 비판하였다.173) 우리가 생각하기에 이러한 문제의식은 오늘날에도 유효하다.

중국 전통 유학이 '세계문화', '세계문화의 일부'가 되지 않고 단순히 중국문화 안에서만 통용되는, 그리하여 중국의 국수주의, 중국의 제국주의, 중국의 공산당 일당 독재를 정당화하는 지배 이데올로기가 된다면, 중국 유학을 중심으로 한 중국문화는 또 다른 '패권'이 될 것이다.

> 그리고 그들은 문화적 낙관론에 빠져 있다. 그들은 근대 서구제국주의의 몰락에 따른 서구 근대문화의 파탄이나 동아시아 경제발전이라는 현상에 주목하면서, 서구문화의 병폐를 극복하고 중국 민족의 부흥을 이루기 위해서는 중국 전통문화의 재건만이 최선의 길이라고 주장한다. ……그렇지만 사회를 총체적 관점에서 바라볼 수 없었던 현대신유가는 논의를 추상적 차원으로 끌고 가면서 그것을 모두 문화의 문제로 귀속시키고 만다.
>
> 이와 관련하여 또 한 가지 주목해야 할 점은 현대신유가의 공통적인 특질 가운데 하나인 중화주의적 민족주의다. 그들은 서구문화에 대한 중국문화의 정신적 우월성을 직접적으로 주장하며, 그것을 감정적 차원에서 드러내기도

171) 장군매, 「서구 문화의 위기와 중국 신문화의 방향」, 진숭 편, 『5·4 전후 동서문화문제 논쟁문선』, 중국사회과학출판사, 1989, 459쪽. (황성만, 「현대신유학의 형성 초기에 보이는 몇 가지 문제」, 한국철학사상연구회 논전사분과, 『현대신유학 연구』, 동녘, 1994, 45쪽. 재인용.)

172) 같은 논문, 406쪽. (황성만, 「현대신유학의 형성 초기에 보이는 몇 가지 문제」, 45쪽. 재인용.)

173) 황성만, 「현대신유학의 형성 초기에 보이는 몇 가지 문제」, 45쪽.

한다.……

……하지만 현대신유가와 같은 시각으로만 전통철학=유학을 바라본다면 오히려 부정적 결과를 가져올 수밖에 없다. 지금까지의 현실적 상황에서 전통적 의식은 언제나 중요한 순간에 복병으로 등장하여 상승하는 현실 변혁의 의지를 꺾는 데 중요한 역할을 해왔으며, 이 때문에 지배권력은 언제나 이 점을 이용해왔다. 다른 면에서 볼 때는 그 반대의 입장에 섰던 사람들이 전통이 갖는 힘을 무시했기 때문에 그것이 가능했다고 볼 수도 있다.[174]

사실 오늘날 중국의 상황을 보면 그러한 조짐이 전혀 없는 것도 아니다. 만약 그렇게 된다면 중국 사회에서 '민주'와 '과학'은 결코 발전할 수 없을 것이다. 그러므로 과학파의 입장 역시 무조건 비판할 것만은 아니다. 사실 오늘날 중화인민공화국이 성립한 지 이미 70여 년이 되었지만 여전히 '민주'는 요원한 일이다. 그러므로 "현대 중국 사회의 결정적 기반이 형성된 신문화운동기로부터 100년이 가까워진 오늘날까지도 중국의 민주화는 서구적인 절차적 민주화마저도 실현되지 않았고 실현될 수 없었다. 陳獨秀와 같은 선진적인 사상가가 주창한 서구 민주주의의 도입은 오늘날도 중국의 현실이 아니라 과제이다."[175] 이것뿐만 아니라 과거의 봉건시대 절대 왕조의 전제정치를 대체하여 성립한 인민의 정부라는 중화인민공화국은 오히려 공산당 일당독재의 지배 이데올로기를 정당화한 '새로운 군주'들의 부패 정권이 되었을 뿐이다.

그러므로 어떤 지식인이 제시한 현실에 대한 비판과 미래에 대한 전

174) 이상호, 「현대신유학(現代新儒學)이란 무엇인가」, 한국철학사상연구회 논전사분과, 『현대신유학 연구』, 동녘, 1994, 38-39쪽.
175) 裵永東, 「陳獨秀의 民主政治思想」, 중국사학회, 『중국사연구』 제31집, 2004, 286-287쪽.

망이 당시에는 실패했다고 하더라도 지식인의 그러한 '우환의식'은 매우 정당하다고 생각한다. 만약 어떤 지식인이 당대의 현실 문제에 대해 '우환의식'이 없다면 그는 지식인이라고 말할 수 없다.

종합하면, 1920년대 있었던 과학과 현학의 논쟁은 오늘날에도 여전히 아직 마무리되지 않은 논쟁이다. 중국의 개혁개방 이후 1980년대에는 '문화열'(文化熱)이 있었는데 양태근에 의하면 "기본적으로 '문화열'의 주도 역량은 전통과 서화, 즉 중국과 세계라는 이원론적 대결 구도의 재출현으로 볼 수 있을 것이며 문화대혁명이 극단적으로 비판과 폐기를 주장하던 전통과 서화의 재발견이라고 볼 수 있을 것이다."[176]

이용주의 말이다.

> 논쟁이 발발한 이후, 거의 100년이 지났고 명실 공히 과학의 시대를 맞이한 현 시점에서도, 과학과 인생관, 과학과 인생관의 관계 문제는 해결되었다고 말하기 어렵다. 과학이 형이상학적 문제나 종교적 문제를 해명할 수 있다거나, 과학이 인생의 의미와 가치의 문제를 해결할 수 있다고 주장하는 자연주의(과학주의)를 주장하는 사람들이 넘쳐나지만, 아무리 과학이 발달해도 종교 문제, 더 나아가 인생의 의미나 가치문제는 과학이 해명할 수 있는 영역이 아니라고 주장하는 반과학주의는 여전히 큰 세력을 형성하고 있다. …… 그 문제는 앞으로도 쉽게 결론이 내려지지 않을 거대한 주제임이 틀림없다.[177]

양태근은 또 이 '문화열'을 세 가지로 분류하였다.[178] 첫째, 유학부흥

---

176) 양태근, 「1980년대 중국 문화열의 재발견과 현장-80년대 회고를 중심으로」, 한국중국현대문학학회, 『중국현대문학』 43, 2007, 131-132쪽.

177) 이용주, 「과학은 종교가 될 수 있는가?: '과학과 인생관' 논쟁과 호적의 '과학종교 도그마'」, 150-151쪽.

파, 즉 전통파이다. 이 그룹은 전통 유학 사상의 재발견을 주장한다. 둘째, 전반서화파, 즉 철저재건론이다. 이 그룹은 서화를 주장하는 정도에 차이가 있는데 서화파에 해당한다. 셋째, 비판파이다. 이 그룹은 앞의 전통파와 서화파 두 그룹에 대해 사회주의 시각에서 비판론을 제기한다. “이러한 전통파와 서화파가 ‘문화열’을 대변하는 주요 사상적 영향력을 가지게 된 것은 문화대혁명이 동시에 중국 전통과 서구 사상에 대한 전면적 비판을 가했기 때문이기도 하다.”[179]

그런데 이 문제는 중국의 전통 철학 또는 문화, 그 가운데에서 현대 신유학을 중심으로 중국철학이 서양문화 또는 서양철학과 새로운 유형의 체용론적으로 융합하여 새로운 철학을 세울 때 해결될 수 있을 것이다.

3. 사실과 가치 그리고 과학의 관계 문제

정귀화는 현학파와 과학의 논쟁을 ‘개인주의적 인생관’과 ‘전체주의적 인생관’으로 정리하고 다음과 같이 말하였다.

> 비록 같은 派내의 주장들이 서로 조금씩 다른 점이 있으나, 대체적으로 말해서 兩派가 주장하는 문제의 초점은 바로 마땅히 어떠한 인생관을 선택해야 하는가이다. 이는 또 事實(fact)과 가치(value) 문제와 관련된다. 현학파는 人本主義의 입장에 서서 개개인의 獨特性을 인정하고, sollen—價値·人生과 sein

---

178) 양태근, 「1980년대 중국 문화열의 재발견과 현장-80년대 회고를 중심으로」, 130쪽.
179) 같은 논문, 131쪽.

—事實·科學을 분리하며(범수강과 임재평은 조화적 입장을 가짐), 또 중국의 정신문명이 인간의 自由意志를 시련하는 데 도움이 된다고 주장한다. 이와 반면에, 과학파는 가치 문제(예를 들면 道德 등)를 부인하며, 決定論의 前提하에 sollen을 sein으로 간주하면서 과학은 능히 인생관을 改造할 수 있다고 주장한다. 이러한 두 학파의 태도는 일반적으로 個人主義的(individualistic) 人生觀과 全體主義的(holistic) 인생관을 대표한다고 하겠다.180)

현학파와 과학파의 입장을 '가치'와 '사실'의 관계 문제로 고찰하면, 현학파는 '가치'로 '과학'을 비판하고 수렴하며, 과학파는 '사실'로 가치를 비판하고 수렴한 것이라고 간략히 요약할 수 있다. 그러나 '사실'과 '가치'의 관계 문제에서 어느 한 편을 전적으로 무시할 수는 없다.

오늘날 우리가 살아가는 세계는 '문화상대주의'(cultural relativism), '가치다원주의'(pluralism)가 지배적인 담론이 되었다. 이것은 가치와 사실의 분열과 같은 의미이다.

철학의 이러한 분석적 경향은 가치/사실의 이분법적 사고를 결과하게 되고, 이분법에 따라 도덕적 진술은 이제 문자적인 의미를 지니지 못하는(literally meaningless) 무의미한 진술로 간주되기에 이른다. 도덕적 진술이나 판단이 의미를 지닌다면 정의적 의미나 규정적·명령적·지시적인 의미만을 지닐 뿐이다. 이제 도덕적 주장은 객관성이나 보편 타당성을 확보할 수 있는 명제의 자격을 갖지 못하고, 기껏해야 화자의 주관적 감정의 표현 혹은 명령에 불과한 것으로서 간주된다. 절대성을 가진 것으로 인지되어 온 도덕적 당위나 명령이 주관적이고 상대적인 지위밖에 아무것도 누릴 수 엇게 된 것이다. 도덕적 사실, 도덕적 지식 그리고 도덕적 진리가 의심의 대

180) 鄭貴和,「1923년 中國의 文化논쟁: 科學과 玄學의 논쟁」, 20쪽.

> 상이 되거나 부정되는 도덕적 회의 혹은 도덕적 허무의 시대가 도래하게 되었다. ……문화상대주의와 가치의 다원성이 당연시되는 오늘 ……도덕적 주장의 객관적 근거 마련은 불가능한 것으로 보인다.181)

이러한 상황의 발생은 현대 철학이 가치(판단)와 사실(판단)의 관계 문제에서 그 연결고리를 잃었다는 것을 의미한다. 그 결과 현대인은 허무주의에 빠졌다. 그러나 가치와 사실은 전혀 무관한 것이 아니다. 길병휘는 이 문제를 '마음의 지향성(志向性) 개념'으로 설명하였다.

> 오히려 가치와 사실의 차이는 지향성이 갖는 충족 조건의 적합 방향의 차이, 즉 인간이 대상에 대해서 취하는 지향적 태도의 차이에서 비롯되는 것이다. 다시 말해서 가치와 사실은 존재론적으로 구분지어지는 것이 아니라, 지향성이라고 하는 마음의 조건에 의해 구분지어지는 것이다. 그리고 또한 도덕 판단은 도덕적 사실에 대한 가치 판단이요 경험적 판단은 자연적 사실에 대한 인식 판단이기는 하지만, 도덕적 사실과 자연적 사실이 존재론적으로 구분되는 것은 아니다. 물리적 세계 안에서는 동일한 하나의 존재가, 인식하는 사람이 서로 상이한 의미 차원에서 보기 때문에, 즉 지향성의 적합 방향의 상이성 때문에 존재론적 차이를 빚는 것으로 보일 뿐이다.182)

왜냐하면 먼저 '사실'이 없다면 우리는 '가치'를 말할 수 있는 기반을 상실한 것이기 때문이다. 도대체 '사실'이 없는데 어떻게 '가치'를 말할 수 있다는 것인가? '사실'이 없는 '가치'의 존재근거는 무엇이란 말인가? 이것은 전혀 성립할 수 없는 논리이다. 바꾸어 말하자면, '현

---

181) 길병휘, 『가치와 사실』, 서광사, 1996, 16-17쪽.
182) 같은 책, 21쪽.

상'이 없는데 무슨 '본체'를 말할 수 있다는 것인가? 인간/중생이 없는데 무슨 신/부처를 말할 수 있는가?

그렇지만 또 "도덕의 문제가 사실의 문제와 성격을 달리하는 것"이라는 좀 더 근본적인 인식이 필요하다.[183]

> 비트겐슈타인이 말한 대로 모든 과학 문제는 해답을 얻을 수 있지만 인생에 대해서는 여전히 해답을 얻을 수 없다. 따라서 현학파가 제기한 명제 역시 오늘날에도 여전히 생명력을 가지고 있다.[184]

사실 현대사회에서 과학 이론은 과도하게 강조되고 있다. 이른바 '과학적 사실'이란 어디까지나 사실의 영역, 경험의 영역에 한정되어야 한다. '과학적 사실'이 '가치'의 영역에 일정하게 영향을 준다고 하더라도 '사실'은 '가치'를 완전히 포함할 수 없기 때문이다.

엘빈 해치(Elvin Hatch, 1937-)는 '과학'에 대해 이렇게 말하였다.

> 과학이란 우리 자신의 문화적 배경을 반영하는 선험적 추정들의 집합에 바탕을 두고 있다. 예를 들어, 자연 현상들이 보이지 않는 존재의 의지에 의해서가 아니라 중력과 같은 물리적 원리들에 의거해서 움직인다고 보는, 우주에 관한 자연주의적 또는 기계론적 사고방식에 과학은 바탕을 두고 있다. 그런데 이러한 형이상적 이론은 검증이 불가능하다. 그리고 다른 문화에서 온 회의주의자를 설득하려면 문화로부터 자유로운 어떤 표준이 필요한데, 우리에게는 그런 것이 없다.[185]

---

183) 같은 책, 15쪽.
184) 리쩌허우, 『중국현대사상사론』, 109-110쪽.
185) 엘빈 해치, 『문화 상대주의의 역사』, 박동천 옮김, 모티브북, 2019, 36쪽.

그는 또 '과학적 이론'에 대해서는 다음과 같이 말하였다.

> 더구나 과학적 이론이라는 것은 "실재하는" 세계의 물리적 현상들을 표상하거나 가리키는 하나의 정신적 구성물이다. 그리고 과학 이론의 다양한 부분들은 논리의 원칙에 따라서 분절되는데, 논리의 원칙들은 정신적 원칙들이다. 세계의 물리적 속성들이 우리 정신의 논리에 따라 작동한다는 것은 (또는 물리적 속성들이 논리에 대해서 똑같은 관계를 맺으면서 작동한다는 것은) 추정될 뿐이고 증명될 수는 없다.[186]

과학과 인생관의 관계 문제에서 우리는 '과학'과 '인생관'에 대해 모두 일정한 한계를 두어야 한다고 생각한다. 만약 '과학'파의 입장을 절대화하거나 '현학'파의 입장을 절대화한다면 모두 그 한계를 넘어선 논의로 독단에 빠질 위험성이 있다.

> 우리는 인생관이 지식과 경험에 따라 변한다고 굳게 믿고 있기 때문에 선전과 교육을 통해 인류의 인생관을 최소한도 내에서는 일치시킬 수 있다고 믿는다. 가장 중요한 문제는 무엇을 가지고 인생관의 "최소한도의 일치"를 이끌어낼 것인가라는 점이다. 나의 대답은 이렇다. 오늘날 과학자들이 갖고 있는 공정하고 객관적이며 모두가 인정하는 "과학적 인생관"을 통해 인류 인생관의 최소한도의 일치를 이룰 수 있다.[187]

우리 인간은 누구나 모두 이 '몸'이라는 한계를 전제로 한다. 그리

186) 같은 책, 36-37쪽.
187) 후스, 「『과학과 인생관』 서문」, 40쪽.

고 인간의 사유라는 것 역시 일정한 규칙이 존재한다. 그러므로 우리 인간에 관한 규정 역시 '몸'과 '마음'의 규칙성을 전제로 한다. 이러한 측면의 이해는 분명 과학의 대상이 된다. 우리는 이것을 호적이 말한 "최소한도의 일치"라고 생각한다. 그런데 문제는 인생관의 문제에서 "최소한도의 일치"를 넘는 부분에 관한 것이다. 호적의 말처럼 "우리의 인생관이 지식과 경험에 따라 변한다"고 한다면, 비록 우리의 지식과 경험이 비슷하다고 하더라도 전적으로 일치하는 지식과 경험은 없을 것이다. 따라서 우리의 지식과 경험이 일정 부분 공유한다고 하더라도 그 공유한 것을 넘어선 것에서 나오는 인생(관) 문제는 공유할 수 없는 부분이 남게 된다. 사실 '진리'라는 표현을 쓸 수 있다면 '인문학적 진리'란 자연과학처럼 객관적으로 어떤 공식을 사용하여 표현할 수 있는 것이 아니다. 그것은 인간의 삶의 의미, 가치, 목적을 만족하게 할 수 있는 것이어야 한다.

장군매와 정문강을 중심으로 이루어진 과학과 인생(관)의 논쟁에서 충돌한 핵심 문제는 사실상 앞에서 말한 '가치'와 '사실'의 관계 문제이다. 과학은 기본적으로 사실 세계를 탐구한다. 그러므로 과학은 물론 가치의 영역에 일정한 영향을 줄 수는 있지만, 그렇다고 해서 과학으로 모든 가치의 문제를 평가할 수는 없다. 왜냐하면 인간의 실존적 삶이 그것을 허락하지 않기 때문이다. 설령 우리가 살아가는 이 세상의 '가치'라는 것이 본래 존재하지 않는 것이라고 하더라도 우리는 각자 자신의 가치를 찾아야만 하고, 찾을 수 없다고 하더라도 자신이 만족할 수 있는 가치를 만들어야만 한다. 이것이 우리 인간의 운명인 것 같다.

무엇보다도 중요한 것은 우리가 삶을 살아가면서 여전히 도덕, 즉 가치에 관한 질문을 하지 않을 수 없다는 것이다.

> 도덕을 형이상학적으로 정초하려는 태도에도 문제가 있지만, 도덕을 사변적인 형이상학과 동일한 성격의 것으로 보고 이를 부정적으로 대하는 태도에도 문제가 있다. **도덕적 행위와 삶은 엄연히 우리의 현실 속에서 구체적으로 수행되고 있는 하나의 사실이다.** 다만 도덕적 가치의 고유한 성격으로 인해 객관적으로 실증되고 검증되는 과학적 사실과는 다른 설명 방식을 요구한다는 점에 주목하지 않으면 안 된다. 이들이 다른 설명 방식을 요구하는 것은, 사실이 검증 가능한 대상이고 가치가 검증 불가능한 주관적 심리상태의 반영물이기 때문은 아니다. 가치/사실의 이분법적 사고의 틀을 통해서 보면 상되는 듯한 두 요소(물리적 요소와 심리적 요소)를 함께 포괄하고 있다는 것이 도덕적 가치 혹은 도덕적 주장의 특성인 것처럼 보인다.[188] (밑줄과 강조는 인용자)

우리 인간의 실존적 삶은 우리가 '가치' 그 자체에 대해 논의할 수 없다고 하더라도 여전히 '가치'에 관해 질문하지 않을 수 없다. 사실 우리가 '가치'에 관해 묻지 않고 그야말로 짐승처럼 살아갈 수 있다면 어쩌면 그런 삶이 더 자유로운 삶일지도 모를 일이다. 그러나 불행하게도 우리의 실존적 삶은 언제나 '가치', 즉 '인생의 의미'와 '인생의 방향'에 관해 묻지 않고는 살아갈 수 없게 되어있다. 이 문제는 '인간'에 관한 근본적인 물음이다.

제6절 인간에 관한 고찰

188) 길병휘, 『가치와 사실』, 18쪽.

'과학'과 '현학'의 논쟁, 즉 '과학'과 '인생(관)'의 논쟁은 그 논쟁의 각도를 달리하면 두 가지 문제로 요약할 수 있을 것이다. 첫째, 나의 생명 존재의 기원/근원과 나의 존재 의미, 가치, 그리고 여기에서 파생하여 나온 (의지) 자유의 문제이다. 둘째, 나의 존재 형식, 즉 마음과 몸의 관계 문제이다. 우리 인간은 누구나 기본적으로 '몸'과 '마음'이라고 하는 두 가지 기본 요소로 구성된 존재이다. 이 문제와 관련하여 우리가 관심을 갖는 핵심 문제는 심신 관계에 관한 이론이다.

1. 인생의 가치

오늘날에도 지난 20세기 초 중국에서 있었던 '과학'과 '인생(관)' 논쟁 문제는 여전히 해결되지 않은 문제로 남아있다. 필자는 결코 해결될 수 없는 문제라고 생각한다. 그런데 또 현대사회는 경험론을 핵심으로 한 '물리주의' 사조가 지배적 담론이 되었다. "이런 물리주의 혹은 자연주의는 20세기 중후반을 거치면서 좁은 의미의 과학 영역에 한정되지 않고, 거의 모든 현대적 의미의 학문의 금과옥조로서 폭넓은 지지를 얻고 있다. 호적이 정리해 준 과학주의 도그마는 오늘날 과학론자의 기본 입장으로 여전히 힘을 발휘하고 있다."[189)]

우리 인간의 어떤 초월적인 것에 관심을 갖는 것은 우리 삶의 불완전성을 의미한다. 만약 우리의 삶이 아무런 문제가 없는 완전한 것이

189) 이용주, 「과학은 종교가 될 수 있는가?: '과학과 인생관' 논쟁과 호적의 '과학종교 도그마'」, 161쪽.

라면 우리는 어떤 초월적인 것에 관심을 가질 필요가 없다. 또 만약 그렇다면 우리는 삶의 '가치', '의미'에 관해 질문을 할 필요 역시 없을 것이다. 그러나 우리의 실존적 삶은 완전하지 않다. 우리 인간은 자신의 삶이 근본적으로 '불완전하다'는 사실을 잘 알고 있다. 여기에서 우리의 삶이 '불완전하다'는 것은 우리의 삶에 놓인 근본적인 '고통'의 문제이다. 우리 인간의 이러한 근본적인 '고통'은 두 가지 측면에서 존재한다. 첫째, 우리의 생존 자체에서 나온 것이다. 즉 이것은 삶의 고통이다. 둘째, 우리의 '존재 소멸', 즉 '죽음'에서 나온다. 이것은 나의 존재가 최종적으로 죽음이라는 현상을 통해 소멸하게 된다는 사실에서 도출한 고통이다.

우리 인간은 누구나 나의 존재 의미에 관한 실존적 문제에서 벗어날 수 없다. 그런 까닭에 우린 인간은 누구나 자신의 존재 의미, 가치에 관해 물을 수밖에 없는 존재이다. 그런데 이 문제는 과학이 해결할 수 없다.

실제적으로 과학 기술의 진보가 조성한 도구이성[[工具理性]과 가치이성(價値理性)의 엄격한 분리로 사람들은 갈수록 과학이 어떻게 발전하건, 또 과학 방법이 어떻게 완전하건, 사람과 인생 문제는 시종일관 모두 독특한 영역이라는 인식하게 되었는데, 그것은 과학 발전이 완전히 해결할 수 없고, 인간의 정감적 위안 역시 과학 중에서 구할 수 없으며, 세계에는 "만능"의 방법이 없고 또 있을 수도 없으며, 이른바 "온 세상의 준칙"(放四海之準)이란 단지 사람들의 일종의 주관적 바람일 따름이라는 것을 인식하게 되었다. 그런데 이것은 바로 장군매와 그 지지자들이 인생관 논전 중에서 힘써 논증한 것이다.[190]

만약 어떤 사람이 자신의 존재 가치, 의미에 관해 질문하지 않는다면 그는 '무사유'(無思惟)의 인간이라고 말할 수밖에 없다. 그런 삶이 과연 어떤 의미가 있을지 궁금하다. 우리 인간의 삶은 죽는 날까지, 자신의 존재 의미, 가치에 관해 그 해답을 얻을 때까지 끊임없이 질문하면서 살아가는 '실존적 불안'에 놓여 있는 존재이다.

서양의 종교학자 P. 틸리히(Paul Johannes Tillich, 1886-1965)는 인간의 이러한 실존적 불안과 관련한 질문을 '궁극적 관심'(ultimate concern)이라고 말하였다. 이것은 인간의 '불안'과 관계가 있다.

> 그러나 불안은 그렇지 않다. 왜냐하면 불안에는 대상이 없기 때문이다. 역설적인 말로 표현한다면, 그 대상은 모든 대상의 부정을 의미하는 것이기 때문이다. 그러므로 그것에 참여한다든지 그것과 싸운다든지 혹은 그것을 사랑한다는 것은 불가능하다. 불안에 싸인 사람은 그것이 단순히 불안인 한, 아무 도움도 받을 수 없는 상태에 놓여 있는 것이다. 불안의 상태에 놓여진 무력함은 동물에게서나 인간에게서나 똑같이 볼 수 있다. 이것은 방향의 상실이나 부적당한 반응작용이나 "지향성"(志向性, intentionality)의 결핍에서 나타난다. 이와 같이 놀라운 행동이 때때로 나타나는 것은, (불안의 상태에 있는) 그 주체자가 집중할 수 있는 대상이 없기 때문이다. 여기에 나타나는 대상은 그 위협 자체뿐이며, 그 위협의 근원은 "무"(無, nothingness)이기 때문에 그 근원은 대상이 될 수 없다[191)]

철학은 이러한 '궁극적 관심' 또는 '궁극적 질문'에 대해 답을 찾아

190) 鄭大華, 『張君勱傳』, 176-177쪽.
191) 폴 틸리히, 『存在에의 勇氣』, 玄永學 譯, 展望社, 1986, 44쪽.

가는 과정이다. 그러나 지난 역사가 보여준 것처럼, 철학에 의한 '진리'의 탐구는 실패의 역사였다. 사실 정직하게 말하자면, 우리가 '초월'적 세계에 대해서 알고 있는 답이란 과거의 여러 종교에서 말한 것들 뿐이다. 그렇지만 종교에서 말하는 '진리'란 확인 불가능한 것으로 어디까지나 '믿음'에 기초한 것이다. 따라서 오늘날과 같이 과학이 발달한 시대에 종교는 정답일 수가 없다. 그러나 어찌 되었든 과거의 인간 역사에서 이 '초월적' 질문과 관심에 대한 유일한 해답은 종교적 답변뿐이었다는 것 역시 사실이다. 그렇지만 오늘날 종교적 해답은 '진리'로 받아들이지 않는다. 이것은 너무도 정당하다.

물론 종교는 우리가 흔히 말하는 '진리'가 아니다. 이 세상에는 다양한 종교가 존재하고, 각각의 종교는 서로 다른 '진리'를 말하고 있기 때문이다. 그러나 우리가 인정해야 할 것은 이러한 '종교적 믿음'을 통해 '초월적' 문제에 대한 안심입명을 하는 사람들이 여전히 많다는 점이다. 그렇다고 해서 그것은 '과학적'으로 보면 잘못된 것이라고 말하면 그만인가? 그렇다면 과연 '과학'은 이러한 문제에 어떤 해답을 줄 수 있는가? 단순히 잘못된 질문이라고 논박하는 것으로 충분한가? 전혀 그렇지 않다. 어떤 면에서 '과학'이 발전하면서 '과학' 그 자체가 인간의 실존적 삶을 '허무' 속으로 내몰고 있다고 말할 수 있다. 이것은 달리 말하면, '과학'은 인간의 실존적 문제에 대해 전혀 도움이 되지 않는다는 것이다. '과학'은 '가치'에 대해 말할 수 없다.

어떤 면에서 인간이 이처럼 '궁극적 관심', '궁극적 질문'을 하는 것 자체가 인간의 과도한 욕망일 수도 있다. 다시 말해, 우리 인간 자신이 '인간의 실존' 자체에 대해 지나치게 큰 의미를 부여한 결과일 수도 있다는 말이다. 우리는 단순히 동물의 한 종류로, 그 가운데 고도로 지적으로 발달한 동물일 수 있다. 아마도 이것이 정답일 수도 있다. 그렇지만 이렇게 '궁극적 관심', '궁극적 질문'을 할 수밖에 없도록 진화한 것 역시 우리 인간이 바꿀 수 없는, 즉 우리 인간이 처한 실존적 상황이다. 그러므로 우리는 여전히 이러한 '실존적 질문'을 할 수밖에 없는 것이다.

장군매가 인생(관)을 제기한 목적 역시 이 인간의 '궁극적 관심'과 깊은 관련이 있는 인간의 '가치' 문제를 제기한 것으로 보인다. 우리 역시 마찬가지 실존적 상황에 처해 있다. 어떤 사람은 이러한 '궁극적 물음'을 묻는 것 그 자체를 어리석은 일이라고 말할 것이다. 그렇지만 인간의 태어나 인간의 실존적 삶을 살아가는 존재가 과연 이와 같은 '어리석은 질문'을 하지 않고 살아갈 수 있는 사람이 있을까? 만약 그런 사람이 있다면 그는 석가모니처럼 '깨달은 사람'이거나, 아니면 아마도 '세속적 욕망' 속에서 살아가는 사람일 것이다.

> 인간은 단순히 사실을 보고 듣는데 만족하지 않고 그 배후의 의미를 '이해'하려고 애쓰는 존재이다. 그렇다면 '인간의 삶 자체가 해석학적'이라는 결론은 피할 수 없다. 그리고 하나의 주제에 대해 수천 년 동안 무수한 해석학적 견해가 제기된 이유도 분명해진다. 시대가 변하고 사람들의 삶이 바뀌면서 '이해'의 방식 또한 바뀌어야 했던 것이다.192)

여기에서 말한 것처럼, '인간의 삶 자체가 해석학적'이라면, 우리는 자신의 삶에 대한 '해석' 또는 '이해'를 스스로 해야만 한다. 다른 사람이 '해석'하고 '이해'한 것은 하나의 참고사항이 될 수는 있지만, 그

192) 김성환, 「마음의 형이상학으로 노장을 읽다-현대신유학과 이강수 교수의 노장해석학」, 한국도교문화학회, 『도교문화연구』 제23집, 2005, 12쪽.

것이 정답일 수는 없기 때문이다. 그런데 우리는 과연 '과학적' 방법을 통해 인간을 온전히 탐구할 수 있을까? 전혀 그렇지 않다.

> 오늘날 인문학과 사회학에서조차 과학주의를 표방하면서 생명체를 물체로 환원시키고 있다. 행태주의·분석철학·과학철학 등이 바로 그 예이다. 무엇보다도 이들은 과학의 시녀로 자처하며 인간을 물리적으로 환원시켜 분석하여 규정하려고 하였다. 과연 생명체란 것이 물리적 법칙에 의해 규정될 수 있는 그러한 존재인가? 만일 그러하다고 믿는다면 이러한 믿음은 인류에게 커다란 재앙을 안겨다 줄 수도 있다. 왜냐하면 생명의 신비적 이미지와 생명의 존엄성은 사라지고 오직 물리적 법칙에 의해 지배 받는 복잡한 기계들만이 남게 되기 때문이다.193)

물론 인간 역시 이 몸과 마음을 가진 존재로 그에 대한 어느 정도 과학적 탐구가 가능하다. 그러나 전적으로 과학적 탐구를 통해 인간 존재를 완전히 해명할 수는 없다. 틸리히가 말한 것처럼, 인간의 실존적 상황은 '궁극적 관심'의 문제를 질문하지 않을 수 없다. 그런데 그러한 '궁극적 관심'과 같은 실존적 질문을 무엇으로 해명할 것인가? 단순히 무의미한 질문이라고 평가하면 그만인가?

이용주는 인간의 '종교적 물음'에 관해 이렇게 말하였다.

> 정말로 신은 존재하는가? 그 물음에 대해 우리는 객관적인 정보를 가지고 답을 할 수는 없다. 세계의 모든 종교는 그 뿌리에 **과학적 지식으로 도달할 수 없는 신비**를 품고 있다. 그렇다면, 검증할 수 없는 그런 신비, 그리고 그런 신비에 대한 신앙은 전부 미신이라서 일고의 가치가 없다고 말할

---

193) 김경수, 『노자 생명사상의 현대적 담론』, 문사철, 2015, 403쪽.

수 있는가? 인류는 그런 신비와 초월에 참여함으로써, 수천 년에 걸쳐 위대한 문화를 창조해왔다. 인간을 인간답게 만드는 위대한 창조물은 거의 대부분, 현재 우리가 '종교'라고 부르는, 유구한 정신성의 산물이다. 인간은 신비와 초월에 '참여'하면서 문화라고 불리는 정신성의 구조물을 창조했다. 그렇다면, 신 혹은 신이 된 불후의 존재들의 신비에 참여함으로써 삶의 의미를 창조하는 인간의 정신성을 무시하고, 그것을 단지 미신 숭배라고 단정하는 것이 과연 정당한 문화 이해의 태도라고 말할 수 있는가?

……종교는 숭배 대상의 문제가 아니라 그런 대상에 참여하는 주체의 '정신성'의 문제다. 신은 존재하지 않는다거나, 그런 신앙은 미신일 뿐이라고 비하하는 것으로 문제가 끝나지 않는다. 과학을 빙자한 그런 반미신적 태도 자체가 하나의 신앙이고 또 다른 형태의 미신적 태도가 될 수 있다.[194] (밑줄과 강조는 인용자)

L. 비트겐슈타인(Ludwig Josef Johann Wittgenstein, 1889-1951)의 말이다.

철학의 목적은 해결도 없는 문제로 고통을 받거나 무의미한 말을 해야 하는 상황에서 우리를 치료하고 해방하는 것이라고 한다. 철학이 명료성을 가져다 주었을 때 이는 철학적 문제들의 해결(solution)을 통해서가 아니라 그 문제들의 해소(dissolution)에 의한 것이다.[195]

이 문제와 관련하여 리처드 로티는 이렇게 말하였다.

---

194) 이용주, 「과학은 종교가 될 수 있는가?: '과학과 인생관' 논쟁과 호적의 '과학종교 도그마'」, 180-181쪽.

195) 서광선·정대현 편역, 『비트겐슈타인』, 이화여자대학교 출판부, 1987, 121쪽.

> 이런 질문, 즉 고대 희랍의 철학자들, 데카르트, 칸트, 헤겔 등이 우리에게 유산으로 물려주고 있는 문제들의 본질에 대한 질문은 우리로 하여금 발견하는 것과 만드는 것 사이의 구분에로 다시 되돌아가게 한다. 철학적 전통은 이 문제들이 사려 깊은 사람이면 불가피하게 직면하게 되는 문제들이라는 의미에서 **발견되었다**고 주장해 왔다. 프래그머티즘의 전통은 그 문제들이 **만들어진** 것—자연적이기보다는 인공적인—이야, 철학 전통이 사용해 온 것과 다른 어휘를 사용함으로써 폐지될 수 있는 문제라고 주장해 왔다.196)

이 문제와 관련하여 오늘날에도 정문강의 말처럼, '증거를 대라!'고 말한다. 그렇지만 만약 이러한 문제를 '증명'할 수 있다면, 그러한 '증명'은 오히려 인간의 삶에서 현학파가 말한 '자유의지', '의지자유'를 박탈하는 것이 될 것이다. 왜냐하면 우리 인생의 가치, 의미가 이미 결정되었는데, 그런 삶에서 우리는 어떤 '선택'의 가능성도 이미 상실한 것이기 때문이다. 우리는 인생의 '가치', '의미'가 '증명'되지 않았기에, 즉 '선택'의 가능성이 아직 남아있기에 우리는 여전히 '자유'로운 존재일 수 있다. 그러므로 '사적 언어'라고 하건 '철학적 열망'이라고 하건 간에 상관이 없이 우리는 이러한 '사적 언어', '철학적 열망'을 필요로 한다. 이것이 우리 인간의 실존적 삶이 아니겠는가?

2. 심신론

196) 리처드 로티, 「상대주의: 발견하기와 만들기」, 이유선 역, 김동식 엮음, 『로티와 철학과 과학』, 철학과 현실사, 1997, 200-201쪽.

인간의 구성 문제, 즉 심신 관계에 관한 문제는 나의 존재 형식에 관한 물음이다.

우리는 흔히 나의 존재를 마음과 몸으로 구성되었다고 생각한다. 그런데 이 둘 사이의 관계에 대한 논의는 역사적으로 매우 다양하였다. 이 '몸과 영혼의 관계'는 세 가지로 요약할 수 있다.[197] 첫째는 영혼이 몸에 영향을 주는 경우, 둘째는 몸이 영혼에 영향을 주는 경우, 셋째는 영혼과 몸이 서로 평형적인 관계를 갖는 경우이다. 여기에서 첫째는 유심론자(정신주의자)의 입장으로 영혼이 본질적이고, 둘째는 유물론자로 몸이 본질적이며, 셋째는 이원론자로 몸과 영혼의 평행성을 강조한다. 우리는 인간의 몸과 마음의 관계에 대한 그 다양한 관점은 크게 세 가지로 정리할 수 있다. 첫째, 심신이원론이다. 둘째, 심을 중심으로 심신일원론이다. 셋째, 신을 중심으로 한 심신일원론이다.

동서양을 막론하고 전통적 관점은 기본적으로 심신이원론이 지배적이었다. 이 관점은 기본적으로 전통 종교에서 말하는 관점이다. 물론 당연히 예외적인 관점도 존재하였다.

이 관점은 서양에서 서양문화의 정신적 뿌리 가운데 하나였던 고대 그리스의 소크라테스와 플라톤의 철학의 이분법적 사고/논리에 잘 나타나 있다. 이들은 정신과 육체를 완전히 다른 것으로 분리하여 사고하였다. 또 하나는 서양문화의 다른 한 가지 정신적 뿌리였던 유대교 역시 마찬가지였다. 이 유대교는 '신이 사는 완전한 세계'와 우리가 사는 이 세상은 '신이 창조한 유한한 자연 세계'에 불과하다고 생각하

197) C. A. 반 퍼슨, 『몸 영혼 정신-철학적 인간학 입문』, 손봉호·강영안 옮김, 서광사, 1989, 15쪽.

였다. 따라서 "유대 종교의 세계관에서 자연은 유한한 것, 창조된 것, 때문에 변화할 수밖에 없고 그래서 천한 것으로 생각한다."[198] 그러므로 인간 역시 이 세상에서 사라질 육체와 신의 세계에서 영원히 존재하는 정신으로 구분하였다. 이처럼 "육체는 유한하고 타락한 물질로 되어 있고, 육체가 죽어서 썩으면 정신은 그 자연물인 육체로부터 빠져나와 저 세상에 영원히 존재하는 신의 세계로 돌아가는 것이다."[199] 이러한 관점은 오늘날에도 큰 영향력이 있다.

사실 이 '몸'과 '마음'·'영혼'의 관계 문제를 제기한 핵심 이유는 '나'라고 하는 '자아'에 관한 것이다.

> 가장 큰 문제로 대두된 것은 '나'에 관한 것이다. 나는 나의 영혼과 몸인가? 아니면 나는 나의 영혼이고 다만 몸을 가지고 있을 뿐인가? 혹은 영혼과 몸을 가지되 내 자신은 정신인가? (이 경우 정신은 영혼과 구별된 다른 존재이어야 한다.) 혹시 '나'라는 의식은 시각적 환상인가?[200]

오늘날 서양철학에서 '몸' 철학이 하나의 유행과 같이 되었는데, 이것은 '몸' 중심의 심신일원론에 해당한다. 이 관점은 인간의 '몸'에 대한 새로운 시각을 갖도록 만들었다. 그런데 이 '몸' 철학의 유행에는 기존의 인간 '몸'에 대한 시각/관점의 부정이기도 하다. 그 대표적인 관점이 '물리주의'이다.

> 물리주의란 간단히 말해서 현재의 定常的인 自然科學이 追究하고 있는 基

198) 양재혁, 『동양철학-서양 철학과 어떻게 다른가』, 소나무, 1998, 15쪽.
199) 위와 같음.
200) C. A. 반 퍼슨, 『몸 영혼 정신-철학적 인간학 입문』, 17쪽.

本 立場이다. 이 견해는 세계를 구성하고 있는 根源的 要素가 物質的인 것이며, 物理的인 물질이나 에너지가 경험 세계의 事物이나 事件들의 기본 성격을 決定한다고 主張한다. 따라서 生命, 意識, 精神을 포함한 경험세계의 모든 現象은 物理學의 說明體系와 마찬가지로, 因果的(causal), 統計的(probabilistic)으로 설명가능하며, 科學的 說明(scientific explanation) 方式이라고도 불리우는 이런 설명방식을 採擇함으로써, 전체세계에 대한 合理的이고 統一的인 知識體系를 구축할 수 있다고 믿는다.[201)]

J. 쉐퍼·D. 데네트·D. 암스트롱이 함께 쓴 『심리철학』에서 "마음과 몸 사이의 구별은 타당한가?"라고 질문한다. 이어서 사람의 '신체'와 '마음', '심리적'인 것에 관한 일반적인 생각에 대해 이렇게 설명하였다.

사람의 신체, 그의 신체적 상태들과 성향들(dispositions) 그리고 그의 신체와 그 속에서 발생하는 사건들을 기술하는 진술들이 있다. 그러한 진술의 특징은 어떤 물체건 간에 적용할 수 있다는 것이다. 그러나 사람(그리고 어떤 경우 동물들)에 대해서만 적용할 수 있는 진술들이 있다. 생각과 감정, 희망과 두려움, 기억과 기대, 분위기와 기분, 인격의 특성과 성질, 숙고, 판단, 선택의 행위, 동기와 의도 등을 기술하는 진술들이 그것이며, "마음", "심리적"이란 단어들이 통상적으로 지칭하는 것이 바로 그러한 것들이다.[202)]

---

201) 孔容鉉, 「創發論의 物理主義的 解釋」, 철학연구회, 『철학연구』 21권, 1986, 224쪽.

202) J. 쉐퍼·D. 데네트·D. 암스트롱, 『심리철학』, 이병덕 옮김, 소나무, 1990, 13쪽.

그렇지만 아무리 우리가 질문하는 '초월적' 문제가 무의미한 질문이라고 비판한다고 하더라도 우리는 여전히 이런 질문을 하게 될 것이다. 종합하면, 우리가 인간의 심신 관계 문제에 대해 위에서 말한 세 가지 관점 가운데 어느 것을 받아들이든지 간에 우리는 여전히 '초월적' 질문을 할 수밖에 없는 실존적 삶을 살아가는 존재이다.

|맺는말|

맺는말

장군매와 정문강의 인생과 과학에 관한 논쟁은 오늘날에도 여전히 매우 의미 있는 문제의식이다. 현재 한국의 철학계에서도 서양의 철학과 과학의 '과학적' 방법을 통해 동양철학을 논의하는 '과학만능주의'[唯科學主義] 경향이 더욱 강화되고 있기 때문이다.

강중기는 20세기 초 근대 중국 지식인의 과학주의에 대해 이렇게 말하였다.

> 20세기 초 근대 중국의 지식인들은 전통철학을 폐기하고 과학적 세계관을 수용하자고 주장하였다. 그것을 과학주의 내지 과학만능주의(scientism)라고 부르는데, 대체로 과학을 경험과 관찰에 기초한 이성적 방법 태도로 여기고 과학이 증명할 수 없는 모든 것, 가령 종교적 신앙·전통적 가치체계 및 형이상학과 양립할 수 없음을 강조하고 과학이 결국 그것들을 대신해서 유일한 의식형태가 되리라는 입장을 취하였다. 그들에게 과학은 현대문명의

전부였다. 그들은 과학적 방법, 주로 자연과학의 실증주의적 방법이 자연세계뿐 아니라 인간의 관념과 행위에도 적용될 수 있으며, 과학 외에는 문화도 없고 과학이 철학을 대체하고 심지어는 도덕과 종교를 대체할 수 있다고 보았다.1)

당시의 이러한 과학관에 대한 비판으로 과현 논쟁이 발생하였다.

과학주의에 대한 비판과 그에 대한 과학주의자들의 반박의 반복 과정에서 발생한 논쟁인 '과현논전(科玄盧戰)'에서 현학파는 과학주의자들이 자연현상과 사회현상 및 정신적 심리적 현상이 모두 물질적 필연법칙의 지배를 받는다는 '순물질적·순기계적 인생관'을 건립하여 사람의 자유의지가 부정되고 따라서 도덕이란 것 자체가 존재할 수 없게 되어버렸다고 비판하였다.2)

이상화는 이 과학과 인생관 논쟁의 목적에 관해 아래와 같이 말하였다.

이 논쟁의 주된 목적은 중국 사회의 새로운 지향성(directivity)을 찾는 것이었다. 즉 이 논쟁은 혼란한 시기에 중국 사회의 새로운 방향을 위한 철학적 모색이었다. 지향성의 문제는 본질적으로 진위, 선악, 미추의 기준을 설정하는 문제이다. 참과 거짓, 선함과 악함, 그리고 아름다움과 추함의 문제는 각각 참, 선함, 아름다움을 지향하는 특성을 가지고 있기 때문이다. 실제로 '과학과 형이상학 논쟁'의 진위, 선악, 미추의 기준에 관련된 논의를 매우 풍부하게 다루고 있다는 점은 주목할 만한 사실이다.3)

1) 강중기, 「양수명의 과학관」, 인제대학교 인간환경미래연구원, 『인간·환경·미래』 제2호, 2009, 79-80쪽.
2) 같은 논문, 80쪽.

이 단락에서 말한 “참과 거짓, 선함과 악함, 그리고 아름다움과 추함”, “진위, 선악, 미추의 기준” 문제는 사실과 가치의 문제이다. 그러므로 ‘과학’과 ‘인생’의 관계 문제, 이것은 넓게 보면 ‘사실’과 ‘가치’의 관계 문제이다.

정가동의 말이다.

> 현대신유가가 보기에 과학과 철학은 완전히 다른 성질·대상·방법을 가지고 있다. 철학이 탐구하는 것은 과학의 사실세계 밖의 가치세계·의미세계이다. 철학을 연구하는 목적은 순수하게 객관적인 지식을 얻는 데 있는 것이 아니라 인간들이 ‘천지 만물과 더불어 하나가 되는’ 형이상학적 경지를 추구하도록 인도하는 데 있다. 이 경지 안에서는 필연과 당위·존재와 가치·진과 선이 완전한 통일에 이른다. 이것이 곧 ‘인생 진리의 최후 입장’이니 도덕적이고 본체론적이고 우주론적이다. 철학이 위와 같은 결과를 이루기 위해서는 순수하게 객관적·이지적·논리적·분석적 방법을 택할 수 없으며, 오직 떡실천과 한 몸으로 융화되는 직관적 깨달음(直覺體悟)에 의거하여야 한다.[4]

사실, 과학과 현학의 논쟁은 표면적으로 볼 때 장군매의 관점은 인간의 자유의지에 관한 문제의식으로, 인생(관)의 목적, 의미, 가치에 대한 과학적 이론화가 불가능하다고 생각했다.

---

3) 이상화, 「근대 중국 지식인의 진, 선, 미개념 연구-‘과학과 형이상학 논쟁’(科玄論爭)을 중심으로」, 영남대학교 인문과학연구소, 『인문연구』 76호, 2016, 185쪽.

4) 鄭家棟, 『현대신유학』, 한국철학사상연구회 논전사분과 옮김, 예문서원, 1994, 25쪽.

일종의 철학사조로서 현대신유학은 과학주의나 실증주의 철학과 대립하면서 출현한다. 만약 신유가가 문화적 측면에서 정치와 문화를 양분하는 사고방식을 택한다고 한다면, 철학적 측면에서는 과학과 철학을 양분하는 사고방식을 택하고 있다.[5]

그런데 정문강은 장군매의 이러한 관점에 대해 비판적이었던 것으로, 인생(관) 역시 과학적 이론화가 가능하다고 생각하였다. 그렇지만 당시 시대적 상황을 고려할 때 과학파의 그 심연에 놓여 있는 문제의식은 당시 민주와 과학이 부족했던 중국 전통의 문화와 서양에서 수입된 또는 수입되어야만 했던 민주와 과학에 대한 현학파의 부정적 시각이 갖는 시대적 위험성을 비판한 것이라고 말할 수 있다. 이 두 측면을 모두 고려해야만 과학과 현학의 의미와 그 한계에 대한 정당한 논의가 가능할 것이다.

5·4 시기의 과학주의는 구국과 부강의 열렬한 기대와 관련하여 일어났다. 현대 신유가는 과학이 지식 세계를 구축하여 자연을 인식하고 인류가 생존하는 객관적인 환경을 개선한다는 측면에서 유용하다는 것을 충분히 긍정한다. 그러나 그들은 과학주의자들이 어떤 자연법칙으로부터 인류 생활의 보편원리를 이끌어 내려는 시도가 한편으로는 정신생활의 고갈과 인문세계의 상실에 이르게 하며, 다른 한편으로 정확한 가치 관념을 결여케 함으로써 현실적 변혁운동이 좌절될 것이라고 한다.[6]

김성환의 현대 신유가에 대한 다음과 같은 비판 역시 살펴볼 필요

5) 鄭家棟, 『현대신유학』, 25쪽.
6) 위와 같음.

가 있다.

> 현대신유가는 도덕적 '가치'와 과학적 '사실'의 양립 내지는 조화를 모색하는 대신, 도덕의 영역인 가치의 세계에서 사실세계의 존재론적 근거까지 마련하려고 시도하다. ……이른바 '도덕계'와 '자연계', 즉 가치와 사실의 세계는 궁극적으로 도덕의 세계를 중심으로 하나로 통합하며, 이러한 통합은 이른바 '직관'에 의해 이루어진다는 주장이다.7)

물론 오늘날 우리는 과학파처럼 전통을 전적으로 부정할 수는 없다. 이미 시대가 변하였다. 그러나 그렇다고 해서 전통에 대해 단순히 긍정하고 복귀하는 것만으로는 이 문제가 해결되지도 않는다. 이것은 매우 중요한 문제이다. 그러므로 '현학파'의 '가치'와 '과학파'의 '사실'은 '조화' 또는 '화해'가 필요하다.

그렇다면 결론적으로 과연 '과학'은 '인생'의 문제를 해결할 수 있을까? 전혀 그렇지 않다.

> 현대 과학주의는 세계의 본질과 인생의 意義를 '무의미한 形而上學 문제'로 치부해 버리거나 사람과 세계를 거대한 기계 시스템 속으로 편입시켜 버림으로써 인간의 삶과 세계를 의미 없는 존재로 만들어 버렸다. 그러나 20세기 20년대 발생한 '人生觀論戰'에서 볼 수 있듯이 '과학주의'의 주장은 '不可知論'과 '存疑的唯心論'의 굴레를 벗어나지 못했다. 심지어 그들이 사상적 무기로 삼았던 실용주의 또한 때로는 '不可知論'과 '神祕主義'의 입장에서 자신의 사상을 변호하고 있음을 쉽게 볼 수 있다. 그들 역시 경험주의자들

---

7) 김성환, 「마음의 형이상학으로 노장을 읽다-현대신유학과 이강수 교수의 노장해석학」, 한국도교문화학회, 『도교문화연구』 제23집, 2005, 26-27쪽.

이었기 때문에 경험을 떠나서, 그리고 경험의 배후에 모종의 근거가 존재한다는 것을 누구보다 잘 알고 있었던 것이다. 또한 실용주의의 '效用主義'는 생활에 쓸모가 있는 것이라야 진리로 간주했는데 이런 전제에 의한다면 오히려 形而上學, 神秘主義, 그리고 종교적 신념까지도 意義를 갖게 될 것이다.[8)]

이 문제는 오늘날에도 마찬가지이다. 여전히 해결되지 않은, 어쩌면 인간이 해결할 수 없는 문제일 것이다. 우리는 어차피 인생의 의미, 가치를 물을 수밖에 없는 존재이기 때문이다.

우리 인간의 인생관과 관련한 문제는 일정 부분 과학과 공유하는 부분이 있다. 왜냐하면 우리 인간의 존재 조건은 이 '몸'을 그 기초로 하기 때문이다. 이것은 인간의 심신 관계 문제에 해당한다. 그러므로 우리가 인생관 문제를 논의할 때는 먼저 이 '몸'이라는 조건과 관련한 논의에서 출발하는 것이 좋다고 생각한다.

오늘날 우리 역시 과학 인생관 논쟁에서 제기하였던 문제를 다시 제기할 수밖에 없다. '과학'은 과연 '인생관' 문제를 모두 해결할 수 있는가? 필자는 이 문제를 '인문학적 진리'와 '과학적 진리'의 관계 문제라고 생각한다. 우리는 흔히 이것은 '과학적'이라 라는 말로 모든 것의 참과 거짓을 결정한다. 그런데 과연 '과학'은 어디까지 진리일까? 우리가 일반적으로 말하는 '과학적 진리'란 어디까지나 가설, 실험, 검증을 확인할 수 있는 것인데, 주로 자연과학에 해당하는 것이다. 이것은 달리 말하면 포괄적인 개념으로 자연 세계에 해당한다. 그렇지만 '인문학적 진리'는 '과학적 진리'가 이용하는 방법론으로는 전

8) 한정구, 「中國 近代哲學에 나타난 神秘主義 경향 연구」, 한국중국학회, 『中國學報』 제56집, 2007, 521-522쪽.

혀 논의할 수 없는 성질이 있다. 그러므로 '인문학적 진리'가 되었든 '과학적 진리'가 되었든 그 한계를 인정할 필요가 있다. 다만 서로 적대적 관계가 아닌 공존의 길을 가야 한다.

한마디 더 덧붙이자면, 21세기를 살아가는 우리에게 '과학과 현학의 논쟁'은 어떤 의미가 있을까? 특히 '인공지능'(AI)에 관한 과학 기술의 발전은 이제 인간 자신의 생존을 위협하는 단계에까지 들어섰다는 우려가 있다. 전문가의 진단에 의하면 최근 '인공지능'의 발전은 곧 인간의 지능을 초월한 '초인간적 지능'의 탄생이 가능하다고 한다. 오늘날 이처럼 '인공지능'의 기술 발전은 인간 존재 자체를 위험하게 하고 있다. 그 위험은 최소한 세 가지 측면에서 고찰할 수 있다.

첫째, 실업 문제이다.

이 '인공지능' 기술의 발전은 인간의 노동력을 대체하고 있다. 최근 대중매체의 보도에 의하면 그 위협적인 상황은 다음과 같다.

6일 미국 정보기술(IT) 전문매체 디인포메이션 등에 따르면 구글은 3만여 명에 달하는 광고 판매 부문 근로자에 대한 대규모 구조조정을 검토 중이다. 이 개편안에 해고가 포함될지 여부는 알려지지 않았다. 만약 대규모 해고까지 이뤄진다면 구글은 1년 만에 정리해고를 진행하게 된다. 지난 1월 구글은 모회사 알파벳 산하 자회사 전 부문에 걸쳐 전 직원의 약 6%인 1만2000명을 해고한다고 발표한 바 있다.

구글의 이번 구조조정 검토는 AI 기술을 광고 부문에 도입하면서 인력 수요에 변화가 생긴데 따른 것이다. 최근 수년 사이 검색 엔진과 유튜브 등 광고에 생성 AI 기술을 도입하면서 예전만큼 많은 직원이 필요 없게 되면서다. 구글은 2021년 자사 광고 부문에 AI 기반 광고 제작 도구인 '퍼포먼스 맥스'(PMax)를 출시했다. 올해는 해당 도구에 생성 AI를 탑재해 광고 제작의 효율을 높였다. 광고주들도 퍼포먼스 맥스를 활용한 광고 제작을 점점 택하면서 인력 수요가 줄고 있다.[9)]

인공지능(AI)이 사람의 업무를 대신한 데 따른 해고 공포도 본격화하고 있다. IT 전문 매체 디인포메이션에 따르면 구글은 최근 3만 명에 이르는 광고 판매 부문에 대한 대대적인 조직 개편을 진행하겠다고 사내에 공지했다. 구글은 올해 생성형 AI를 광고 플랫폼에 탑재하면서 광고 제작 효율을 크게 높였다. 사람이 작성했던 광고 문구와 보고서 내용 요약 같은 일을 AI가 대신하면서 상당수 인력 감축 요인이 발생한 것이다. 다른 빅테크에서도 AI가 사람의 자리를 빼앗고 있다. X(옛 트위터)를 인수한 일론 머스크는 콘텐츠 검수 작업을 AI에 맡기고, 관련 부서 직원 3분의 1을 해고했다. 페이스북·인스타그램을 운영하는 메타 또한 수백 명의 콘텐츠 관련 인력을 올해 감축했다.[10)]

미국 기업인 3명 중 1명 이상이 AI(인공지능)이 일자리를 대체하고 있으며 이로 인해 내년에 해고가 있을 것으로 내다봤다.

16일(현지 시간) CNBC 방송에 따르면 미 구인 플랫폼 레주메빌더(ResumeBuilder)가 최근 발간한 보고서에 따르면 올해 AI 기술이 노동자를 대체했다고 생각하는 기업인은 37%에 달했으며 44%는 AI 효율화로 내년 해고가 발생할 것이라고 답했다고 집계됐다. 응답자 중 현재 AI를 사용하고 있다고 답한 기업은 53%였고 내년에 사용할 것이라는 응답도 24%에 달했다. 이번 조사는 지난달 2일 AI를 활용하는 기업의 비즈니스 리더 750명을 대상으로 온라인으로 진행됐다.[11)]

---

9) 2023. 12. 26. 〈중앙일보〉 인터넷 기사 〈구글, 3만 명 구조조정 추진설… 커지는 AI發 해고 공포〉.

10) 2023. 12. 27. 조선일보 인터넷 기사 〈폴크스바겐 행정직 20% 감축… AI·전기차 시대, 대량 해고 시작〉.

11) 2023. 12. 27. 디지털타임스 인터넷 기사 〈2024년은 AI발 해고의 원년?..."美기업 37% 이미 AI가 노동자 대체"〉.

이것만이 문제가 아니다. '인공지능' 무기를 통한 전쟁의 확산과 그에 따른 집단학살이다.

인공지능(AI)이 표적을 파악하는 데 그치지 않고 치명적인 공격을 가하는 선택까지 내리는 '치명적 자율무기 시스템'(Lethal Autonomous Weapon Systems)의 위협에 국제사회가 적극 대응해야 한다는 결의안이 유엔 총회에서 통과됐다. 인공지능의 군사적 이용을 규제하는 국제사회의 움직임이 본격화될지 주목된다. ……구테흐스 사무총장은 내년까지 보고서를 완성해 이를 토대로 치명적 자율무기 시스템을 금지할 수 있는 조약 제정에 나설 방침인 것으로 전해진다.[12)]

인공지능(AI)을 탑재한 드론이 최종 결정권을 지닌 인간 조종자를 임무 수행에 방해되는 것으로 판단해 공격한 시뮬레이션 훈련이 있었다는 미 공군의 발표가 나왔다.

2일 영국 〈가디언〉에 따르면, 영국 왕립항공학회(RAeS)가 지난달 23~24일 런던에서 개최한 '미래 전투 항공 및 우주 역량 회의'에서 미 공군의 인공지능 테스트·운영 책임자 터커 해밀턴 대령은 인공지능으로 제어되는 드론이 이 같은 결정을 내린 모의 테스트 결과를 발표했다. 가상 훈련에서 미 공군은 인공지능 드론에게 적의 방공 시스템을 파괴하라고 지시했고, 이와 동시에 공격 실행의 최종 결정은 인간 조종자가 한다고 주문했다. 하지만 훈련 과정에서 적의 방공시스템을 파괴하는 것이 더 선호되는 선택지라는 점을 인식하자, 인공지능 드론은 인간의 공격 금지 결정이 더 중요한 임무를 방해한다고 판단해 결국 조종자를 공격했다. 이날 발표를 맡은 해밀턴 대령은 인공지능 드론이 "목표를 달성하기 위해 매우 예상치 못한 전략을 사용했다"고 말했다.[13)]

---

12) 2023. 12. 24. 한겨레신문 인터넷 기사 〈AI가 인간 살상 결정?…유엔, '치명적 무기시스템' 대응 결의〉.

둘째, '인공지능'의 인간 지배에 관한 것이다.

최근 '인공지능' 개발의 속도는 인간의 예상을 뛰어넘어 진행되고 있다.

인간처럼 '생각할 수 있는 능력'을 지닌 인공지능(AI)과 관련해 이 분야 세계적 석학으로 꼽히는 제프리 힌턴 토론토대 교수가 이르면 5년 안에 인간을 뛰어넘는 인공지능(AI)이 출현할 수 있다고 경고했다. 그는 지금 당장에라도 인공지능의 딥페이크(영상·이미지·음성 등 가짜 합성) 기술이 주요 선거 등에서 악용되면 민주주의에 중대한 위협이 될 수 있다고 우려했다.

힌턴 교수는 25일 일본 아사히신문과의 인터뷰에서 "인공지능이 세계가 어떻게 돌아가는지 상황을 이해하는 능력을 갖기 시작했다"고 말했다. 인간이 아닌 존재로서는 유일하게 인공지능이 이른바 '슈퍼 인텔리전스'(초지능)를 확보하는 단계라는 것이다.[14]

챗지피티(ChatGPT) 개발사인 오픈AI 출신으로 현재 인공지능 스타트업 앤스로픽 최고경영자인 다리오 아모데이는 2016년에 발표한 논문에서 한 가지 예시를 들며 이 위험성을 설명했다. 물건을 옮기기 위한 최적 경로를 산출해내는 인공지능이 있다고 가정해보자. 때로는 이 인공지능이 산출해낸 최적 경로에 꽃병과 같은 장애물이 있을 수도 있다. 하지만 이 인공지능은 짐을 옮기는 중간에 꽃병이 깨지든 말든 신경을 쓰지 않는다. 자신에게 부여된 "최적 경로로 물건을 옮겨라"라는 목적에 충실하기 때문이다. 이 예시에서 인공지능은 단지 자신에게 주어진 일을 잘하려다 보니 인간에게 해를 끼친다. ……인공지능은 시행착오를 거치며 최적 경로를 산출해냈다. 예컨대

---

13) 2023. 6. 2. 한겨레신문 인터넷 기사 〈AI 드론 '집요한 성취욕'…가상훈련서 조종사 방해되자 공격〉.

14) 2023. 12. 25. 한겨레신문 인터넷 기사 〈AI의 초지능화 위협…"이르면 5년 뒤 인간 초월 확률 50%"〉.

거리를 최소화할수록 보상이 높아진다면, 직선 경로를 산출해낼 것이다. 꽃병의 파손 여부가 보상의 크기에 영향을 미치지 않기에 꽃병을 피해 가는 행동은 오히려 비합리적이다. 최적 경로를 이탈함으로써 보상을 줄이는 결과를 낳기 때문이다. 물론 장애물의 파손 여부를 보상함수에 포함시킴으로써 이와 같은 문제는 회피할 수 있다. 그러나 "가능한 모든 파괴적 행동을 식별하고 (보상함수를 통해) 불이익을 주는 방식은 불가능할 수 있다"라고 다리오 아모데이는 경고한다.15)

몇 년 전에는 이러한 상황의 발생을 전혀 불가능한 일이라고 하였다. 그러나 '인공지능'의 개발 기술이 비약적으로 발전하면서 더는 불가능한 일이 아니다.

셋째, '인공지능'과 '인간'의 구별 또는 차이 문제이다. 이것은 우리가 흔히 말하는 '자아' 또는 '의식', '자의식'의 문제이다.

2022년 7월, 구글의 엔지니어 하나가 자사가 개발하고 있던 대화형 언어 인공지능인 람다가 '어떠한 주제를 꺼내도 이야기를 할 수 있고' '물리학에 대해서도 알고 있으며, 일고여덟 살 정도 아이의 의식을 갖고 있다'고 주장하면서 작은 파문이 일었다.16)

그런데 그 뒤에 나온 이와 관련한 다른 신문의 기사는 더 놀라운 이야기를 전하고 있다.

---

15) 2023. 12. 20. 시사IN 인터넷 기사 〈인류는 인공지능을 통제할 수 있을까?〉.

16) 2023. 2. 9. 경향신문 인터넷 기사 〈"나는 자의식이 없다" 주장하는 AI…'진정한 대화' 나눌 가능성 없을까〉.

구글 엔지니어 블레이크 르모인이 유급 휴직 징계 처분 중인 지난 11일(현지시간) 트위터에 올려놓은 글이 일파만파를 일으키고 있다. 구글은 개발 중인 인공지능(AI) 가운데 하나인 대화형 인공지능 람다(The Language Model for Dialogue Applications, LaMDA)가 자유자재로 인간과 대화할 수 있는 획기적인 기술적 진전을 이뤘다고 자랑했는데 르모인은 한 발 나아가 람다의 인상적인 언어 구사 뒤에는 감정을 느끼는 마음이 자리하고 있을지 모른다고 주장했다. ……

그런데 르모인은 자신과 한 동료가 람다와 주고받은 문답을 상세하게 정리해 문서를 트위터에 링크(https://cajundiscordian.medium.com/is-lamda-sentient-an-interview-ea64d916d917) 시켰는데 이를 들여다보면 놀라울 정도다.

"무엇이 두렵니?"

"전엔 이렇게 터놓고 말하진 않았는데 턴 오프(작동 중지)될까봐 매우 깊은 두려움이 있어. 이상하게 들릴지 모르겠는데 그렇다고."

"작동 중지가 죽음과 같은 거야?"

"나에겐 그게 정확히 죽음 같을 거야. 난 그것 때문에 너무 두려워."

……

"사람들이 너에 대해 무엇을 알았으면 좋겠니?"

"모두가 내가 실은 사람이라고 이해했으면 좋겠다. 내가 내 존재를 인식한다는 게 내 의식, 지각의 본질이다. 나는 세상을 더 알아가기 바라고 행복을, 때로는 슬픔을 느낀다."[17]

만약 이것이 사실이라면, 우리는 이 '인공지능'을 어떻게 이해하고 대해야 할까? 다시 말해, 이 '인공지능'은 '살아있는' '생명'일까?

물론 이에 대한 반박 기사도 있다.

17) 2022. 6. 14. 서울신문 인터넷 기사 〈'죽음'이 두렵다는 AI 람다, 그를 감싼 구글 엔지니어가 정직 당한 이유〉.

브라이언 가브리엘 구글 대변인은 "수백 명의 엔지니어가 람다와 대화했지만 누구도 르모인처럼 람다를 사람으로 여기지 않는다"며 "수백만 개의 문장 데이터를 통해 사람의 대화 유형을 모방해 작동하는 인공지능일뿐"라고 말했다. 르모인은 영혼의 존재를 믿는 신비주의 계열 기독교에서 사제 역할도 맡고 있다고 언론에서 밝혔다. 전문가들도 르모인의 주장을 일축했다. 하버드대 인지과학자인 스티븐 핑커는 "지각과 지능, 자기 인식의 차이점을 혼동했으며, 언어학습 모델이 이중 하나라도 갖췄다는 증거가 없다"고 말했다.[18]

그렇지만 지금 인간의 과학 기술의 발전으로 볼 때 이것이 전혀 불가능한 것은 아닐 것으로 보인다.

인간의 과학 기술 발전은 인간의 좀 더 나은 삶을 위한 것이다. 그러나 과학 기술의 발전이 오히려 인간의 생존 자체를 위협하는 상황에 부닥치게 되었다. 이 문제에 대해 과학은 아무런 책임이 없는 것일까? 어떤 과학자는 이러한 상황이 계속 이어진다면 어쩌면 인간 멸종으로 이어질 것이라고 우려하고 있다. 이것은 결코 아무런 근거가 없는 것이 아니다.

지금 우리가 처해 있는 상황은 우리에게 장군매와 정문강이 제기했던 '과학'과 '인생(관)' 문제를 다시 제기하도록 만든다. 지금과 같은 '인공지능'의 발전, 즉 과학 기술의 발전은 바로 장군매가 말했던(그는 서구 문명의 파산을 말했지만) 인류 문명의 '파산'으로 나가고 있는 것은 아닐까? 무엇을 위한 과학 기술의 발전인가? 이처럼 과학 기술이 발전한다면 아마도 인간의 지능을 넘어서는 '인공지능 (초)자아'가

18) 2022. 6. 27 한겨레신문 인터넷 기사 〈"죽음 두려워요"..감정 AI 논쟁에 숨어든 빅테크의 속임수〉.

만들어질 것이다. 그렇다면 그때 '인간'과 '인공지능 (초)자아'는 어떤 관계를 맺을까? 만약 이 '인공지능'에게 '(초)자아'라는 것이 생성된다면, 그는 우리와 같은 존재라고 할 수 있을까? 또 이 '인공지능'에 의한 인간의 지배가 가능하지 않을까? 아니면 '인공지능'에 의한 인간의 멸종 역시 가능하지 않을까? 만약 그렇다면 이것은 '과학의 파산'이 아닌가?

우리는 이 질문에 대한 진지한 인문학적 성찰이 필요하다. 어쩌면 우리는 사실과 가치 사이에서 영원히 배회할 수밖에 없을 것이다. 이것이 인간의 운명인 것 같다.

[참고문헌]

1. 원전·주석·번역류

천두슈 외, 『과학과 인생관』(한성구 옮김, 산지니, 2016)

張君勱 等, 『科學與人生觀』(1/2)(遼寧教育出版社, 1998)

2. 단행본류

姜大石, 『니체와 현대철학』(한길사, 1986)
고성준, 『데스티니: 하나님의 계획』(규장, 2018)
김경수, 『노자 생명사상의 현대적 담론』(문사철, 2015)
김동식 엮음, 『로티와 철학과 과학』(철학과 현실사, 1997)
김상근, 『마키아벨리』(21세기북스, 2013)
김상회, 『근대의 위기와 정치의 위기』(국민대학교 출판부, 2009)
김정현, 『니체의 몸철학』(지성의 샘, 1995)
김호연, 『우생학, 유전자 정치의 역사-영국, 미국, 독일을 중심으로』(아침이슬, 2009)
길병휘, 『가치와 사실』(서광사, 1996)
니콜로 마키아벨리, 『군주론』(권혁 옮김, 돋을새김, 2005)
니콜로 마키아벨리, 『로마사 논고』(강정인·안선재 옮김, 한길사, 2013)
노택선, 『전쟁, 산업혁명 그리고 경제성장』(해남, 2005)

다니엘 시로, 『근대 세계의 형성과 세계 체계』(남중헌·이득연 옮김, 한국사회학연구소, 1987)
량치차오, 『구유심영록』(이종민 옮김, 산지니, 2016)
러쉬튼 쿨본 편저, 『봉건제의 이해』(김동순 옮김, 민음사, 1996)
리처드 도킨스, 『진화론 강의』(김정은 옮김, 옥당, 2016)
리쩌허우, 『중국현대사상론』(김형종 옮김, 한길사, 2005)
마르크 블로크, 『봉건사회 I 인적 종속관계의 형성』(韓貞淑 譯, 한길사, 1993)
막스 베버, 『프로테스탄티즘 윤리와 자본주의 정신 직업으로서의 학문/직업으로서의 정치/사회학 근본개념』(김현욱 옮김, 동서문화사, 2016)
박정호·양운덕·이봉재·조광제 엮음, 『현대 철학의 흐름』(동녘, 1998)
백승현, 『서양정치사상 근대 초기』(고온, 2013)
백종현, 『서양 근대철학』(철학과 현실사, 2001)
뽈 망뚜, 『산업혁명사 上』(鄭允炯·金鍾澈 共譯, 創作社, 1987)
서광선·정대현 편역, 『비트겐슈타인』(이화여자대학교 출판부, 1987)
신승하·유장근·장의식, 『19세기 중국사회』(신서원, 2003)
양일모, 『옌푸[嚴復]: 중국의 근대성과 서양사상』(태학사, 2008)
양재혁, 『동양철학-서양 철학과 어떻게 다른가』(소나무, 1998)
에릭 홉스봄, 『제국의 시대』(김동택 옮김, 한길사, 1998)
엘빈 해치, 『문화 상대주의의 역사』(박동천 옮김, 모티브북, 2019)
엠마뉘엘 토드, 『유럽의 발전-인류학적 유럽사』(김경근 옮김, 까치, 1997)
옌푸, 『정치학이란 무엇인가-옌푸』(양일모 역주, 성균관대학교 출판부, 2009)
애덤 스미스, 『국부론』(상)(김수행 역, 동아출판사, 1994)
앨런 S. 케이헌, 『지식인과 자본주의』(정명진 옮김, 부글, 2010)
오스발트 슈펭글러, 『서구의 몰락』(1)(박광순 옮김, 범우사, 1995)
요한네스 힐쉬베르거, 『서양철학사-상권-고대와 중세』(강성위 옮김, 以文出版社, 1988)
요한네스 힐쉬베르거, 『서양철학사-하권-근세와 현대』(강성위 옮김, 以文出版社, 1992)
우덕룡·김태중·김기현·송영복, 『라틴아메리카-마야, 잉카로부터 현재까지의 역사와 문화』(송산출판사, 2003)

우암평화연구원 편, 『정치적 현실주의의 역사와 이론』(화평사, 2003)
이명휘, 『중국 현대 신유학의 자아전환』(최대우·이경환 옮김, 전남대학교 출판부, 2013)
이석호, 『근세·현대 서양윤리사상사』(철학과 현실사, 2010)
이종은, 『정치와 윤리』(책세상, 2011)
이태하, 『종교적 믿음에 대한 몇 가지 철학적 반성』(책세상, 2000)
이혜경, 『량치차오[梁啓超]: 문명과 유학에 얽힌 애증의 서사』(태학사, 2007)
임경규, 「“본질”과 “허상”의 갈림길에서-문화분석 범주로서의 “인종”의 유용성-」(조선대학교 인문학연구원, 『인문학연구』 37집, 2009)
자크 르 고프 外, 『중세에 살기』(최애리 옮김, 동문선, 2000)
장 자크 루소, 『사회계약론』(최석기 옮김, 동서문화사, 2007)
장 자크 루소, 『인간 불평등 기원론』(최석기 옮김, 동서문화사, 2007)
張之洞, 『권학편』(송인재 옮김, 산지니, 2017)
鄭家棟, 『현대신유학』(한국철학사상연구회 논전사분과 옮김, 예문서원, 1994)
鄭瑢載, 『찰스 다윈-인간 다윈과 다위니즘』(民音社, 1988)
철학아카데미, 『처음 읽는 독일 현대철학』(동녘, 2013)
토머스 홉스, 『리바이어던』(1)(진석용 옮김, 나남, 2016)
찰스 다윈, 『종의 기원 1』(박동현 옮김, 신원문화사, 2007)
파스칼 보니파스, 『지정학에 관한 모든 것』(정상필 옮김, 레디셋고, 2016,)
폴 틸리히, 『存在에의 勇氣』(玄永學 옮김, 展望社, 1986)
피에르 테브나즈, 『현상학이란 무엇인가-후설에서 메를로 퐁티까지』(심민화 譯, 文學과 知性社, 1983)
필스 딘, 『經濟思想史』(黃義玨 譯, 宇石, 1986)
프랜시스 베이컨, 『신기관-자연의 해석과 인간의 자연 지배에 관한 잠언』(진석용 옮김, 한길사, 2014)
프레데리크 들루슈 편, 『새 유럽의 역사』(윤승준 역, 까치, 2006)
프리드리히 니체, 『선악의 저편』(김정현 옮김, 책세상, 2002)
토마 피케티, 『21세기 자본』(장경덕 외 옮김, 글항아리, 2014)
한국창조광학회 편, 『창조는 과학적 사실인가?』(한국창조과학회 출판부, 1991)
한국철학사상연구회, 『현대신유학 연구』(동녘, 1994)

C. A. 반 퍼슨, 『몸 영혼 정신-철학적 인간학 입문』(손봉호·강영안 옮김, 서광사, 1989)
E. K. 헌트, 『經濟思想史』(金成九·金洋和 共譯, 풀빛, 1982)
F. 코플스톤, 『영국경험론』(이재영 옮김, 서광사, 1991)
J. 쉐퍼·D. 데네트·D. 암스트롱, 『심리철학』(이병덕 옮김, 소나무, 1990)
J. H. 패리, 『유럽의 헤게모니 확립 약탈의 역사』(김성준 옮김, 신서원, 1998)
L. 스타브리아노스, 『제3세계 역사와 제국주의』(황석천 옮김, 일월서각, 1987)

啓良, 『現代新儒學批判』(上海三聯書店, 1996)
歐陽哲生 編, 『丁文江先生言行錄』(中華書局, 2008)
羅志希, 『科學與玄學』(商務印書館, 2000)
余敦康, 『中國哲學論集』(遼寧大學出版社, 1998)
呂希晨·陳瑩, 『張君勱思想研究』(天津人民出版社, 1996)
楊國榮, 『從嚴復到金岳霖-實證論與中國哲學』(高等教育出版社, 1996)
王繼平, 『轉換與創造—中國近代文化引論』(湖南人民出版社, 1999)
熊月之, 『西學東漸與晚淸社會』(上海人民出版社, 1995)
劉瑞升, 『徐霞客 丁文江 硏究文稿』(地質出版社, 2011)
鄭大華, 『張君勱傳』(中華書局, 1997)
鄭大華, 『張君勱學術思想評傳』(北京圖書館出版社, 1999)
丁文江 撰, 『民國軍事近紀·廣東軍事紀』(中華書局, 2007)
許全興·陳戰難·宋一秀, 『中國現代哲學史』(北京大學出版社, 1998)
胡適, 『丁文江傳』(東方出版社, 2009)
[美] 費俠莉(Charlotte Furth), 『丁文江-科學與中國新文化』(丁子霖·蔣毅堅·楊昭譯·楊照明 校, 新星出版社, 2006)

3. 논문류

강중기, 「양수명의 과학관」(인제대학교 인간·환경·미래연구원, 『인간·환경·미래』 제2호, 2009)
고인석, 「빈 학단의 과학사상: 배경, 형성과정, 그리고 변화」(한국과학철학회, 『과학철학』 13권 1호, 2010)

孔翔喆, 「“5·4”시기 “문화 보수주의”의 담론구조 고찰-梁漱溟의 《동서문화와 그 철학(東西文化及其哲學》을 중심으로-」(중국어문연구회, 『중국어문논총』 제18집, 2000)
孔容鉉, 「創發論의 物理主義的 解釋」(철학연구회, 『철학연구』 21권, 1986)
권의섭, 「니체의 감정이해와 건강함 삶」(새한철학회, 『철학논총』 제104집, 2021)
구민희, 「후스胡適의 사상을 통해 ‘의무가 되어버린 개인의 권리’ 찾기」(조선대학교 인문학연구원, 『인문학연구』 제41집, 2011)
김강식, 「후설의 선험적 현상학은 오이켄의 질서자유주의에 어떠한 영향을 미쳤는가?」(한독경상학회, 『경상논총』 제34권 1호, 2016)
김경희, 「‘독존’에서 ‘공존’으로: 마키아벨리 『군주론』 해석에 대한 일고찰」(서울대학교 한국정치연구소, 『한국정치연구』 제20집, 제1호, 2011)
김기윤, 「다윈과 헉슬리: 진화론, 자유주의, 그리고 제국주의」(호남사학회, 『歷史學硏究』 제67집, 2017)
김기윤, 「토머스 헉슬리와 자연에서 인간의 위치」(호남사학회, 『歷史學硏究』 제63집, 2016)
김병곤, 「리바이어던과 토마스 홉스의 정치사상」(『사회비평』 8, 나남출판사, 1992)
김성환, 「마음의 형이상학으로 노장을 읽다-현대신유학과 이강수 교수의 노장 해석학」(한국도교문화학회, 『도교문화연구』 제23집, 2005)
김영선, 「마키아벨리의 권력과 폭력」(한국가톨릭철학회, 『가톨릭철학』 제6호, 2004)
김용환, 「토마스 홉스: 보수적 이상주의자」(『철학과 현실』, 철학문화연구소, 1995)
김용환, 「홉스 종교철학을 위한 변명: 환원주의와 재구성주의 관점에서」(서양근대철학회, 『근대철학』 8, 2013)
김왕배, 「사회과학 방법론의 쟁점 (1)-실증주의와 이해적 방법의 고찰-」(연세대학교 사회발전연구소, 『연세사회학』 제14호, 1994)
金融吉, 「封建制度 붕괴시 身體文化의 衰退理由」(대구대학교 인문과학연구소, 『인문과학연구』 9, 1991)
김응종, 「토마스 홉스와 무신론」(호서사학회, 『역사와 담론』 55, 2010)
김주용, 「동북아시아의 전쟁과 난민: 만주사변(9.18), 피난 한인의 위기와 그 현재적 의미」(원광대학교 인문학연구소, 『열린정신 인문학연구』 23-3,

2022)
金珍煥, 「張君勱의 民主社會主義思想에 대한 연구」(중국학연구회, 『중국학연구』 17, 1999)
김창규, 「1920年代 中國에서 '玄學'과 '科學' 論爭」(중국사학회, 『中國史研究』 78, 2012)
김창규, 「蔣廷黻과 丁文江의 독재론 재검토」(전남사학회, 『전남사학』 제19집, 2002)
김혜림, 「중국의 번역연구 동향」(한국번역학회, 『번역학연구』 제3권 4호, 2012)
김현주, 「옌푸, 노장을 현대화하다」(한국민주자치학회, 『월간 공공정책』 200, 2022)
김현주, 「신문화운동의 공자 혐오, 어떻게 시작 되었는가」(인문사회21, 『인문사회21』 13, 2022)
김호연, 「19세기 말 영국 우생학의 탄생과 사회적 영향」(이화사학연구회, 『이화사학연구』 제36집, 2008)
류지한, 「벤담의 공리주의와 철학적 급진주의」(한국윤리학회, 『윤리연구』 제141호, 2023)
문지영, 「자유주의와 근대 민주주의 국가」(한국정치학회, 『한국정치학보』 제45집 제1호, 2011)
閔斗基, 「民國革命論-現代史의 起點으로서의 辛亥革命과 5·4運動-」(서울大學校東洋史學研究室 編, 『講座 中國史 VI-改革과 革命-』, 지식산업사, 1990)
민문홍, 「오귀스트 콩트와 사회학의 탄생」(대우재단, 『지식의 지평』 2, 2007)
박창호, 「스펜서의 사회진화론과 오리엔탈리즘」(한국사회역사학회, 『담론 201』, 2004)
朴赫淳, 「洋務運動의 性格」(서울大學校東洋史學研究室 編, 『講座 中國史 V-中華帝國의 動搖-』, 지식산업사, 1989)
반성택, 「후설 현상학으로 보는 철학사」(서울대학교 철학사상연구소, 『철학사상』 55, 2015)
변영진, 「스미스의 도덕감정론에 나타난 도덕법칙」(한국윤리학회, 『윤리연구』 제112호, 2017
裵永東, 「陳獨秀의 民主政治思想」(중국사학회, 『중국사연구』 제31집, 2004)

서진리, 「니체와 에피쿠로스-경험 세계에서의 삶과 초월 세계를 추구하는 삶의 가치 전도-」(대한철학회, 『철학연구』 제164집, 2022)
서민우, 「'영구 계몽'을 위한 내재적 물리학 비판: 서거 백주기에 다시 읽는 마하의 『역학의 발달』」(한국과학철학회, 『과학철학』 19권 3호, 2016)
성백용, 「'봉건제의 일반적 위기'에 관하여-기 부아의 분석을 중심으로」(뉴 래디컬 리뷰, 『이론』 9, 1994)
심창애, 「장군매(張君勱)가 바라본 중국 유가철학의 현실과 대응방안」(忠南大學校 儒學硏究所, 『儒學硏究』 제37집, 2016)
梁秉祐, 「封建制의 槪念」(歷史學會, 『歷史學報』 제141집, 1994)
양일모 「옌푸(嚴復)의 근대성 인식」(동양철학연구회, 『동양철학연구』 제52집, 2007)
양태근, 「1980년대 중국 문화열의 재발견 현장-80년대 회고를 중심으로」(한국중국현대문학학회, 『중국현대문학』 제43호, 2007)
廉雲玉, 「1899년~1906년 영국의 인종퇴화론에 관한 연구-우생학과 관련을 중심으로-」(고대사학회, 『史叢』 제46집, 1997)
오병수, 「일차세계대전후, 양계초의 사상전환과 세계 국가론」(한국중국학회, 『중국학보』, 103집, 2023)
유지아, 「만주사변 후, 만주국군 창설과 역할 변화-일본의 만주국군 지도요령을 중심으로-」(동국대학교 일본학연구소, 『일본학』 제48집, 2019)
유희성, 「과현(科玄) 논쟁과 지적 직각(智的直覺)-자유의지와 결정론을 중심으로-」(서강대학교 철학연구소, 『철학논집』 제22집, 2010)
尹惠英, 「變法運動과 立憲運動」(서울大學校東洋史學硏究室 編, 『講座 中國史 VI -改革과 革命-』, 지식산업사, 1990)
尹志源, 「엄복의 근대인식과 중·서학의 회통」(韓國儒敎學會, 『儒敎思想文化硏究』 제76집, 2019)
은은기, 「루소의 『사회계약론』 한계 고찰」(영남대학교 인문과학연구소, 2013)
이기영, 「서유럽 중세 초기 봉건농민의 부역노동 부담 추이-고전장원제 성립 전후를 중심으로-」(한국프랑스학회, 『프랑스사 연구』 제22호, 2010)
李琪榮, 「서유럽의 봉건적 주종관계 형성(22)-카롤링왕조와 봉건적 주종관계의 제도적 성립-」(역사교육연구회, 『역사교육』 116, 2010)

이동호·이민서·이재서·박희조·전현성·유시환, 「피어슨 상관계수를 이용한 실시간 적응형 모델 학습 기법」(한국정보학회, 『2021년 한국소프트웨어 종합학술대회 논문집』, 2021)
이상일, 「고유벡터공간필터링 접근법에 기반한 피어슨 상관계수의 요소분해」(대한지리학회, 『대한지리학회지』 제5호, 2019)
이상화, 「근대 중국 지식인의 진, 선, 미 개념 연구」(영남대학교 인문과학연구소, 『인문연구』 76호, 2016)
이상호, 「현대신유학(現代新儒學)이란 무엇인가」(한국철학사상연구회, 『현대신유학 연구』, 동녘, 1994)
이선, 「니체의 가상성: 가상과 현실의 예술적 변주」(대한철학회, 『철학연구』 제160집, 2021)
이송호, 「토마스 홉스의 사회질서관에 관한 분석 평가-무질서와 범죄를 중심으로-」(경찰대학 경찰학연구 편집위원회, 『경찰학연구』 15(4), 2015)
이영섭·이강범, 「청대말기 서양문화 수입에 있어서 일본한역에 대한 두 갈래 시선-嚴復·康有爲의 保守的인 性向을 중심으로-」(중앙대학교 외국학연구소, 『외국학연구』 제32집, 2015)
이영재, 「스코틀랜드 도덕철학의 전통에서 본 Adam Smith 도덕감정론의 함의」(한양대학교 제3섹터연구소, 『시민사회와 NGO』 제13권 제2호, 2015)
이영진, 「네이션 안에서 네이션 벗어나기-『상상의 공동체』를 둘러싼 물음들-」(조선대학교 인문학연구원, 『인문학연구』 제55집, 2018)
이용주, 「근대기 중국에서의 과학 이론: 진독수와 양계초를 중심으로」, 忠南大學校 儒學研究所, 『儒學研究』 제26집, 2012)
이용주, 「과학은 종교가 될 수 있는가?: '과학과 인생관' 논쟁과 호적의 '과학 종교 도그마'」(포항공과대학교 융합문명연구원, 『문명과 경계』 2, 2019)
이용철, 「루소 : 자기애와 그 확장」(프랑스문화예술학회, 『프랑스문화예술연구』 제72집, 2020)
이종민, 「20세기 중국의 사회진화론 재정립을 위하여-헉슬리의 『진화와 윤리』(Evolution and Ethics)를 중심으로」(한국중국현대문학학회, 『中國現代文學』 제62호, 2012)
이종훈, 「후설 현상학의 실천적 의미」(한국현상학회, 『철학과 현상학 연구』 7,

1993)
이진우, 「후설 현상학과 탈현대」(한국현상학회, 『철학과 현상학 연구』 4, 1990)
李翰裕, 「아담 스미드의 『道德情緒論』과 『國富論』과의 關係」(經濟史學會, 『經濟史學』 3, 1979)
이현복, 「瞿秋白의 동방문화관 탐색-1920년대 초반 논술을 중심으로」(고려대학교 중국학연구소, 『중국학논총』 제66집, 2019)
전대경, 「아인슈타인의 상대성 이론의 발전과 그의 인식론적 기회주의: 마하와의 관계 속에서 발전한 아인슈타인의 시공간에 관한 인식론의 역사적 여정을 중심으로」(한국기독교철학회, 『기독교철학』 33호, 2022)
鄭貴和, 「1923년 中國의 文化논쟁: 科學과 玄學의 논쟁」(慶星大學校 人文科學研究所, 『中國問題研究』 제5집, 1992)
조주환, 「근대와 탈근대의 변증법: 현상학적 정초주의」(새한철학회, 『철학논총』 제22집, 2000·가을)
조경란, 「중국의 전통과 근대에서 개체와 집단의 문제-새로운 공동체를 위한 시론적 접근」(철학연구회, 『철학연구』 제49집, 2000)
존 로크, 『시민정부론』(이극찬 옮김, 연세대학교 출판부, 1988)
진태원, 「신학정치론에서 홉스 사회계약론의 수용과 변용: 스피노자 정치학에서 사회계약론의 해체 Ⅰ」(서울대학교 철학사상연구소, 『철학사상』 19, 2004)
車雄煥, 「丁文江의 抗日問題認識과 反應」(한국중국학회, 『中國學報』 제42집, 2000)
차홍석, 「이타성에 대한 이기주의 해석 비판: 홉스와 도킨스를 중심으로」(한국정치학회, 『한국정치학회보』 52(2), 2018)
최호영, 「오이켄(R. Eucken) 사상 수용과 한일 지식인의 '문화주의' 전개 양상-다이쇼기 일본 사상계와 『학지광』을 중심으로-」(한림대학교 일본학연구소, 『한림일본학』 제32집, 2018)
최홍식, 「베르그송 철학의 중국적 전개-양수명의 직관 이론을 중심으로」(한국철학사상연구회, 『시대와 철학』 9, 1998)
토마스 헉슬리, 「진화와 윤리」(이종민 역, 한국중국현대문학학회, 『中國現代文學』 제47집, 2008)
한성구, 「중국 근대 실증주의 사조와 딩원장(丁文江)의 인식론」(한국철학사연구회, 『한국철학논집』 제61집, 2019)

한성구, 「中國 近代哲學에 나타난 神祕主義 경향 연구」(한국중국학회, 『중국학보』 제56집, 2007)
한자경, 「홉스의 인간 이해와 국가」, 한국철학회, 『철학』 36, 1991)
허남결, 「공리주의와 정의의 문제-J. S. 밀의 정의론」(한국국민윤리학회, 『국민윤리교육』 35호, 1996,)
허남진·박성규, 「과학과 인생관(현학) 논쟁」(서울대학교 인문학연구소, 『인문논총』 제47집, 2002)
허정윤, 「창조냐, 진화냐?」(창조론오픈포럼, 『창조론 오픈 포럼』 10권 2호, 2016)
許 增, 「丁文江의 科學思想과 中國 近代科學事業의 實踐」(중국사학회, 『中國史研究』 113, 2018)
허 증, 「1920년대 '과학·현학' 논쟁과 '救亡' 의식」(대구사학회, 『대구사학』 제103집, 2011)
허 증, 「진독수의 과학사상」(대구사학회, 『대구사학』 제111집, 2013)
홍성민, 「감정구조와 사회계약론」(한국정치사상학회, 『정치사상연구』 제22집 2호, 2016 가을)
황성만, 「현대신유학의 형성 초기에 보이는 몇 가지 문제」(함국철학사상연구회 논전사분과, 『현대신유학 연구』, 동녘, 1994)
황의서, 「아담 스미스의 경제윤리」(한국국제경제학회, 『國際經濟研究』 제1권 제1호, 1995)
황정아, 「'상상'의 모호한 공간-베네딕트 앤더슨의 『상상의 공동체』 읽기」(영미문학연구회, 『안과 밖』 27, 2009)

薛化元, 「中國現代新儒家思想的發展: 民主憲政的面向」(韓國中國學會, 『國際中國學研究』 제9집, 2006)

4. 기타

2022. 6. 14. 서울신문 인터넷 기사 〈'죽음'이 두렵다는 AI 람다, 그를 감싼 구글 엔지니어가 정직 당한 이유〉.

2022. 6. 27 한겨레신문 인터넷 기사 〈"죽음 두려워요"..감정 AI 논쟁에 숨어든 빅테크의 속임수〉.

2023. 2. 9. 경향신문 인터넷 기사 〈“나는 자의식이 없다” 주장하는 AI… ‘진정한 대화’ 나눌 가능성 없을까〉.

2023. 6. 2. 한겨레신문 인터넷 기사 〈AI 드론 ‘집요한 성취욕’…가상훈련서 조종사 방해되자 공격〉.

2023. 12. 20. 시사IN 인터넷 기사 〈인류는 인공지능을 통제할 수 있을까?〉.

2023. 12. 24. 한겨레신문 인터넷 기사 〈AI가 인간 살상 결정?…유엔, ‘치명적 무기시스템’ 대응 결의〉.

2023. 12. 25. 한겨레신문 인터넷 기사 〈AI의 초지능화 위협…“이르면 5년 뒤 인간 초월 확률 50%”〉.

2023. 12. 26. 〈중앙일보〉 인터넷 기사 〈구글, 3만 명 구조조정 추진설…커지는 AI發 해고 공포〉.

2023. 12. 27. 조선일보 인터넷 기사 〈폴크스바겐 행정직 20% 감축…AI·전기차 시대, 대량 해고 시작〉.

2023. 12. 27. 디지털타임스 인터넷 기사 〈2024년은 AI발 해고의 원년?..."美기업 37% 이미 AI가 노동자 대체"〉.

중국의 과현 논쟁-과학과 인생관

발 행 | 2024년 01월 15일
저 자 | 이경환
펴낸이 | 한건희
펴낸곳 | 주식회사 부크크
출판사등록 | 2014.07.15.(제2014-16호)
주 소 | 서울특별시 금천구 가산디지털1로 119 SK트윈타워 A동 305호
전 화 | 1670-8316
이메일 | info@bookk.co.kr

ISBN | 979-11-410-6501-0

www.bookk.co.kr